JN437672

해설편1

1~13과

GRAMMATIK

독문법 강의록

HU:iNE

일러두기

본 "해설편"은 "교재편" 안에서 다루어진 모든 문항들("기초문제", "심화문제", "마무리문제")에 대한 정답과 설명을 제공한다. 용어 및 기호 사용에 대해 몇몇 사항을 일러두고자 한다.

✱ 해석 문항 안에 포함된 문장(들)에 대한 해석.
(개별 낱말의 의미 및 문법 요소의 작용이 가시적으로 드러나도록 가능한 한 직역을 추구함.)

✱ 어휘 문항 안에 포함된 모든 어휘 요소에 대한 설명.
(해당 문항 안의 모든 어휘 요소들이 다루어짐. 따라서 이전 문항에서 이미 다루어졌더라도 반복적으로 설명됨.)

문장 1 문장 2 ... 문항을 구성하는 문장들을 구분.

☞ 해당 문항의 정답 해결을 위한 핵심적인 문법 사항에 대한 설명.

▸ 정답 해결과는 직접적인 관련이 없지만 학습 필요성이 있는 문법 사항에 대한 설명.

기타 정답 표준적인 정답 이외에 일정 관점 하에 잠재적으로 가능한 정답.

<참고> 본래의 설명과 관련하여 추가로 학습될 수 있는 내용.
(✱ 어휘 혹은 ☞ 및 ▸ 에 부수적으로 제시됨.)

<주의> 본래의 설명과 관련하여 학습자가 주목하여야 할 내용.
(✱ 어휘 혹은 ☞ 및 ▸ 에 부수적으로 제시됨.)

CONTENTS

Lektion 1

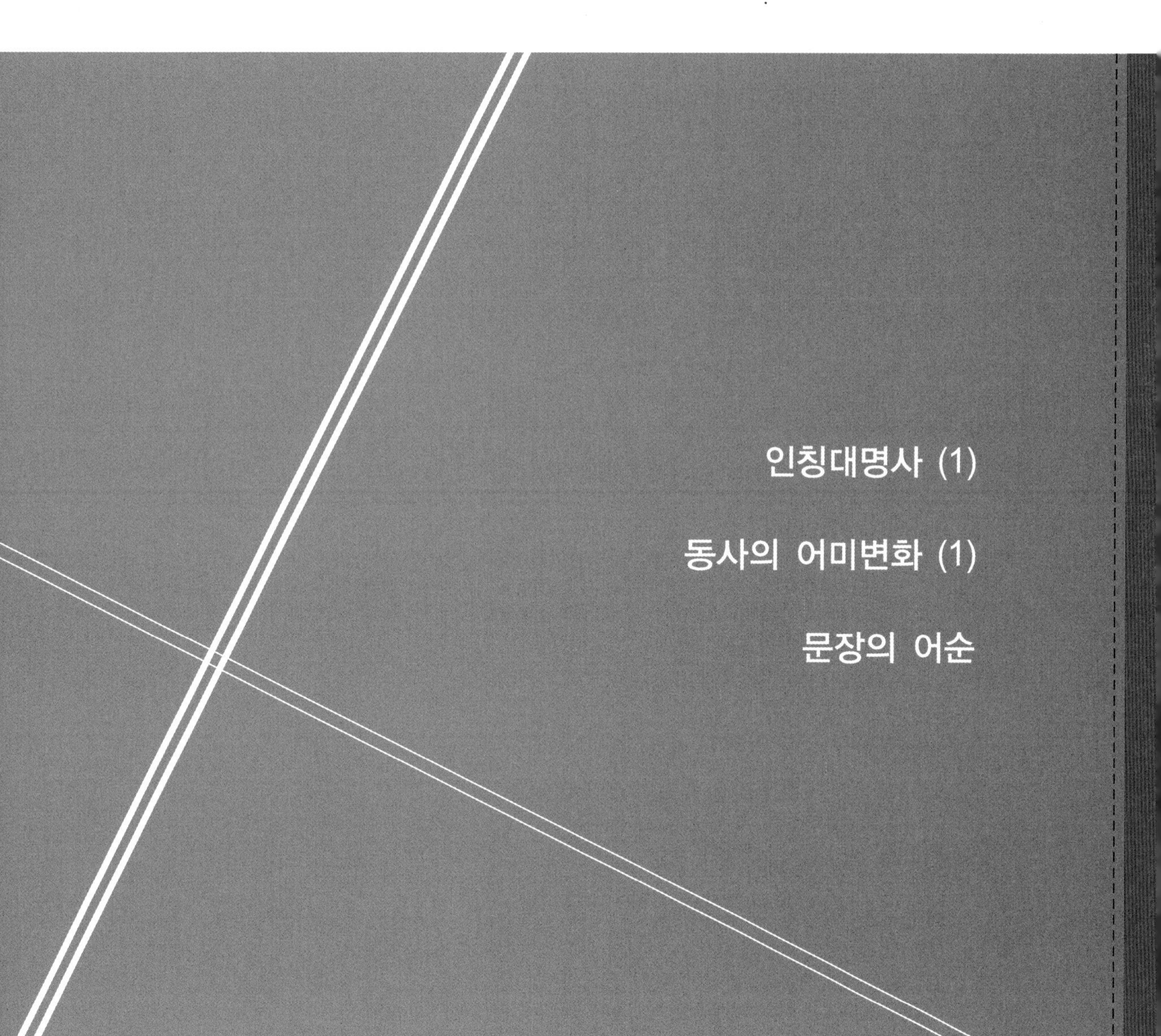

unit 01

기초문제

I. 밑줄 친 곳에 알맞은 어미는? (1과, 기초문제: 교재 2쪽)

1. wohnen 거주하다, 살다 (영. live)

   ich wohn*e* / du wohn*st* / Sie wohn*en*

2. trinken 마시다 (영. drink)

   ich trink*e* / du trink*st* / Sie trink*en*

3. singen 노래하다 (영. sing)

   ich sing*e* / du sing*st* / Sie sing*en*

4. kommen 오다 (영. come)

   ich komm*e* / du komm*st* / Sie komm*en*

5. gehen 가다 (영. go)

   ich geh*e* / du geh*st* / Sie geh*en*

6. hören 듣다 (영. hear)

   ich hör*e* / du hör*st* / Sie hör*en*

7. machen 만들다, 행하다 (영. make)

   ich mach*e* / du mach*st* / Sie mach*en*

8. studieren 전공하다, 대학 공부하다 (영. study at university)

   ich studier*e* / du studier*st* / Sie studier*en*

II. 밑줄 친 곳에 알맞은 어미는? (1과, 기초문제: 교재 2쪽)

1. Wann geh<u>en</u> Sie? Geh<u>en</u> Sie jetzt?

✺ **해석** 당신은 언제 가십니까? 지금 가십니까?

✺ **어휘** wann [의문사] 언제? (영. when?) ▌gehen [동사] 가다 ▌jetzt [부사어] 지금 (영. now)

문장 1

▸ 의문사 Wann이 있는 의문문으로서 어순은 *도치법* : 「Wann + 동사 + 주어 ...?」

☞ 주어가 단수 2인칭의 격식칭 Sie('당신은')이므로 동사는 원형 어미 *-en*이 붙어 geh*en*임.

문장 2

▸ 의문사 없는 의문문이므로 어순은 *도치법* : 「동사 + 주어 ...?」

☞ 주어가 Sie('당신은')이므로 동사는 원형 어미 *-en*이 붙어 Geh*en*임.

Nein, ich geh<u>e</u> später.

✺ **해석** 아니오, 저는 나중에 갑니다.

✺ **어휘** nein 아니오 (부정 답변에 사용! 영. no) ▌gehen [동사] 가다 ▌später [부사어] 나중에

▸ 부정 답변의 nein 뒤에는 반드시 콤마(,)가 옴.

▸ 평서문이므로 기본 어순인 *정치법* : 「주어 + 동사 ...」

☞ 주어가 단수 1인칭 ich('나는')이므로 동사는 어미 *-e*가 붙어 geh*e*임.

2. Wann komm<u>en</u> Sie? Komm<u>en</u> Sie heute?

✺ **해석** 당신은 언제 오십니까? 오늘 오십니까?

✺ **어휘** wann [의문사] 언제? ▌kommen [동사] 오다 ▌heute [부사어] 오늘 (영. today)

문장 1

▸ 의문사 Wann이 있는 의문문으로서 어순은 *도치법* : 「Wann + 동사 + 주어 ...?」

☞ 주어가 단수 2인칭의 격식칭 Sie('당신은')이므로 동사는 원형 어미 *-en*이 붙어 komm*en*임.

문장 2

▸ 의문사 없는 의문문으로서 어순은 *도치법* : 「동사 + 주어 ...?」

☞ 주어가 Sie('당신은')이므로 동사는 원형 어미 *-en*이 붙어 Komm*en*임.

Nein, ich komm<u>e</u> morgen.

✺ **해석** 아니오, 저는 내일 옵니다.

✺ **어휘** nein 아니, 아니오 ▌kommen [동사] 오다 ▌morgen [부사어] 내일 (영. tomorrow)

► 평서문이므로 기본 어순으로서 *정치법* :「주어 + 동사 ...」

☞ 주어가 ich('나는')이므로 동사는 어미 *-e*가 붙어 komm*e*임.

3. Was trink<u>en</u> Sie? Trink<u>en</u> Sie Bier?

✺ **해석** 당신은 무엇을 마십니까? 맥주를 마십니까?

✺ **어휘** was [의문사] 무엇을? (영. what?) ▌trinken [타동사] ...을 마시다 ▌Bier [명사] 맥주

문장 1

► 의문사 Was가 있는 의문문으로서 어순은 *도치법* :「Was + 동사 + 주어 ...?」

☞ 주어가 단수 2인칭의 격식칭 Sie('당신은')이므로 동사는 원형 어미 *-en*이 붙어 trink*en*임.

► 문장 맨 앞의 의문사 Was는 동사 trinken의 목적어임.
(의문사는 문장 맨 앞에 위치함!)

문장 2

► 의문사 없는 의문문으로서 어순은 *도치법* :「동사 + 주어 ...?」

☞ 주어가 Sie('당신은')이므로 동사는 원형 어미 *-en*이 붙어 Trink*en*임.

► 명사 Bier는 동사 Trinken의 목적어임.

Nein, ich trink<u>e</u> Wein.

✺ **해석** 아니오, 저는 포도주를 마십니다.

✺ **어휘** nein 아니, 아니오 ▌trinken [타동사] ...을 마시다 ▌Wein [명사] 포도주

► 평서문이므로 기본 어순으로서 *정치법* :「주어 + 동사 ...」

☞ 주어가 단수 1인칭 ich('나는')이므로 동사는 어미 *-e*가 붙어 trink*e*임.

► 명사 Wein은 동사 trinke의 목적어임.

4. Was mach<u>st</u> du jetzt? Lern<u>st</u> du?

✺ **해석** 너는 지금 무엇을 하니? 공부하니?

✺ **어휘** was [의문사] 무엇을? ▌machen [타동사] ...을 하다, 행하다 ▌jetzt [부사어] 지금 ▌lernen [동사] 공부하다

문장 1

► 의문사 Was가 있는 의문문으로서 어순은 *도치법* : 「Was + 동사 + 주어 ...?」 (의문사는 문장 맨 앞에 위치함!)

☞ 주어가 단수 2인칭 du('너는')이므로 동사는 어미 *-st*가 붙어 mach*st*임.

► 문장 맨 앞의 의문사 Was는 동사 machst의 목적어임.

문장 2

► 의문사 없는 의문문으로서 어순은 *도치법* : 「동사 + 주어 ...?」

☞ 주어가 du('너는')이므로 동사는 어미 *-st*가 붙어 Lern*st*임.

Nein, ich höre_ Musik.

✹ **해석** 아니, 나는 음악을 들어.

✹ **어휘** nein 아니오 ▌hören [타동사] ...을 듣다 ▌Musik [명사] 음악

► 평서문이므로 기본 어순으로서 *정치법* : 「주어 + 동사 ...」

☞ 주어가 ich('나는')이므로 동사는 어미 *-e*가 붙어 hör*e*임.

► 명사 Musik은 동사 höre의 목적어임.

5. Wo studierst_ du? Studierst_ du in Berlin?

✹ **해석** 너는 어디서 대학 공부하니? 베를린에서 대학에 다니니?

✹ **어휘** wo [의문사] 어디에(서)? (영. where?) ▌studieren [동사] 대학에서 공부하다 ▌in [전치사] ~안에, ~안에서 ▌Berlin [고유명사] (독일의 도시) 베를린

문장 1

► 의문사 Wo가 있는 의문문으로서 어순은 *도치법* : 「Wo + 동사 + 주어 ...?」

☞ 주어가 단수 2인칭 du('너는')이므로 동사는 어미 *-st*가 붙어 studier*st*임.

문장 2

► 의문사 없는 의문문이므로 어순은 *도치법* : 「동사 + 주어 ...?」

☞ 주어가 du('너는')이므로 동사는 어미 *-st*가 붙어 Studier*st*임.

► 도시 명은 고유명사로서 관사 없음: in Berlin 베를린에서

Nein, ich studiere_ in Hamburg.

✹ **해석** 아니, 나는 함부르크에서 대학 공부해.

✹ **어휘** nein 아니오 ▌studieren [동사] 대학에서 공부하다 ▌in [전치사] ~안에(서) ▌Hamburg [고유명사] (독일 도시) 함부르크

► 평서문이므로 어순은 *정치법* :「주어 + 동사 ...」

☞ 주어가 ich('나는')이므로 동사는 어미 *-e*가 붙어 studier*e*임.

► 도시명은 고유명사로서 관사 없음: in Hamburg 함부르크에서

III. 밑줄 친 곳에 알맞은 말은? (1과, 기초문제: 교재 2쪽)

1. Trinken Sie gern Bier?

✹ **해석** 당신은 맥주를 즐겨 마십니까?

✹ **어휘** trinken [타동사] ...을 마시다 ▌gern(e) [부사어] 즐겨, 기꺼이 ▌Bier [명사] 맥주

► 의문사 없는 의문문이므로 어순은 *도치법* :「동사 + 주어 ...?」

► 주어가 단수 2인칭의 격식칭 Sie('당신은')이므로 동사는 원형 어미 *-en*이 붙어 Trink*en*임.

► 명사 Bier는 동사 Trinken의 목적어임.

Nein, Bier _trinke_ _ich_ nie.

✹ **해석** 아니오, 맥주를 저는 결코 마시지 않습니다.

✹ **어휘** nein 아니오 ▌Bier [명사] 맥주 ▌trinken [타동사] ...을 마시다 ▌nie 결코 ... 않다 (부정어 nicht의 강화된 의미! 영. never)

► 평서문이지만 동사의 목적어 Bier가 앞에 나오므로 *도치법* :「Bier + 동사 + 주어 ...」

☞ • 내용상 "*저는* ..."으로 답변해야 하므로 주어는 단수 1인칭의 ich임.
• 주어가 ich('저는, 나는')이므로 동사는 어미 *-e*가 붙어 trink*e*임.

2. Hören Sie gern Musik?

✹ **해석** 당신은 음악을 즐겨 듣습니까?

✹ **어휘** hören [타동사] ...을 듣다 ▌gern(e) [부사어] 즐겨, 기꺼이 ▌Musik [명사] 음악

► 의문사 없는 의문문으로서 어순은 *도치법* :「동사 + 주어 ...?」

► 주어가 단수 2인칭의 격식칭 Sie('당신은')이므로 동사는 원형 어미 *-en*이 붙어 Hör*en*임.

► 명사 Musik은 동사 Hören의 목적어임.

Ja, Musik _höre_ _ich_ gern.

✳ **해석** 예, 음악을 저는 즐겨 듣습니다.

✳ **어휘** ja 예, 응 (긍정 답변에 사용! 영. yes) ▌Musik [명사] 음악 ▌hören [타동사] ...을 듣다 ▌gern(e) [부사어] 즐겨, 기꺼이

► 평서문이지만 동사의 목적어 Musik이 앞에 나오므로 *도치법* : 「Musik + 동사 + 주어 ...」

☞ • 내용상 "*저는* ..."으로 답변해야 하므로 주어는 단수 1인칭 ich임.

• 주어가 ich('저는, 나는')이므로 동사는 어미 *-e*가 붙어 hör*e*임.

3. Spielen Sie oft Fußball?

✳ **해석** 당신은 자주 축구를 하십니까?

✳ **어휘** spielen [타동사] (운동) ...을 하다, 놀다 (영. play) ▌oft [부사어] 자주, 빈번히 ▌Fußball [명사] 축구 → Fuß [명사] 발 + Ball [명사] 공

► 의문사 없는 의문문으로서 어순은 *도치법* : 「동사 + 주어 ...?」

► 주어가 Sie('당신은')이므로 동사는 원형 어미 *-en*이 붙어 Spiel*en*임.

► 명사 Fußball은 동사 Spielen의 목적어임.

Nein, Fußball _spiele_ _ich_ nicht oft.

✳ **해석** 아니오, 축구를 저는 자주 하지 않습니다.

✳ **어휘** nein 아니오 ▌Fußball [명사] 축구 ▌spielen [타동사] (운동) ...을 하다, 놀다 ▌nicht ... 않다 (부정문을 만드는 부정어! 영. not) ▌oft [부사어] 자주, 빈번히

► 평서문이지만 동사의 목적어 Fußball이 앞에 오므로 *도치법* : 「Fußball + 동사 + 주어 ...」

☞ • 내용상 "*저는* ..."으로 답변해야 하므로 주어는 단수 1인칭 ich임.

• 주어가 ich('저는, 나는')이므로 동사는 어미 *-e*가 붙어 spiel*e*임.

► 부정문을 만드는 부사어 nicht는 부정하려는 요소 앞에 위치함!
여기서는 부사어 oft 앞에 위치하여 이를 부정함.

4. Kommst du morgen?

✳ **해석** 너는 내일 오니?

✳ **어휘** kommen [동사] 오다 ▌morgen [부사어] 내일

► 의문사 없는 의문문이므로 어순은 *도치법* : 「동사 + 주어 ...?」

► 주어가 단수 2인칭 du('너는')이므로 동사는 어미 *-st*가 붙어 Komm*st*임.

Nein, morgen _komme_ _ich_ nicht.

✻ **해석** 아니, 내일 나는 오지 않아.

✻ **어휘** nein 아니오 ▌morgen [부사어] 내일 ▌kommen [동사] 오다 ▌
nicht ... 않다 (부정문을 만듦! 영. not)

► 평서문이지만 부사어 morgen이 앞에 나오므로 *도치법* :
「..., morgen + 동사 + 주어 ...」

☞ • 내용상 "*나는* ..."으로 답변해야 하므로 주어는 단수 1인칭 ich임.
• 주어가 ich('나는, 저는')이므로 동사는 어미 *-e*가 붙어 komm*e*임.

unit 02

심화문제

I. 다음 질문에 답하시오. (1과, 심화문제: 교재 4쪽)

1. Spielen Sie heute Tennis? - Nein, heute spiele ich nicht Tennis.

✺ **해석** 당신은 오늘 테니스를 하시나요? - 아니오, 오늘 저는 테니스를 하지 않아요.

✺ **어휘** spielen [타동사] (운동) ...을 하다 ▌ heute [부사어] 오늘 ▌ Tennis [명사] 테니스 ▌ nein 아니오 ▌ nicht ... 않다 (부정문을 만듦!)

문장 1

► 의문사 없는 의문문이므로 어순은 *도치법* : 「동사 + 주어 ...?」

► 주어가 단수 2인칭의 격식칭 Sie('당신은')이므로 동사는 원형 어미 *-en*이 붙어 Spiel*en*임.

► 명사 Tennis는 동사 Spielen의 목적어임.

문장 2

► 평서문이지만 부사어 heute가 앞에 나오므로 *도치법* : 「..., heute + 동사 + 주어 ...」

☞ • 주어는 단수 1인칭 ich('저는, 나는')이므로 동사는 어미 *-e*가 붙어 spiel*e*임.
• 동사 spiele의 목적어인 Tennis는 도치된 주어 ich의 뒤에 옴.
• 부정어 nicht가 목적어 Tennis 앞에 위치하여 이를 부정함.

2. Studieren Sie auch Germanistik? - Nein, ich studiere nicht Germanistik.

✺ **해석** 당신도 독어독문학을 전공하시나요? - 아니오, 저는 독어독문학을 전공하지 않아요.

✺ **어휘** studieren [타동사] 대학에서 ...을 전공하다 ▌ auch [부사어] ...도, 역시 (영. also) ▌ Germanistik [명사] 독어독문학 ▌ nein 아니, 아니오 ▌ nicht ... 않다 (영. not)

문장 1

► 의문사 없는 의문문으로서 어순은 *도치법* : 「동사 + 주어 ...?」

► 주어가 단수 2인칭의 격식칭 Sie('당신은')이므로 동사는 원형 어미 *-en*이 붙어 Studier*en*임.

► 명사 Germanistik은 동사 Studieren의 목적어임.

문장 2

► 평서문이므로 어순은 *정치법* : 「주어 + 동사 ...」

☞ • 주어가 ich('저는, 나는')이므로 동사는 어미 *-e*가 붙어 studier*e*임.
• 동사 studiere의 목적어인 Germanistik은 동사 뒤에 옴.
• 부정어 nicht는 목적어 Germanistik 앞에 위치하여 이를 부정함.

3. Schlafen Sie am Sonntag lange? - Nein, am Sonntag <u>schlafe ich nicht lange.</u>

✱ **해석** 당신은 일요일에 오랫동안 주무시나요? - 아니오, 일요일에 저는 오랫동안 잠자지 않아요.

✱ **어휘** schlafen [동사] 잠자다 ▌Sonntag [명사] 일요일 → 「am + 요일」 : am Sonntag 일요일에 ▌lange [부사어] 오랫동안 ▌nein 아니오 ▌nicht ... 않다

문장 1

► 의문사 없는 의문문으로서 어순은 *도치법* : 「동사 + 주어 ...?」

► 주어가 단수 2인칭의 격식칭 Sie('당신은')이므로 동사는 원형 어미 *-en*이 붙어 Schlaf<u>en</u>임.

문장 2

► 평서문이지만 주어가 아닌 부사어 am Sonntag이 앞에 나오므로 어순은 *도치법* : 「Am Sonntag + 동사 + 주어 ...」

☞ • 주어는 단수 1인칭 ich('저는, 나는')이므로 동사는 어미 *-e*가 붙은 schlaf<u>e</u>임.

• 부사어 lange는 주어 ich 뒤에 위치함.

• 부정어 nicht가 부사어 lange 앞에 위치하여 이를 부정함.

4. Leben Sie schon lange in Deutschland? - Ja, in Deutschland <u>lebe ich schon lange.</u>

✱ **해석** 당신은 이미 오랫동안 독일에 살고 있나요? - 예, 독일에서 저는 벌써 오랫동안 살고 있어요.

✱ **어휘** leben [동사] 살다 ▌schon [부사어] 이미, 벌써 ▌lange [부사어] 오랫동안 ▌in [전치사] ~안에(서) ▌Deutschland [고유명사] 독일 ▌ja 응, 예

문장 1

► 의문사 없는 의문문으로서 어순은 *도치법* : 「동사 + 주어 ...?」

► 주어가 단수 2인칭의 격식칭 Sie('당신은')이므로 동사는 원형 어미 *-en*이 붙어 Leb<u>en</u>임.

► 국가 명은 고유명사로서 관사 없음: in Deutschland 독일에서

<참고> 도시 명 Berlin, Hamburg, München, Frankfurt, Seoul 등도 고유명사로서 관사 없음!

문장 2

► 평서문이지만 주어가 아닌 부사어 in Deutschland가 앞에 오므로 어순은 *도치법* : 「In Deutschland + 동사 + 주어 ...」

☞ • 주어는 단수 1인칭 ich('저는, 나는')이므로 동사는 어미 *-e*가 붙은 leb<u>e</u>임.

• 두 개의 부사어 schon과 lange가 결합한 부사어 schon lange('이미 오랫동안')는 도치된 주어 ich의 뒤에 위치함.

5. Hören Sie manchmal Musik? - Ja, manchmal höre ich Musik.

✺ **해석** 당신은 간혹 음악을 듣나요? - 예, 간혹 저는 음악을 들어요.

✺ **어휘** hören [타동사] ...을 듣다 ▌ manchmal [부사어] 가끔, 간혹 ▌ Musik [명사] 음악 ▌ ja 예, 응 (영. yes)

문장 1

► 의문사 없는 의문문으로서 어순은 *도치법* : 「동사 + 주어 ...?」

► 주어가 단수 2인칭의 격식칭 Sie('당신은')이므로 동사는 원형 어미 *-en*이 붙어 Hör*en*임.

► 명사 Musik은 동사 Hören의 목적어임.

문장 2

► 평서문이지만 부사어 manchmal이 앞에 나오므로 *도치법* : 「Manchmal + 동사 + 주어 ...」

☞ • 주어는 단수 1인칭 ich('저는, 나는')이므로 동사는 어미 *-e*가 붙은 hör*e*임.

• 동사 höre의 목적어인 Musik은 도치된 주어 ich의 뒤에 옴.

6. Haben Sie am Samstag Zeit? - Ja, am Samstag habe ich Zeit.

✺ **해석** 당신은 토요일에 시간이 있나요? - 예, 토요일에 저는 시간이 있어요.

✺ **어휘** haben [타동사] ...을 가지고 있다 (영. have) ▌ Samstag = Sonnabend [명사] 토요일 → 「am + 요일」 : am Samstag 토요일에 ▌ Zeit [명사] 시간 ▌ ja 예, 응

문장 1

► 의문사 없는 의문문으로서 어순은 *도치법* : 「동사 + 주어 ...?」

► 주어가 단수 2인칭의 격식칭 Sie('당신은')이므로 동사는 원형 어미 *-en*이 붙어 Hab*en*임.

► 명사 Zeit은 동사 Haben의 목적어임.

문장 2

► 평서문이지만 주어가 아닌 부사어 am Samstag이 앞에 나오므로 어순은 *도치법* : 「Am Samstag + 동사 + 주어 ...」

☞ • 주어는 단수 1인칭 ich('저는, 나는')이므로 동사는 어미 *-e*가 붙어 hab*e*임.

• 동사 habe의 목적어인 Zeit는 도치된 주어 ich의 뒤에 옴.

Ⅱ. 질문을 완성하시오. (1과, 심화문제: 교재 4쪽)

1. Wo wohnst du? - Ich wohne in Seoul.

✺ **해석** 너는 어디에 거주하니? - 나는 서울에 거주해.

✺ **어휘** wo [의문사] 어디에(서)? ▌ wohnen [동사] 살다, 거주하다 ▌ in [전치사] ~안에(서) ▌ Seoul [고유명사] 서울 (고유명사는 관사 없음!)

문장 1

☞ • '장소'를 묻는 의문사 wo, 그리고 뒤 문장과 동일한 동사 wohnen이 사용되어야 함.
• 의문사 wo가 있는 의문문으로서 어순은 *도치법* : 「Wo + 동사 + 주어 ...?」
• 주어가 du('너는')이므로 동사는 어미 *-st*가 붙어 wohn*st*임.

문장 2

► 평서문이므로 어순은 *정치법* : 「주어 + 동사 ...」
► 주어가 Ich('나는')이므로 동사는 어미 *-e*가 붙어 wohn*e*임.

2. Wo arbeiten Sie? - Ich arbeite bei Samsung.

✺ **해석** 당신은 어디서 일하십니까? - 저는 삼성에서 일합니다.

✺ **어휘** wo [의문사] 어디에(서)? ▌arbeiten [동사] 일하다 ▌bei [전치사] ~옆에, ~에

문장 1

☞ • '장소'를 묻는 의문사 wo, 그리고 뒤 문장과 동일한 동사 arbeiten이 사용되어야 함.
• 의문사 wo가 있는 의문문으로서 어순은 *도치법* : 「Wo + 동사 + 주어 ...?」
• 주어가 Sie('당신은')이므로 동사는 원형 어미 *-en*이 붙어 arbeit*en*임.

문장 2

► 평서문이므로 기본 어순인 *정치법* : 「주어 + 동사 ...」
► 주어가 Ich('저는, 나는')이므로 동사는 어미 *-e*가 붙어 arbeit*e*임.
► 「전치사 bei + 회사」 : bei Samsung 삼성 회사에서

3. Was spielst du gern? - Ich spiele gern Handball.

✺ **해석** 너는 무엇을 즐겨 하니? - 나는 핸드볼을 즐겨 해.

✺ **어휘** was [의문사] 무엇을? ▌spielen [타동사] (운동) ...을 하다 ▌gern(e) [부사어] 즐겨, 기꺼이 ▌
Handball [명사] 핸드볼 → Hand [명사] 손 + Ball [명사] 공

문장 1

☞ • '사물'을 묻는 의문사 was, 그리고 뒤 문장과 동일한 동사 spielen이 사용되어야 함.
• 의문사 was가 있는 의문문으로서 어순은 *도치법* : 「Was + 동사 + 주어 ...?」
• 주어가 du('너는')이므로 동사는 어미 *-st*가 붙어 spiel*st*임.
► 문장 맨 앞의 의문사 Was는 동사 spielst의 목적어임.

문장 2

► 평서문이므로 어순은 *정치법* : 「주어 + 동사 ...」
► 주어가 Ich('나는')이므로 동사는 어미 *-e*가 붙어 spiel*e*임.
► 명사 Handball은 동사 spiele의 목적어임.

4. Was studieren Sie? - Ich studiere Germanistik.

✱ **해석** 당신은 무엇을 전공하십니까? - 저는 독어독문학을 전공합니다.

✱ **어휘** was [의문사] 무엇을? ▌ studieren [타동사] ...을 전공하다 ▌ Germanistik [명사] 독어독문학

문장 1

☞ • '사물'을 묻는 의문사 was, 그리고 뒤 문장과 동일한 동사 studieren이 사용되어야 함.

• 의문사 was가 있는 의문문으로서 어순은 *도치법* : 「Was + 동사 + 주어 ...?」

• 주어가 Sie('당신은')이므로 동사는 원형 어미 *-en*이 붙어 studier*en*임.

► 문장 맨 앞의 의문사 Was는 동사 studieren의 목적어임.

문장 2

► 평서문이므로 어순은 *정치법* : 「주어 + 동사 ...」

► 주어가 Ich('나는')이므로 동사는 어미 *-e*가 붙어 studier*e*임.

► 명사 Germanistik은 동사 studiere의 목적어임.

5. Woher kommst du? - Ich komme aus Deutschland.

✱ **해석** 너는 어디 출신이니? - 나는 독일 출신이야.

✱ **어휘** woher [의문사] 어디로부터? (영. where ... from?) ▌ kommen [동사] 오다 ▌
aus [전치사] ~로부터 (영. out of) ▌ Deutschland [고유명사] 독일 (고유명사 관사 없음!)

문장 1

☞ • '출신지'를 묻는 내용이므로 의문사 woher와 함께 동사 kommen이 사용되어야 함.

• 의문사 woher가 있는 의문문으로서 어순은 *도치법* : 「Woher + 동사 + 주어 ...?」

• 주어가 du('너는')이므로 동사는 어미 *-st*가 붙어 komm*st*임.

문장 2

► 평서문이므로 기본 어순인 *정치법* : 「주어 + 동사 ...」

► 주어가 Ich('나는')이므로 동사는 어미 *-e*가 붙어 komm*e*임.

► 「kommen aus + 국가, 도시」 ... 출신이다

6. Tanzen Sie gern? - Nein, ich tanze nicht gern.

✱ **해석** 당신은 춤추기를 즐기나요? - 아니요, 저는 춤추기를 즐기지 않아요.

✱ **어휘** tanzen [동사] 춤추다 ▌ gern(e) [부사어] 즐겨, 기꺼이 ▌ nein 아니오 ▌ nicht ... 않다

문장 1

☞ • 내용상 "*당신은* ...?"으로 묻는 의문문이어야 함.
따라서 주어는 Sie('당신은')이며, 동사는 뒤 문장과 같은 tanzen임.
• 의문사 없는 의문문이므로 어순은 *도치법* : 「동사 + 주어 ...?」
주어가 Sie('당신은')이므로 동사는 원형 어미 *-en*이 붙어 Tanz*en*임.

문장 2

► 부정 답변의 평서문이므로 어순은 *정치법* : 「주어 + 동사 ...」
► 주어가 ich('저는, 나는')이므로 동사는 어미 *-e*가 붙어 tanz*e*임.
► 부정어 nicht가 부사어 gern 앞에 와서 이를 부정함.

기타 정답

Tanzt du gern? - Nein, ich tanze nicht gern.
너는 춤추기를 즐기니? - 아니, 나는 춤추기를 즐기지 않아.
► 내용상 "*너는* ...?"으로 묻는 의문문도 가능함.
따라서 주어가 du('너는')이므로 동사 형태는 tanz*t*임.
<주의> 주어가 du일 경우는 동사 어미가 원래 -st이지만, 동사 tanzen은 어간 끝이 -z이므로 발음상 -s-가 탈락하여 Tanz*t*임. (즉, Tanz*st*는 틀림!)

7. Kochen Sie oft? - Ja, ich koche sehr oft.

✵ **해석** 당신은 자주 요리하시나요? - 예, 저는 매우 빈번히 요리해요.

✵ **어휘** kochen [동사] 요리하다 ▌oft [부사어] 자주 ▌ja 예, 응 ▌sehr [부사어] 매우 (영. very)

문장 1

☞ • 내용상 "*당신은* ...?"으로 묻는 의문문이어야 함.
따라서 주어는 Sie('당신은')이며, 동사는 뒤 문장과 같은 kochen임.
• 의문사 없는 의문문이므로 어순은 *도치법* : 「동사 + 주어 ...?」
주어가 Sie('당신은')이므로 동사는 원형 어미 *-en*이 붙어 Koch*en*임.

문장 2

► 긍정 답변의 평서문이므로 어순은 *정치법* : 「주어 + 동사 ...」
► 주어가 ich('저는, 나는')이므로 동사는 어미 *-e*가 붙어 koch*e*임.
► 부사어 sehr는 다른 부사어 앞에 와서 이를 수식함: sehr oft 매우 자주

기타 정답

Kochst du oft? - Ja, ich koche sehr oft.
너는 자주 요리하니? - 응, 나는 매우 빈번히 요리해.
► 내용상 "*너는* ...?"으로 묻는 의문문도 가능함.
따라서 주어가 du('너는')이므로 동사는 어미 *-st*가 붙어 Koch*st*임.

8. Warten Sie auch? - Nein, ich warte nicht.

✹ **해석** 당신도 역시 기다리나요? - 아니오, 저는 기다리지 않아요.

✹ **어휘** warten [동사] 기다리다 ▌auch [부사어] ...도, 역시 (영. also) ▌nein 아니오, 아니 ▌ nicht ... 않다

문장 1

☞ • 내용상 "*당신은* ...?"으로 묻는 의문문이어야 함.
따라서 주어는 Sie('당신은')이며, 동사는 뒤 문장과 같은 warten임.
• 의문사 없는 의문문이므로 어순은 *도치법* : 「동사 + 주어 ...?」
주어가 Sie('당신은')이므로 동사는 원형 어미 *-en*이 붙어 wart*en*임.

문장 2

► 평서문이므로 어순은 *정치법* : 「주어 + 동사 ...」
► 주어가 ich('저는, 나는')이므로 동사는 어미 *-e*가 붙어 wart*e*임.

기타 정답

Wartest du auch? - Nein, ich warte nicht.
너도 기다리니? - 아니, 나는 기다리지 않아.
► 내용상 "*너는* ...?"으로 묻는 의문문도 가능함.
따라서 주어가 du('너는')이므로 동사 형태는 Wart*est*임.
<주의> 주어가 du일 경우는 동사 어미가 원래 -st이지만, warten은 어간 끝이 -t이므로 발음상 -e-가 첨가되어 Wart*est*임. (즉, Wart*st* 틀림!)

Ⅲ. 〈보기〉처럼 주어진 표현을 사용하여 명령문을 구성하시오. (1과, 심화문제: 교재 4쪽)

<보기> hier warten :
Herr Rolf, warten Sie bitte hier !

✹ **해석** 롤프씨, 여기서 기다리세요.

✹ **어휘** Herr ... (남자 호칭) ...씨 (영. Mr. ...) ▌warten [동사] 기다리다 ▌bitte [부사어] 명령문에서 정중한 요구를 표현함. (우리말 해석 필요 없음!) ▌hier [부사어] 여기, 여기에 (↔ dort, da 저기에)

☞ Sie-명령문은 「동사 원형 + Sie ...!」 ... 하세요 : ..., wart*en Sie* ...! 기다리세요.

1. gleich kommen :

Herr Kunze, _kommen Sie_ bitte _gleich_ !

❋ **해석** 쿤체씨, 즉시 오세요.

❋ **어휘** Herr ... (남자 호칭) ...씨 ▌kommen [동사] 오다 ▌bitte [부사어] 명령문에서 정중한 요구를 표현함. (우리말 해석 필요 없음! 영. please) ▌gleich [부사어] 곧, 즉시

☞ Sie-명령문은「동사 원형 + Sie ...!」... 하세요 : ..., komm*en Sie* ...! 오세요.

2. viel kochen :

Frau Schneider, _kochen Sie_ bitte _viel_ !

❋ **해석** 슈나이더 부인, 많이 요리하세요.

❋ **어휘** Frau ... (여자 호칭) ...씨, ...부인 (영. Mrs. / Miss ...) ▌kochen [동사] 요리하다 ▌bitte [부사어] 명령문에서 정중한 요구를 표현함. (우리말 해석 필요 없음!) ▌viel 많이

☞ Sie-명령문은「동사 원형 + Sie ...!」... 하세요 : ..., koch*en Sie* ...! 요리하세요.

3. fleißig lernen :

Herr Kim, _lernen Sie_ bitte _fleißig_ !

❋ **해석** Mr. 김, 열심히 공부하세요.

❋ **어휘** lernen [동사] 공부하다 ▌bitte [부사어] 명령문에서 정중한 요구를 표현함. (우리말 해석 필요 없음!) ▌fleißig [형용사] 부지런한, (부사적) 부지런히 (↔ faul 게으른, 게을리)

☞ • Sie-명령문은「동사 원형 + Sie ...!」: ..., lern*en Sie* ...! 공부하세요.
• 형용사는 원형 그대로 부사적 용법이 가능함:
fleißig *부지런한* → fleißig lernen *부지런히* 공부하다.

4. laut lesen :

Frau Berger, _lesen Sie_ bitte _laut_ !

❋ **해석** 베르거 부인, 크게 읽으세요.

❋ **어휘** lesen [동사] 읽다 ▌bitte [부사어] 명령문에서 정중한 요구를 표현함. (우리말 해석 필요 없음!) ▌laut [형용사] 소리가 큰, (부사적) 큰 소리로 (↔ leise 나직한, 나직하게)

☞ • Sie-명령문은「동사 원형 + Sie ...!」... 하세요 : ..., les*en Sie* ...! 읽으세요.
• 형용사의 부사적 용법: laut (소리가) *큰* → laut lesen *크게* 읽다.

5. Musik hören :

Herr Müller, _hören Sie_ bitte _Musik_ !

✺ **해석** 뮐러씨, 음악을 들으세요.

✺ **어휘** hören [타동사] ...을 듣다 ▌bitte [부사어] 명령문에서 정중한 요구를 표현함. (우리말 해석 필요 없음!) ▌Musik [명사] 음악

☞ • Sie-명령문은「동사 원형 + Sie ...!」... 하세요 : ..., hör*en Sie* ...! 들으세요.
  • 명사 Musik은 동사 hören의 목적어임.

unit 03

마무리 문제

I. 괄호 안의 낱말을 사용하여 독일어로 옮기시오. (1과, 마무리문제: 교재 5쪽)

1. 독일에서 오셨습니까?

(Deutschland, aus, kommen)

✹ 어휘 Deutschland [고유명사] 독일 ▌aus [전치사] ~로부터 ▌kommen [동사] 오다

정답 Kommen Sie aus Deutschland?

- 「kommen aus + 국가, 도시」 ... 출신이다
- 의문사 없는 의문문이므로 어순은 *도치법* : 「동사 + 주어 ...?」
- 주어는 우리말에서 생략된 "당신은", 즉 단수 2인칭 격식칭 Sie임.
  따라서 주어가 Sie('당신은')이므로 동사는 원형 어미 *-en*이 붙어 Komm*en*임.
  (문장 맨 앞에 오므로 대문자 표기함: Kommen ...?)
- 국가명은 고유명사로서 관사 없음: aus Deutschland 독일 출신인

2. 음악을 즐겨 듣습니까?

(Musik, gern, hören)

✹ 어휘 Musik [명사] 음악 ▌gern(e) [부사어] 즐겨, 기꺼이 ▌hören [타동사] ...을 듣다

정답 Hören Sie gern Musik?

- 의문사 없는 의문문이므로 어순은 *도치법* : 「동사 + 주어 ...?」
- 주어는 우리말에서 생략된 "당신은", 즉 단수 2인칭 격식칭 Sie임.
  따라서 주어가 Sie('당신은')이므로 동사는 원형 어미 *-en*이 붙어 Hör*en*임.
  (문장 맨 앞이므로 대문자 표기함: Hören ...?)
- 우리말 "음악*을*", 즉 명사 Musik은 동사 Hören의 목적어임.
- 부사어 gern은 동사의 목적어 Musik 앞에 옴!

3. 기다리세요. 금방 가겠습니다.

(warten, gleich, kommen)

✹ 어휘 warten [동사] 기다리다 ▌gleich [부사어] 곧, 금방 ▌kommen [동사] 오다

(정답) Warten Sie! Ich komme gleich.

문장 1

► 우리말 "기다리*세요*" → Sie-명령문 형식「동사 원형 + Sie ...!」: Wart*en* *Sie*!

문장 2

► 평서문이므로 어순은 *정치법*:「주어 + 동사 ...」

► 주어는 우리말에서 생략된 "*저는* ...", 즉 단수 1인칭의 Ich임 (문장 맨 앞이므로 대문자 표기!)
따라서 주어가 Ich이므로 동사는 어미 *-e*가 붙어 komm*e*임.

4. 일요일에는 제가 축구를 합니다.

(am Sonntag, Fußball, spielen)

✱ **어휘**「am + 요일」: am Sonntag 일요일에 ▌Fußball [명사] 축구 ▌spielen [타동사] (운동) ...을 하다

(정답) Am Sonntag spiele ich Fußball.

► 우리말 "일요일에는"은 부사어 am Sonntag임.
우리말 문장의 어순에 일치하여 이 부사어 am Sonntag이 문장 앞에 나오므로,
평서문이지만 *도치법*:「Am Sonntag + 동사 + 주어 ...」

► 주어인 "제가"는 단수 1인칭 ich이므로 동사는 어미 *-e*가 붙어 spiel*e*임.

► 우리말 "축구를", 즉 명사 Fußball이 동사 spiele의 목적어임.

5. 저는 독일에서 이미 오랫동안 살고 있습니다.

(in Deutschland, schon lange, leben)

✱ **어휘** in Deutschland 독일에서 → in [전치사] ~안에 + Deutschland [고유명사] 독일 ▌schon [부사어] 이미, 벌써 ▌lange [부사어] 오랫동안 ▌leben [동사] 살다

(정답) Ich lebe in Deutschland schon lange.

► 평서문이므로 어순은 *정치법*:「주어 + 동사 ...」

► 주어는 "저는", 즉 단수 1인칭 Ich임. (문장 맨 앞이므로 대문자 표기!)
따라서 주어가 Ich('저는')이므로 동사는 어미 *-e*가 붙어 leb*e*임.

► 두 개의 부사어, 즉 schon lange와 in Deutschland가 동사 lebe 뒤에 옴.

① 두 부사어의 위치는 서로 바뀔 수 있음:

Ich lebe *in Deutschland schon lange*. 나는 *독일에서 이미 오랫동안* 살고 있다.

Ich lebe *schon lange in Deutschland*. 나는 *이미 오랫동안 독일에서* 살고 있다.

② 이 부사어들은 문장 앞에 나와 어순이 도치될 수도 있음:
In Deutschland lebe ich *schon lange.* *독일에서* 나는 *이미 오랫동안* 살고 있다
Schon lange lebe ich *in Deutschland.* *이미 오랫동안* 나는 *독일에서* 살고 있다
(이와 같이 어순이 바뀌더라도 의미상 큰 차이는 없음. 다만 화자가 이야기의 초점을 어디에 두는지에 변화가 있을 따름임.)

II. 잘못된 부분(들)을 고쳐서 다시 적으시오. (1과, 마무리문제: 교재 5쪽)

1. Ich wohnen[오류] in Bonn.

✷ **해석** 나는 본에서 거주한다.

✷ **어휘** wohnen [동사] 거주하다 ▌in [전치사] ~안에서 + Bonn [고유명사] (독일 도시) 본 → in Bonn 본에서

<오류>

독일어는 주어에 따라 동사가 어미변화 함! 주어가 ich('나는')이면 동사는 어미 *-e*가 붙음.
따라서 동사 형태는 어미 *-e*가 붙어 wohn*e*이어야 옳음!

정답 Ich wohn*e* in Bonn.

2. Was studieren[오류] du?

✷ **해석** 너는 무엇을 전공하니?

✷ **어휘** was [의문사] 무엇을? ▌studieren [타동사] ...을 전공하다

<오류>

의문사 Was가 있는 의문문이므로 어순은 도치법임. → 따라서 주어는 동사 뒤의 du('너는')임.
이와 같이 주어가 du일 경우 동사는 어미 *-st*가 붙어 studier*st*이어야 옳음!

정답 Was studier*st* du?

► 문장 맨 앞에 있는 의문사 Was는 동사 studierst의 목적어임.

3. Was kochest[오류] du?

✷ **해석** 너는 무엇을 요리하니?

✷ **어휘** was [의문사] 무엇을? ▌kochen [타동사] ...을 요리하다

<오류>

의문사 Was가 있는 의문문이므로 어순은 도치됨. → 따라서 주어는 동사 뒤의 du('너는')임.
이와 같이 주어가 du이므로 동사는 어미 *-st*가 붙어 koch*st*이어야 옳음!
(위 예문에서는 -e-가 첨가된 어미 *-est*가 붙어 koch*est*인데, 이는 오류임.)

<참고>

어간 끝이 -d, -t인 동사는 주어가 du나 er, sie, es일 때 발음상 -e-가 첨가됨:
arbei*t*en 일하다 : Du arbeit*est* (즉, arbeit*st* 아님!) / Er arbeit*et* (즉, arbeit*t* 아님!)
re*d*en 말하다 : Du red*est* (즉, red*st* 아님!) / Er red*et* (즉, red*t* 아님!)

정답 Was koch*st* du?

► 문장 맨 앞에 있는 의문사 Was는 동사 kochst의 목적어임.

4. Spiele[오류] Sie Fußball?

✸ **해석** 당신은 축구를 하시나요?

✸ **어휘** spielen [타동사] (운동) ...을 하다 ▌ Fußball [명사] 축구

<오류>

의문사 없는 의문문으로서 어순은 도치법임. → 따라서 주어는 동사 뒤의 Sie('당신은')임.
이와 같이 주어가 격식칭 Sie일 때, 동사는 원형 어미 *-en*이 붙어 Spiel*en*이어야 옳음!

정답 Spiel*en* Sie Fußball?

► 명사 Fußball은 동사 Spielen의 목적어임.

5. Manchmal ich höre[오류] Musik.

✸ **해석** 가끔씩 나는 음악을 듣는다.

✸ **어휘** manchmal [부사어] 가끔, 때때로 ▌ hören [타동사] ...을 듣다 ▌ Musik [명사] 음악

<오류>

주어가 아닌 다른 문장 요소, 즉 부사어인 manchmal이 앞에 오므로 어순은 *도치법* :
「Manchmal + 동사 + 주어 ...」
따라서 동사 höre가 주어 ich('나는')의 앞에 위치하여 Manchmal *höre ich* ...이어야 옳음!

정답 Manchmal *höre ich* Musik.

► 주어가 ich('나는')이므로 동사는 어미 *-e*가 붙어 hör*e*임.

► 명사 Musik은 동사 höre의 목적어임.

6. Sie woher[오류] kommen?

✹ **해석** 당신은 어디로부터 오셨습니까? (= 당신은 어디 출신이십니까?)

✹ **어휘** woher [의문사] 어디로부터? (영. where ... from?) ▌kommen [동사] 오다

<오류>

의문사 woher는 문장 맨 앞에 오며, 어순은 「Woher + 동사 + 주어 ...?」로 도치법이 옳음!

(정답) *Woher* kommen Sie?

► 주어가 단수 2인칭 격식칭 Sie('당신은')이므로 동사는 원형 어미 *-en*이 붙어 komm*en*임.

Lektion 2

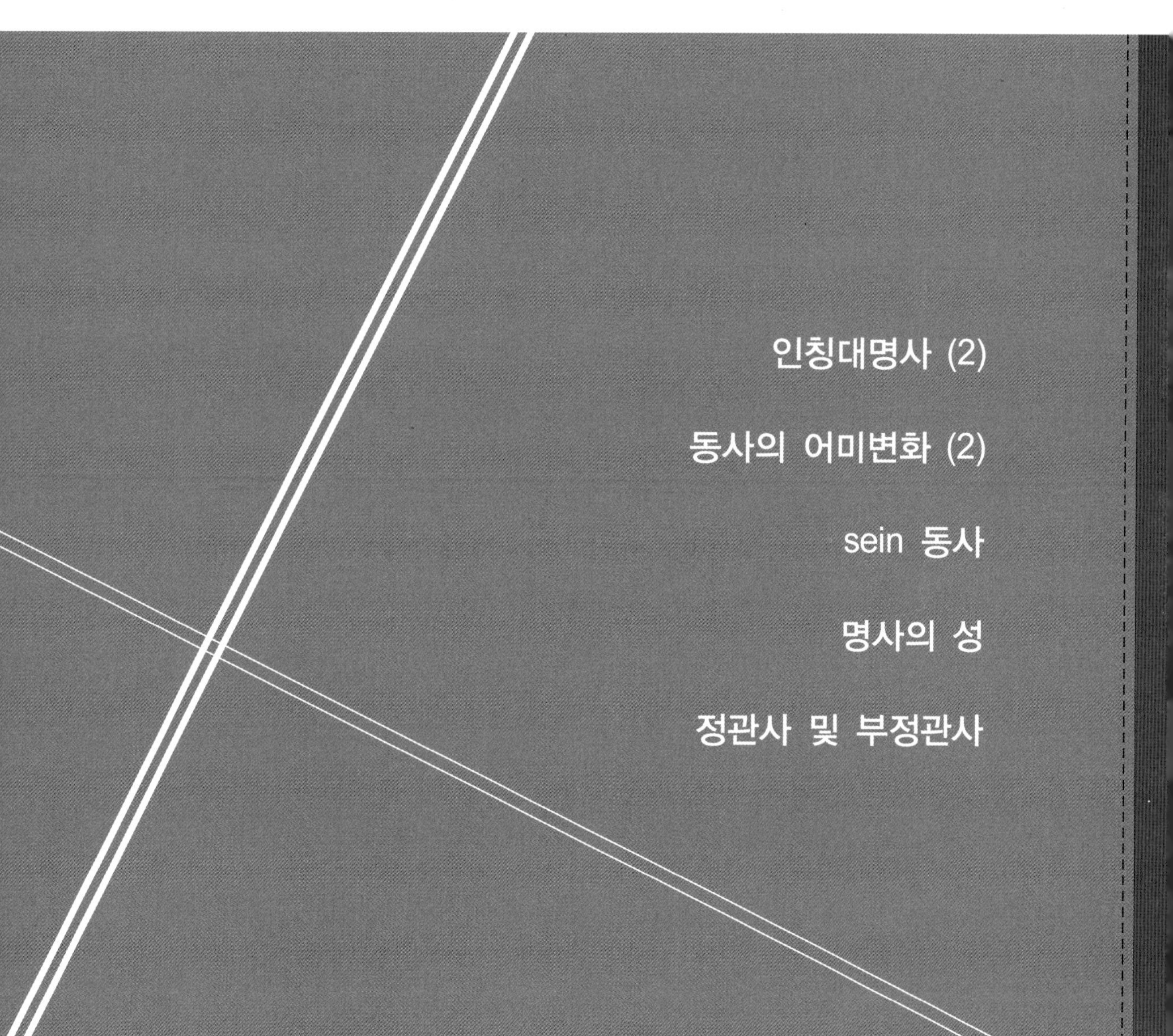

인칭대명사 (2)

동사의 어미변화 (2)

sein 동사

명사의 성

정관사 및 부정관사

unit 01

기초문제

I. 주어진 동사의 알맞은 형태는? (2과, 기초문제: 교재 8쪽)

1. kochen 끓이다, 요리하다

   ich _koch*e*_ / du _koch*st*_ / er (sie, es) _koch*t*_

   wir _koch*en*_ / ihr _koch*t*_ / sie, Sie _koch*en*_

2. arbeiten 일하다, 공부하다 (영. work)

   ich _arbeit*e*_ / *du _arbeit*est*_ / *er (sie, es) _arbeit*et*_

   wir _arbeit*en*_ / *ihr _arbeit*et*_ / sie, Sie _arbeit*en*_

   * 동사 arbei*t*en의 어간 끝은 -t이므로 주어가 du ; er (sie, es) ; ihr일 때 발음상 -e-가 첨가되어 arbeit*est* 혹은 arbeit*et*임! (즉, arbeit*st* 혹은 arbeit*t* 아님!)

3. sein [1] ...이다, [2] 있다, 존재하다 (영. be)

   ich _*bin*_ / du _*bist*_ / er (sie, es) _*ist*_ / wir _*sind*_ / ihr _*seid*_ / sie, Sie _*sind*_

4. studieren 전공하다, 대학 공부하다

   ich _studier*e*_ / du _studier*st*_ / er (sie, es) _studier*t*_

   wir _studier*en*_ / ihr _studier*t*_ / sie, Sie _studier*en*_

5. warten 기다리다 (영. wait)

   ich _wart*e*_ / *du _wart*est*_ / *er (sie, es) _wart*et*_

   wir _wart*en*_ / *ihr _wart*et*_ / sie, Sie _wart*en*_

   * 동사 war*t*en의 어간 끝은 -t이므로 주어가 du ; er (sie, es) ; ihr일 때 발음상 -e-가 첨가되어 -wart*est* 혹은 wart*et*임! (즉, wart*st* 혹은 wart*t* 아님!)

6. kommen 오다

ich komm*e* / du komm*st* / er (sie, es) komm*t*
wir komm*en* / ihr komm*t* / sie, Sie komm*en*

II. 밑줄 친 곳에 알맞은 어미는? (2과, 기초문제: 교재 8쪽)

1. Woher kommt_ Peter? - Er kommt_ aus Österreich.

✹ **해석** 페터는 어디 출신이냐? - 그는 오스트리아 출신이야.

✹ **어휘** woher [의문사] 어디로부터? ▌kommen [동사] 오다 ▌aus [전치사] ~로부터 (영. out of) ▌Österreich [고유명사] 오스트리아

문장 1

▸ 의문사 Woher가 있는 의문문으로서 어순은 *도치법.*

☞ 주어인 Peter는 남성 인칭대명사 er('그는')에 해당함. 따라서 동사는 어미 *-t*가 붙어 komm*t*임.

문장 2

▸ 평서문으로서 어순은 *정치법.*

☞ 주어가 앞 문장의 Peter를 받는 Er('그는')이므로 동사는 어미 *-t*가 붙어 komm*t*임.

▸ 국가명 Österreich는 고유명사로서 관사 없음: aus Österreich 오스트리아 출신인

2. Wo wohnt_ Frau Kunze? - Sie wohnt_ in München.

✹ **해석** 쿤체 부인은 어디서 살고 있습니까? - 그녀는 뮌헨에서 살아요.

✹ **어휘** wo [의문사] 어디에? ▌wohnen [동사] 살다, 거주하다 ▌Frau ... (여자 호칭) ... 부인 ▌in [전치사] ~안에 ▌München [고유명사] (독일 도시) 뮌헨

문장 1

▸ 의문사 Wo가 있는 의문문으로서 어순은 *도치법.*

☞ 주어인 Frau Kunze는 여성 인칭대명사 sie('그녀는')에 해당함. 따라서 동사는 어미 *-t*가 붙어 wohn*t*임.

문장 2

▸ 평서문으로서 어순은 *정치법.*

☞ 문장 맨 앞의 주어 Sie는 앞 문장의 Frau Kunze를 받는 여성 인칭대명사 sie('그녀는')임. 따라서 주어가 여성의 Sie('그녀는')이므로 동사는 어미 *-t*가 붙어 wohn*t*임.

▸ 도시 명 München은 고유명사로서 관사 없음: in München 뮌헨에서

3. Arbeitest du auch am Samstag? - Nein, am Samstag arbeite ich nicht.

✺ **해석** 너는 토요일에도 일하나? - 아니, 토요일에는 나는 일하지 않아.

✺ **어휘** arbeiten [동사] 일하다 ▌auch [부사어] ...도 ▌「am + 요일」: am Samstag 토요일에 (← *der* Samstag [남성명사] 토요일)

문장 1

► 의문사 없는 의문문으로서 어순은 *도치법*.

☞ 주어가 du('너는')이므로 동사 어미는 원래 -st이지만, 동사 arbei*t*en은 어간 끝이 -t이므로 발음상 -e-가 첨가되어 Arbeit*est*임. (즉, Arbeit*st* 아님!)

문장 2

► 주어가 아닌 부사어 am Samstag이 문장 맨 앞에 나오므로 어순은 *도치법*.

☞ 주어가 ich('나는')이므로 동사는 어미 *-e*가 붙어 arbeit*e*임.

4. Warten Sie bitte, Herr Müller! Ich komme gleich.

✺ **해석** 기다리세요, 뮐러씨. 저는 곧 와요.

✺ **어휘** warten [동사] 기다리다 ▌bitte [부사어] 정중한 표현에 사용함. (영. please) ▌Herr ... (남자 호칭) ...씨 ▌kommen [동사] 오다 ▌gleich [부사어] 곧, 즉시

문장 1

☞ Sie-명령문「동사 원형 Sie ... !」...하세요 : Wart*en* Sie ...! 기다리세요.

문장 2

► 평서문이므로 어순은 *정치법*.

☞ 주어가 ich('나는')이므로 동사는 어미 *-e*가 붙어 komm*e*임.

5. Was machen wir jetzt? Hören wir Musik oder spielen wir Fußball?

✺ **해석** 우리 이제 무엇을 하지? 우리 음악을 들을까 아니면 축구를 할까?

✺ **어휘** was [의문사] 무엇을? ▌machen [타동사] ...을 하다, 행하다 ▌jetzt [부사어] 지금 ▌hören [타동사] ...을 듣다 ▌*die* Musik [여성명사] 음악 ▌oder [접속사] 혹은 (영. or) ▌spielen [타동사] (운동) ...을 하다 ▌*der* Fußball [남성명사] 축구 → *der* Fuß [남성명사] 발 + *der* Ball [남성명사] 공

문장 1

► 의문사 Was가 있는 의문문으로서 어순은 *도치법*.

☞ 주어가 wir('우리는')이므로 동사는 원형 어미 *-en*이 붙어 mach*en*임.

► 문장 맨 앞의 의문사 Was는 동사 machen의 목적어임.

문장 2

► 접속사 oder에 의해 두 의문문이 연결됨. 둘 모두 의문사 없는 의문문으로서 어순은 *도치법*

<접속사 oder 앞 의문문>

☞ 주어가 wir('우리는')이므로 동사는 원형 어미 *-en*이 붙어 Hör*en*임.

► 명사 Musik은 동사 Hören의 목적어임.

<접속사 oder 뒤 의문문>

☞ 주어가 wir('우리는')이므로 동사는 어미 *-en*이 붙어 spiel*en*임.

► 명사 Fußball은 동사 spielen의 목적어임.

6. Was macht_ das Kind? - Es schwimmt_.

✹ **해석** 그 아이는 무엇을 합니까? - 그는 수영해요.

✹ **어휘** was [의문사] 무엇을? ▌machen [타동사] ...을 행하다 ▌*das* Kind [중성명사] 아이 ▌schwimmen [동사] 수영하다

문장 1

► 의문사 Was가 있는 의문문으로서 어순은 *도치법.*

☞ 주어인 das Kind는 중성 인칭대명사 es('그것은')에 해당함.
따라서 동사는 어미 *-t*가 붙어 mach*t*임.

문장 2

► 평서문으로서 어순은 *정치법.*

☞ 주어가 앞 문장의 중성명사 das Kind를 받는 Es임.
따라서 동사는 어미 *-t*가 붙어 schwimm*t*임.

7. Herr Kunze redet_ gern. - Ja, er redet_ viel.

✹ **해석** 쿤체씨는 말하기를 좋아해요. - 예, 그는 많이 말해요.

✹ **어휘** Herr ... (남자 호칭) ...씨 ▌reden [동사] 말하다 ▌gern [부사어] 즐겨, 기꺼이 ▌viel 많이 (영. much)

문장 1

► 평서문으로서 어순은 *정치법.*

☞ 주어인 Herr Kunze는 남성 인칭대명사 er('그는')에 해당함.
따라서 동사 어미는 원래 -t이지만, 동사 re*d*en은 어간 끝이 -d이므로
발음상 -e-가 첨가되어 rede*t*임. (즉, red*t* 아님!)

문장 2

► 평서문으로서 어순은 *정치법*.

☞ 주어가 앞 문장의 Herr Kunze를 받는 er이므로 동사는 발음상 -e-가 첨가되어 red*et*임. (즉, red*t* 아님!)

III. 밑줄 친 곳에 알맞은 동사 어미 또는 동사, 혹은 인칭대명사는?

(2과, 기초문제: 교재 8쪽)

1. Wo arbeit<u>et</u> Herr Kunze? - <u>Er</u> arbeit<u>et</u> in Köln.

✹ **해석** 쿤체씨는 어디에서 일합니까? - 그는 쾰른에서 일해요.

✹ **어휘** wo [의문사] 어디에(서)? ▌arbeiten [동사] 일하다 ▌in [전치사] ~안에(서) ▌Köln [고유명사] (독일 도시) 쾰른

문장 1

► 의문사 Wo가 있는 의문문으로서 어순은 *도치법*.

☞ 주어인 Herr Kunze는 남성 인칭대명사 er('그는')에 해당함.
따라서 동사 어미는 원래 -t이지만, 동사 arbei*t*en은 어간 끝이 -t이므로 발음상 -e-가 첨가되어 arbeit*et*임. (즉, arbeit*t* 아님!)

문장 2

► 평서문으로서 어순은 *정치법*.

☞ 주어가 앞 문장의 남자 인물 Herr Kunze를 받는 남성 인칭대명사 Er('그는')임.
따라서 동사 어미는 원래 -t이지만, 동사 arbei*t*en은 어간 끝이 -t이므로 발음상 -e-가 첨가되어 arbeit*et*임. (즉, arbeit*t* 아님!)

2. Was mach<u>t</u> Frau Peters jetzt? - <u>Sie</u> koch<u>t</u> Suppe.

✹ **해석** 페터스 부인은 지금 무엇을 합니까? - 그녀는 수프를 끓여요.

✹ **어휘** was [의문사] 무엇을? ▌machen [타동사] ...을 하다 ▌jetzt [부사어] 지금 ▌kochen [타동사] ...을 끓이다 ▌*die* Suppe [여성명사] 수프

문장 1

► 의문사 Was가 있는 의문문으로서 어순은 *도치법*.

☞ 주어인 Frau Peters는 여성 인칭대명사 sie('그녀는')에 해당함.
따라서 동사는 어미 -*t*가 붙어 mach*t*임.

► 문장 맨 앞의 의문사 Was는 동사 macht의 목적어임.

문장 2

► 평서문으로서 어순은 *정치법*.

☞ 주어인 Sie는 앞 문장의 여자 인물 Frau Peters를 받는 여성의 sie('그녀는')임.
따라서 주어가 여성의 Sie('그녀는')이므로 동사는 어미 *-t*가 붙어 koch*t*임.

► 명사 Suppe는 동사 kocht의 목적어임.

<주의> 여성명사 Suppe는 "*한 개, 두 개* ..." 개체로 셀 수 없는 물질명사임!
따라서 '한 개'를 뜻하는 부정관사와 결합할 수 없으므로 *관사 없이* 사용됨.

3. Woher kommt_ das Kind? - _Es_ kommt_ aus Korea.

✹ **해석** 그 아이는 어디 출신입니까? - 한국 출신이에요.

✹ **어휘** woher [의문사] 어디로부터? ▌kommen [동사] 오다 ▌das Kind 아이 ▌
aus [전치사] ~로부터 ▌Seoul [고유명사] 서울

문장 1

► 의문사 Woher가 있는 의문문으로서 어순은 *도치법*.

☞ 주어인 das Kind는 중성 인칭대명사 es('그것은')에 해당함.
따라서 동사는 어미 *-t*가 붙어 komm*t*임.

문장 2

► 평서문으로서 어순은 *정치법*.

☞ 주어가 앞 문장의 das Kind를 받는 중성의 Es이므로 동사는 어미 *-t*가 붙어 komm*t*임.

► 「kommen aus + 지명」 '...로부터 오다', 즉 '... 출신이다'

4. Wo leben_ Herr und Frau Meier? - _Sie_ leben_ in München.

✹ **해석** 마이어씨 부부는 어디에서 살고 있습니까? - 그들은 뮌헨에서 살고 있어요.

✹ **어휘** wo [의문사] 어디에? ▌leben [동사] 살다 ▌und [접속사] 그리고 (영. and) ▌
Herr und Frau ... (부부 호칭) ...씨 부부 ▌in [전치사] ~안에

문장 1

► 의문사 Wo가 있는 의문문으로서 어순은 *도치법*.

☞ 주어인 Herr und Frau Meier는 복수 인칭대명사 sie('그들은')에 해당함.
따라서 동사는 원형 어미 *-en*이 붙어 leb*en*임.

문장 2

► 평서문으로서 어순은 *정치법*.

☞ 문장 맨 앞의 주어 Sie는 앞 문장의 Herr und Frau Meier를 받는 복수의 sie('그들은')임.
따라서 주어가 복수의 Sie('그들은')이므로 동사는 원형 어미 *-en*이 붙어 leb*en*임.

5. Peter und ich wohn<u>en</u> in Hamburg. <u>Wir</u> studier<u>en</u> beide Germanistik.

✺ **해석** 페터와 나는 함부르크에서 살고 있어. 우리는 둘 다 독어독문학을 공부해.

✺ **어휘** und [접속사] 그리고 ▌wohnen [동사] 살다, 거주하다 ▌studieren [타동사] ...을 전공하다 ▌in [전치사] ~안에 ▌Hamburg [고유명사] (독일 도시) 함부르크 ▌beide 둘 (영. both) ▌*die* Germanistik [여성명사] 독어독문학

문장 1

► 평서문으로서 어순은 *정치법*.

☞ 주어인 Peter und ich는 복수 1인칭의 wir('우리는')에 해당함.
따라서 동사는 원형 어미 *-en*이 붙어 wohn*en*임.

문장 2

► 평서문으로서 어순은 *정치법*.

☞ 주어는 앞 문장의 Peter und ich를 받는 Wir('우리는')임.
따라서 동사는 원형 어미 *-en*이 붙어 studier*en*임.

► 명사 Germanistik은 동사 studieren의 목적어임. (학문명은 보통 관사 없음!)

► beide는 복수 주어와 함께 사용되어 "... *둘 모두*"를 뜻함.

6. <u>Bist</u> du Student? - Ja, ich studier<u>e</u> Chemie.

✺ **해석** 너는 대학생이니? - 응, 나는 화학을 전공해.

✺ **어휘** sein [동사] ...이다 (영. be) ▌*der* Student [남성명사] 대학생 ▌studieren [타동사] ...을 전공하다 ▌die Chemie 화학

문장 1

► 의문사 없는 의문문으로서 어순은 *도치법*.

☞ 주어가 du('너는')이므로 동사 sein의 형태는 *Bist*임.

► 명사 Student는 동사 Bist의 명사 보어.

<주의> 신분이나 직업을 말할 경우 동사 sein과 결합하는 명사 보어 앞에는 관사 없음:
Bist du *Student*? (즉, Bist du <u>*ein*</u> *Student*?는 틀림!)

문장 2

► 평서문으로서 어순은 *정치법*.

☞ 주어가 ich('나는')이므로 동사는 어미 *-e*가 붙어 studier*e*임.

► 명사 Chemie는 동사 studiere의 목적어임. (학문명은 보통 관사 없음!)

7. Was macht_ ihr heute? - Heute spiel<u>en</u> <u>wir</u> Tennis.

✹ **해석** 너희는 오늘 무엇을 하니? - 오늘 우리는 테니스를 해.

✹ **어휘** was [의문사] 무엇을? ▌machen [타동사] ...을 행하다 ▌heute [부사어] 오늘 ▌
spielen [타동사] (운동) ...을 하다 ▌das Tennis 테니스

문장 1

► 의문사 Was가 있는 의문문으로서 어순은 *도치법*.

☞ 주어가 복수 2인칭의 ihr('너희는')이므로 동사는 어미 *-t*가 붙어 mach*t*임.

문장 2

► 주어가 아닌 부사어 heute가 문장 앞에 오므로 어순은 *도치법*.

☞ 내용상 "*우리는* ..."으로 대답해야 하므로 주어는 wir('우리는')임.
따라서 주어가 wir이므로 동사는 원형 어미 *-en*이 붙어 spiel*en*임.

8. Herr Müller, sprech<u>en</u> <u>Sie</u> bitte langsam! - O.K., <u>ich</u> sprech<u>e</u> langsam.

✹ **해석** 뮐러씨, 천천히 말하세요. - 좋아요, 천천히 말할게요.

✹ **어휘** sprechen [동사] 말하다 (영. speake) ▌bitte [부사어] 명령문에서 정중한 요구를 표현함. ▌
langsam [형용사] 느린, (부사적) 느리게 (↔ schnell 빠른, 빨리) ▌O.K. [o'ke:] 상대방 말에 동의할 때 사용하는 구어체 표현.

문장 1

☞ Sie-명령문「동사 원형 + Sie ...!」...하세요 : ..., sprech*en Sie* ...!

► 형용사 langsam은 여기서 부사적 용법 "느리게"로 해석됨.

문장 2

► 평서문으로서 어순은 *정치법*.

☞ 내용상 주어는 1인칭의 ich('나는')이어야 함.
따라서 동사는 어미 *-e*가 붙어 sprech*e*임.

► 여기서도 형용사 langsam은 부사적 용법 "느리게"임.

Ⅳ. 알맞은 정관사 및 부정관사는? (2과, 기초문제: 교재 8쪽)

1. Bruder (*남성*명사: '남자 형제') ⇒ <u>der</u> Bruder / <u>ein</u> Bruder

☞ 의미에 의해 명사의 성을 판단할 수 있는 경우임.
의미가 '(인간) 남자'를 뜻할 경우 항상 *남성*임: der Vater 아버지, der Onkel 삼촌

2. Schwester (*여성*명사: '여자 형제') ⇒ __die__ Schwester / __eine__ Schwester

☞ 역시 의미에 의해 명사의 성을 판단할 수 있는 경우임.
의미가 '(인간) 여자'일 경우는 항상 *여성*임: die Mutter 어머니, die Tante 숙모

3. Sohn (*남성*명사: '아들') ⇒ __der__ Sohn / __ein__ Sohn

☞ 이 명사는 의미가 '(인간) 남자'이므로 *남성*임!

4. Tochter (*여성*명사: '딸') ⇒ __die__ Tochter / __eine__ Tochter

☞ 이 명사는 의미가 '(인간) 여자'이므로 *여성*임!

5. Student (*남성*명사: '대학생') ⇒ __der__ Student / __ein__ Student

☞ 의미가 '신분' 혹은 '직업'을 뜻할 경우는 모두 *남성*임: der Schüler 초 · 중 · 고등학생, der Lehrer 선생님, der Arzt 의사, der Polizist 경찰, der Beamte 공무원

6. Kind (*중성*명사: '아이') ⇒ __das__ Kind / __ein__ Kind

☞ 모든 명사의 성을 의미에 의해 판단할 수 있는 것은 아님!
예로서 이 명사는 의미가 '인간'을 뜻하지만 *중성*임. **(별도의 암기 필요!)**

7. Tür (*여성*명사: '문, 대문') ⇒ __die__ Tür / __eine__ Tür

☞ 이 명사도 의미에 의해 성을 판단할 수 없음!
의미적으로 사물이나 대상을 뜻하지만 *여성*임. **(별도의 암기 필요!)** :
die Musik 음악, die Butter 버터

8. Stuhl (*남성*명사: '걸상, 의자') ⇒ __der__ Stuhl / __ein__ Stuhl

☞ 이 명사도 의미적으로 사물 혹은 대상을 뜻하지만 *남성*임. **(별도의 암기 필요!)** :
der Fisch 물고기, der Mond 달

9. Buch (*중성*명사: '책') ⇒ __das__ Buch / __ein__ Buch

☞ 이 명사는 사물, 대상을 뜻하며 중성인데, 의미와 성이 서로 연관 있는 것으로 오해해서는 안 됨! 즉, 사물이나 대상을 뜻한다고 모두 중성은 아님. **(별도의 암기 필요!)**

10. Zimmer (*중성*명사: '방') ⇒ __das__ Zimmer / __ein__ Zimmer

☞ 이 명사도 의미와 관련 없이 *중성*임. **(별도의 암기 필요!)**

11. Wohnung (*여성*명사: '집, 주택') ⇒ die Wohnung / eine Wohnung

☞ 의미보다는 형태에 의해 명사의 성을 알 수 있는 경우들이 많음!
즉, 이 명사처럼 형태가 *-ung*이면 항상 *여성*임:
die Üb*ung* 연습, die Zeit*ung* 신문, die Bedeut*ung* 의미

12. Arbeiter (*남성*명사: '노동자') ⇒ der Arbeiter / ein Arbeiter

☞ 동사 어간에 *-er*가 붙어서 '행위자'를 뜻할 경우는 항상 *남성*임:
arbeiten [동사] 일하다 → der Arbeit*er* 일하는 사람, 노동자
lesen [동사] 읽다 → der Les*er* 읽는 사람, 독자

13. Tomate (*여성*명사: '토마토') ⇒ die Tomate / eine Tomate

☞ 형태가 *-e*인 명사는 대부분 *여성*임: die Straß*e* 거리, die Blum*e* 꽃, die Adress*e* 주소

14. Brötchen (*중성*명사: '작은 빵, 하드롤') ⇒ das Brötchen / ein Brötchen

☞ "축소어미" *-chen*이 붙은 "축소명사"는 의미가 축소되어 '작은 ...' 혹은 '귀여운 ...'을 뜻하며 항상 *중성*임: das Brot 빵 + 축소어미 *-chen* → dasRöt*chen* 작은 빵
<주의> 축소어미가 붙을 경우 Umlaut가 이루어짐: das Brot → das Bröt*chen*
das Haus → das Häus*chen* 작은 집 / das Mäd*chen* 소녀, 아가씨

15. Apfel (*남성*명사: '사과') ⇒ der Apfel / ein Apfel

☞ 형태가 *-el*인 명사는 빈번히 *남성*임: der Vog*el* 새, der Flüg*el* 날개, der Zett*el* 쪽지

unit 02

심화문제

Ⅰ. 밑줄 친 곳에 알맞은 인칭대명사는? (2과, 심화문제: 교재 10쪽)

1. Das Buch ist dick, aber __es__ ist nicht teuer.

✷ **해석** 이 책은 두껍다. 그러나 그것은 비싸지 않다.

✷ **어휘** *das* Buch [중성명사] 책 ▌ist ⇒ sein [동사] ...이다 (영. be) (불규칙 변화: ich *bin* ; du *bist* ; er (sie, es) *ist* ; wir *sind* ; ihr *seid* ; sie, Sie *sind*) ▌dick [형용사] 두꺼운 (↔ dünn 얇은) ▌aber [접속사] 그러나 (앞에는 항상 콤마!) (영. but) ▌teuer [형용사] 비싼 (↔ billig 싼)

► 접속사 aber에 의해 두 개의 문장이 연결됨.

접속사 aber 앞 문장

► 명사 Buch는 *중성*이므로 *중성* 정관사 *Das*와 결합함.

► 주어인 Das Buch는 *중성*명사이므로 *중성* 인칭대명사 es('그것은')에 해당함.
따라서 동사 sein의 형태는 *ist*임.

► 형용사 dick는 동사 ist의 형용사 보어임.

접속사 aber 뒤 문장

☞ 빈칸에 올 낱말은 이 문장의 주어임.
내용상 앞의 *중성*명사 Das Buch를 받으므로 *중성*의 *es*('그것은')임.

► 주어가 es이므로 동사 sein의 형태는 *ist*임.

► 형용사 teuer는 동사 ist의 형용사 보어임.

2. Der Koffer ist groß, aber __er__ ist nicht schwer.

✷ **해석** 그 가방은 크다, 그러나 그것은 무겁지 않다.

✷ **어휘** *der* Koffer [남성명사] (여행용) 큰 가방, 트렁크 ▌ist ⇒ sein [동사] ...이다 (영. be) (불규칙 변화: ich *bin* ; du *bist* ; er (sie, es) *ist* ; wir *sind* ; ihr *seid* ; sie, Sie *sind*) ▌groß [형용사] 큰 (↔ klein 작은) ▌schwer [형용사] 무거운 (↔ leicht 가벼운)

► 접속사 aber에 의해 두 개의 문장이 연결됨.

접속사 aber 앞 문장

► 명사 Koffer는 *남성*이므로 *남성* 정관사 *Der*와 결합함.

► 주어인 Der Koffer는 *남성*명사이므로 *남성* 인칭대명사 er('그는')에 해당함.
따라서 동사 sein의 형태는 *ist*임.

► 형용사 groß는 동사 ist의 형용사 보어임.

접속사 aber 뒤 문장

☞ 빈칸에 올 낱말은 이 문장의 주어임.
내용상 앞의 *남성*명사 Der Koffer를 받으므로 *남성*의 *er*('그는')임.

► 주어가 er이므로 동사 sein의 형태는 *ist*임.

► 형용사 schwer는 동사 ist의 형용사 보어임.

3. Herr und Frau Schmidt sind reich, aber sie sind sparsam.

✹ **해석** 슈미트씨 부부는 부유하다. 그러나 그들은 검소하다.

✹ **어휘** sind ⇒ sein [동사] ...이다 (영. be) (불규칙 변화: ich *bin* ; du *bist* ; er (sie, es) *ist* ; wir *sind* ; ihr *seid* ; sie, Sie *sind*) ▌reich [형용사] 부유한 (↔ arm 가난한) ▌sparsam [형용사] 검소한 → 동사 sparen('저축하다')의 어간 spar- + 형용사화 어미 *-sam*
<참고> 형태가 *-sam*인 형용사: wirk*sam* 효과적인, schweig*sam* 말없는, ein*sam* 고독한

► 접속사 aber에 의해 두 개의 문장이 연결됨.

접속사 aber 앞 문장

► 주어인 Herr und Frau Schmidt('슈미트씨 부부')는 복수 인칭대명사 sie('그들은')에 해당함.
따라서 동사 sein의 형태는 *sind*임.

► 형용사 reich는 동사 sind의 형용사 보어임.

접속사 aber 뒤 문장

☞ 빈칸에 올 낱말은 이 문장의 주어임.
내용상 앞의 Herr und Frau Schmidt를 받으므로 복수의 *sie*('그들은')임.

► 주어가 sie('그들은')이므로 동사 sein의 형태는 *sind*임.

► 형용사 sparsam은 동사 sind의 형용사 보어임.

4. Peter und ich kommen aus Deutschland. Wir studieren jetzt in England.

✹ **해석** 페터와 나는 독일 출신이다. 우리는 지금 영국에서 대학을 다닌다.

✹ **어휘** kommen [동사] 오다 ▌aus [전치사] ~로부터 ▌studieren [동사] 대학 공부하다 ▌jetzt [부사어] 지금 ▌in [전치사] ~안에(서) ▌England [고유명사] 영국

문장 1

► 「kommen aus + 국가, 도시」 ... 출신이다

► 주어인 Peter und ich는 복수 1인칭 wir('우리는')에 해당함.
따라서 동사는 원형 어미 *-en*이 붙어 komm*en*임.

문장 2

☞ 빈칸에 올 낱말은 이 문장의 주어임.

내용상 앞 문장의 Peter und ich를 받아야 하므로 복수 1인칭의 *Wir*('우리는')가 정답!

► 주어가 Wir이므로 동사는 원형 어미 *-en*이 붙어 studier*en*임.

5. Frau Kim ist schön. __Sie__ ist groß und schlank.

✸ **해석** 김양은 아름답다. 그녀는 키가 크고 날씬하다.

✸ **어휘** Frau ... (여자 호칭) ...씨. ...양 (영. Mrs. ; Miss.) ▌ist ⇒ sein [동사] ...이다 (영. be) (불규칙 변화: ich *bin* ; du *bist* ; er (sie, es) *ist* ; wir *sind* ; ihr *seid* ; sie, Sie *sind*) ▌schön [형용사] 예쁜 (↔ häßlich 흉한) ▌groß [형용사] 큰 ▌schlank [형용사] 날씬한 (↔ dick 뚱뚱한)

문장 1

► 주어인 Frau Kim은 여성 인칭대명사 sie('그녀는')에 해당하므로 동사 sein의 형태는 *ist*임.

► 형용사 schön은 동사 ist의 형용사 보어임.

문장 2

☞ 빈칸에 올 낱말은 이 문장의 주어임.

내용상 앞 문장의 여자 인물 Frau Kim을 받아야 하므로 여성의 *Sie*('그녀는')가 정답.

► 주어가 여성의 Sie('그녀는')이므로 동사 sein의 형태는 *ist*임.

► 형용사 groß와 schlank는 모두 동사 ist의 형용사 보어임.

6. Bist __du__ Maria? - Ja, __ich__ bin Maria.

✸ **해석** 네가 마리아니? - 응, 나는 마리아야.

✸ **어휘** Bist ⇒ sein [동사] ...이다 (영. be) (불규칙 변화: ich *bin* ; du *bist* ; er (sie, es) *ist* ; wir *sind* ; ihr *seid* ; sie, Sie *sind*) ▌Maria (여자 이름) 마리아 ▌bin ⇒ sein [동사] ...이다 (영. be)

<참고> 이름 형태가 *-a* 혹은 *-e*이면 여자 이름임: Katharin*a*, Paul*a* / Christian*e*, Ut*e* 등

문장 1

☞ 의문사 없는 의문문으로서 도치법이므로 빈칸에는 주어가 와야 함.

동사 형태가 Bist이므로 빈칸에 올 주어는 단수 2인칭의 *du*('너는')임.

► Maria는 동사 Bist의 명사 보어임.

문장 2

☞ 평서문으로서 어순이 정치법이므로 빈칸에는 주어가 와야 함.

동사 형태가 bin이므로 빈칸에 올 주어는 단수 1인칭의 *ich*('나는')임.

► 여기서도 Maria는 동사 bin의 명사 보어임.

7. Wie sind die Leute? Sind __sie__ nett? - Ja, __sie__ sind sehr nett.

✱ **해석** 그 사람들은 어때? 그들은 친절하니? - 응, 그들은 매우 친절해.

✱ **어휘** wie [의문사] 어떻게? (영. how?) ▌sind ⇒ sein [동사] ...이다 (영. be) (불규칙 변화: ich *bin* ; du *bist* ; er (sie, es) *ist* ; wir *sind* ; ihr *seid* ; sie, Sie *sind*) ▌*die* Leute [복수명사] (항상 복수) 사람들 (영. people) ▌nett [형용사] 친절한 (= freundlich) ▌sehr [부사어] 매우, 아주

문장 1

► 명사 Leute는 *복수*이므로 *복수* 정관사 *die*와 결합.

► 주어인 die Leute는 복수의 sie('그들은')에 해당하므로 동사 sein의 형태는 *sind*임.

문장 2

☞ 의문사 없는 의문문으로서 도치법이므로 빈칸에는 주어가 와야 함.
내용상 앞 문장의 복수명사 die Leute를 받아야 하므로 복수의 *sie*('그들은')가 정답.

► 주어가 복수의 sie('그들은')이므로 동사 sein의 형태는 *Sind*임.

► 형용사 nett는 동사 Sind의 형용사 보어임.

문장 3

☞ 평서문으로서 어순이 정치법이므로 빈칸에는 주어가 와야 함.
내용상 복수명사 die Leute를 받아야 하므로 복수의 *sie*('그들은')가 정답.

► 주어가 복수의 sie('그들은')이므로 동사 sein의 형태는 *sind*임.

► 형용사 nett는 동사 sind의 형용사 보어임. (이를 부사어 sehr가 앞에서 수식함.)

8. Sind __Sie__ Frau Zimmermann? - Nein, __ich__ bin Frau Müller.

✱ **해석** 당신은 침머만 씨입니까? - 아니오, 저는 뮐러 씨입니다.

✱ **어휘** Sind ⇒ sein [동사] ...이다 (영. be) (불규칙 변화: ich *bin* ; du *bist* ; er (sie, es) *ist* ; wir *sind* ; ihr *seid* ; sie, Sie *sind*) ▌bin ⇒ sein [동사] ...이다 (영. be)

문장 1

☞ 의문사 없는 의문문으로서 도치법이므로 빈칸에는 주어가 와야 함.
내용상 빈칸에 올 주어는 잠재적으로 Sie('*당신은*') 혹은 du('*너는*')가 가능한데, 동사 형태가 Sind이므로 격식칭 *Sie*가 정답임.

► 주어가 Sie('당신은')이므로 동사 sein의 형태는 *Sind*임.

► Frau Zimmermann은 동사 Sind의 명사 보어임.

문장 2

☞ 평서문으로서 어순은 정치법이므로 빈칸에는 주어가 와야 함.
동사 형태가 bin이므로 빈칸에 올 주어는 *ich*('나는')임.

► Frau Müller는 동사 bin의 명사 보어임.

II. 밑줄 친 곳에 알맞은 부정관사는? (2과, 심화문제: 교재 10쪽)

1. Da kommt ein Zug. Kommt er aus Köln? - Nein, er kommt nicht aus Köln.

✹ **해석** 저기 기차가 한 대 오네요. 그것은 쾰른에서 오나요? - 아니오, 그것은 쾰른에서 오지 않아요.

✹ **어휘** da [부사어] 저기(에) (영. there) ▌kommen [동사] 오다 ▌*der* Zug [남성명사] 기차 ▌aus [전치사] ~로부터 ▌Köln [고유명사] (독일 도시) 쾰른

문장 1

☞ 명사 Zug은 *남성*이므로 *남성* 부정관사 *ein*이 빈칸에 옴.

► 주어인 ein Zug은 남성의 er('그는')에 해당하므로 동사는 어미 *-t*가 붙어 komm*t*임.

문장 2

► 주어 er는 앞 문장의 남성명사 ein Zug을 받음.
주어가 er이므로 동사는 어미 *-t*가 붙어 komm*t*임.

► aus Köln 쾰른으로부터 (고유명사 Köln은 관사 없음!)

문장 3

► 주어인 er는 앞의 남성명사 ein Zug을 받음.
주어가 er이므로 동사 형태는 komm*t*임.

2. Hier ist eine Zeitung. - Vielen Dank, aber ich lese sie später.

✹ **해석** 여기 신문이 하나 있어. - 고마워. 하지만 나는 그것을 나중에 읽겠어.

✹ **어휘** hier [부사어] 여기에 (영. here) ▌ist ⇒ sein [동사] 있다, 존재하다 (영. be) (불규칙 변화: ich *bin* ; du *bist* ; er (sie, es) *ist* ; wir *sind* ; ihr *seid* ; sie, Sie *sind*) ▌*die* Zeitung [여성명사] 신문 ▌Vielen Dank! 매우 감사합니다! → viel 많은 + der Dank 감사 ▌aber [접속사] 그러나 ▌lesen [타동사] ...을 읽다 ▌später [부사어] 나중에 (↔ früher 전에)

문장 1

☞ 명사 Zeitung은 *여성*이므로 *여성* 부정관사 *eine*가 빈칸에 옴.

► 주어인 eine Zeitung은 여성의 sie('그녀는')에 해당하므로 동사 sein의 형태는 *ist*임.

문장 2

► 주어가 ich이므로 동사 형태는 les*e*임.

► sie는 동사 lese의 목적어임.
여기서 sie는 여성 인칭대명사로서 앞 문장의 여성명사 eine Zeitung을 받음.

3\. Hier ist <u>ein</u> Beispiel. - Das Beispiel verstehe ich nicht.

✺ **해석** 여기 예문 하나가 있습니다. - 그 예문을 저는 이해하지 못하겠어요.

✺ **어휘** hier [부사어] 여기에 ▌ ist ⇒ sein [동사] 있다, 존재하다 (영. be) (불규칙 변화: ich *bin* ; du *bist* ; er (sie, es) *ist* ; wir *sind* ; ihr *seid* ; sie, Sie *sind*) ▌ *das* Beispiel [중성명사] (구체적인) 예 (영. example) : zum Beispiel (= z.B.) 예를 들면 ▌ verstehen [타동사] ...을 이해하다

문장 1

☞ 명사 Beispiel은 *중성*이므로 *중성* 부정관사 *ein*이 빈칸에 옴.

► 주어인 ein Beispiel은 중성의 es('그것은')에 해당하므로 동사 sein의 형태는 *ist*임.

문장 2

► 앞 문장의 ein Beispiel을 받아 "<u>그</u> ..."를 뜻하므로 여기서는 정관사가 앞에 와야 함. 명사 Beispiel은 *중성*이므로 *중성* 정관사 *Das*와 결합함.

► Das Beispiel은 동사 verstehe의 목적어임.

► 주어가 아닌 목적어 Das Beispiel이 앞에 나오므로 어순은 도치됨. 주어가 ich('나는')이므로 동사 형태는 versteh*e*임.

<참고> ich는 주격 형태이므로 *주어*로만 사용됨.
역으로 문장 안에 ich가 나오면 그 문장의 주어는 자동적으로 ich임.

4\. Kennst du Hamburg? - Ja, das ist <u>eine</u> Stadt in Deutschland. Sie ist sehr schön.

✺ **해석** 너는 함부르크를 아니? - 응, 그것은 독일의 한 도시야. 그것은 매우 아름다워.

✺ **어휘** kennen [타동사] ...을 알다 (영. know somebody; be acquainted with) ▌ Hamburg [고유명사] 함부르크 ▌「Das ist ...」 그것은 ...이다 ▌ *die* Stadt [여성명사] 도시 ▌ in [전치사] ~안에 ▌ Deutschland [고유명사] 독일 ▌ sehr [부사어] 매우 ▌ schön [형용사] 아름다운

문장 1

► 주어가 du('너는')이므로 동사 형태는 Kenn*st*임.

<참고> du는 주격 형태이므로 *주어*로만 사용됨.
역으로 문장 안에 du가 나오면 그 문장의 주어는 자동적으로 du임.

► 고유명사로서 관사 없는 Hamburg는 동사 Kennst의 목적어임.

문장 2

☞ 명사 Stadt는 *여성*이므로 *여성* 부정관사 *eine*가 빈칸에 옴.

문장 3

► 문장 맨 앞의 주어 Sie는 여성의 sie('그녀는')로서 앞 문장의 여성명사 eine Stadt를 받음. 주어가 여성의 Sie('그녀는')이므로 동사 sein의 형태는 *ist*임.

► 형용사 schön은 동사 ist의 형용사 보어임. (이것을 부사어 sehr가 앞에서 수식함.)

5. Herr Kunze, was ist das? - Das hier? Das ist __eine__ Tomate.

✹ **해석** 쿤체씨, 그것이 무엇입니까? - 여기 이거요? 이것은 토마토입니다.

✹ **어휘** was [의문사] 무엇? ▌「Das ist ...」 그것은 ...이다 ▌ das [지시대명사] 그것 (영. this one; that one) ▌ hier [부사어] 여기(에) ▌ *die* Tomate [여성명사] 토마토

문장 1

► 의문사 was는 동사 ist의 보어임.

문장 2

► 여기서 지시대명사 Das는 대화 상황에 놓여있는 실제 대상을 가리키며 하는 말.

문장 3

☞ 명사 Tomate는 *여성*이므로 *여성* 부정관사 *eine*가 빈칸에 옴.

III. 밑줄 친 곳에 알맞은 정관사는? (2과, 심화문제: 교재 10쪽)

1. Wann beginnen __die__ Ferien? - Sie beginnen nächste Woche.

✹ **해석** 언제 휴가가 시작합니까? - 다음 주에 시작해요.

✹ **어휘** wann [의문사] 언제? ▌ beginnen [동사] 시작하다 ▌ *die* Ferien [복수명사] (항상 복수) 휴가 (영. holiday; vacation) ▌ nächste Woche 다음 주에 → nächst [형용사] 다음의 (영. next) + die Woche 주, 주일 (영. week)

문장 1

☞ 명사 Ferien은 *복수*이므로 *복수* 정관사 *die*가 빈칸에 옴.

► 주어인 복수명사 die Ferien은 복수 인칭대명사 sie('그것들은')에 해당함.
따라서 동사는 원형 어미 *-en*이 붙어 beginn*en*임.

문장 2

► 문장 맨 앞의 주어 Sie는 복수의 sie('그것들은')로서 앞 문장의 복수명사 die Ferien을 받음.
따라서 주어가 복수의 Sie이므로 동사는 원형 어미 *-en*이 붙어 beginn*en*임.

2. __Die__ Großeltern sind schon alt, aber sie sind noch sehr gesund.

✹ **해석** 그 조부모님은 이미 늙으셨어요. 하지만 그분들은 아직 매우 건강하셔요.

✹ 어휘 *die* Großeltern [복수명사] (항상 복수) 조부모 → groß [형용사] 큰 + *die* Eltern [복수명사] 부모 ▌ sind ⇒ sein [동사] ...이다 (불규칙 변화: ich *bin* ; du *bist* ; er (sie, es) *ist* ; wir *sind* ; ihr *seid* ; sie, Sie *sind*) ▌ schon [부사어] 이미, 벌써 ▌ alt [형용사] 늙은 (↔ jung 젊은) ▌ aber [접속사] 그러나 ▌ noch [부사어] 아직, 여전히 ▌ sehr [부사어] 매우 ▌ gesund [형용사] 건강한 (↔ krank 아픈, 병든)

► 접속사 aber에 의해 두 개의 문장이 연결됨.

접속사 aber 앞 문장

☞ 명사 Großeltern은 *복수*이므로 *복수* 정관사 *Die*가 빈칸에 옴.

► 주어 Die Großeltern은 복수의 sie('그들은')에 해당하므로 동사 sein의 형태는 *sind*임.

► 형용사 alt는 동사 sind의 형용사 보어임.

접속사 aber 뒤 문장

► 주어인 sie('그들은')는 앞에 나온 복수명사 Die Großeltern을 받음.
따라서 주어가 복수의 sie이므로 동사 sein의 형태는 *sind*임.

► 형용사 gesund는 동사 sind의 형용사 보어임. (이것을 부사어 sehr가 앞에서 수식함.)

3. Ist das <u>der</u> Bahnhof? - Nein, das ist die Post.

✹ 해석 이것은 역인가요? - 아니오, 그것은 우체국입니다.

✹ 어휘 「Das ist ...」 이것은 (그것은, 저것은) ...이다 ▌ *der* Bahnhof [남성명사] 역 ▌ *die* Post [여성명사] 우체국

문장 1

☞ 명사 Bahnhof는 *남성*이므로 *남성* 정관사 *der*가 빈칸에 옴.

► der Bahnhof는 동사 ist의 명사 보어임.

문장 2

► 동사 ist의 명사 보어인 Post는 *여성*이므로 *여성* 정관사 *die*와 결합함.

4. Was kostet <u>die</u> Blume hier? - Sie kostet zwei Euro.

✹ 해석 여기 이 꽃은 얼마입니까? - 그것은 2 유로입니다.

✹ 어휘 was [의문사] 무엇? ▌ kosten [동사] 가격이 ...이다 ▌ *die* Blume [여성명사] 꽃 ▌ hier [부사어] 여기 ▌ zwei [수사] 2 ▌ Euro (화폐 단위) 유로

문장 1

☞ 명사 Blume는 *여성*이므로 *여성* 정관사 *die*가 빈칸에 옴.

► 주어인 여성명사 die Blume는 여성 인칭대명사 sie('그녀는')에 해당함.
따라서 동사 어미는 원래 -t이지만, 동사 kos*t*en은 어간 끝이 -t이므로
발음상 -e-가 첨가되어 kost<u>*et*</u>임. (즉, kost*t* 아님!)

► *Was* kostet A? = *Wie viel* kostet A? 'A는 (가격이) 얼마인가?'

문장 2

► 문장 맨 앞의 주어 Sie는 여성의 sie('그녀는')로서 앞 문장의 여성명사 die Blume를 받음. 따라서 주어가 여성의 sie이므로 동사 kosten은 발음상 -e-가 첨가되어 kost*et*임.

5. Wie ist __das__ Buch hier? - Es ist spannend.

✲ **해석** 여기 이 책은 어떤가요? - 그것은 흥미진진해요.

✲ **어휘** wie [의문사] 어떻게? ▌ist ⇒ sein [동사] ...이다 (불규칙 변화: ich *bin* ; du *bist* ; er (sie, es) *ist* ; wir *sind* ; ihr *seid* ; sie, Sie *sind*) ▌*das* Buch [중성명사] 책 ▌hier [부사어] 여기에 ▌spannend [형용사] 흥미진진한

<참고> 「동사 원형 + -*d*」는 현재분사('...하는')로서 형용사가 됨 (영. 「동사 원형 + -ing」) : spannen [동사] 긴장시키다 (영. excite) + -*d* → spannen*d* [현재분사] 긴장시키는, 흥미진진한 (영. exciting)

문장 1

☞ 명사 Buch는 *중성*이므로 *중성* 정관사 *das*가 빈칸에 옴.

► 주어인 중성명사 das Buch는 중성 인칭대명사 es('그것은')에 해당함. 따라서 동사 sein의 형태는 *ist*임.

문장 2

► 주어인 Es('그것은')는 앞 문장의 중성명사 das Buch를 받음. 주어가 Es이므로 동사 sein의 형태는 *ist*임.

► 형용사의 특성을 지니는 현재분사 spannend는 동사 ist의 형용사 보어임.

IV. 정관사와 부정관사 중 적합한 것은? (2과, 심화문제: 교재 10쪽)

1. Wie heißt __die__ Hauptstadt von Deutschland?

✲ **해석** 독일의 수도는 (이름이) 어떻게 됩니까?

✲ **어휘** wie [의문사] 어떻게? ▌heißen [동사] 이름이 ...이다 (영. be called) ▌*die* Hauptstadt [여성명사] 수도 → 접두어 Haupt- '주요한' + *die* Stadt [여성명사] 도시 ▌von [전치사] ~의 (영. of)

☞ 명사 Hauptstadt는 *여성*이므로 여성 부정관사 eine 혹은 정관사 die가 가능함.
만약 독일의 수도가 여럿 존재하여 이 가운데 하나를 지칭한다면 부정관사 eine와 결합해야 할 것임: ... *eine* Hauptstadt von Deutschland "*한* 독일 수도"
그러나 실제로 독일의 수도는 단지 하나만 존재하며, 여기서는 "*바로 그* 독일 수도"를 말하므로 정관사 die와 결합해야 함: ... *die* Hauptstadt von Deutschland 독일 수도

► 「Wie + heißen + 주어?」 ...의 이름은 어떻게 되는가?, ...은 이름이 무엇인가? :
주어인 여성명사 die Hauptstadt는 여성 인칭대명사 sie('그녀는')에 해당함.
따라서 동사는 어미 *-t*가 붙어 heiß*t*임.

2. Der Rhein ist ___ein___ Fluss.

✵ **해석** 라인은 하나의 강입니다.

✵ **어휘** *der* Rhein [남성명사] 라인강 (복수 없음!) ▌ ist ⇒ sein [동사] ...이다 (불규칙 변화: ich *bin* ; du *bist* ; er (sie, es) *ist* ; wir *sind* ; ihr *seid* ; sie, Sie *sind*) ▌ *der* Fluss [남성명사] 강

► 명사 Rhein은 *남성*명사이므로 *남성* 정관사 *Der*가 앞에 옴.

<참고>
명사 Rhein, 즉 라인강은 이 세상에 단지 하나만 존재하는 대상임.
따라서 지정된 대상을 지칭하게 되므로 항상 *정관사*와 결합함.
이런 근거로 강 이름은 항상 정관사와 결합: *der* Main, *die* Elbe, *die* Isar

► 주어인 남성명사 Der Rhein은 남성 인칭대명사 er('그는')에 해당함.
따라서 동사 sein의 형태는 *ist*임.

☞ 명사 Fluss는 *남성*이므로 남성 부정관사 ein 혹은 정관사 der가 잠재적으로 가능함.
만약 특정 강을 지칭하여 "라인강이 *바로 그* 강이다"였다면 Fluss는 정관사 der와 결합해야 할 것임: Der Rhein ist *der* Fluss.
그러나 여기서는 "라인강은 *하나의* 강이다"라는 개념 정의로서 임의의 강을 지칭하므로 명사 Fluss는 *부정관사 ein*과 결합해야 함: Der Rhein ist *ein* Fluss.

3. Ist ___der___ Salat frisch?

✵ **해석** 그 샐러드 신선합니까?

✵ **어휘** Ist ⇒ sein [동사] ...이다 (불규칙 변화: ich *bin* ; du *bist* ; er (sie, es) *ist* ; wir *sind* ; ihr *seid* ; sie, Sie *sind*) ▌ *der* Salat [남성명사] 샐러드 ▌ frisch [형용사] 신선한

☞ 주어인 Salat는 *남성*이므로 남성 부정관사 ein 혹은 정관사 der가 잠재적으로 가능함.
내용상 여기서는 "*임의의 한* 샐러드"가 아니라 관련 문맥에서 확인되는 "*그* 샐러드"로서 특정 샐러드를 지칭하므로 *정관사 der*와 결합해야 함.

► 주어인 남성명사 der Salat는 남성의 er('그는')에 해당하므로 동사 sein의 형태는 *Ist*임.

► 형용사 frisch는 동사 Ist의 형용사 보어임.

4. Hier wohnt ein Mann. ___Der___ Mann ist alt.

✵ **해석** 여기 한 남자가 살고 있어요. 그 남자는 늙었어요.

✱ **어휘** hier [부사어] 여기에 ▌ wohnen [동사] 거주하다 ▌ *der* Mann [남성명사] 남자 어른, 남편 ▌ ist ⇒ sein [동사] ...이다 (불규칙 변화: ich *bin* ; du *bist* ; er (sie, es) *ist* ; wir *sind* ; ihr *seid* ; sie, Sie *sind*) ▌ alt [형용사] 늙은

문장 1

► 명사 Mann은 *남성*이므로 *남성* 부정관사 *ein*이 앞에 옴.

► 주어 ein Mann은 남성 인칭대명사 er('그는')에 해당하므로 동사는 어미 *-t*가 붙어 wohn*t*임.

문장 2

☞ 명사 Mann은 *남성*이므로 남성 부정관사 ein 혹은 정관사 der가 잠재적으로 가능함. 여기서는 앞 문장의 ein Mann을 받아 "*그* 남자"를 뜻하므로 *정관사 Der*와 결합해야 함.

► 주어인 Der Mann은 남성의 er('그는')에 해당하므로 동사 sein의 형태는 *ist*임.

► 형용사 alt는 동사 ist의 형용사 보어임.

5. Der Winter in Korea ist immer kalt.

✱ **해석** 한국의 겨울은 늘 추워요.

✱ **어휘** *der* Winter [남성명사] 겨울 ▌ in [전치사] ~안에 ▌ ist ⇒ sein [동사] ...이다 (불규칙 변화: ich *bin* ; du *bist* ; er (sie, es) *ist* ; wir *sind* ; ihr *seid* ; sie, Sie *sind*) ▌ immer [부사어] 늘, 항상, 언제나 ▌ kalt [형용사] 추운, 차가운

<참고 1>

계절 명은 모두 *남성*임: *der* Frühling 봄, *der* Sommer 여름, *der* Herbst 가을, *der* Winter 겨울

<참고 2>

'온도'의 형용사 : kalt 차가운, kühl 시원한, warm 따뜻한, heiß 뜨거운

☞ 명사 Winter는 *남성*이므로 남성 부정관사 ein 혹은 정관사 der가 잠재적으로 가능하지만, 계절 명은 항상 *정관사 der*와 결합함.

► 주어인 남성명사 Der Winter는 남성의 er('그는')에 해당하므로 동사 sein의 형태는 *ist*임.

► 형용사 kalt는 동사 ist의 형용사 보어임.

unit 03

마무리 문제

I. 괄호 안의 낱말을 사용하여 독일어로 옮기시오. (2과, 마무리문제: 교재 11쪽)

1. 이것은 무엇입니까? - 그것은 가방입니다.
   (das, was, sein) (das, ein-, Koffer, sein)

   ✻ 어휘 「Das ist ...」 그것은 (이것은, 저것은) ...이다 → das [지시대명사] 그것, 이것, 저것 + sein [동사] ...이다 ▌was [의문사] 무엇? ▌*der* Koffer [남성명사] (여행용) 큰 가방 ▌sein [동사] ...이다 (불규칙 변화: ich *bin* ; du *bist* ; er (sie, es) *ist* ; wir *sind* ; ihr *seid* ; sie, Sie *sind*)

   정답 Was ist das? - Das ist ein Koffer.

   문장 1
   - 사물을 묻는 의문사 Was는 문장 맨 앞에 위치함.
   - 의문사 있는 의문문으로서 「Das ist ...」 형식이 도치됨: Was *ist das*?

   문장 2
   - 평서문이므로 어순은 정치법: *Das ist* ...
   - 동사 ist의 명사 보어인 Koffer는 *남성*이므로 *남성* 부정관사 *ein*과 결합함.

2. 그 영화는 어떻습니까? - 그것은 재미있습니다.
   (d-, Film, wie, sein) (er, interessant, sein)

   ✻ 어휘 *der* Film [남성명사] 영화 ▌wie [의문사] 어떻게? (영. how?) ▌sein [동사] (명사 및 형용사 보어와 함께) ...이다 (영. be) (불규칙 변화: ich *bin* ; du *bist* ; er (sie, es) *ist* ; wir *sind* ; ihr *seid* ; sie, Sie *sind*) ▌interessant [형용사] 흥미있는

   정답 Wie ist der Film? - Er ist interessant.

   문장 1
   - '상태'를 묻는 의문사 Wie는 문장 맨 앞에 위치함.
     의문사 있는 의문문으로서 어순은 도치됨.
   - 명사 Film은 *남성*이므로 *남성* 정관사 *der*가 앞에 옴.
     주어인 der Film은 남성의 er('그는')에 해당하므로 동사 sein의 형태는 *ist*임.

   문장 2
   - 평서문이므로 어순은 정치법.

► 우리말 "그것은"은 내용상 앞 문장의 남성명사 der Film을 받으므로 남성의 *Er*임.
주어가 Er이므로 동사 sein의 형태는 *ist*임.
► 동사 ist 뒤에 형용사 보어 interessant가 옴.

3. 부모님께서는 언제 오십니까? - 그들은 다음 주에 오십니다.

(d-, Eltern, wann, kommen) (sie, nächste Woche, kommen)

✺ **어휘** *die* Eltern [복수명사] (항상 복수) 부모 ▌wann [의문사] 언제? ▌nächste Woche 다음 주에
→ nächst [형용사] 다음의 + *die* Woche [여성명사] 주, 주일 ▌kommen [동사] 오다

정답 Wann kommen die Eltern? - Sie kommen nächste Woche.

문장 1

► 시간을 묻는 의문사 Wann이 문장 맨 앞에 위치함.
의문사 있는 의문문으로서 어순이 도치됨.
► 우리말 "부모님께서는"은 여기서 대화 상대자의 부모님, 즉 특정 부모님을 뜻함.
따라서 명사 Eltern은 정관사와 결합해야 함.
Eltern은 *복수*이므로 *복수* 정관사 *die*가 앞에 옴.
► 주어 die Eltern은 복수의 sie('그들은')에 해당하므로 동사는 komm*en*임.

문장 2

► 평서문이므로 어순은 정치법.
► 주어인 "그들은"은 앞 문장의 복수명사 die Eltern을 받으므로 복수의 sie('그들은')임.
(문장 맨 앞이므로 Sie로 대문자 표기함!)
주어가 복수의 Sie이므로 동사는 원형 어미 *-en*이 붙어 komm*en*임.
► 부사어 nächste Woche는 동사 kommen 뒤에 옴.

4. 여기 이 의자는 얼마입니까? - 그것은 비싸지 않습니다. 20 유로입니다.

(hier, d-, Stuhl, was, kosten) (er, nicht, teuer, sein) (kosten, er, 20 Euro)

✺ **어휘** hier [부사어] 여기 ▌*der* Stuhl [남성명사] 의자 ▌was [의문사] 무엇? ▌kosten [동사] 가격이 ...이다 ▌teuer [형용사] 비싼 ↔ billig 값싼 ▌sein [동사] ...이다 (불규칙 변화: ich *bin* ; du *bist* ; er (sie, es) *ist* ; wir *sind* ; ihr *seid* ; sie, Sie *sind*) ▌zwanzig [수사] 20 ▌Euro (화폐 단위) 유로

정답 Was kostet der Stuhl hier? - Er ist nicht teuer. Er kostet 20 Euro.

문장 1

► 가격을 묻는 의문문「Was + kosten + 주어?」

► 우리말 "여기 이 의자"는 대화 상황 속에 실제로 놓여있는 의자, 즉 특정 의자를 뜻하므로 명사 Stuhl은 정관사와 결합해야 함.
Stuhl은 *남성*이므로 *남성* 정관사 *der*가 앞에 옴.

► 주어인 der Stuhl은 남성명사이므로 남성의 er('그는')에 해당함.
따라서 동사 어미는 원래 -t이지만, 여기서 동사 kosten은 어간 끝이 -t이므로 발음상 -e-가 첨가되어 kost*et*임 (즉, kost*t* 아님!)

문장 2

► 평서문이므로 어순은 정치법.

► 주어인 "그것은"은 앞 문장의 남성명사 der Stuhl을 받으므로 남성의 Er이어야 함.
주어가 Er이므로 동사 sein의 형태는 *ist*임.

► 동사 ist 뒤에 형용사 보어 teuer가 옴.

► 부정어 nicht가 형용사 teuer 앞에 와서 이를 부정함.

문장 3

► 우리말에서 생략된 주어 "그것은"은 남성명사 der Stuhl을 받으므로 남성의 Er이어야 함.
주어가 남성의 Er이므로 동사 kosten은 발음상 -e-가 첨가되어 kost*et*임.

► 동사 kostet 뒤에 가격 표현인 "20 Euro"가 위치함.

5. 이것은 셔츠입니까? - 아니오, 그것은 블라우스입니다.

(das, ein-, Hemd, sein) (nein, das, ein-, Bluse, sein)

✱ 어휘 「Das ist + 명사」 이것은 ...이다 ▌ *das* Hemd [중성명사] 셔츠 ▌ *die* Bluse [여성명사] 블라우스

정답 Ist das ein Hemd? - Nein, das ist eine Bluse.

문장 1

► 의문사 없는 의문문이므로 「Das ist ...」 형식이 도치됨 : *Ist das* ...?임.

► 동사 Ist의 명사 보어인 Hemd는 *중성*명사이므로 *중성* 부정관사 *ein*과 결합함.

<주의>
이것은 셔츠입니까?"는 특정 셔츠가 아니라 *임의의 한* 셔츠를 나타내므로 부정관사 ein과 결합해야 한다.
만약 *특정* 셔츠를 뜻하여 정관사 das가 오면: Ist das *das* Hemd? 이것이 *그* 셔츠입니까?

문장 2

► 평서문이므로 어순은 정치법임: Nein, *das ist* ...

► 동사 ist의 명사 보어 Bluse는 여성명사이므로 여성 부정관사 *eine*와 결합함.

II. 잘못된 부분(들)을 고쳐서 다시 적으시오. (2과, 마무리문제: 교재 11쪽)

1. Das ist eine[오류1] Buch. Sie[오류2] ist sehr interessant.

✵ **해석** 이것은 책이다. 그것은 매우 흥미롭다.

✵ **어휘** 「Das ist + 명사」 이것은 ...이다 ▌ *das* Buch [중성명사] 책 ▌ ist ⇒ sein [동사] ...이다 (불규칙 변화: ich *bin* ; du *bist* ; er (sie, es) *ist* ; wir *sind* ; ihr *seid* ; sie, Sie *sind*) ▌ sehr [부사어] 매우 ▌ interessant [형용사] 흥미있는

<오류> 1

명사 Buch는 *중성*이므로 *중성* 부정관사 *ein*이 와야 옳음!
(eine는 여성 부정관사이므로 오류임.)

<오류> 2

여성 인칭대명사 sie('그녀는')가 주어로 온 것은 오류임. (문장 맨 앞에서 Sie로 대문자 표기됨.)
주어는 앞 문장의 중성명사 ein Buch를 받으므로 중성 인칭대명사 *Es*('그것은')이어야 옳음!

정답 Das ist *ein* Buch. *Es* ist sehr interessant.

문장 2

► 형용사 interessant는 동사 ist의 형용사 보어임.
► 부사어 sehr는 형용사 보어 interssant를 수식함: *sehr* interessant *매우* 흥미있는

2. Arbeitst[오류1] du auch am Samstag? - Nein, am Samstag ich arbeite[오류2] nicht.

✵ **해석** 너는 토요일에도 일하니? - 아니, 토요일에는 나는 일하지 않아.

✵ **어휘** arbeiten [동사] 일하다 ▌ auch [부사어] 역시 ▌ 「am + 요일」 : am Samstag 토요일에 (← *der* Samstag [남성명사] 토요일)

<오류> 1

주어가 du인 경우 동사 어미는 원래 -st이지만, 동사 arbei*t*en은 어간 끝이 -t이므로
발음상 -e-가 첨가되어 Arbeit*est*이어야 옳음!

<오류> 2

주어가 아닌 부사어 am Samstag이 앞에 나오므로 어순은 도치되어
「Am Samstag + 동사 + 주어 ...」 이어야 옳음!

정답 *Arbeitest* du auch am Samstag? - Nein, am Samstag *arbeite ich* nicht.

문장 1

► 의문사 없는 의문문이므로 어순은 도치법: Arbeit*est du* ...?

문장 2

► 주어가 ich('나는')이므로 동사는 어미 *-e*가 붙어 arbeit*e*임.

3. Wann beginnt[오류1] die Ferien? - Sie beginnt[오류2] nächste Woche.

✸ **해석** 언제 휴가가 시작합니까? - 다음 주에 시작해요.

✸ **어휘** wann [의문사] 언제? ▌ beginnen [동사] 시작하다 ▌ *die* Ferien [복수명사] (항상 복수) 휴가 ▌ nächste Woche 다음 주에 → nächst [형용사] 다음의 + *die* Woche [여성명사] 주, 주일

<오류> 1

주어인 die Ferien은 복수명사로서 복수 인칭대명사 sie('그것들')에 해당함.
따라서 동사는 원형 어미 *-en*이 붙어 beginn*en*이어야 옳음!

<오류> 2

문장 맨 앞의 주어 Sie는 앞 문장의 복수명사 die Ferien을 받는 복수의 sie('그것들')이므로 동사 형태는 beginn*en*이어야 옳음!

정답 Wann *beginnen* die Ferien? - Sie *beginnen* nächste Woche.

문장 1

► 의문사 Wann이 있는 의문문으로서 어순은 도치됨: 「Wann + 동사 + 주어 ...?」

문장 2

► 평서문으로서 어순은 정치법임.

4. Kommt das Kind heute nicht? - Ja[오류1], er[오류2] kommt heute.

✸ **해석** 그 아이가 오늘 오지 않니? - 아니, 오늘 와.

✸ **어휘** kommen [동사] 오다 ▌ *das* Kind [중성명사] 아이 ▌ heute [부사어] 오늘 ▌ doch 아니, 천만에 (부정 질문에 대한 긍정 답변!) ↔ nein 응 (부정 질문에 대한 부정 답변!)

<오류> 1

앞 문장은 nicht가 있는 부정 질문인데, 이에 대한 긍정 답변이므로 *Doch*이어야 옳음!

<오류> 2

주어는 앞 문장의 중성명사 das Kind를 받으므로 중성 인칭대명사 *es*('그것은')이어야 옳다!

정답 Kommt das Kind heute nicht? - *Doch*, *es* kommt heute.

문장 1

► 주어인 das Kind는 중성 인칭대명사 es('그것은')에 해당하므로 동사 형태는 komm*t*임.

문장 2

► 주어가 중성의 es이므로 동사 형태는 komm*t*임.

5. Was kostet der Stuhl? - Nur 5 Euro kosten.[오류]

✹ **해석** 그 의자는 가격이 얼마입니까? - 그것은 단지 5 유로에 불과해요.

✹ **어휘** was [의문사] 무엇? ▌ kosten [동사] 가격이 ...이다 ▌ *der* Stuhl [남성명사] 의자, 걸상 ▌ nur [부사어] 단지, 다만 (영. only) / Euro (화폐 단위) 유로

<오류>

동사 kosten의 문장 형식 「주어 + kosten + 금액」이 적용되어야 옳음!

정답 Was kostet der Stuhl? - *Er kostet nur 5 Euro.*

문장 1

► 주어인 der Stuhl은 *남성*명사이므로 *남성*의 er('그는')에 해당함. 따라서 동사 형태는 발음상 -e-가 첨가되어 kost*et*임.

문장 2

► 주어는 앞 문장의 남성명사 der Stuhl을 받는 남성 인칭대명사 *Er*임.
► 주어가 Er이므로 동사 kosten은 발음상 -e-가 첨가되어 kost*et*임.
► 동사 뒤에 금액 표현인 "nur 5 Euro"가 옴.

기타 정답

Was kostet der Stuhl? - *Nur 5 Euro kostet er.*

► 주어가 아닌 "nur 5 Euro"가 문장 앞에 와서 어순이 도치되는 것도 가능함!

6. Die Wohnung ist groß, aber ist es[오류1,2] nicht teuer.

✹ **해석** 그 아파트는 크다. 하지만 그것은 비싸지 않다.

✹ **어휘** *die* Wohnung [여성명사] 아파트, 주택 ▌ ist ⇒ sein [동사] ...이다 (불규칙 변화: ich *bin* ; du *bist* ; er (sie, es) *ist* ; wir *sind* ; ihr *seid* ; sie, Sie *sind*) ▌ groß [형용사] 큰 ▌ aber [접속사] 그러나 (영. but) ▌ teuer [형용사] 비싼

<오류> 1

aber는 접속사이므로 뒤에 오는 문장은 평서문의 어순인 *정치법*이어야 옳음!
(예문에서는 aber를 문장 구성 요소로 오해함으로써, 주어가 아닌 aber가 문장 앞에 나온다는 이유로 *어순을 도치*시켰는데, 이는 오류임.)

<오류> 2

접속사 aber 뒤 문장의 주어는 앞의 여성명사 Die Wohnung을 받으므로 여성 인칭대명사 sie('그녀는')이어야 옳음!

정답 Die Wohnung ist groß, aber *sie ist* nicht teuer.

접속사 aber 앞 문장

- 주어인 Die Wohnung은 여성의 sie('그녀는')에 해당하므로 동사 sein의 형태는 *ist*임.
- 형용사 groß는 동사 ist의 형용사 보어임.

접속사 aber 뒤 문장

- 주어가 앞의 여성명사 Die Wohnung을 받는 여성의 sie('그녀는') 이므로 동사 sein의 형태는 *ist*임.
- 형용사 teuer는 동사 ist의 형용사 보어임.

Lektion 3

명사의 복수

소유대명사 (1)

unit 01

기초문제

I. 〈보기〉처럼 숫자 표현 및 복수형을 기술하시오. (3과, 기초문제: 교재 14쪽)

<보기> 2 / Stuhl : zwei Stühle

☞ • der Stuhl 의자, 걸상 (복수형은 *단수형에 Umlaut와 함께 -e*, 즉 die Stühl*e*)
• zwei 2

1. 3 / Ei : drei Eier

☞ • das Ei 알, 계란 (복수형은 *단수형에 -er*, 즉 die Ei*er*)
• drei 3

2. 4 / Stunde : vier Stunden

☞ • die Stunde 시간 (복수형은 *단수형에 -n*, 즉 die Stunde*n*)
• vier 4

3. 5 / Apfel : fünf Äpfel

☞ • der Apfel 사과 (복수형은 *단수형에 Umlaut*, 즉 die Äpfel)
• fünf 5

4. 2 / Zimmer : zwei Zimmer

☞ • das Zimmer 방 (복수형은 *단수형과 동일*, 즉 die Zimmer)
• zwei 2

5. 3 / Tochter : drei Töchter

☞ • die Tochter 딸 (복수형은 *단수형에 Umlaut*, 즉 die Töcht*er*)
• drei 3

6. 4 / Buch : vier Bücher

☞ • das Buch 책 (복수형은 *단수형에 Umlaut와 함께 -er*, 즉 die Büch*er*)
• vier 4

II. 밑줄 친 곳에 알맞은 어미는? (3과, 기초문제: 교재 14쪽)

1. Woher kommt dein__ Freund? Kommt er auch aus Deutschland?

✸ **해석** 너의 친구는 어디 출신이니? 그도 독일 출신이니?

✸ **어휘** woher [의문사] 어디로부터? ▌kommen [동사] 오다 ▌der Freund 친구 (die Freund*e*) ▌auch [부사어] ...도, 역시 ▌aus [전치사] ~로부터

문장 1

☞ 「dein_ Freund」:

명사 Freund가 *남성!!*

따라서 소유대명사 dein-('너의')은 *남성* 부정관사 ein_처럼 어미 없이 dein_임.

문장 2

► 주어인 er는 앞 문장의 *남성*명사 dein Freund를 받음.

2. Meine_ Wohnung ist groß, aber sie ist nicht teuer.

✸ **해석** 나의 아파트는 크지만 비싸지 않다.

✸ **어휘** die Wohnung 아파트, 주택 (die Wohnung*en*) ▌groß [형용사] 큰 ▌aber [접속사] 그러나 ▌teuer [형용사] 비싼

☞ 「Mein*e* Wohnung」:

명사 Wohnung이 *여성!!*

따라서 소유대명사 mein-('나의')은 *여성* 부정관사 ein*e*처럼 어미변화 하여 mein*e*임.

► 주어 Meine Wohnung은 sie('그녀는')에 해당하므로 동사 sein의 형태는 *ist*임.

► 접속사 aber 뒤 문장의 주어 sie('그녀는')는 앞에 나온 *여성*명사 Meine Wohnung을 받음.

3. Arbeitet sein__ Bruder viel? - Nein, er arbeitet nicht viel.

✸ **해석** 그의 형은 많이 일하니? - 아니, 그는 많이 일하지 않아.

✸ **어휘** arbeiten [동사] 일하다 ▌der Bruder 남자 형제 (die Brüder) ▌viel 많은, 많이

문장 1

☞ 「sein_ Bruder」:

명사 Bruder가 *남성!!*

따라서 소유대명사 sein-('그의')은 *남성* 부정관사 ein_처럼 어미 없이 sein_임.

► 주어 sein Bruder는 er('그는')에 해당하므로 동사 어미는 원래 -t이지만, 동사 arbei*t*en은 어간 끝이 -t이므로 발음상 -e-가 첨가된 어미 -*et*가 붙어 Arbeite*t*임. (즉, Arbeit*t* 아님!)

문장 2

► 주어인 남성 인칭대명사 er는 앞 문장의 *남성*명사 sein Bruder를 받음.

4. Wann kommt deine_ Tochter? - Sie kommt am Montag.

✺ **해석** 너의 딸은 언제 오니? - 그녀는 월요일에 와.

✺ **어휘** wann [의문사] 언제? ▌kommen [동사] 오다 ▌die Tochter 딸 (die Töchter) ▌「am + 요일」: am Montag 월요일에

문장 1

☞「deine Tochter」:

명사 Tochter가 *여성!!*

따라서 소유대명사 dein-('너의')은 *여성* 부정관사 eine처럼 어미변화 하여 deine임.

► 주어 deine Tochter는 sie('그녀는')에 해당하므로 동사 형태는 kommt임.

문장 2

► 주어인 Sie는 문장 맨 앞에서 대문자 표기된 여성 인칭대명사 sie('그녀는')로서 앞 문장의 *여성*명사 deine Tochter를 받음.

5. Ist das dein_ Zimmer? - Ja, das ist mein_ Zimmer.

✺ **해석** 이것이 너의 방이니? - 응, 그것은 나의 방이야.

✺ **어휘**「Das ist + *단수*명사」이것은 ...이다 ▌das Zimmer 방 (die Zimmer)

문장 1

☞「dein_ Zimmer」:

명사 Zimmer가 *중성!!*

따라서 소유대명사 dein-('너의')은 *중성* 부정관사 ein_처럼 어미 없이 dein_임.

문장 2

☞「mein_ Zimmer」:

명사 Zimmer가 *중성!!*

따라서 소유대명사 mein-('나의')은 중성 부정관사 ein_처럼 어미 없이 mein_임.

6. Sind das deine_ Bücher? - Nein, das sind nicht meine_ Bücher.

✺ **해석** 이것은 너의 책들이니? - 아니, 그것은 나의 책들이 아니야.

✺ **어휘**「Das sind + *복수*명사」이것은 ...들이다 ▌das Buch 책 (die Bücher)

문장 1

☞ 「dein*e* Büch*er*」:

명사 Büch*er*가 *복수!!*

따라서 소유대명사 dein-('너의')은 *복수 정관사* di*e*처럼 어미변화 하여 dein*e*임.

<주의> 소유대명사 mein-, dein-, ihr- ...는 기본적으로 *부정관사* ein- 어미변화 하지만 *복수*의 경우는 부정관사가 없으므로 *정관사* d- 어미변화 함.

문장 2

☞ 「mein*e* Büch*er*」:

명사 Büch*er*가 *복수!!*

따라서 소유대명사 mein-('나의')은 *복수 정관사* di*e*처럼 어미변화 하여 dein*e*임.

7. Spielen deine_ Kinder auch oft Computerspiele? - Ja, meine_ Kinder spielen auch oft Computerspiele.

✵ **해석** 너의 아이들도 컴퓨터 게임들을 자주 하니? - 응, 내 아이들 역시 컴퓨터 게임들을 자주 해.

✵ **어휘** spielen [타동사] ...을 하며 놀다 ▌das Kind 아이 (die Kind*er*) ▌auch [부사어] 역시 ▌oft [부사어] 자주 ▌das Computerspiel 컴퓨터 게임 (die Computerspiel*e*) → der Computer 컴퓨터 (die Computer) + das Spiel 게임, 놀이 (die Spiel*e*)

문장 1

☞ 「dein*e* Kind*er*」:

명사 Kind*er*가 *복수!!*

따라서 소유대명사 dein-('너의')은 *복수 정관사* di*e*처럼 어미변화 하여 dein*e*임.

소유대명사는 기본적으로 ***부정관사*** ein- 어미변화 하지만
복수의 경우는 부정관사가 없으므로 ***정관사*** d- 어미변화 함.

- 주어 deine Kinder는 복수의 sie('그들은')에 해당하므로 동사 형태는 원형 spiel*en*임.
- 복수명사 Computerspiel*e*는 동사 Spielen의 목적어임.

문장 2

☞ 「mein*e* Kind*er*」:

명사 Kind*er*가 *복수!!*

따라서 소유대명사 mein-('나의')은 *복수 정관사* di*e*처럼 어미변화 하여 mein*e*임.

III. 주어진 명사의 성을 파악하여 〈보기〉처럼 기술하시오. (3과, 기초문제: 교재 14쪽)

<보기> Wohnung: Ist das *deine Wohnung*? - Nein, das ist nicht *meine Wohnung*.
Das ist *seine Wohnung*.

✹ **해석** 이것은 너의 아파트냐? - 아니, 그것은 나의 아파트가 아니야. 그것은 그의 아파트야.

✹ **어휘** 「Das *ist* + *단수*명사」 이것은 ...이다 ▌die Wohnung 집, 아파트 (die Wohnung*en*)

☞ 뒤에 오는 명사 Wohnung이 *여성!!*
따라서 소유대명사 dein-('너의'), mein-('나의'), sein-('그의')은 *여성* 부정관사 eine처럼 어미변화 하여 각각 deine / meine / sein*e*임.

1. Kind: Ist das *dein Kind*? - Nein, das ist nicht *mein Kind*. Das ist *sein Kind*.

✹ **해석** 이것은 너의 아이냐? - 아니, 그것은 내 아이가 아니야. 그것은 그의 아이야.

✹ **어휘** das Kind 아이 (die Kind*er*)

☞ 뒤에 오는 명사 Kind가 *중성!!*
따라서 소유대명사는 *중성* 부정관사 ein_처럼 어미 없이 각각 dein_ / mein_ / sein_임.

2. Blume: Ist das *deine Blume*? - Nein, das ist nicht *meine Blume*. Das ist *seine Blume*.

✹ **해석** 이것은 너의 꽃이냐? - 아니, 그것은 내 꽃이 아니야. 그것은 그의 꽃이야.

✹ **어휘** die Blume 꽃 (die Blume*n*)

☞ 뒤에 오는 명사 Blume가 *여성!!*
따라서 소유대명사는 *여성* 부정관사 eine처럼 어미변화 하여 각각 deine / meine / eine임.

3. Auto: Ist das *dein Auto*? - Nein, das ist nicht *mein Auto*. Das ist *sein Auto*.

✹ **해석** 이것은 너의 차냐? - 아니, 그것은 내 차가 아니야. 그것은 그의 차야.

✹ **어휘** das Auto 자동차 (die Auto*s*)

☞ 뒤에 오는 명사 Auto가 *중성!!*
따라서 소유대명사는 *중성* 부정관사 ein_처럼 어미 없이 각각 dein_ / mein_ / sein_임.

4. Computer: Ist das *dein Computer*? - Nein, das ist nicht *mein Computer*. Das ist *sein Computer*.

✹ **해석** 이것은 너의 컴퓨터냐? - 아니, 그것은 내 컴퓨터가 아니야. 그것은 그의 컴퓨터야.

✹ **어휘** der Computer 컴퓨터 (die Computer)

☞ 뒤에 오는 명사 Computer가 *남성!!*
따라서 소유대명사는 *남성* 부정관사 ein_처럼 어미 없이 각각 dein_ / mein_ / sein_임.

5. Haus: Ist das *dein Haus*? - Nein, das ist nicht *mein Haus*. Das ist *sein Haus*.

✹ **해석** 이것은 너의 집이냐? - 아니, 그것은 내 집이 아니야. 그것은 그의 집이야.

✹ **어휘** das Haus 집 (die Häus*er*)

☞ 뒤에 오는 명사 Haus가 *중성!!*
따라서 소유대명사는 *중성* 부정관사 ein_처럼 어미 없이 각각 dein_ / mein_ / sein_임.

6. Mutter: Ist das *deine Mutter*? - Nein, das ist nicht *meine Mutter*. Das ist *seine Mutter*.

✹ **해석** 이것은 너의 어머니시냐? - 아니, 그것은 내 어머니가 아니야. 그것은 그의 어머니야.

✹ **어휘** die Mutter 어머니 (die Mütter)

☞ 뒤에 오는 명사 Mutter가 *여성!!*
따라서 소유대명사는 *여성* 부정관사 ein*e*처럼 어미변화 하여 각각 dein*e* / mein*e* / sein*e*임.

7. Vater: Ist das *dein Vater*? - Nein, das ist nicht *mein Vater*. Das ist *sein Vater*.

✹ **해석** 이것은 너의 아버지시냐? - 아니, 그것은 내 아버지가 아니야. 그것은 그의 아버지야.

✹ **어휘** der Vater 아버지 (die Väter)

☞ 뒤에 오는 명사 Vater가 *남성!!*
따라서 소유대명사는 *남성* 부정관사 ein_처럼 어미 없이 각각 dein_ / mein_ / sein_임.

8. Freund: Ist das *dein Freund*? - Nein, das ist nicht *mein Freund*. Das ist *sein Freund*.

✹ **해석** 이것은 너의 친구냐? - 아니, 그것은 내 친구가 아니야. 그것은 그의 친구야.

✹ **어휘** der Freund 친구 (die Freund*e*)

<참고> '신분'이나 '직업'을 뜻하는 명사는 *남성*임: der Arbeiter 노동자 / der Chef 사장, 부장 / der Kollege 동료

☞ 뒤에 오는 명사 Freund가 *남성!!*
따라서 소유대명사는 *남성* 부정관사 ein_처럼 어미 없이 각각 dein_ / mein_ / sein_임.

IV. 주어진 명사의 복수형을 파악하여 〈보기〉처럼 기술하시오. (3과, 기초문제: 교재 14쪽)

<보기> Foto: Sind das *deine Fotos*? - Nein, das sind nicht *meine Fotos*.
Das sind *seine Fotos*.

✱ 해석 이것은 너의 사진들이냐? - 아니, 그것은 내 사진들이 아니야. 그것은 그의 사진들이야.

✱ 어휘「Das *sind* + *복수*명사」 이것은 ...*들*이다 ▌das Foto 사진 (die Foto*s*)

☞ 뒤에 오는 명사들이 모두 동일하게 Foto*s*, 즉 *복수!!*
따라서 소유대명사 dein-('너의'), mein-('나의'), sein-('그의')은 부정관사가 아니라
정관사 복수 di*e*처럼 어미변화 하여 각각 dein*e* / mein*e* / sein*e*임.

1. Auto: Sind das *deine Autos*? - Nein, das sind nicht *meine Autos*. Das sind *seine Autos*.

✱ 해석 이것은 너의 차들이냐? - 아니, 그것은 내 차들이 아니야. 그것은 그의 차들이야.

✱ 어휘 das Auto 자동차 (die Auto*s*)

<참고> 형태가 *-o*인 명사는 *중성*이며 복수형은 *-s*임:
das Foto 사진 (die Foto*s*), *das* Büro 사무실 (die Büro*s*), *das* Kino (die Kino*s*)

☞ 뒤에 오는 명사들이 모두 동일하게 Auto*s*임. 즉, *복수!!*
따라서 소유대명사는 *복수* 정관사 di*e*처럼 어미변화 하여 각각 dein*e* / mein*e* / sein*e*임.

2. Tochter: Sind das *deine Töchter*? - Nein, das sind nicht *meine Töchter*.
Das sind *seine Töchter*.

✱ 해석 이것은 너의 딸들이냐? - 아니, 그것은 나의 딸들이 아니야. 그의 딸들이야.

✱ 어휘 die Tochter 딸 (die Töchter)

☞ 뒤에 오는 명사들이 모두 동일하게 Töchter임. 즉, *복수!!*
따라서 소유대명사는 *복수* 정관사 di*e*처럼 어미변화 하여 각각 dein*e* / mein*e* / sein*e*임.

3. Sohn: Sind das *deine Söhne*? - Nein, das sind nicht *meine Söhne*. Das sind *seine Söhne*.

✱ 해석 이것은 너의 아들들이냐? - 아니, 그것은 나의 아들들이 아니야. 그의 아들들이야.

✱ 어휘 der Sohn 아들 (die Söhn*e*)

☞ 뒤에 오는 명사들이 모두 동일하게 Söhn*e*임. 즉, *복수!!*
따라서 소유대명사는 *복수* 정관사 di*e*처럼 어미변화 하여 각각 dein*e* / mein*e* / sein*e*임.

4. Wohnung: Sind das *deine Wohnungen*? - Nein, das sind nicht *meine Wohnungen*. Das sind *seine Wohnungen*.

   ✻ **해석** 이것은 너의 집들이냐? - 아니, 그것은 내 집들이 아니야. 그것은 그의 집들이야.

   ✻ **어휘** die Wohnung 집, 아파트 (die Wohnung*en*)

   <참고> 형태가 *-ung*인 명사는 *여성*이며 복수형은 *-en* 임:
   die Übung 연습 (die Übung*en*), *die* Zeitung 신문 (die Zeitung*en*)

   ☞ 뒤에 오는 명사들이 모두 동일하게 Wohnung*en*임. 즉, *복수!!*
   따라서 소유대명사는 *복수* 정관사 di*e*처럼 어미변화 하여 각각 dein*e* / mein*e* / sein*e*임.

5. Bild: Sind das *deine Bilder*? - Nein, das sind nicht *meine Bilder*. Das sind *seine Bilder*.

   ✻ **해석** 이것은 너의 그림들이냐? - 아니, 그것은 내 그림들이 아니야. 그것은 그의 그림들이야.

   ✻ **어휘** das Bild 그림, 사진 (die Bild*er*)

   ☞ 뒤에 오는 명사들이 모두 동일하게 Bild*er*임. 즉, *복수!!*
   따라서 소유대명사는 *복수* 정관사 di*e*처럼 어미변화 하여 각각 dein*e* / mein*e* / sein*e*임.

6. Schüler: Sind das *deine Schüler*? - Nein, das sind nicht *meine Schüler*. Das sind *seine Schüler*.

   ✻ **해석** 이것은 너의 학생들이냐? - 아니, 그것은 내 학생들이 아니야. 그것은 그의 학생들이야.

   ✻ **어휘** der Schüler 초・중・고등학생 (die Schüler)

   ☞ 뒤에 오는 명사들이 모두 동일하게 Schüler임. 즉, *복수!!*
   따라서 소유대명사는 *복수* 정관사 di*e*처럼 어미변화 하여 각각 dein*e* / mein*e* / sein*e*임.

7. Freund: Sind das *deine Freunde*? - Nein, das sind nicht *meine Freunde*. Das sind *seine Freunde*.

   ✻ **해석** 이것은 너의 친구들이냐? - 아니, 그것은 내 친구들이 아니야. 그것은 그의 친구들이야.

   ✻ **어휘** der Freund 친구 (die Freund*e*)

   ☞ 뒤에 오는 명사들이 모두 동일하게 Freund*e*임. 즉, *복수!!*
   따라서 소유대명사는 *복수* 정관사 di*e*처럼 어미변화 하여 각각 dein*e* / mein*e* / sein*e*임.

8. Blume: Sind das *deine Blumen*? - Nein, das sind nicht *meine Blumen*.
Das sind *seine Blumen*.

✺ **해석** 이것은 너의 꽃들이냐? - 아니, 그것은 내 꽃들이 아니야. 그것은 그의 꽃들이야.

✺ **어휘** die Blume 꽃 (die Blume*n*)

<참고> 형태가 -*e*인 명사는 대부분 *여성*이며 복수형은 -*n*임:
die Tomate 토마토 (die Tomate*n*), *die* Straße 거리 (die Straße*n*), *die* Tasche 가방 (die Tasche*n*)

☞ 뒤에 오는 명사들이 모두 동일하게 Blume*n*임. 즉, *복수!!*
따라서 소유대명사는 *복수* 정관사 di*e*처럼 어미변화 하여 각각 dein*e* / mein*e* / sein*e*임.

unit 02

심화문제

I. 밑줄 친 곳에 알맞은 소유대명사는? (3과, 심화문제: 교재 16쪽)

1. Wo wohnen deine Brüder? - __Meine__ Brüder wohnen in Bremen.

✵ **해석** 너의 남자 형제들은 어디에 거주하니? - 나의 남자 형제들은 브레멘에서 살고 있어.

✵ **어휘** wo [의문사] 어디에? ▌wohnen [동사] 거주하다 ▌der Bruder 형, 오빠, 남동생 (die Brüder) ▌in [전치사] ~안에 ▌Bremen [고유명사] (독일 도시) 브레멘

문장 1

► 「dein*e* Brüder」:
명사 Brüder가 *복수!!*
따라서 소유대명사 dein-('너의')은 *복수 정관사* di*e*처럼 어미변화 하여 dein*e*임.
소유대명사는 기본적으로 ***부정관사*** ein- 어미변화 하지만,
복수일 경우 부정관사가 없으므로 ***정관사*** d- 어미변화 함.

► 주어 deine Brüder는 복수의 sie('그들은')에 해당하므로 동사 형태는 원형 wohn*en*임.

문장 2

☞ • 빈칸에는 내용상 1인칭 소유대명사 Mein-('나의')이 옴.
• 「Mein*e* Brüder」:
뒤에 오는 명사 Brüder가 *복수!!*
따라서 Mein-은 *복수 정관사* di*e*처럼 어미변화 하여 Mein*e*임.

► 주어인 Meine Brüder는 복수의 sie('그들은')에 해당하므로 동사 형태는 원형 wohn*en*임.

2. Warum kommt er allein? Wo ist __seine__ Freundin? - Sie ist krank.

✵ **해석** 그는 왜 혼자 오니? 그의 여자 친구는 어디에 있니? - 그녀는 아파.

✵ **어휘** warum [의문사] 왜? (영. why?) ▌kommen [동사] 오다 ▌allein [부사어] 홀로 ▌wo [의문사] 어디에? ▌die Freund*in* 여자 친구 (die Freundin*nen*) ▌krank [형용사] 아픈

<참고> 신분, 직업을 뜻하는 *남성*명사에 어미 *-in*이 붙으면 *여성*이며 복수형은 *-nen*임:
der Student 대학생, 남자 대학생 → *die* Student*in* 여자 대학생 (die Studentin*nen*),
der Lehrer 선생님, 남자 선생님 → *die* Lehrer*in* 여자 선생님 (die Lehrerin*nen*)

문장 1

► 주어가 er('그는')이므로 동사 형태는 komm*t*임.

문장 2

☞ • 빈칸에는 앞 문장의 er('그는')에 일치하는 소유대명사 *sein*-('그의')이 옴.

• 「seine Freund*in*」:
뒤에 오는 명사 Freund*in*이 *여성!!*
따라서 소유대명사 sein-('그의')은 *여성* 부정관사 eine처럼 어미변화 하여 seine임.

► 주어 seine Freundin은 여성의 sie('그녀는')에 해당하므로 동사 sein의 형태는 *ist*임.

문장 3

► 주어인 Sie는 여성의 sie('그녀는')로서 앞 문장의 여성명사 seine Freundin을 받음. 여성의 sie가 주어이므로 동사 sein의 형태는 *ist*임.

► 형용사 krank는 동사 ist의 형용사 보어임.

3. Wo ist mein Schlüssel? - Dein Schlüssel? Hier ist er.

✽ **해석** 나의 열쇠가 어디에 있지? - 너의 열쇠? 여기 있어.

✽ **어휘** wo [의문사] 어디에? ▌der Schüssel 열쇠 (die Schlüssel) ▌hier [부사어] 여기에

문장 1

☞ • 빈칸에는 내용상 1인칭 소유대명사 mein-('나의')이 옴.

• 「mein Schlüssel」:
뒤에 오는 명사 Schlüssel이 *남성!!*
따라서 소유대명사 mein-('나의')은 *남성* 부정관사 ein_처럼 어미 없이 mein_임.

► 주어 mein Schlüssel은 er('그는')에 해당하므로 동사 sein의 형태는 *ist*임.

► 여기서 동사 ist의 의미는 '...이다'가 아니라 '있다, 존재하다'임.

문장 2

► 「Dein Schlüssel」:
뒤에 오는 명사 Schlüssel이 *남성!!*
따라서 소유대명사 Dein-('너의')은 *남성* 부정관사 ein_처럼 어미 없이 Dein_임.

문장 3

► 주어가 아닌 부사어 Hier가 문장 앞에 나오므로 어순은 도치법: Hier *ist er*.

► 주어가 er('그는')이므로 동사 sein의 형태는 *ist*임.

4. Peter kommt nach Hause. Er macht sofort seine Hausaufgaben.

✽ **해석** 페터는 집으로 온다. 그는 즉시 자신의 숙제를 한다.

✽ **어휘** kommen [동사] 오다 ▌nach [전치사] ~을 향하여 (영. to) ▌das Haus 집 (die Häus*er*) ▌nach Haus(e) 집으로 ▌machen [타동사] ...을 행하다 ▌sofort [부사어] 곧 ▌die Hausaufgabe 숙제 (die Hausaufgabe*n*) → das Haus + die Aufgabe 과제 (die Aufgabe*n*) : Hausaufgabe*n* machen 숙제하다

문장 1

► 주어인 Peter는 남자 인물로서 er('그는')에 해당하므로 동사 komm*en*의 형태는 komm*t*임.

문장 2

☞ • 빈칸에는 주어인 Er('그는')에 일치하는 소유대명사 sein-('그의')이 옴.

• 「sein*e* Hausaufgabe*n*」:

뒤에 오는 명사 Hausaufgabe*n*이 *복수!!*

따라서 sein-은 *복수 정관사* di*e*처럼 어미변화 하여 sein*e*임.

소유대명사는 기본적으로 ***부정관사*** ein- 어미변화 하지만,

복수일 경우 부정관사가 없으므로 ***정관사*** d- 어미변화 함.

► 주어가 Er이므로 동사 형태는 mach*t*임.

► 복수명사 seine Hausaufgabe*n*은 동사 macht의 목적어임.

5. Wie alt sind seine Kinder? - Seine Tochter ist 9 Jahre alt und sein Sohn 7.

✻ **해석** 그의 아이들은 몇 살이니? - 그의 딸은 9살이고 그의 아들은 7살이야.

✻ **어휘** wie alt [의문사] 얼마나 늙은? (영. how old?) → wie [의문사] 어떻게? (영. how?) + alt [형용사] 늙은 (영. old) ▌das Kind 아이 (die Kind*er*) ▌die Tochter 딸 (die Töchter) ▌neun [수사] 9 ▌das Jahr 해, 년 (die Jahr*e*) ▌der Sohn 아들 (die Söhn*e*) ▌sieben [수사] 7

문장 1

► 「sein*e* Kind*er*」:

뒤에 오는 명사 Kind*er*가 *복수!!*

따라서 소유대명사 sein-('그의')은 *복수 정관사* di*e*처럼 어미변화 하여 sein*e*임.

► 주어인 seine Kinder는 복수의 sie('그들은')에 해당하므로 동사 sein의 형태는 *sind*임.

문장 2

☞ 내용상 두 빈칸 모두 소유대명사 sein-('그의')이 옴.

① 첫째 빈칸 「sein*e* Tochter」:

뒤에 오는 명사 Tochter가 *여성!!*

따라서 sein-은 *여성* 부정관사 ein*e*처럼 어미변화 하여 sein*e*임.

② 둘째 빈칸 「sein Sohn」:

뒤에 오는 명사 Sohn이 *남성!!*

따라서 *남성* 부정관사 ein_처럼 어미 없이 sein_임.

► 접속사 und에 의해 두 문장이 연결되며, 반복을 피하기 위해 부분적으로 축약됨.

문장의 원래 형태는: Seine Tochter ist 9 Jahre alt *und* sein Sohn (ist) 7 (Jahre alt).

6. Wann kommen dein Mann und deine Kinder? - Sie kommen am Samstag.

✻ **해석** 언제 너의 남편과 너의 아이들이 오니? - 그들은 토요일에 와.

✺ **어휘** wann [의문사] 언제? ▌kommen [동사] 오다 ▌der Mann 남편 (die Männ*er*) ▌ das Kind 아이 (die Kind*er*) ▌「am + 요일」 : am Samstag 토요일에

문장 1

☞ 두 빈칸에는 2인칭 소유대명사 dein-('너의')이 올 수 있음.

① 첫째 빈칸 「dein Mann」 :

뒤에 오는 명사 Mann이 *남성!!*

따라서 dein-은 *남성* 부정관사 ein_처럼 어미 없이 dein_임.

② 둘째 빈칸 「dein*e* Kind*er*」 :

뒤에 오는 명사 Kind*er*가 *복수!!*

따라서 dein-은 *복수 정관사* di*e*처럼 어미변화 하여 dein*e*임.

소유대명사는 기본적으로 ***부정관사*** ein- 어미변화 하지만,
복수일 경우 부정관사가 없으므로 ***정관사*** d- 어미변화 함.

► 주어인 dein Mann und deine Kinder는 복수의 sie('그들은')에 해당하므로 동사 형태는 원형 komm*en*임.

문장 2

► 주어인 Sie는 복수의 sie('그들은')로서, 앞 문장의 주어인 dein Mann und deine Kinder를 받음. 따라서 주어가 복수의 sie이므로 동사 형태는 원형 komm*en*임.

기타 정답

Wann kommen _Ihr_ Mann und _Ihre_ Kinder? - Sie kommen am Samstag.

(언제 당신의 남편과 당신의 아이들이 오나요? - 그들은 토요일에 와요.)

► 두 빈칸에는 2인칭 소유대명사 Ihr-('당신의')가 올 수도 있음.

① 첫째 빈칸 「Ihr Mann」 :

뒤에 오는 명사 Mann이 *남성!!*

따라서 Ihr-는 *남성* 부정관사 ein_처럼 어미 없이 Ihr_임.

② 둘째 빈칸 「Ihr*e* Kind*er*」 :

뒤에 오는 명사 Kind*er*가 *복수!!*

따라서 Ihr-는 *복수 정관사* di*e*처럼 어미변화 하여 Ihr*e*임.

II. 제시된 경우와 동일한 복수 형태를 지니는 명사를 〈보기〉에서 선택하시오.

(3과, 심화문제: 교재 16쪽)

1. ein Lehrer - viele Lehrer

☞ • 남성명사 Lehrer의 복수형은 *단수형과 동일* : der Lehrer 선생님 (die *Lehrer*)

• 「viele + *복수*명사」 많은 ...들 (영. 「many + 복수명사」)

정답 das Zimmer, das Mädchen

► das Zimmer 방 (die *Zimmer*) / das Mädchen 소녀, 아가씨 (die *Mädchen*)

2. ein Vater - fünf Väter

☞ • 남성명사 Vater의 복수형은 *단수형에 Umlaut* : der Vater 아버지 (die Väter)
• 수사 fünf 5

정답 der Vogel, der Apfel

► der Vogel 새 (die Vögel) / der Apfel 사과 (die Äpfel)

3. ein Tag - neun Tage

☞ • 남성명사 Tag의 복수형은 *단수형에 -e* : der Tag 날, 낮 (die Tag*e*)
• 수사 neun 9

정답 der Film, das Jahr, der Berg

► der Film 영화, 필름 (die Film*e*) / das Jahr 년, 해 (die Jahr*e*) / der Berg 산 (die Berg*e*)

4. ein Baum - acht Bäume

☞ • 남성명사 Baum의 복수형은 *단수형에 Umlaut와 함께 -e* : der Baum 나무 (die Bäum*e*)
• 수사 acht 8

정답 die Stadt, der Zug, die Hand, der Ball

► die Stadt 시, 도시 (die Städt*e*) / der Zug 기차 (die Züg*e*) / die Hand 손 (die Händ*e*) / der Ball 공 (die Bäll*e*)

5. ein Bild - vier Bilder

☞ • 중성명사 Bild의 복수형은 *단수형에 -er* : das Bild 그림 (die Bild*er*)
• 수사 vier 4

정답 das Kind

► das Kind 아이 (die Kind*er*)

6. ein Haus - sieben Häuser

☞ • 중성명사 Haus의 복수형은 *단수형에 Umlaut와 함께 -er* : das Haus 집 (die Häus*er*)
• 수사 sieben 7

정답 das Land, der Wald

► das Land 국가, 시골 (die Länd*er*) / der Wald 숲 (die Wäld*er*)

7. eine Brille - zwei Brillen

☞ • 여성명사 Brille의 복수형은 *단수형에 -n* : die Brille 안경 (die Brille*n*)
• 수사 zwei 2

정답 die Straße, die Kartoffel, die Regel, der See, die Nudel die Schwester, die Suppe, der Affe

► die Straße 거리 (die Straße*n*) / die Kartoffel 감자 (die Kartoffel*n*) / die Regel 규칙 (die Regel*n*) / der See 호수 (die See*n*) / die Nudel 국수 (die Nudel*n*) / die Schwester 누이 (die Schwester*n*) / die Suppe 수프 (die Suppe*n*) / der Affe 원숭이 (die Affe*n*)

8. eine Wohnung - drei Wohnungen

☞ • 여성명사 Wohnung의 복수형은 *단수형에 -en* : die Wohnung 아파트 (die Wohnung*en*)
• 수사 drei 3

정답 die Frau, der Mensch, die Übung

► die Frau 부인, 성인 여자(die Frau*en*) / der Mensch 인간 (die Mensch*en*) / die Übung 연습 (die Übung*en*)

9. ein Baby - sechs Babys

☞ • 중성명사 Baby의 복수형은 *단수형에 -s* : das Baby 아기 (die Baby*s*)
• 수사 sechs 6

정답 das Büro, das Foto, das Hotel

► das Büro 사무실 (die Büro*s*) / das Foto 사진 (die Foto*s*) / das Hotel (die Hotel*s*)

III. 알맞은 의문사는? (3과, 심화문제: 교재 16쪽)

1. Wie ist deine Adresse? - 40237 Düsseldorf, Marktstraße 1.

✱ 해석 너의 주소는 어떻게 되니? - 우편번호 40237, 뒤셀도르프시 마르크트슈트라세 1번지야.

✱ 어휘 wie [의문사] 어떻게? (영. how?) ▌die Adresse 주소 (die Adresse*n*) ▌Düsseldorf [고유명사] (독일 도시) 뒤셀도르프

<참고> 숫자 0 ~ 10

null 0 / eins 1 / zwei 2 / drei 3 / vier 4 / fünf 5 / sechs 6 / sieben 7 / acht 8 / neun 9 / zehn 10

문장 1

☞ 주소를 묻는 경우 의문사 wie가 사용됨.

<주의> 우리말과 혼동하여 was('무엇?')를 사용하면 틀림!

► 「dein*e* Adresse」 :

뒤의 명사 Adresse가 *여성!!*

따라서 소유대명사 dein-('너의')은 *여성* 부정관사 ein*e*처럼 어미변화 하여 dein*e*.임.

► 주어인 deine Adresse는 여성의 sie('그녀는')에 해당하므로 동사 sein의 형태는 *ist*임.

2. Kennst du Katharina Mai? - Nein, wer ist das?

✱ 해석 너는 카타리나 마이를 아니? - 아니, 그것이 누군데?

✱ 어휘 kennen [타동사] 누구를 알다 (영. be acquainted with) ▌wer [의문사] 누구? (영. who?)

문장 1

► 주어가 du이므로 동사 kenn*en*의 형태는 Kenn*st*임.

► Katharina Mai는 동사 Kennst의 목적어임.

문장 2

☞ 사람의 이름 및 신분을 묻는 경우 의문사 wer를 사용함.

3. Wie spät ist es jetzt? - Es ist schon 9 Uhr.

✱ 해석 지금 몇시입니까? - 벌써 9시네요.

✱ 어휘 wie spät [의문사] 얼마나 늦은? (영. what time?) → wie [의문사] 어떻게? (영. how?) + spät [형용사] 늦은 (영. late) ▌jetzt [부사어] 지금 ▌schon [부사어] 이미, 벌써 ▌neun [수사] 9

문장 1

☞ 시간을 묻는 경우 의문사 Wie spät를 사용함.

► 시간을 말할 때 주어는 항상 *es* (= "비인칭 주어")!

주어가 es이므로 동사 sein의 형태는 *ist*임.

<참고> *Wie spät* ist es? = *Wie viel Uhr* ist es? 몇 시입니까?

문장 2

► 시간을 말하므로 비인칭 주어 es가 사용됨: *Es* ist ... Uhr. ...시이다

<주의> die Uhr 시계 (die Uhr*en*)

4. Wer kommt mit? - Wir kommen mit.

✷ **해석** 누가 함께 가지? - 우리가 함께 가.

✷ **어휘** wer [의문사] 누가? (영. who?) ▌ kommen [동사] 오다 ▌ mit [부사어] 함께 (영. together)

문장 1

☞ 동사 kommt의 행위자가 누구인지 묻는 의문문임.

따라서 빈칸에는 의문사 wer가 옴.

► 주어인 의문사 Wer는 er('그는')에 해당하므로 동사 komm*en*의 형태는 komm*t*임.

문장 2

► 주어가 Wir이므로 동사 형태는 원형 komm*en*임.

5. Wie ist das Wetter jetzt in Korea? - Es ist sehr schön.

✷ **해석** 지금 한국은 날씨가 어떻지? - 매우 좋아.

✷ **어휘** wie [의문사] 어떻게? ▌ das Wetter 날씨 (복수 없음!) ▌ jetzt [부사어] 지금 ▌ in [전치사] ~안에 ▌ sehr [부사어] 매우 ▌ schön [형용사] 날씨가 좋은 (↔ schlecht 날씨가 나쁜)

문장 1

☞ 날씨를 묻는 경우 의문사 wie가 사용됨.

► 주어인 das Wetter는 중성의 es('그것은')에 해당하므로 동사 sein의 형태는 *ist*임.

문장 2

► 날씨를 말할 경우 항상 비인칭 주어 es가 사용됨.

따라서 Es가 주어이므로 동사 sein의 형태는 *ist*임.

<참고> '날씨' 동사인 regnen 비오다, schneien 눈 오다, nebeln 안개 끼다, donnern 천둥치다, blitzen 번개치다 → 주어가 항상 *es*임: Es regne*t* (schnei*t*, nebel*t*, donner*t*, blitz*t*).

6. Was macht dein Sohn? - Er studiert Jura in Frankfurt.

✷ **해석** 너의 아들은 무엇을 하니? - 그는 프랑크푸르트에서 법학을 공부해.

✷ **어휘** was [의문사] 무엇을? ▌ machen [타동사] ...을 하다, 행하다 ▌ der Sohn 아들 (die Söhn*e*) ▌ studieren [타동사] ...을 전공하다 ▌ die Jura 법학 (학문명은 보통 관사 없음!) ▌ in [전치사] ~안에 ▌ Frankfurt [고유명사] (독일 도시) 프랑크푸르트

문장 1

☞ 내용상 '무엇을?', 즉 사물을 묻는 의문사 was가 빈칸에 옴.
(여기서 의문사 Was는 동사 macht의 목적어임.)

► 「dein Sohn」:
뒤에 오는 명사 Sohn이 *남성!!*
따라서 소유대명사 dein-('너의')은 *남성* 부정관사 ein_처럼 어미 없이 dein_임.

► 주어인 dein Sohn은 남성의 er('그는')에 해당하므로 동사 mach*en*의 형태는 mach*t*임.

문장 2

► 주어 Er는 앞 문장의 남성명사 dein Sohn을 받음.
주어가 Er이므로 동사 studier*en*의 형태는 studier*t*임.

► 명사 Jura는 동사 studiert의 목적어.

7. Wie heißt du? - Ich heiße Stefan Klug. Und du?

✺ **해석** 너는 이름이 어떻게 되니? - 나는 슈테판 클룩이야. 그러면 너는?

✺ **어휘** wie [의문사] 어떻게? ▌heißen [동사] 이름이 ...이다 ▌und [접속사] 그리고

문장 1

☞ 동사 heißen을 사용하여 이름을 묻는 경우 의문사 wie가 사용됨.
<주의> 우리말과 혼동하여 의문사 was('무엇')를 사용해서는 안 됨!

► 주어가 du이므로 동사 어미는 원래 -st이지만, 동사 hei*ß*en은 어간 끝이 -ß이므로 발음상 -s-가 탈락되어 heiß*t*임. (즉, heiß*st* 아님!)

unit 03

마무리 문제

I. 괄호 안의 낱말을 사용하여 독일어로 옮기시오. (3과, 마무리: 교재 17쪽)

1. 이 사람은 누구입니까? - 제 오빠입니다.

(das, wer, sein) (das, mein-, Bruder, sein)

✷ 어휘 「Das ist + *단수*명사」 이것은 ...이다 ▌wer [의문사] 누구? ▌der Bruder 형, 오빠, 남동생 (die Brüder)

정답 Wer ist das? - Das ist mein Bruder.

문장 1

► 사람의 이름이나 신분을 물을 경우 의문사 wer가 사용됨.

문장 2

► "제 오빠", 즉 "나의 오빠"는 「Das ist ...」 와 결합하는 명사 보어임.

「mein Bruder」 :

뒤에 오는 명사 Bruder가 *남성!!*

따라서 소유대명사 mein-('나의')은 *남성* 부정관사 ein_처럼 어미 없이 mein_임.

2. 왜 혼자 오니? 너의 부모님께서는 어디 계시니?

(warum, allein, kommen) (dein-, Eltern, wo, sein)

✷ 어휘 warum [의문사] 왜? ▌allein [부사어] 홀로 ▌kommen [동사] 오다 ▌die Eltern (항상 복수) 부모 ▌wo [의문사] 어디에?

정답 Warum kommst du allein? Wo sind deine Eltern?

문장 1

► 주어는 우리말에서 생략된 "너는", 즉 du임.

동사는 우리말 "오니"에 따라 kommen임.

따라서 주어가 du('너는')이므로 동사 komm*en*의 형태는 komm*st*임.

문장 2

► 주어는 "너의 부모님"임.

즉, 「dein*e* Eltern」 :

뒤에 오는 명사 Eltern이 *복수!!*

따라서 소유대명사 dein-('너의')은 *복수 정관사* die처럼 어미변화 하여 deine임.
소유대명사는 기본적으로 ***부정관사*** ein- 어미변화 하지만,
복수일 경우 부정관사가 없으므로 ***정관사*** d- 어미변화 함.

► 주어인 deine Eltern은 복수의 sie('그들은')에 해당하므로 동사 sein의 형태는 *sind*임.

3. 네 아들은 몇 살이니? - 12 살이야.

(dein-, wie alt, Sohn, sein) (alt, Jahre, zwölf, sein)

✷ 어휘 wie alt [의문사] 얼마나 늙은? ('나이'를 묻는 의문사!) → wie [의문사] 어떻게? + alt [형용사] 늙은 ▌der Sohn 아들 (die Söhn*e*) ▌das Jahr 해, 년 (die Jahr*e*) ▌zwölf [수사] 12

<참고> 숫자 11 ~ 19:
elf 11 / *zwölf* 12 / drei*zehn* 13 / vier*zehn* 14 / fünf*zehn* 15 / sech*zehn* 16 / sieb*zehn* 17 / acht*zehn* 18 / neun*zehn* 19

정답 Wie alt ist dein Sohn? - Er ist zwölf Jahre alt.

문장 1

► 주어는 "네 아들"
즉, 「dein Sohn」:
뒤에 오는 명사 Sohn이 *남성!!*
따라서 소유대명사 dein-('너의')은 *남성* 부정관사 ein_처럼 어미 없이 dein_임.

► 주어인 dein Sohn은 남성의 er('그는')에 해당하므로 동사 sein의 형태는 *ist*임.

문장 2

► 주어는 우리말에서 생략된 "그는", 즉 앞 문장의 남성명사 dein Sohn을 받는 er임.
따라서 주어가 er('그는')이므로 동사 sein의 형태는 *ist*임.

4. 너는 벌써 얼마 동안 대학에서 공부하고 있니? - 3년 동안.

(schon, wie lange, studieren) (Jahre, drei)

✷ 어휘 wie lange [의문사] 얼마나 오랫동안? ('기간'을 묻는 의문사! 영. how long?) → wie [의문사] 어떻게? (영. how?) + lange [부사어] 오랫동안 (영. a long time) ▌studieren [동사] 대학 공부하다 ▌schon [부사어] 이미, 벌써 ▌das Jahr 해, 년 (die Jahr*e*) ▌drei [수사] 3

정답 Wie lange studierst du schon? - Drei Jahre.

문장 2

► "3년"이므로 복수명사 Jahr*e*가 사용됨.

► Drei Jahre는 시간 부사어로서 '3년 동안'을 뜻함.

5. 이것은 몇 송이의 장미입니까? - 8 송이의 장미입니다.

(das, Rose, wie viele, sein) (das, Rose, acht, sein)

✺ **어휘** wie viele [의문사] 얼마나 많은? ('숫자'를 묻는 의문사! 영. how many?) → wie [의문사] 어떻게? (영. how?) + viele 많은 (영. many) ▌die Rose 장미 (die Rose*n*) ▌acht [수사] 8

(정답) Wie viele Rosen sind das? - Das sind acht Rosen.

문장 1

► 「Wie viele + *복수*명사」 얼마나 많은 ...? : Wie viele Rose*n* ...? 얼마나 많은 장미들 ...?

► 「Das *sind* + *복수*명사」 이것은 ...*들*이다

문장 2

► "8 송이의 장미"이므로 복수명사 Rose*n*이 사용됨.

II. 잘못된 부분(들)을 고쳐서 다시 적으시오. (3과, 마무리문제: 교재 17쪽)

1. Das sind zwei Buch[오류].

✺ **해석** 이것은 두 권의 책이다.

✺ **어휘** 「Das sind + *복수*명사」 이것은 ...들이다 ▌zwei [수사] 2 ▌das Buch 책 (die Büch*er*)

<오류>

수사 zwei와 결합하므로 복수형 Büch*er*가 와야 옳음!

(정답) Das sind zwei *Bücher.*

2. Wie viele Gast[오류] kommen heute?

✺ **해석** 오늘 얼마나 많은 손님들이 오시나?

✺ **어휘** 「wie viele + *복수*명사?」 얼마나 많은 ...? (영. how many?) ▌der Gast 손님 (die Gäst*e*) ▌kommen [동사] 오다 ▌heute [부사어] 오늘

<오류>

Wie viele 뒤에는 복수형 Gäst*e*가 와야 옳음!

(정답) Wie viele *Gäste* kommen heute?

► 의문사인 Wie viele Gäste가 주어임.
따라서 주어가 복수의 sie('그들은')에 해당하므로 동사 형태는 원형 komm*en*임.

3. Ich lerne schon sechs Monat[오류] Deutsch.

✺ **해석** 나는 벌써 6 개월 동안 독일어를 배우고 있어.

✸ **어휘** lernen [타동사] ...을 배우다 ▌ schon [부사어] 이미, 벌써 ▌ sechs [수사] 6 ▌ der Monat 달, 개월 (die Monat*e*) ▌ Deutsch [고유명사] 독일어

<오류>

수사 sechs와 결합하므로 복수형 Monat*e*가 와야 옳음!

(정답) Ich lerne schon sechs *Monate* Deutsch.

- Deutsch는 동사 lerne의 목적어. (Deutsch는 고유명사로서 관사 없음!)
- sechs Monat*e*는 시간 부사어로서 "6 개월 동안"으로 해석됨.

4. Hier sind zehn Computers[오류].

✸ **해석** 여기에 컴퓨터 10 대가 있다.

✸ **어휘** 「Hier *sind* + *복수*명사」 여기 ...들이 있다 ↔ 「Hier *ist* + *단수*명사」 여기 ...이 있다 ▌ zehn [수사] 10 ▌ der Computer 컴퓨터 (die Computer)

<오류>

수사 zehn과 결합하므로 복수형 Computer가 와야 옳음!
(예문에서는 영어의 복수형 Computer*s*를 사용한 오류를 보임.)

(정답) Hier sind zehn *Computer*.

5. Das ist meiner[오류1] Freund. Und das sind[오류2] seine Familie.

✸ **해석** 이것은 나의 친구이다. 그리고 이것은 그의 가족이다.

✸ **어휘** 「Das *ist* + *단수*명사」 ↔ 「Das *sind* + *복수*명사」 ▌ der Freund 친구, 남자 친구 (die Freund*e*) ▌ die Familie 가족 (die Familie*n*)

<오류> 1

소유대명사는 *부정관사* ein- 어미변화 함. (단, *복수*명사가 뒤에 올 때는 *정관사* d- 어미변화!)
따라서 뒤에 오는 명사 Freund가 *남성*이므로 소유대명사 mein-('나의')은
남성 부정관사 ein_처럼 어미 없이 mein_이어야 옳음!

<오류> 2

단수형 Familie가 뒤에 오므로 Das *ist* ...가 옳음!
<주의> 영어의 family는 군집명사로서 복수 취급하지만 독일어는 그렇지 않음!

(정답) Das ist *mein* Freund. Und das *ist* seine Familie.

문장 2

- 앞 문장의 남성명사 mein Freund를 받으므로 남성 소유대명사 sein-('그의')이 사용됨.
  즉, 「sein*e* Familie」 :
  명사 Familie가 *여성!!*
  따라서 소유대명사 sein-('그의')은 *여성* 부정관사 ein*e*처럼 어미변화 하여 sein*e*임.

6. Ist[오류1] das deine Eltern? - Nein, das ist[오류2] mein Onkel und meine Tante.

✹ **해석** 이것은 너의 부모님이시냐? - 아니, 그것은 나의 삼촌과 나의 숙모님이셔.

✹ **어휘** 「Das *ist* + *단수*명사」 이것은 ...이다 ↔ 「Das *sind* + *복수*명사」 이것은 ... *들*이다 ▌ die (항상 복수) Eltern 부모님 ▌ der Onkel 삼촌, 아저씨 (die Onkel) ▌ und [접속사] 그리고 ▌ die Tante 숙모, 아주머니 (die Tante*n*)

<오류> 1

*복수*명사인 deine Eltern과 결합하므로 "*Sind* das ...?"가 옳음!

<오류> 2

mein Onkel und meine Tante는 2 명으로서 *복수*이므로 "... das *sind* ..."가 옳음!

정답 *Sind* das deine Eltern? - Nein, das *sind* mein Onkel und meine Tante.

문장 1

► deine Eltern은 동사 sind의 명사 보어임.

「dein*e* Eltern」:

뒤에 오는 명사 Eltern이 *복수!!*

따라서 소유대명사 dein-('너의')은 *복수 정관사* di*e*처럼 어미변화 하여 dein*e*임.

소유대명사는 기본적으로 ***부정관사*** ein- 어미변화 하지만,
복수일 경우 부정관사가 없으므로 ***정관사*** d- 어미변화 함.

문장 2

► "mein Onkel und meine Tante"는 동사 sind ...의 명사 보어임.

① 「mein Onkel」:

뒤에 오는 명사 Onkel이 *남성!!*

따라서 소유대명사 mein-('나의')은 *남성* 부정관사 ein_처럼 어미 없이 mein_임.

② 「mein*e* Tante」:

뒤에 오는 명사 Tante가 *여성!!*

따라서 mein-('나의')은 *여성* 부정관사 ein*e*처럼 어미변화 하여 mein*e*임.

Lektion 4

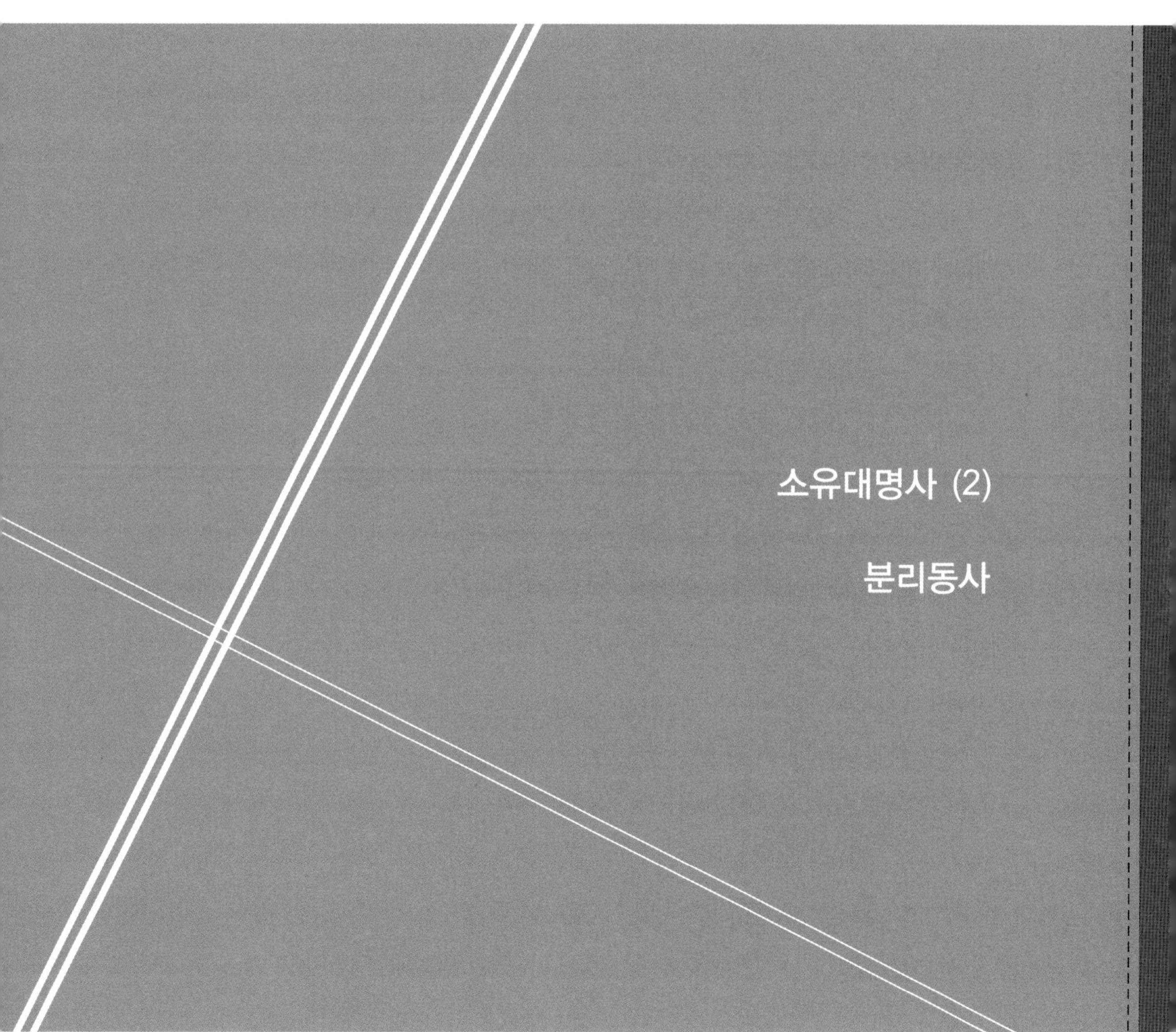

unit 01

기초문제

I. 다음 우리말에 해당하는 독일어 표현은? (4과, 기초문제: 교재 20쪽)

나의 mein- / 너의 dein- / 우리의 unser- / 당신의 Ihr-

그의 sein- / 그것의 sein- / 그녀의 ihr- / 그들의 ihr-

II. 다음 동사의 알맞은 형태는? (4과, 기초문제: 교재 20쪽)

1. sein 1 ...이다 ; 2 있다, 존재하다 (영. be)

ich *bin* / du *bist* / er (sie, es) *ist*
wir *sind* / ihr *seid* / sie, Sie *sind*

2. heißen 이름이 ...이다 (영. be called)

ich heiß*e* / du heiß*t* / er (sie, es) heiß*t*
wir heiß*en* / ihr heiß*t* / sie, Sie heiß*en*

► 주어가 du일 때 동사 어미는 원래 -*st*이지만, 동사 hei*ß*en은 어간 끝이 -ß이므로 발음상 어미 -*t*만 붙임: du heiß*t* (즉, du heiß*st* 아님!)

3. *an*kommen 도착하다

ich komm*e ... an* / du komm*st ... an* / er (sie, es) komm*t ... an*
wir komm*en ... an* / ihr komm*t ... an* / sie, Sie komm*en ... an*

► 분리동사 *an*kommen의 전철 *an*-은 분리되어 문장 끝에 위치함.

4. *ein*kaufen 구입하다, 쇼핑하다

ich kauf*e ... ein* / du kauf*st ... ein* / er (sie, es) kauf*t ... ein*
wir kauf*en ... ein* / ihr kauf*t ... ein* / sie, Sie kauf*en ... ein*

► 분리동사 *ein*kaufen의 전철 *ein*-은 분리되어 문장 끝에 위치함.

5. *auf*stehen 일어나다, 기상하다 (영. stand up; get up)

ich steh*e* ... *auf* / du steh*st* ... *auf* / er (sie, es) steh*t* ... *auf*
wir steh*en* ... *auf* / ihr steh*t* ... *auf* / sie, Sie steh*en* ... *auf*

► 분리동사 *auf*stehen의 전철 *auf*-는 분리되어 문장 끝에 위치함.

6. *zu*hören 듣다, 경청하다

ich hör*e* ... *zu* / du hör*st* ... *zu* / er (sie, es) hör*t* ... *zu*
wir hör*en* ... *zu* / ihr hör*t* ... *zu* / sie, Sie hör*en* ... *zu*

► 분리동사 *zu*hören의 전철 *zu*-는 분리되어 문장 끝에 위치함.

III. 알맞은 어미는? (4과, 기초문제: 교재 20쪽)

1. Das ist meine_ Schwester. - Wie ist denn ihr__ Name?

✺ **해석** 이것은 나의 누이이다. - 그녀의 이름은 어떻게 되는데?

✺ **어휘** die Schwester 누이, 여자 형제 (die Schwester*n*) ▌wie [의문사] 어떻게? ▌der Name 이름 (die Name*n*) ▌denn [부사어] 의문문을 자연스럽게 유도함. (우리말 해석 필요 없음!)

문장 1

☞ 「mein*e* Schwester」 :
뒤에 오는 명사 Schwester가 *여성!!*
따라서 소유대명사 mein-('나의')은 *여성* 부정관사 ein*e*처럼 어미변화 하여 mein*e*임.

문장 2

☞ • 앞 문장의 *여성*명사 Schwester를 받아 "그녀의"이어야 함.
따라서 여성 소유대명사 ihr-('그녀의')가 사용됨.
• 「ihr Name」 :
뒤에 오는 명사 Name가 *남성!!*
따라서 소유대명사 ihr-('그녀의')는 *남성* 부정관사 ein_처럼 어미 없이 ihr_임.

► 이름을 묻는 의문문: *Wie* ist ihr Name? = *Wie* heißt sie? 그녀의 이름은 무엇인가?

2. Mein*e* Freundin heißt Irene. Ihr*e* Mutter ist Amerikanerin.

✱ **해석** 나의 여자 친구는 이름이 이레네이다. 그녀의 어머니는 미국 여자이다.

✱ **어휘** die Freund*in* 여자 친구 (die Freundin*nen*) ▌heißen [동사] 이름이 ...이다 (영. be called) ▌die Mutter 어머니 (die Mütter) ▌die Amerikaner*in* 여자 미국인 (die Amerikanerin*nen*) ↔ der Amerikaner 미국인, 남자 미국인 (die Amerikaner)

<참고> Amerika 미국 → der Amerikan*er* 미국인 / Korea 한국 → der Korean*er* 한국인
Japan 일본 → der Japan*er* 일본인 / England 영국 → der Engländ*er* 영국인

문장 1

☞ 「Mein*e* Freund*in*」:
뒤에 오는 명사 Freund*in*이 *여성!!*
따라서 소유대명사 Mein-('나의')은 *여성* 부정관사 ein*e*처럼 어미변화 하여 Mein*e*임.

► 주어인 Meine Freundin은 여성의 sie('그녀는')에 해당하므로 동사 형태는 heiß*t*임.

문장 2

☞ • 앞 문장의 *여성*명사 Freundin을 받으므로 "그녀의"가 와야 함.
따라서 소유대명사 ihr-('그녀의')가 와야 하는데,
문장 맨 앞에서 대문자 표기하여 Ihr-가 사용됨.

• 「Ihr*e* Mutter」:
뒤에 오는 명사 Mutter가 *여성!!*
따라서 소유대명사 Ihr-('그녀의')는 *여성* 부정관사 ein*e*처럼 어미변화 하여 Ihr*e*임.

► 주어인 Ihre Mutter는 여성의 sie('그녀는')에 해당하므로 동사 sein의 형태는 *ist*임.

► 명사 Amerikanerin은 동사 ist의 명사 보어임. (신분을 말하므로 관사 없음!)

3. Das sind Monika und Susi. Da drüben stehen ihr*e* Eltern.

✱ **해석** 이것은 모니카와 수지이다. 저기 건너편에 그들의 부모님이 서 계신다.

✱ **어휘** da [부사어] 저기 + drüben [부사어] 건너편에 → da drüben [부사어] 저기 건너편에 (영. over there) ▌stehen [동사] 서있다 ▌die Eltern (항상 복수) 부모님

문장 1

► 「Das *sind* + *복수*명사」 이것은 ...들이다

문장 2

☞ • 앞 문장의 Monika und Susi, 즉 두 명을 받으므로 "그들의"가 와야 함.
따라서 복수 소유대명사 ihr-('그들의')가 사용됨.

• 「ihr*e* Eltern」:
뒤에 오는 명사 Eltern이 *복수!!*
따라서 소유대명사 ihr-('그들의')는 *복수 정관사* di*e*처럼 어미변화 하여 ihr*e*임.

소유대명사는 기본적으로 ***부정관사*** ein- 어미변화 하지만,
복수일 경우 부정관사가 없으므로 ***정관사*** d- 어미변화 함.

4. Wie ist Ihr__ Name? - Mein__ Name ist Peter Bauer.

✹ **해석** 당신의 성함은 어떻게 되십니까? - 저의 이름은 페터 바우어에요.

✹ **어휘** wie [의문사] 어떻게? ▌der Name 이름 (die Name*n*)

문장 1

☞ 「Ihr Name」 :

뒤에 오는 명사 Name가 *남성!!*

따라서 소유대명사 Ihr-('당신의')는 *남성* 부정관사 ein_처럼 어미 없이 Ihr_임.

► 주어인 Ihr Name는 남성의 er에 해당하므로 동사 sein의 형태는 *ist*임.

문장 2

☞ 「Mein Name」 :

뒤에 오는 명사 Name가 *남성!!*

따라서 소유대명사 Mein-('나의')은 *남성* 부정관사 ein_처럼 어미 없이 Mein_임.

► 주어인 Mein Name는 남성 인칭대명사 er에 해당하므로 동사 sein의 형태는 *ist*임.

5. Herr und Frau Müller, wo sind Ihre_ Koffer?

✹ **해석** 뮐러씨, 그리고 뮐러 부인, 어디에 당신들의 여행 가방들이 있습니까?

✹ **어휘** wo [의문사] 어디에? ▌der Koffer (여행용) 큰 가방 (die Koffer)

☞ • 앞의 Herr und Frau Müller 두 명을 받으므로 "당신들의"가 와야 함.

따라서 소유대명사는 *복수* 격식칭의 Ihr-('당신들의')가 사용됨.

• 「Ihre Koffer」 :

뒤에 오는 명사 Koffer가 *복수!!*

따라서 소유대명사 Ihr-('당신들의')는 *복수 정관사* di*e*처럼 어미변화 하여 Ihr*e*임.

소유대명사는 기본적으로 ***부정관사*** ein- 어미변화 하지만,
복수일 경우 부정관사가 없으므로 ***정관사*** d- 어미변화 함.

<주의 1> 형태상 Koffer는 단수형일 수도 있으나, 여기서는 동사가 sind이므로 복수형임!

<주의 2> 2인칭 격식칭 인칭대명사 Sie는 단수의 '당신은' 혹은 복수의 '당신들은' 둘 모두 가능.
이에 따라 소유대명사 Ihr- 역시 '당신의' 혹은 '당신들의' 모두 가능!

► 주어인 Ihre Koffer는 복수의 sie('그것들은')에 해당하므로 동사 sein의 형태는 *sind*임.

► 여기서 동사 sind, 즉 동사 sein은 '있다, 존재하다'의 의미임. (즉, '...이다' 아님!)

6. Ist das ein Koffer? - Nein, das ist kein__ Koffer. Das ist eine Tasche.

✹ **해석** 이것은 여행 가방입니까? - 아니오, 그것은 여행 가방이 아닙니다. 그것은 핸드백입니다.

✹ **어휘** der Koffer (여행용) 큰 가방 (die Koffer) ▌「kein- + 명사」 ... 않다 (kein-은 소유대명사와 동일한 어미변화 함!) (영. 「no, not any + 명사」) ▌die Tasche 작은 가방, 핸드백 (die Tasche*n*)

문장 1

► 명사 Koffer는 *남성*이므로 남성 부정관사 ein이 앞에 옴.

문장 2

☞ 「kein Koffer」 :

뒤에 오는 명사 Koffer가 *남성!!*

따라서 부정어 kein-은 *남성* 부정관사 ein_처럼 어미 없이 kein_임.

부정어 ***kein-***은 소유대명사 mein-, dein-, ihr- ...와 동일한 어미변화 함.

따라서 기본적으로 ***부정관사*** ein- 어미변화 하지만, ***복수***일 경우 ***정관사*** d- 어미변화 함.

<주의> 형태상 Koffer는 복수형일 수도 있으나, 여기서는 동사가 ist이므로 단수형임!

문장 3

► 명사 Tasche는 *여성*이므로 여성 부정관사 eine가 앞에 옴.

7. Das sind Herr und Frau Schmidt. Und das ist ihr__ Kind.

✷ **해석** 이 사람들은 슈미트씨 부부이다. 그리고 이것은 그들의 아이이다.

✷ **어휘** 「Das *sind* + *복수* 명사」 이것은 ...들이다 ↔ 「Das *ist* + *단수* 명사」 이것은 ...이다

▌das Kind 아이 (die Kind*er*)

문장 2

☞ • 앞 문장의 "Herr und Frau Schmidt", 즉 두 명을 받으므로 "그들의"가 와야 함.

따라서 복수의 소유대명사 ihr-('그들의')가 사용됨.

• 「ihr Kind」 :

뒤에 오는 명사 Kind가 *중성!!*

따라서 소유대명사 ihr-('그들의')는 *중성* 부정관사 ein_처럼 어미 없이 ihr_임.

IV. 알맞은 분리전철은? (4과, 기초문제: 교재 20쪽)

1. Am Montag kommt er __an__ und zieht __ein__.

✷ **해석** 월요일에 그는 도착해서 이사해 들어간다.

✷ **어휘** der Montag 월요일 (die Montag*e*) : am Montag 월요일에 ▌*an*kommen [분리동사] 도착하다 ↔ *los*gehen, *ab*fahren [분리동사] 출발하다 ▌*ein*ziehen [분리동사] 이주해오다 ↔ *aus*ziehen [분리동사] 이주해 나가다

<참고> 분리전철 ein-은 '안으로', aus-는 '밖으로'의 의미임.

2. Am Dienstag wacht er früh __auf__ und kauft viel __ein__.

✷ **해석** 화요일에 그는 일찍 깨어나서 많이 쇼핑한다.

✹ **어휘** der Dienstag 화요일 (die Dienstag*e*) : am Dienstag 화요일에 ▌früh [부사어] 일찍 ▌viel 많이 ▌*auf*wachen [분리동사] (잠에서) 깨어나다 ▌*ein*kaufen [분리동사] 쇼핑하다, 구입하다

3. Am Mittwoch kocht er viel. Dann ist er müde und macht das Fernsehgerät _an_.

✹ **해석** 수요일에 그는 많이 요리한다. 그런 뒤 그는 피곤해서 텔레비전을 켠다.

✹ **어휘** der Mittwoch 수요일 (die Mittwoch*e*) : am Mittwoch 수요일에 ▌kochen [동사] 요리하다 ▌viel 많이 ▌dann [부사어] 그런 뒤 (영. then) ▌müde [형용사] 피곤한 ▌das Fernsehgerät 텔레비전 → 분리동사 *fern*sehen('TV를 보다')의 어간 *fern*seh- + das Gerät 기계, 기구 (die Gerät*e*) ▌*an*machen [분리동사] (기계를) 켜다 (= *ein*schalten) ↔ *aus*machen [분리동사] (기계를) 끄다 (= *aus*schalten)

4. Am Donnerstag räumt er _auf_ und trinkt viel.

✹ **해석** 목요일에 그는 정돈하고 술을 많이 마신다.

✹ **어휘** der Donnerstag 목요일 (die Donnerstag*e*) : am Donnerstag 목요일에 ▌*auf*räumen [분리동사] 정돈하다 ▌trinken [동사] 마시다, 술 마시다 ▌viel 많이

5. Am Freitag steht er spät _auf_ und packt alles _ein_.

✹ **해석** 금요일에 그는 늦게 일어나서 모든 짐을 꾸린다.

✹ **어휘** der Freitag 금요일 (die Freitag*e*) : am Freitag 금요일에 ▌*auf*stehen [분리동사] [1] 일어서다; [2] 기상하다 ↔ *ein*schlafen [분리동사] 잠들다 ▌spät [부사어] 늦게 ↔ früh [부사어] 일찍 ▌*ein*packen [분리동사] 짐을 꾸리다 ↔ *aus*packen [분리동사] 짐을 풀다 ▌alles 모든 것

<참고> alle 모든 사람들

6. Am Samstag geht er endlich _weg_.

✹ **해석** 토요일에 그는 마침내 떠나간다.

✹ **어휘** der Samstag 토요일 (die Samstag*e*) = der Sonnabend (die Sonnabend*e*) : am Samstag 토요일에 ▌endlich [부사어] 마침내, 드디어 ▌*weg*gehen [분리동사] 떠나가다

<참고> 분리전철 weg-의 의미는 '떠난' (영. away).

7. Am Sonntag ruft er schon wieder _an_ und kommt _wieder_.

✹ **해석** 일요일에 그는 또다시 전화하고 다시 온다.

✲ **어휘** der Sonntag 일요일 (die Sonntag*e*) : am Sonntag 일요일에 ▌schon [부사어] 벌써, 이미 ▌wieder [부사어] 다시 ▌*an*rufen [분리동사] 전화 걸다 ▌*wieder*kommen [분리동사] 다시 오다

unit 02 심화문제

I. 밑줄 친 곳에 알맞은 어미는? (4과, 심화문제: 교재 22쪽)

1. Wo ist Ihr<u>e</u> Schwester? Ist sie noch hier? - Nein, sie ist jetzt in Deutschland.

✹ **해석** 당신의 누이는 어디에 계십니까? 그녀가 아직 여기 계십니까? - 아니오, 그녀는 지금 독일에 있어요.

✹ **어휘** wo [의문사] 어디에? ▌sein [동사] 있다, 존재하다 (영. be) ▌die Schwester 여자 형제 (die Schwester*n*) ▌noch [부사어] 아직, 여전히 ▌hier [부사어] 여기에 ▌jetzt [부사어] 지금

문장 1

☞ 「Ihr<u>*e*</u> Schwester」:

뒤에 오는 명사 Schwester가 <u>*여성!!*</u>

따라서 소유대명사 Ihr-('당신의')는 *여성* 부정관사 ein<u>e</u>처럼 어미변화 하여 Ihr<u>e</u>임.

2. Ist das nicht dein__ Zimmer? - Doch, das ist mein__ Zimmer.

✹ **해석** 이것은 네 방이 아니니? - 아니, 그것은 나의 방이야.

✹ **어휘** 「Das *ist* + *단수* 명사」 이것은 ...이다 ▌das Zimmer 방 (die Zimmer) ▌doch 아니오, 천만에요 (부정 질문에 대한 긍정 답변에 사용됨!)

문장 1

☞ 「dein Zimmer」:

뒤에 오는 명사 Zimmer가 <u>*중성!!*</u>

따라서 소유대명사 dein-('너의')은 *중성* 부정관사 ein_처럼 어미 없이 dein_임.

<주의> 형태상 Zimmer는 복수형일 수도 있으나, 여기서는 동사가 Ist이므로 단수형임!

문장 2

☞ 「mein Zimmer」:

뒤에 오는 명사 Zimmer가 <u>*중성!!*</u>

따라서 소유대명사 mein-('나의')은 *중성* 부정관사 ein_처럼 어미 없이 mein_임.

► 앞 문장의 부정 질문에 대한 *긍정* 답변이므로 Doch가 사용됨.

<참고> 부정 질문에 대한 *부정* 답변은 nein('예, 응')을 사용함:

Ist das *nicht* dein Zimmer? - *Nein*, das ist nicht mein Zimmer.

이것은 네 방이 *아니니?* - *응*, 그것은 나의 방이 아니야.

3. Das sind meine_ Schüler. Ich bin ihr__ Lehrer.

✺ **해석** 이들은 나의 학생들이다. 나는 그들의 선생님이다.

✺ **어휘** 「Das *sind* + *복수*명사」 이것은 ...들이다 ▌der Schüler 초・중・고등학생 (die Schüler) ↔ der Student 대학생 (die Student*en*) ▌der Lehrer 선생님, 남자 선생님 (die Lehrer) ← lehren [동사] 가르치다

문장 1

☞ 「mein*e* Schüler」 :

뒤에 오는 명사 Schüler가 *복수!!*

따라서 소유대명사 mein-('나의')은 복수 정관사 di*e*처럼 어미변화 하여 mein*e*임.

소유대명사는 기본적으로 ***부정관사*** ein- 어미변화 하지만,
복수일 경우 부정관사가 없으므로 ***정관사*** d- 어미변화 함.

<주의> 형태상 Schüler는 단수형일 수도 있으나, 여기서는 동사가 sind이므로 복수형임!

문장 2

☞ • 앞 문장의 복수명사 meine Schüler를 받으므로 "그들의"가 와야 함.
따라서 복수의 소유대명사 ihr-('그들의')가 사용됨.

• 「ihr Lehrer」 :
뒤에 오는 명사 Lehrer가 *남성!!*
따라서 소유대명사 ihr-('그들의')는 *남성* 부정관사 ein_처럼 어미 없이 ihr_임.

► 주어가 Ich이므로 동사 sein의 형태는 *bin*임.

4. Was ist das? Ist das ein__ Kino? - Nein, das ist kein__ Kino. Das ist ein__ Theater.

✺ **해석** 이것은 무엇입니까? 이것은 영화관입니까? - 아니오, 그것은 영화관이 아니에요. 그것은 연극 공연 극장입니다.

✺ **어휘** 「Das *ist* + *단수* 명사」 이것은 ...이다 ▌was [의문사] 무엇? ▌das Kino 영화관 (die Kino*s*) ▌das Theater (연극) 극장 (die Theater)

문장 1

► '사물'을 묻는 질문이므로 의문사 Was가 사용됨.

<주의> '사람'을 묻는 질문은 의문사 wer를 사용: Wer ist das? 이것은 *누구*입니까?

문장 2

☞ 명사 Kino는 *중성!!*

따라서 *중성* 부정관사 ein이 앞에 옴.

문장 3

☞ 「kein Kino」 :

뒤에 오는 명사 Kino가 *중성!!*

따라서 부정어 kein-은 *중성* 부정관사 ein_처럼 어미 없이 kein_임.

부정어 ***kein***-은 소유대명사 mein-, dein-, ihr- ...와 동일한 어미변화 함.
따라서 기본적으로 ***부정관사*** ein- 어미변화 하지만, ***복수***일 경우 ***정관사*** d-
어미변화 함.

문장 4

☞ 명사 Theater는 *중성!!*
따라서 *중성* 부정관사 ein이 앞에 옴.

II. 밑줄 친 곳에 알맞은 소유대명사는? (4과, 심화문제: 교재 22쪽)

1. Das sind Herr und Frau Schulz und das ist __ihr__ Sohn.

✸ **해석** 이것은 슐츠씨 부부이고, 이것은 그들의 아들이다.

✸ **어휘** 「Das *sind* + *복수*명사」 이것은 ...들이다 ↔ 「Das *ist* + *단수*명사」 이것은 ...이다
▍der Sohn 아들 (die Söhn*e*)

☞ • 앞에 나온 "Herr und Frau Schulz", 즉 두 명을 받으므로 "그들의"가 와야 함.
따라서 복수의 소유대명사 ihr-('그들의')가 사용됨.
• 「ihr Sohn」:
뒤에 오는 명사 Sohn이 *남성!!*
따라서 ihr-('그들의')는 *남성* 부정관사 ein_처럼 어미 없이 ihr_임.

2. Guten Abend, Herr Scholz! Sind Sie allein? Ist __Ihre__ Frau nicht da?

✸ **해석** 안녕하세요, 숄츠씨! 당신 혼자이십니까? 당신의 부인은 안계시나요?

✸ **어휘** gut [형용사] 좋은 + der Abend 저녁 (die Abend*e*) → Guten Abend! (저녁 인사)
안녕하세요! ▍allein [형용사] 혼자인, (부사적) 혼자서, 홀로 ▍die Frau 부인 (die Frau*en*)
▍「동사 sein + da」 있다, 출석해 있다

<참고>

der Morgen 아침 (die Morgen) → Guten Morgen! (아침 인사)
der Tag 낮, 날 (die Tag*e*) → Guten Tag! (낮 인사)
die Nacht 밤 (die Nächt*e*) → Gute Nacht! (밤에 작별할 때, 혹은 잠자리 들 때 인사)

문장 2

► 주어가 2인칭 격식칭 Sie('당신은')이므로 동사 sein의 형태는 *Sind*임.

문장 3

☞ • 앞 문장의 Sie('당신은')를 받으므로 소유대명사는 Ihr-('당신의')가 사용됨.
• 「Ihr*e* Frau」:
뒤에 오는 명사 Frau는 *여성!!*
따라서 소유대명사 Ihr-('당신의')는 *여성* 부정관사 ein*e*처럼 어미변화 하여 Ihr*e*임.

► 주어인 Ihre Frau는 여성의 sie('그녀는')에 해당하므로 동사 sein의 형태는 *Ist*임.

3. Warum bist du traurig? - Mein / Unser Hund ist tot.

   ✱ **해석** 너는 왜 슬퍼하니? - 나의 / 우리의 개가 죽었어.

   ✱ **어휘** warum [의문사] 왜? ▌traurig [형용사] 슬픈 ▌der Hund 개 (die Hund*e*) ▌tot [형용사] 죽은 (↔ lebendig 살아있는, 생생한)

   문장 1

   ► 주어가 du('너는')이므로 동사 sein의 형태는 *bist*임.

   문장 2

   ☞ • 사실상 "그의", "그녀의", "그들의" ... 등등 그 어떤 소유대명사라도 내용이 성립됨! 그러나 1인칭 소유대명사 Mein-('나의') 혹은 Unser-('우리의')가 내용상 가장 적절함.

   • 「Mein / Unser Hund」:
   뒤에 오는 명사 Hund는 *남성!!*
   따라서 소유대명사 Mein-('나의')과 Unser-('우리의')는 *남성* 부정관사 ein_처럼 어미 없이 각각 Mein_ 및 Unser_임.

4. Wer ist eure Lehrerin? - Frau Müller ist unsere Lehrerin.

   ✱ **해석** 누가 너희의 여선생님이시니? - 뮐러 부인이 우리들의 여선생님이셔.

   ✱ **어휘** wer [의문사] 누가? ▌die Lehrer*in* 여자 선생님 (die Lehrerin*nen*)

   문장 1

   ► 「eur*e* Lehrer*in*」:
   뒤에 오는 명사 Lehrerin은 *여성!!*
   따라서 euer-('너희의')는 *여성* 부정관사 ein*e*처럼 어미변화 하여 eur*e*임. (euer*e* 아님!)
   <주의> 소유대명사 euer-는 어미가 붙을 경우 eur-임.

   ► 주어인 의문사 Wer는 er('그는')에 해당하므로 동사 sein의 형태는 *ist*임.

   문장 2

   ☞ • 앞 문장의 "*너희의* 여선생님"에 대한 답변이므로 "*우리의* 여선생님"이어야 함. 따라서 복수 1인칭 소유대명사 unser-('우리의')가 사용됨.

   • 「unser*e* Lehrer*in*」:
   뒤에 오는 명사 Lehrerin은 *여성!!*
   따라서 소유대명사 unser-('우리의')는 *여성* 부정관사 ein*e*처럼 어미변화 하여 unser*e*임.

5. Claudia ist Hausfrau. Ihre Kinder sind noch klein.

   ✱ **해석** 클라우디아는 가정주부이다. 그녀의 아이들은 아직 어리다.

✱ **어휘** die Hausfrau 가정주부 (die Hausfrau*en*) → das Haus 집 (die Häus*er*) + die Frau 부인 (die Frau*en*) ▌das Kind 아이 (die Kind*er*) ▌klein [형용사] 작은 (↔ groß 큰)

<참고> 복합명사의 성과 복수형은 *마지막 요소*에 일치함:
das Haus 집 (die Häuser) + *die* Tür 문 (die Tür*en*) → *die* Haustür 대문 (die Haustür*en*)
마지막 요소 -tür가 여성이고, 복수형이 *-en*이므로
복합명사 Haustür 역시 여성이며 복수형은 *-en*임.

문장 1

► 신분을 말할 경우 동사 sein의 명사 보어는 관사 없음:
Claudia ist *Hausfrau*. (즉, "Claudia ist *eine Hausfrau*"는 틀림!)

문장 2

☞ • 앞 문장의 Claudia를 받으므로 여성의 ihr-('그녀의')가 사용됨.
(문장 맨 앞이므로 대문자 표기하여 Ihr-임.)

• 「Ihr*e* Kind*er*」:
뒤에 오는 명사 Kind*er*는 *복수!!*
따라서 소유대명사 Ihr-('그녀의')는 복수의 정관사 di*e*처럼 어미변화 하여 Ihr*e*임.
소유대명사는 기본적으로 ***부정관사*** ein- 어미변화 하지만,
복수일 경우 부정관사가 없으므로 ***정관사*** d- 어미변화 함.

► 주어인 Ihre Kinder는 복수의 sie('그들은')에 해당하므로 동사 sein의 형태는 *sind*임.

6. Ist das _eure / Ihre_ Wohnung? - Nein, das ist nicht unsere Wohnung.

✱ **해석** 이것은 너희의/ 당신들의 아파트냐? - 아니, 그것은 우리의 아파트가 아니야.

✱ **어휘** 「Das *ist* + *단수*명사」 이것은 ...이다 ▌die Wohnung 아파트, 주택 (die Wohnung*en*) ← wohnen [동사] 살다, 거주하다

<참고> 여성 명사화 어미 *-ung* :
heizen [동사] 난방하다 → *die* Heiz*ung* 난방시설 (die Heizung*en*)
zeichnen [동사] 스케치하다, 그리다 → *die* Zeichn*ung* 그림, 스케치 (die Zeichnung*en*)
rechnen [동사] 계산하다 → *die* Rechn*ung* 계산서 (die Rechnung*en*)

문장 1

☞ • 뒤 문장에서 unser-를 사용하여 "*우리의* ..."로 답변하므로
여기 앞 문장에서는 복수 2인칭의 euer-('*너희의*') 혹은 Ihr-('*당신들의*')로 질문해야 함.

• 「eur*e* / Ihr*e* Wohnung」:
뒤에 오는 명사 Wohnung이 *여성!!*
따라서 소유대명사 euer-('너희의') 및 Ihr-('당신들의')는 *여성* 부정관사 ein*e*처럼 어미변화 하여 각각 eur*e* 및 Ihr*e*임.

► 주어인 eure Wohnung 혹은 Ihre Wohnung은 모두 여성의 sie('그녀는')에 해당하므로 동사 sein의 형태는 *Ist*임.

문장 2

► 「unser*e* Wohnung」:
뒤에 오는 명사 Wohnung이 *여성!!*
따라서 소유대명사 unser-('우리의')는 *여성* 부정관사 ein*e*처럼 어미변화 하여 unser*e*임.

III. 알맞은 sein 동사의 형태는? (4과, 심화문제: 교재 22쪽)

1. Wo __bist__ du geboren? - Ich __bin__ in Seoul geboren.

✹ **해석** 너는 어디서 태어났니? - 나는 서울에서 태어났어.

✹ **어휘** wo [의문사] 어디에서? ▌geboren [형용사] 태어난 → 「동사 sein + geboren」 출생하다

문장 1

☞ 주어가 du이므로 동사 sein의 형태는 *bist*임.

문장 2

☞ 주어가 ich이므로 동사 sein의 형태는 *bin*임.

2. Frau Möller __ist__ Hausfrau. Jeden Tag macht sie die Zimmer sauber.

✹ **해석** 묄러 부인은 가정주부이다. 매일 그녀는 방들을 청소한다.

✹ **어휘** die Hausfrau 가정주부 (die Hausfrau*en*) ▌jeden Tag 매일 ← jed- 모든 (영. every) + der Tag 날 (die Tag*e*) ▌das Zimmer 방 (die Zimmer) ▌sauber machen ...을 청소하다 → machen [타동사] ...을 행하다 + sauber [형용사] 깨끗한

문장 1

☞ 주어인 Frau Möller는 여성의 sie('그녀는')에 해당하므로 동사 sein의 형태는 *ist*임.

3. __Sind__ Sie Lehrerin? - Nein, ich __bin__ Studentin. Ich studiere Jura.

✹ **해석** 당신은 (여자) 선생님이십니까? - 아니오, 저는 (여자) 대학생이에요. 저는 법학을 공부해요.

✹ **어휘** die Lehrer*in* 여자 선생님 (die Lehrerin*nen*) ▌die Student*in* 여대생 (die Studentin*nen*) ▌studieren [타동사] ...을 전공하다 ▌die Jura 법학 (학문명은 보통 관사 없음!)

문장 1

☞ 주어가 Sie('당신은')이므로 동사 sein의 형태는 *Sind*임.

► Lehrerin은 동사 Sind의 명사 보어임.
('신분, 직업'을 말하는 경우 동사 sein의 명사 보어는 관사 없음!)

문장 2

☞ 주어가 ich이므로 동사 sein의 형태는 *bin*임.

► '신분, 직업'을 말하는 경우이므로 동사 bin의 명사 보어인 Studentin은 관사 없음.

4. Das <u>sind</u> Bruno und Peter. Sie <u>sind</u> meine Freunde.

✻ **해석** 이들은 브루노와 페터이다. 그들은 나의 친구들이다.

✻ **어휘** der Freund 친구, 남자 친구 (die Freund*e*)

문장 1

☞ 「Das *sind* + *복수*명사」 ↔ 「Das *ist* + *단수*명사」 :
동사 sein의 보어가 Bruno und Peter, 즉 복수이므로 *sind*임.

문장 2

☞ 문장 맨 앞의 주어 Sie는 앞 문장의 Bruno und Peter를 받는 복수의 sie('그들은')임.
따라서 주어가 sie('그들은')이므로 동사 sein의 형태는 *sind*임.

► 「mein*e* Freund*e*」 :
뒤에 오는 명사 Freund*e*는 *복수!!*
따라서 소유대명사 mein-('나의')은 복수 정관사 di*e*처럼 어미변화 하여 mein*e*임.
소유대명사는 기본적으로 ***부정관사*** ein- 어미변화 하지만,
복수일 경우 부정관사가 없으므로 ***정관사*** d- 어미변화 함.

► 주어가 sie('그들은'), 즉 복수이므로 명사 보어인 meine Freunde도 복수임!

5. Wir <u>sind</u> Schüler. Wir lernen fleißig Deutsch.

✻ **해석** 우리는 학생들이다. 우리들은 열심히 독일어를 공부한다.

✻ **어휘** der Schüler 초・중・고등학생, 남학생 (die Schüler) ▌lernen [타동사] ...을 배우다, 공부하다 ▌fleißig [형용사] 부지런한, (부사적) 부지런히 ▌Deutsch [고유명사] 독일어
<참고> 언어 명: Koreanisch 한국어, Englisch 영어, Französisch 프랑스어

문장 1

☞ 주어가 Wir('우리는')이므로 동사 sein의 형태는 *sind*임.

► 주어가 Wir, 즉 복수이므로 명사 보어인 Schüler도 복수임!

► '신분, 직업'을 말하는 경우이므로 동사 sind의 명사 보어인 Schüler는 관사 없음.

문장 2

► Deutsch는 동사 lernen의 목적어. (고유명사로서 관사 없음!)

6. Süßigkeiten <u>sind</u> nicht gesund für die Kinder.

✻ **해석** 사탕은 아이들 건강에 좋지 않다.

✻ **어휘** die Süßigkeit 사탕(류) (die Süßigkeit*en*) (← süß [형용사] 달콤한) ▌gesund [형용사] [1] 건강에 좋은; [2] 건강한 ▌für [전치사] ~을 위해 (영. for) ▌das Kind 아이 (die Kind*er*)

<참고> 형태가 *-keit* 혹은 *-heit*인 명사는 *여성*이며 복수형은 *-en*임:
möglich [형용사] 가능한 → *die* Möglichkeit 가능성 (die Möglichkeit*en*)
schön [형용사] 아름다운 → *die* Schönheit 미, 아름다움 (die Schönheit*en*)

☞ 주어인 Süßigkeit*en*은 복수의 sie('그것들은')에 해당하므로 동사 sein의 형태는 *sind*임.

► 명사 Kind*er*는 복수이므로 *복수*의 정관사 *die*가 앞에 옴.

7. Es __ist__ zu dunkel. Wo __ist__ das Licht?

✹ **해석** 너무 어둡다. 등불이 어디 있지?

✹ **어휘** 「zu + 형용사」 너무 ...한 (영. 「too + 형용사」) : zu dunkel 너무 어두운 (← dunkel [형용사] 어두운) ▌wo [의문사] 어디에? ▌das Licht 등불 (die Licht*er*) = die Lampe (die Lampe*n*)

문장 1

☞ 상태나 분위기를 말할 때 비인칭 주어 es가 사용됨.
따라서 주어가 Es이므로 동사 sein의 형태는 *ist*임.

► 여기서 동사 ist는 '...이다'의 의미임.
따라서 zu dunkel은 동사 ist의 형용사 보어임.

문장 2

► 명사 Licht는 중성이므로 *중성*의 정관사 *das*가 앞에 옴.

☞ 주어인 das Licht는 중성의 es('그것은')에 해당하므로 동사 sein의 형태는 *ist*임.

► 여기서 동사 ist는 '있다, 존재하다'의 의미임.
따라서 '장소'를 묻는 의문사 Wo와 결합함.

8. __Ist__ das Essen schon fertig? - Nein, es __ist__ noch nicht fertig.

✹ **해석** 식사가 벌써 준비됐습니까? - 아니오, 아직 준비되지 않았어요.

✹ **어휘** das Essen 식사 (복수 없음!) ▌schon [부사어] 이미, 벌써 ▌fertig [형용사] 준비된, 완료된 ▌noch [부사어] 아직 → 「noch nicht ...」 아직 ... 않다

문장 1

☞ 주어인 das Essen은 중성의 es('그것은')에 해당하므로 동사 sein의 형태는 *ist*임.

문장 2

☞ 앞 문장의 중성명사 das Essen을 받으므로 중성의 es('그것은')가 주어로 옴.
이와 같이 es가 주어이므로 동사 sein의 형태는 *ist*임.

9. Wie spät _ist_ es jetzt? - Es _ist_ jetzt sieben Uhr.

❋ **해석** 지금 몇 시니? - 지금은 7시야.

❋ **어휘** wie spät 얼마나 늦은? → wie [의문사] 어떻게? (영. how?) + spät [형용사] 늦은 ▌jetzt [부사어] 지금 ▌sieben [수사] 7 ▌... Uhr (시각 표현) ...시 (영. ... o'clock)

<참고> 시간의 부사어: vorhin 전에, 아까 / jetzt 지금 / nachher 나중에

문장 1

☞ '시간'을 말할 경우 비인칭 주어 es가 사용됨.
따라서 es가 주어이므로 동사 sein의 형태는 *ist*임.

문장 2

☞ 여기서도 시간의 비인칭 주어 es가 사용되므로 동사 sein의 형태는 *ist*임.

IV. 제시된 분리동사를 사용하며 빈칸을 채우시오. (4과, 심화문제: 교재 22쪽)

1. *auf*räumen: Heute _räume_ ich _auf_.

❋ **해석** 오늘 나는 정돈한다.

❋ **어휘** räume ... *auf* ⇒ *auf*räumen [분리동사] 정돈하다, 정리하다 ▌heute [부사사] 오늘

2. *an*kommen: Die Reisegruppe _kommt_ morgen _an_.

❋ **해석** 그 여행단은 내일 도착한다.

❋ **어휘** kommt ... *an* ⇒ *an*kommen [분리동사] 도착하다 ↔ *los*gehen, *los*fahren [분리동사] 출발하다, 떠나다 ▌die Reisegruppe 여행단 (die Reisegruppe*n*) → die Reise 여행 (die Reise*n*) + die Gruppe 단체, 그룹 (die Gruppe*n*) ▌morgen [부사어] 내일

3. *ein*kaufen: Wo _kaufst_ du _ein_?

❋ **해석** 너는 어디에서 쇼핑하니?

❋ **어휘** wo [의문사] 어디에서? ▌kaufst ... *ein* ⇒ *ein*kaufen [분리동사] 쇼핑하다

4. *zu*hören: Er _hört_ nie _zu_.

❋ **해석** 그는 결코 경청하지 않는다.

❋ **어휘** hört ... *zu* ⇒ *zu*hören [분리동사] 경청하다 ▌nie 결코 ... 않다 (nicht의 강조!) (영. never)

5. *an*rufen: Warum _ruft_ Anne nicht _an_?

❋ **해석** 왜 안네가 전화하지 않지?

❋ **어휘** warum [의문사] 왜? (= wieso?) ▌ruft ... *an* ⇒ *an*rufen [분리동사] 전화 걸다

6. *los*gehen: Ich _gehe_ gleich _los_.

   ✺ **해석** 나는 곧 출발해.

   ✺ **어휘** gehe ... *los* ⇒ *los*gehen [분리동사] 떠나다, 출발하다 ▌gleich [부사어] 곧, 즉시

   <참고> 분리전철 *los*-는 '장소 이동'의 동사와 결합하여 '떠나는, 출발하는'의 의미를 지님:
   los- + fahren (차 타고) 가다 → *los*fahren [분리동사] (차 타고) 떠나다, 출발하다
   los- + gehen 가다, 걸어가다 → *los*gehen [분리동사] (걸어서) 떠나다, 출발하다

7. mitkommen: _Kommen_ Sie _mit_?

   ✺ **해석** 당신도 함께 오나요?

   ✺ **어휘** Kommen ... *mit* ⇒ *mit*kommen [분리동사] 함께 가다, 함께 오다

   <참고> 분리전철 *mit*-는 '함께'의 의미를 지님!

unit 03

마무리 문제

I. 괄호 안의 낱말을 사용하여 독일어 옮기시오. (4과, 마무리문제: 교재 23쪽)

1. 네 여자 친구는 몇 살이니? - 그녀는 벌써 19살이야.
   (dein-, wie, Freundin, alt, sein) (sie, neunzehn, schon, sein)

✻ **어휘** wie alt 얼마나 늙은? ('나이'를 묻는 의문사!) → wie [의문사] 어떻게? + alt [형용사] 늙은 ▌die Freund*in* 여자 친구 (die Freundin*nen*) ▌schon [부사어] 이미, 벌써 ▌neunzehn [수사] 19 ▌das Jahr 해, 년 (die Jahr*e*)

<참고> 숫자 13 ~ 19는 *-zehn* 형태: drei*zehn* 13 / vier*zehn* 14 / fünf*zehn* 15 / sech*zehn* 16 / sieb*zehn* 17 / acht*zehn* 18 / neun*zehn* 19

정답 Wie alt ist deine Freundin? - Sie ist schon neunzehn (Jahre alt).

문장 1

► '나이'를 묻는 경우 의문사 wie alt가 사용됨.

► 주어는 "네 여자친구"임.
즉, 「dein*e* Freund*in*」:
뒤에 오는 명사 Freundin은 *여성!!*
따라서 소유대명사 dein-('너의')은 *여성* 부정관사 ein*e*처럼 어미변화 하여 dein*e*임.

► 주어인 deine Freundin은 여성의 sie('그녀는')에 해당하므로 동사 sein의 형태는 *ist*임.

문장 2

► 주어인 "그녀는"은 앞 문장의 여성명사 deine Freundin을 받는 여성의 sie('그녀는')임.
(문장 맨 앞이므로 대문자 표기!)
이와 같이 주어가 여성의 sie('그녀는')이므로 동사 sein의 형태는 *ist*임.

► 나이를 말할 경우 형용사 alt가 동사 sein의 형용사 보어로 사용되며,
해당 년 수 neunzehn Jahre가 형용사 alt 앞에 위치함.

2. 이 남자가 그의 아버지냐?
   (dies-, sein-, Mann, Vater, sein)

✻ **어휘** dies- [지시대명사] 이 ... (영. this) ↔ jen- [지시대명사] 저 ... (영. that) (지시대명사 dies-, jen-은 정관사 어미변화!) ▌der Mann (성인) 남자, 남편 (die Männ*er*) ▌der Vater 아버지 (die Väter)

정답 Ist dieser Mann sein Vater?

► 주어는 "이 남자"임.

즉, 「dieser Mann」 :

뒤에 오는 명사 Mann은 *남성!!*

따라서 지시대명사 dies-는 *남성 정관사* der처럼 어미변화 하여 dieser임.

지시대명사 dies-는 뒤에 오는 명사에 따라 ***정관사*** 어미변화 함.

► 주어 dieser Mann은 남성의 er('그는')에 해당하므로 동사 sein의 형태는 *ist*임.

► "그의 아버지"는 동사 ist의 명사 보어임.

「sein Vater」 :

뒤에 오는 명사 Vater는 *남성!!*

따라서 소유대명사 sein-('그의')은 *남성* 부정관사 ein_처럼 어미 없이 sein_임.

3. 이 여자 분은 Claudia의 어머님이시고, 이 사람은 그녀의 여동생이다.

(dies-, Frau, Claudia, Mutter, sein, und, das, Schwester, ihr-, sein)

✵ 어휘 dies- [지시대명사] 이 ... (정관사 어미변화!) ▌die Frau (성인) 여자, 부인 (die Frau*en*) ▌die Mutter 어머니 (die M**ü**tter) ▌die Schwester 여자 형제 (die Schwester*n*)

(정답) Diese Frau ist Claudias Mutter und das ist ihre Schwester.

► 두 개의 문장이 접속사 und에 의해 연결됨.

접속사 und 앞 문장

► 앞 문장의 주어는 "이 여자 분"임.

즉, 「Diese Frau」 :

뒤에 오는 명사 Frau는 *여성!!*

따라서 지시대명사 Dies-는 *여성 정관사* die처럼 어미변화 하여 Diese임.

지시대명사 dies-는 뒤에 오는 명사에 따라 ***정관사*** 어미변화 함.

► 주어인 Diese Frau는 여성의 sie('그녀는')에 해당하므로 동사 sein의 형태는 *ist*임.

► 이름에 어미 -s가 붙으면 소유격 '...*의*'임: Claudias Mutter 클라우디아*의* 어머니

이 Claudias Mutter는 동사 ist의 명사 보어임.

접속사 und 뒤 문장

► 「Das ist ...」 의 형식이 사용됨.

► Das ist ...의 명사 보어는 "그녀의 여동생"임.

즉, 「ihre Schwester」 :

뒤에 오는 명사 Schwester는 *여성!!*

따라서 소유대명사 ihr-('그녀의')는 *여성* 부정관사 eine처럼 어미변화 하여 ihre임.

4. 여기 우리 주소가 있습니다. - 전화번호는 어떻게 됩니까?

(Adresse, hier, unser-, sein) (Telefonnummer, Ihr-, wie, sein)

✷ **어휘** hier [부사어] 여기에 ▌ die Adresse 주소 (die Adresse*n*) ▌ wie [의문사] 어떻게? ▌ die Telefonnummer 전화번호 (die Telefonnummer*n*) → das Telefon 전화 (die Telefon*e*) + die Nummer 번호 (die Nummer*n*)

정답 Hier ist unsere Adresse. - Wie ist eure / Ihre Telefonnummer?

문장 1

► 부사어 Hier가 앞에 나와 어순이 도치된 형식임:
「Hier *ist* +*단수*명사」 여기 ...이 있다 / 「Hier *sind* +*복수*명사」 여기 ...*들*이 있다

► 주어는 "우리 주소", 즉 "우리의 주소"임.
「unser*e* Adresse」 :
뒤에 오는 명사 Adresse는 *여성!!*
따라서 소유대명사 unser-('우리의')는 *여성* 부정관사 ein*e*처럼 어미변화 하여 unser*e*임.

► 주어인 unsere Adresse는 여성의 sie('그녀는')에 해당하므로 동사 sein의 형태는 *ist*임.

문장 2

► 전화번호를 묻는 경우 의문사 wie가 사용됨.

► 앞 문장에서 unser-를 사용하여 "*우리의* 주소"라고 언급함에 따라
여기서는 euer-('너희의') 혹은 Ihr-('당신들의')를 사용하여 "*너희의 / 당신들의* 전화번호" 라고 말해야 함.
「eur*e* / Ihr*e* Telefonnummer」 :
뒤에 오는 명사 Telefonnummer는 *여성!!*
따라서 euer- 및 Ihr-는 *여성* 부정관사 ein*e*처럼 어미변화 하여 각각 eur*e* 및 Ihr*e*임.

► 주어인 eure / Ihre Telefonnummer은 여성 인칭대명사 sie('그녀는')에 해당하므로
동사 sein의 형태는 *ist*임.

5. 토요일에는 나는 늦게 일어난다.
(am Samstag, ich, spät, aufstehen)

✷ **어휘** 「am + 요일」 : am Samstag 토요일에 ▌ spät [형용사] 늦은, (부사적) 늦게 ▌ *auf*stehen [분리동사] 일어나다

정답 Am Samstag stehe ich spät auf.

► 우리말 "토요일에는", 즉 부사어 Am Samstag이 문장 앞에 나와 어순이 도치됨.

► "일어난다"에 해당하는 분리동사 *auf*stehen은 전철 auf-가 분리되어 문장 맨 뒤에 위치함.

► 주어가 "나는", 즉 ich이므로 동사 형태는: ... steh*e* ... auf.

6. 나중에 한 번 더 전화하세요.
   (noch einmal, später, anrufen)

   ✷ **어휘** *an*rufen [분리동사] 전화 걸다 ▌ später [부사어] 나중에 ▌ noch [부사어] 아직 + einmal [부사어] 한번 → noch einmal 한번 더

   정답 Rufen Sie später noch einmal an!

   ▸ Sie-명령문 형식「동사원형 + Sie ...!」이 사용됨.

   ▸ "전화하세요", 즉 분리동사 *an*rufen이 사용됨.
   분리전철 *an*-은 분리되어 문장 맨 뒤에 위치함: Rufen Sie ... *an*!

Ⅱ. 잘못된 부분(들)을 고쳐서 다시 적으시오. (4과, 마무리문제: 교재 23쪽)

1. Claudia ist eine Hausfrau[오류1]. Seine[오류2] Kinder sind noch klein.

   ✷ **해석** 클라우디아는 가정주부이다. 그녀의 아이들은 아직 어리다.

   ✷ **어휘** die Hausfrau 가정 주부 (die Hausfrau*en*) ▌ das Kind 아이 (die Kind*er*) ▌ noch [부사어] 아직 ▌ klein [형용사] 작은, 어린

   <오류> 1

   신분을 말할 때 동사 sein의 명사 보어는 관사 없음!
   따라서 예문 Claudia ist *eine Hausfrau*에서 관사가 사용된 것은 오류임.
   "Claudia ist *Hausfrau*"라고 관사 없이 말해야 옳음!

   <오류> 2

   앞 문장의 Claudia를 받으므로 소유대명사는 여성의 ihr-('그녀의')를 사용해야 옳음!
   예문에서 남성의 sein-('그의')을 사용한 것은 오류임.

   정답 Claudia ist *Hausfrau*. *Ihre* Kinder sind noch klein.

   문장 1

   ▸ 주어인 Claudia는 여성의 sie('그녀는')에 해당하므로 동사 sein의 형태는 *ist*임.

   문장 2

   ▸ 문장 맨 앞의 여성 소유대명사 Ihr-('그녀의')는 앞 문장의 Claudia를 받음.
   「Ihr*e* Kind*er*」:
   뒤에 오는 명사 Kind*er*는 *복수!!*
   따라서 소유대명사 Ihr-('그녀의')는 *복수* 정관사 di*e*처럼 어미변화 하여 Ihr*e*임.
   소유대명사는 기본적으로 ***부정관사*** ein- 어미변화 하지만,
   복수일 경우 부정관사가 없으므로 ***정관사*** d- 어미변화 함.

   ▸ 주어인 Ihre Kind*er*는 복수의 sie('그들은')에 해당하므로 동사 sein의 형태는 *sind*임.

   ▸ 형용사 klein은 동사 sind의 형용사 보어임.

2. Hier ist mein[오류1] Adresse. - Und was[오류2] ist ihre[오류3] Telefonnummer?

✻ **해석** 여기에 나의 주소가 있습니다. - 그러면 당신의 전화번호는 어떻게 됩니까?

✻ **어휘** hier [부사어] 여기 ▌die Adresse 주소 (die Adresse*n*) ▌die Telefonnummer 전화번호 (die Telefonnummer*n*) → das Telefon 전화 (die Telefon*e*) + die Nummer 번호 (die Nummer*n*)

<오류> 1

소유대명사 mein-('나의')은 부정관사 ein- 어미변화 함!

<오류> 2

전화번호를 묻는 경우 의문사 wie를 사용하여 "전화번호가 *어떻게* 됩니까?"로 말해야 옳음!
(예문에서는 우리말 표현 방식인 "전화번호가 *무엇*입니까?"와 혼동하여 의문사 was를 사용했는데, 이는 오류임.)

<오류> 3

내용상 "*당신의* ..."이므로 대문자 표기하는 2인칭 격식칭 Ihr-('당신의')를 사용해야 옳음!
(예문에서는 소문자 표기된 ihr-('그녀의' 혹은 '그들의')를 사용했는데, 이는 오류임.)

정답 Hier ist *meine* Adresse. - Und *wie* ist *Ihre* Telefonnummer.

문장 1

► 「Hier *ist* + *단수*명사」 여기에 ...이 있다

► 「mein*e* Adresse」:
뒤에 오는 명사 Adresse는 *여성!!*
따라서 소유대명사 mein-('나의')은 *여성* 부정관사 ein*e*처럼 어미변화 하여 mein*e*임.

문장 2

► 「Ihr*e* Telefonnummer」:
뒤에 오는 명사 Telefonnummer는 *여성!!*
따라서 소유대명사 Ihr-('당신의')는 *여성* 부정관사 ein*e*처럼 어미변화 하여 Ihr*e*임.

► 주어인 Ihre Telefonnummer는 여성의 sie('그녀는')에 해당하므로 동사 sein은 *ist*임.

3. Wann ankommt[오류1] er? - Er ankommt[오류2] um 5 Uhr.

✻ **해석** 그가 언제 도착합니까? - 그는 5시에 도착합니다.

✻ **어휘** wann [의문사] 언제? ▌*an*kommen [분리동사] 도착하다 ▌um ... Uhr (시간 표현) ...시에 ▌fünf [수사] 5

<오류> 1

분리동사는 전철이 분리되어 문장 맨 뒤에 위치함!

따라서 분리동사 *an*kommen의 전철 *an*-은 분리되어 문장 맨 뒤로 와야 옳음: kommen ... *an*

<오류> 2

여기서도 분리동사 *an*kommen의 전철 *an*-은 분리되어 문장 맨 뒤로 와야 옳음!

정답 Wann *kommt* er *an*? - Er *kommt* um 5 Uhr an.

4. Kommt ihr aus der Amerika[오류1]? - Nein, wir sind kein[오류2] Amerikaner. Wir sind Schweizer.

✻ 해석 너희는 미국 출신이냐? - 아니, 우리는 미국인이 아니야. 우리는 스위스 사람들이야.

✻ 어휘 「kommen aus + 국가, 도시」 ... 출신이다 ▌Amerika 미국 ▌der Amerikaner 미국인, 남자 미국인 (die Amerikaner) ↔ die Amerikaner*in* 여자 미국인 (die Amerikanerin*nen*) ▌der Schweizer 스위스인 (die Schweizer)

<주의> *die* Schweiz 스위스 (국가 명이지만 예외적으로 여성 정관사 die가 붙음!)

<오류> 1

국가 명 Amerika는 고유명사로서 관사 없음!

따라서 관사 없이 aus Amerika라고 하여야 옳음!

<오류> 2

주어가 복수의 wir('우리는')이므로 동사 sind의 명사 보어인 Amerikaner 역시 복수이어야 함.

정답 Kommt ihr aus *Amerika*? - Nein, wir sind *keine* Amerikaner. Wir sind Schweizer.

문장 1

► 주어가 ihr('너희는')이므로 동사 형태는 komm*t*임.

문장 2

► 주어가 wir이므로 동사 sein의 형태는 *sind*임.

► 「kein*e* Amerikaner」 :

뒤에 오는 명사 Amerikaner는 *복수!!*

따라서 부정어 kein-은 *복수 정관사* di*e*처럼 어미변화 하여 kein*e*임.

부정어 ***kein-***은 소유대명사 mein-, dein-, sein- 등등과 동일한 어미변화 함. 따라서 기본적으로 ***부정관사*** ein- 어미변화 하지만, ***복수***일 경우 ***정관사*** d- 어미변화 함.

문장 3

► 주어가 Wir, 즉 복수이므로 동사 sind의 명사 보어 Schweizer 역시 복수임.

'신분'을 말하므로 명사 보어 Schweizer는 관사 없음.

5. Dies[1] Herr ist unser Sportlehrer und dies[오류2] Dame ist unser[오류3] Musiklehrerin.

✸ **해석** 이 신사 분은 우리의 체육 선생님이시고, 이 숙녀 분은 우리의 (여자) 음악 선생님이셔.

✸ **어휘** der Herr [1] 신사 (die Herr*en*) ; [2] (남자 호칭) ...씨 ▌der Sportlehrer (남자) 체육 선생님 (die Sportlehrer) → der Sport 스포츠 (복수 없음!) + der Lehrer (남자) 선생님 (die Lehrer) ▌die Dame 숙녀 (die Dame*n*) ▌die Musiklehrer*in* 여자 음악 선생님 (die Musiklehrerin*nen*) → die Musik 음악 + die Lehrer*in* 여선생님 (die Lehrerin*nen*)

<오류> 1

지시대명사 dies-('이 ...')는 뒤에 오는 명사에 따라 *정관사 어미변화* 해야 옳음!

<오류> 2

여기서도 지시대명사 dies-('이 ...')는 뒤에 오는 명사에 따라 *정관사 어미변화* 해야 옳음!

<오류> 3

소유대명사 unser-('우리의')는 뒤에 오는 명사에 따라 기본적으로 *부정관사 어미변화* 함.

정답 *Dieser* Herr ist unser Sportlehrer und *diese* Dame ist *unsere* Musiklehrerin.

► 두 문장이 접속사 und에 의해 연결됨.

접속사 und 앞 문장

► 「Dies*er* Herr」 :

뒤에 오는 명사 Herr는 *남성!!*

따라서 지시대명사 Dies-는 *남성* 정관사 d*er*처럼 어미변화 하여 Dies*er*임.

► 주어인 Dieser Herr는 er('그는')에 해당하므로 동사 sein의 형태는 *ist*임.

► unser Sportlehrer는 동사 ist의 명사 보어임.

「unser Sportlehrer」 :

뒤에 오는 명사 Sportlehrer는 *남성!!*

따라서 소유대명사 unser-('우리의')는 *남성* 부정관사 ein_처럼 어미 없이 unser_임.

접속사 und 뒤 문장

► 「dies*e* Dame」 :

뒤에 오는 명사 Dame는 *여성!!*

따라서 지시대명사 dies-는 *여성* 정관사 di*e*처럼 어미변화 하여 dies*e*임.

► 주어인 diese Dame는 여성의 sie('그녀는')에 해당하므로 동사 sein의 형태는 *ist*임.

► unsere Musiklehrerin은 동사 ist의 명사 보어임.

「unser*e* Musiklehrer*in* 」 :

뒤에 오는 명사 Musiklehrer*in*은 *여성!!*

따라서 소유대명사 unser-('우리의')는 *여성* 부정관사 ein*e*와 동일하게 unser*e*임.

Lektion 5

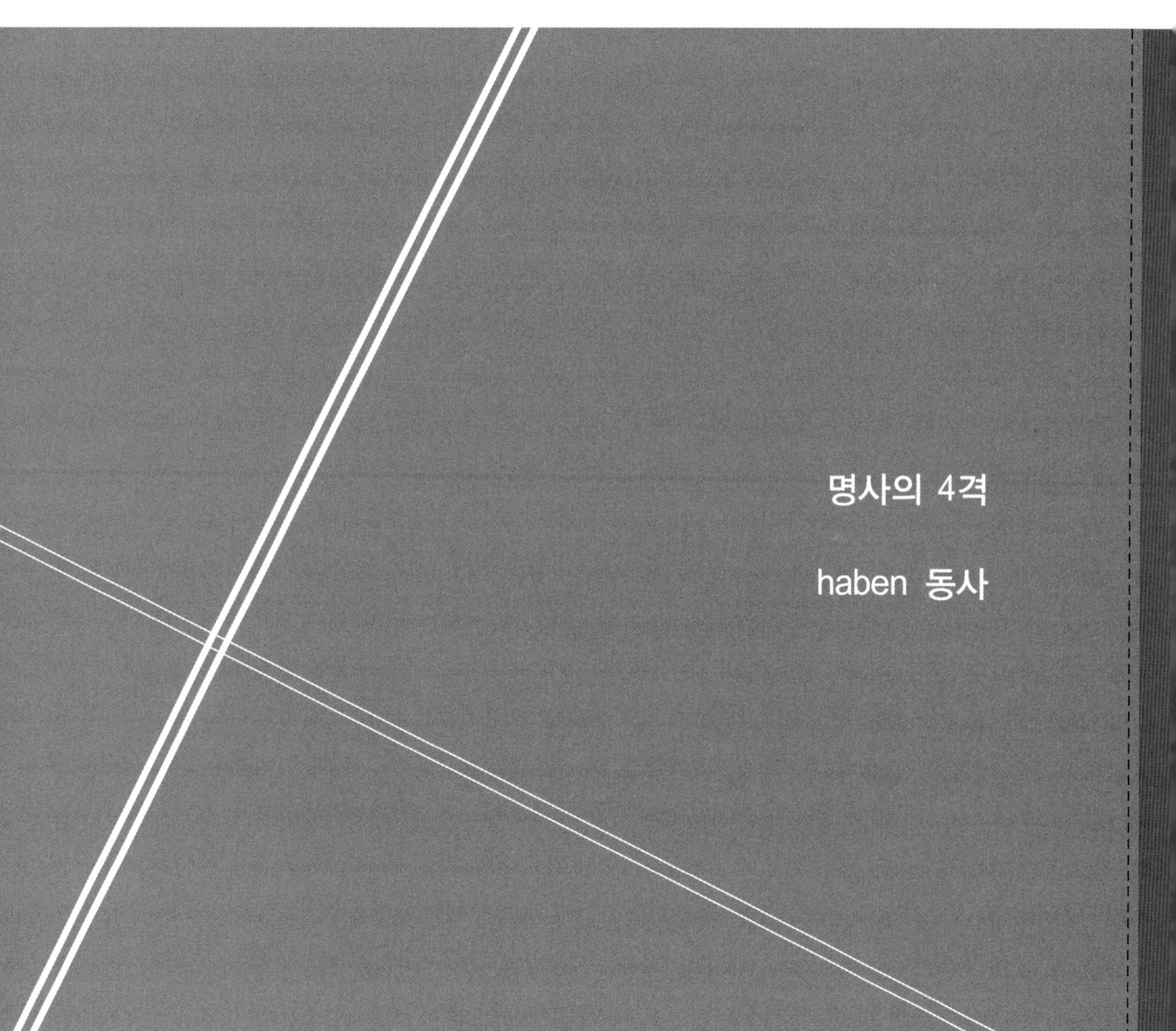

unit 05

기초문제

I. 다음 동사의 알맞은 형태는? (5과, 기초문제: 교재 26쪽)

1. haben (...을) 가지고 있다

ich habe / du hast / er (sie, es) hat / wir haben / ihr habt / sie, Sie haben

2. sein [1] ...이다 ; [2] 있다, 존재하다

ich bin / du bist / er (sie, es) ist / wir sind / ihr seid / sie, Sie sind

II. haben 동사의 알맞은 형태는? (5과, 기초문제: 교재 26쪽)

1. Haben Sie Kinder? - Ja, ich habe einen Sohn und eine Tochter.

❋ **해석** 당신은 아이들이 있습니까? - 예, 저는 아들 하나와 딸 하나가 있습니다.

❋ **어휘** haben [타동사] ...을 가지고 있다 (영. have) (불규칙 변화: du *hast* ; er (sie, es) *hat*) ▌das Kind 아이 (die Kind*er*) ▌der Sohn 아들 (die Söhn*e*) ▌die Tochter 딸 (die Töchter)

문장 1

☞ 주어가 Sie('당신은')이므로 동사 형태는 Hab*en*임.

► 명사 Kind*er*는 *복수*이며 동사 Haben의 *4격* 목적어이므로 *복수 4격!!*

<주의> 내용상 "*그* 아이들"이 아니라 단순히 "아이들"이므로 정관사가 아닌 부정관사가 와야 하지만, 복수는 부정관사가 없으므로 *관사 없이* 사용됨!

문장 2

☞ 주어가 ich이므로 동사 형태는 hab*e*임.

► "einen Sohn und eine Tochter"는 동사 habe의 4격 목적어임.

「ein*en* Sohn und ein*e* Tochter」:

- 명사 Sohn은 *남성*이며, 동사 habe의 *4격* 목적어이므로 *남성 4격!!*
  따라서 *남성 4격* 부정관사 ein*en*이 앞에 옴.
- 명사 Tochter는 *여성*이며, 동사 habe의 *4격* 목적어이므로 *여성 4격!!*
  따라서 *여성 4격* 부정관사 ein*e*가 앞에 옴.

2. Viele Frauen haben heute einen Beruf.

✵ **해석** 오늘날 많은 여성들이 직업을 가지고 있다.

✵ **어휘** 「viel*e* + *복수*명사」 많은 ...들 (영. 「many + 복수명사」) ▌die Frau 부인 (die Frau*en*) ▌haben [타동사] ...을 가지고 있다 (영. have) (불규칙 변화: du *hast* ; er (sie, es) *hat*) ▌heute [부사어] 오늘 ▌der Beruf 직업 (die Beruf*e*)

☞ 주어인 Viele Frau*en*은 복수의 sie('그들은')에 해당하므로 동사 형태는 hab*en*임.

► 명사 Beruf는 *남성*이며, 동사 haben의 *4격* 목적어이므로 *남성 4격!!*
따라서 *남성 4격* 부정관사 ein*en*이 앞에 옴.

3. Was haben wir noch? - Wir haben drei Eier, zwei Äpfel und vier Tomaten.

✵ **해석** 우리는 아직 무엇을 가지고 있지? - 달걀 세 개, 사과 두 개, 그리고 토마토 네 개가 있어.

✵ **어휘** was [의문사] 무엇을? ▌haben [타동사] ...을 가지고 있다 (영. have) (불규칙 변화: du *hast* ; er (sie, es) *hat*) ▌noch [부사어] 아직 ▌das Ei 달걀, 알 (die Ei*er*) ▌der Apfel 사과 (die Äpfel) ▌die Tomate 토마토 (die Tomate*n*) ▌zwei [수사] 2 ▌drei [수사] 3 ▌vier [수사] 4

<참고> 숫자 1 ~ 10 : eins 1 / zwei 2 / drei 3 / vier 4 / fünf 5 / sechs 6
sieben 7 / acht 8 / neun 9 / zehn 10 / elf 11 / zwölf 12

문장 1

☞ 주어가 wir이므로 동사 형태는 hab*en*임.

<참고> wir는 오직 주어로만 사용됨. 역으로 문장 안에 wir가 나오면 주어는 자동적으로 wir임!

► 의문사 Was는 동사 haben의 4격 목적어임.

문장 2

☞ 주어가 Wir이므로 동사 형태는 hab*en*임.

► "drei Ei*er*, zwei Äpfel und vier Tomate*n*"은 복수명사들로서 동사 haben의 4격 목적어임.

4. Hat Peter schon Kinder? - Nein, er hat noch keine Kinder.

✵ **해석** 페터는 벌써 아이들이 있니? - 아니, 그는 아직 아이들이 없어.

✵ **어휘** hat ⇒ haben [타동사] ...을 가지고 있다 (영. have) (불규칙 변화: du *hast* ; er (sie, es) *hat*) ▌schon [부사어] 벌써 ▌das Kind 아이 (die Kind*er*) ▌noch [부사어] 아직

문장 1

☞ 주어 Peter는 er('그는')에 해당하므로 동사 형태는 *Hat*임.

► 명사 Kind*er*는 *복수*이며, 동사 Hat의 *4격* 목적어이므로 *복수 4격!!*
내용상 "*그* 아이들"이 아니라 막연히 "아이들"이므로 부정관사가 와야 하지만,
복수는 부정관사가 없으므로 관사 없이 사용됨.

문장 2

► 주어인 er는 앞 문장의 남자 인물 Peter를 받음.

☞ 주어가 er이므로 동사 형태는 *hat*임.

► 「keine Kinder」:

명사 Kinder는 *복수*이며, 동사 hat의 *4격* 목적어이므로 *복수 4격!!*

따라서 부정어 kein-은 *복수 4격 정관사* die처럼 어미변화 하여 keine임.

부정어 ***kein-***은 소유대명사와 동일한 어미변화 함.
따라서 기본적으로 ***부정관사*** ein- 어미변화 하지만,
복수일 경우 ***정관사*** d- 어미변화 함.

III. 밑줄 친 곳에 알맞은 어미는? (5과, 기초문제: 교재 26쪽)

1. Seine Familie wohnt in Bremen.

✱ **해석** 그의 가족은 브레멘에서 살고 있다.

✱ **어휘** die Familie 가족 (die Famili*en*) ▌wohnen [동사] 거주하다 ▌in [전치사] ~안에

☞ 「Seine Familie」:

명사 Familie는 *여성*이며, 문장의 *주어*, 즉 *1격*이므로 *여성 1격!!*

따라서 Sein-('그의')은 *여성 1격* 부정관사 eine처럼 어미변화 하여 Seine임.

<주의> 1격 = 주격 ("~은, ~이, ~가") / 4격 = 목적격 ("~ 을, ~를")

2. Fritz hat einen Sohn. Der Sohn ist jetzt 12 Jahre alt.

✱ **해석** 프리츠는 아들이 하나 있다. 그 아들은 지금 12살이다.

✱ **어휘** hat ⇒ haben [타동사] ...을 가지고 있다 (영. have) (불규칙 변화: du *hast* ; er (sie, es) *hat*) ▌der Sohn 아들 (die Söhn*e*) ▌jetzt [부사어] 지금 ▌zwölf [수사] 12 ▌das Jahr 해, 년 (die Jahr*e*) ▌alt [형용사] 늙은

문장 1

► 주어 Fritz는 er('그는')에 해당하므로 동사 형태는 *hat*임.

► 명사 Sohn은 *남성*이고, 동사 hat의 *4격* 목적어이므로 *남성 4격!!*

따라서 *남성 4격* 부정관사 einen이 앞에 옴.

문장 2

☞ 명사 Sohn은 *남성*이고, 문장의 *주어*로서 *1격*이므로 *남성 1격!!*

따라서 *남성 1격* 정관사 *der*가 앞에 옴.

<주의> 앞 문장의 einen Sohn을 받아 "그 아들"을 뜻하므로 부정관사가 아닌 정관사가 옴!

3. Meine Frau und die Kinder kommen auch nach Dresden.

✺ 해석 나의 아내와 아이들 역시 드레스덴으로 온다.

✺ 어휘 die Frau [1] 부인, 아내; [2] (성인) 여자 (die Frau*en*) ▌das Kind 아이 (die Kind*er*) ▌kommen [동사] 오다 ▌auch [부사어] 역시, ...도 ▌nach [전치사] ~을 향하여 ▌Dresden [고유명사] (독일 도시) 드레스덴

☞ 「Mein*e* Frau」:
명사 Frau는 *여성*이며, 문장의 *주어*이므로 *여성 1격!!*
따라서 Mein-('나의')은 *여성 1격* 부정관사 ein*e*처럼 어미변화 하여 Mein*e*임.

☞ 명사 Kind*er*는 *복수*이며, 문장의 *주어*이므로 *복수 1격* 정관사 *die*가 앞에 옴.

► 「nach + 도시」 ...로 (방향): nach Köln 쾰른으로, nach Seoul 서울로
「in + 도시」 ...에서 (위치): in Köln 쾰른에서, in Seoul 서울에서

4. Unsere Lehrerin kommt immer pünktlich.

✺ 해석 우리들의 여선생님은 항상 정확한 시간에 오신다.

✺ 어휘 die Lehrer*in* 여선생님 (die Lehrerin*nen*) ▌kommen [동사] 오다 ▌immer [부사어] 항상 ▌pünktlich [형용사] 시간이 정확한, 정각의, (부사적) 시간이 정확하게, 정각에

<참고> *-lich*는 형용사화 어미:
der Punkt [명사] 점 + -lich → pünkt*lich* (파생어는 보통 Umlaut가 이루어짐!)
der Freund [명사] 친구 + -lich → freund*lich* 친절한

☞ 「Unser*e* Lehrer*in*」:
명사 Lehrer*in*은 *여성*이며, 문장의 *주어*이므로 *여성 1격!!*
따라서 Unser-('우리의')는 *여성 1격* 부정관사 ein*e*처럼 어미변화 하여 Unser*e*임.

► 형용사 pünktlich는 여기서 부사적 용법으로서 '정확한 시간에'를 뜻함.

5. Deine Fragen sind manchmal zu kompliziert.

✺ 해석 너의 질문들은 간혹 너무 복잡하다.

✺ 어휘 die Frage 질문 (die Frage*n*) ← fragen [동사] 질문하다 ▌manchmal [부사어] 간혹, 가끔 ▌kompliziert [형용사] 복잡한 ▌「zu + 형용사」 너무 ...한 : zu kompliziert 너무 복잡한

☞ 「Dein*e* Frage*n*」:
명사 Frage*n*은 *복수*이며, 문장의 *주어*이므로 *복수 1격!!*
따라서 Dein-('너의')은 *복수 1격 정관사* di*e*처럼 어미변화 하여 Dein*e*임.
소유대명사는 기본적으로 ***부정관사*** ein- 어미변화 하지만,
복수일 경우 ***정관사*** d- 어미변화 함.

► "zu kompliziert"는 동사 sind의 형용사 보어임.

6. Eur<u>e</u>_ Meinungen sind schon bekannt.

✱ **해석** 너희의 의견들은 이미 알려져 있다.

✱ **어휘** die Meinung 의견, 견해 (die Meinung*en*) ← meinen [동사] 의도하다 (영. mean) ▌schon [부사어] 이미, 벌써 ▌bekannt [형용사] 알려진, 유명한

☞「Eur<u>*e*</u> Meinung*en*」:

명사 Meinung*en*은 *복수*이며, *주어*이므로 <u>*복수 1격!!*</u>

따라서 Euer-('너희의')는 *복수 1격 정관사* di<u>*e*</u>처럼 어미변화 하여 Eur<u>*e*</u>임. (<u>Euer*e*</u> 아님!)

<주의> 소유대명사 euer-는 어미가 붙을 경우 *eur-* 형태임!

7. Hier sind Ihr<u>e</u>_ Cola und Ihr__ Kuchen.

✱ **해석** 여기에 당신의 콜라와 케이크가 있습니다.

✱ **어휘** hier [부사어] 여기에 ▌die Cola 콜라 (die Cola 혹은 Cola*s*) ▌der Kuchen 케이크 (die Kuchen)

► 「Hier *sind* + *복수*명사」 여기에 ...<u>들</u>이 있다 / 「Hier ist + *단수*명사」 여기에 ...이 있다

☞「Ihr<u>*e*</u> Cola」:

명사 Cola는 *여성*이며, 문장의 *주어*이므로 <u>*여성 1격!!*</u>

따라서 Ihr-('당신의')는 *여성 1격* 부정관사 ein<u>*e*</u>처럼 어미변화 하여 Ihr<u>*e*</u>임.

☞「Ihr Kuchen」:

명사 Kuchen은 *남성*이며, *주어*이므로 <u>*남성 1격!!*</u>

따라서 Ihr-는 *남성 1격* 부정관사 ein_처럼 어미 없이 Ihr_임.

8. Wer ist das? Ist das dein__ Vater? - Nein, das ist mein__ Onkel.

✱ **해석** 이 분은 누구시냐? 네 아버지이시니? - 아니, 그 분은 내 삼촌이셔.

✱ **어휘** wer [의문사] 누구? ▌der Vater 아버지 (die Väter) ▌der Onkel 삼촌, 아저씨 (die Onkel)

문장 1

► 의문사 Wer는 동사 ist의 주격 보어임.

문장 2

☞「dein Vater」:

명사 Vater는 *남성*이며, 동사 ist의 *주격* 보어이므로 <u>*남성 1격!!*</u>

따라서 dein-('너의')은 *남성 1격* 부정관사 ein_처럼 어미 없이 dein_임.

문장 3

☞ 「mein Onkel」:

명사 Onkel은 *남성*이며, 동사 ist의 *주격* 보어이므로 *남성 1격!!*

따라서 mein-('나의')은 *남성 1격* 부정관사 ein_처럼 어미 없이 mein_임.

IV. 밑줄 친 곳에 알맞은 어미는? (5과, 기초문제: 교재 26쪽)

1. Wie kommst du jetzt nach Haus? - Ich nehme den Bus.

❋ **해석** 너는 지금 어떻게 집으로 가니? - 나는 버스를 타.

❋ **어휘** wie [의문사] 어떻게? ▌ jetzt [부사어] 지금 ▌ nach Haus(e) 집으로 (관용적 표현임!) → nach [전치사] (방향) ~로 + das Haus 집 (die Häus*er*) ▌ nehmen [타동사] (차량) ...을 타다 (영. take) ▌ der Bus 버스 (die Bus*se*)

문장 2

☞ 명사 Bus는 *남성*이며, 동사 nehme의 *4격* 목적어이므로 *남성 4격!!*

따라서 *남성 4격* 정관사 d*en*이 앞에 옴.

2. Hoffentlich bekommt er diesen Brief schon morgen.

❋ **해석** 희망하건대 그가 내일이면 벌써 이 편지를 받게 되기를.

❋ **어휘** hoffentlich [부사어] 희망컨대 ← hoffen [타동사] ...을 희망하다 / bekommen [타동사] ...을 받다, 얻다 ▌ dies- [지시대명사] 이 ... (정관사 어미변화!) ▌ der Brief 편지 (die Brief*e*) ▌ schon [부사어] 벌써, 이미 ▌ morgen [부사어] 내일

☞ 「dies*en* Brief」:

명사 Brief는 *남성*이며, 동사 bekommt의 *4격* 목적어이므로 *남성 4격!!*

따라서 지시대명사 dies-는 *남성 4격* 정관사 d*en*처럼 어미변화 하여 dies*en*임.

3. Ich suche keine Wohnung, ich suche nur ein__ Zimmer.

❋ **해석** 나는 아파트를 구하고 있지 않고, 단지 방 하나를 구하고 있을 따름이다.

❋ **어휘** suchen [타동사] ...을 찾다, 구하다 ▌ die Wohnung 아파트 (die Wohnung*en*) ▌ nur [부사어] 단지, 오로지 (영. only) ▌ das Zimmer 방 (die Zimmer)

☞ 「kein*e* Wohnung」:

명사 Wohnung은 *여성*이며, 동사 suche의 *4격* 목적어이므로 *여성 4격!!*

따라서 kein-은 *여성 4격 부정관사* ein*e*처럼 어미변화 하여 kein*e*임.

부정어 kein-은 소유대명사와 동일한 어미변화 함.
따라서 기본적으로 ***부정관사*** ein- 어미변화 하지만, ***복수***일 경우 ***정관사*** d- 어미변화 함.

☞ 명사 Zimmer는 *중성*이며, 동사 suche의 *4격* 목적어이므로 *중성 4격!!*

따라서 *중성 4격* 부정관사 *ein*이 앞에 옴.

4. Ute hat ein<u>en</u> Job.

✷ **해석** 우테는 일자리 하나를 가지고 있다.

✷ **어휘** hat ⇒ haben [타동사] ...을 가지고 있다 (불규칙 변화: du *hast* ; er (sie, es) *hat*) ▌ der Job (방학 등 짧은 기간의) 일자리, 직업 (die Job*s*)

► 주어인 Ute는 여성의 sie('그녀는')에 해당하므로 동사 형태는 *hat*임.

☞ 명사 Job은 *남성*이며, 동사 hat의 *4격* 목적어이므로 *남성 4격!!*
따라서 *남성 4격* 부정관사 ein*en*이 앞에 옴.

5. Er schließt d<u>ie</u> Fenster und d<u>ie</u> Türen.

✷ **해석** 그는 창문들과 문들을 닫는다.

✷ **어휘** schließen [타동사] ...을 닫다 (= 분리동사 *zu*machen) ↔ öffnen [타동사] ...을 열다 (= 분리동사 *auf*machen) ▌ das Fenster 창문 (die Fenster) ▌ die Tür 문 (die Tür*en*)

☞ 명사 Fenster는 *복수*이며, 동사 schließt의 *4격* 목적어이므로 *복수 4격!!*
따라서 *복수 4격* 정관사 *die*가 앞에 옴.

☞ 명사 Tür*en*도 *복수*이며, 동사 schließt의 *4격* 목적어이므로 *복수 4격!!*
따라서 *복수 4격* 정관사 *die*가 앞에 옴.

기타 정답

Er schließt d<u>as</u> Fenster und die Türen.
(그는 *창문*과 문들을 닫는다.)

► 형태상 Fenster는 단수형도 됨.
이 경우 Fenster는 *중성*이며, 동사 schließt의 *4격* 목적어이므로 *중성 4격!!*
따라서 *중성 4격* 정관사 d*as*도 정답이 될 수 있음!

6. Sie liebt ihr<u>en</u> Mann.

✷ **해석** 그녀는 자신의 남편을 사랑한다.

✷ **어휘** lieben [타동사] ...을 사랑하다 ▌ der Mann 남편, (성인) 남자 (die Männ*er*)

► 동사 형태가 lieb*t*이므로 주어인 Sie는 여성의 sie('그녀는')임.
따라서 이에 일치하는 소유대명사 ihr-('그녀의')가 뒤에서 사용됨.

☞ 「ihr*en* Mann」:
명사 Mann은 *남성*이며, 동사 liebt의 *4격* 목적어이므로 *남성 4격!!*
따라서 ihr-('그녀의')는 *남성 4격* 부정관사 ein*en*처럼 어미변화 하여 ihr*en*임.

7. Heute macht sie d<u>as</u> Zimmer sauber.

✺ **해석** 오늘 그녀는 그 방을 청소한다.

✺ **어휘** heute [부사어] 오늘 ▌ machen [타동사] ...을 행하다 (영. make) ▌ das Zimmer 방 (die Zimmer) ▌ sauber [형용사] 깨끗한 → sauber machen 청소하다

☞ 명사 Zimmer는 *중성*이며, 동사 macht의 *4격* 목적어이므로 *중성 4격!!*
따라서 *중성 4격* 정관사 *das*가 앞에 옴.

기타 정답

Heute macht sie d<u>ie</u> Zimmer Sauber.
(오늘 그녀는 그 방들을 청소한다.)

► 형태상 Zimmer는 복수형도 됨.
이 경우 Zimmer는 *복수*이며, 동사 macht의 *4격* 목적어이므로 *복수 4격!!*
따라서 *복수 4격* 정관사 d*ie*도 정답이 될 수 있음.

8. Wir lieben Kinder sehr, aber leider haben wir noch kein<u>e</u> Kinder.

✺ **해석** 우리는 아이들을 매우 사랑하지만, 유감스럽게도 우리는 아직 아이들이 없다.

✺ **어휘** lieben [타동사] ...을 사랑하다 ▌ das Kind 아이 (die Kind*er*) ▌ sehr [부사어] 매우 ▌ aber [접속사] 그러나 ▌ leider [부사어] 유감스럽게도, 아쉽게도 ▌ haben [타동사] ...을 가지고 있다 (불규칙 변화: du *hast* ; er (sie, es) *hat*) ▌ noch [부사어] 아직

► 접속사 aber에 의해 두 문장이 연결됨. (aber 앞에는 반드시 콤마가 옴.)

접속사 aber 앞 문장

► 명사 Kind*er*는 *복수*이며, 동사 lieben의 *4격* 목적어이므로 *복수 4격!!*
내용상 부정관사가 와야 하지만 복수는 부정관사가 없으므로 관사 없이 사용됨.

접속사 aber 뒤 문장

► 부사어 leider가 앞에 나오므로 어순이 도치됨.
주어가 wir('우리는')이므로 동사 형태는 hab*en*임.

☞ 「kein*e* Kind*er*」:
명사 Kind*er*는 *복수*이며, 동사 haben의 *4격* 목적어이므로 *복수 4격!!*
따라서 kein-은 *복수 4격 정관사* di*e*처럼 어미변화 하여 kein*e*임.
부정어 kein-은 소유대명사와 동일한 어미변화 함.
따라서 기본적으로 ***부정관사*** ein- 어미변화 하지만, **복수**일 경우 ***정관사*** d- 어미변화 함.

9. Ich besuche mein<u>en</u> Großvater oft.

✺ **해석** 나는 내 할아버지를 자주 방문한다.

✹ **어휘** besuchen [타동사] ...을 방문하다 ▌der Großvater 할아버지 (die Großväter) ↔ die Großmutter 할머니 (die Großmütter) ▌oft [부사어] 자주, 빈번히

☞「mein*en* Großvater」:
명사 Großvater는 *남성*이며, 동사 besuche의 *4격* 목적어이므로 *남성 4격*!!
따라서 mein-('나의')은 *남성 4격* 부정관사 ein*en*처럼 어미변화 하여 mein*en*임.

10. Wir suchen hier in Hamburg eine_ Wohnung.

✹ **해석** 우리는 여기 함부르크에서 아파트 하나를 찾고 있다.

✹ **어휘** suchen [타동사] ...을 찾다, 구하다 ▌hier [부사어] 여기 ▌in [전치사] ~안에 ▌die Wohnung 아파트, 주택 (die Wohnung*en*)

☞ 명사 Wohnung은 *여성*이며, 동사 suchen의 *4격* 목적어이므로 *여성 4격*!!
따라서 *여성 4격* 부정관사 ein*e*가 앞에 옴.

11. Morgen machen wir einen_ Ausflug.

✹ **해석** 내일 우리는 소풍 간다.

✹ **어휘** morgen [부사어] 내일 ▌machen [타동사] ...을 행하다 + der Ausflug 소풍, 짧은 여행 (die Ausflüg*e*) → einen Ausflug machen 소풍가다

☞ 명사 Ausflug은 *남성*이며, 동사 machen의 *4격* 목적어이므로 *남성 4격*!!
따라서 *남성 4격* 부정관사 ein*en*이 앞에 옴.

<참고>
der Spaziergang 산책 (die Spaziergäng*e*) → einen Spaziergang machen 산책하다
die Reise 여행 (die Reise*n*) → eine Reise machen 여행하다

12. Machen Sie bitte die_ Übungen!

✹ **해석** 연습들을 하세요.

✹ **어휘** machen [타동사] ...을 행하다 ▌bitte [부사어] 정중한 표현에 사용됨. (우리말 해석 필요 없음!) ▌die Übung 연습, 연습문제 (die Übung*en*) ← üben [동사] 연습하다

► Sie-명령문「동사 원형 + Sie ...!」...하세요 : Mach*en* Sie ...!

☞ 명사 Übung*en*은 *복수*이며, 동사 machen의 *4격* 목적어이므로 *복수 4격*!!
따라서 *복수 4격* 정관사 *die*가 앞에 옴.

unit 02

심화문제

I. 동사 haben 혹은 sein의 알맞은 형태는? (5과, 심화문제: 교재 28쪽)

1. Hast du noch Geld? - Nein, ich habe kein Geld mehr.

❋ 해석 너는 아직 돈을 가지고 있니? - 아니, 나는 돈이 더 이상 없어.

❋ 어휘 hast ⇒ haben [타동사] ...을 가지고 있다 (영. have) (불규칙 변화: du *hast* ; er (sie, es) *hat*) ▌noch [부사어] 아직 ▌das Geld 돈 (복수 없음!) ▌「kein- ... mehr」 더 이상 ...않다 (영. no more)

<참고> mehr는 원래 viel(e)의 비교급임.

문장 1

☞ 4격 목적어인 Geld가 있으므로 타동사 haben이 와야 함.
주어가 du이므로 동사 형태는 *Hast*임.

► 여기서 명사 Geld의 경우, 내용상 "*그* 돈"이 아니라 막연히 "돈"을 나타내므로 따라서 원칙적으로 정관사 d-가 아니라 부정관사 ein-이 와야 함.
그런데 Geld는 "한 개, 두 개 ..." 셀 수 있는 개체가 아닌 추상명사이므로 부정관사와 결합할 수 없다. 따라서 관사 없이 사용됨!

문장 2

☞ 4격 목적어인 kein Geld가 있으므로 타동사 haben이 와야 함.
주어가 ich이므로 동사 형태는 hab*e*임.

► 「kein Geld」:
명사 Geld는 *중성*이며, 동사 habe의 *4격* 목적어이므로 *중성 4격!!*
따라서 kein-은 *중성 4격* 부정관사 ein_처럼 어미 없이 kein_임.
부정어 kein-은 소유대명사와 동일한 어미변화 함.
따라서 기본적으로 ***부정관사*** ein- 어미변화 함.

2. Ich bin so müde. - Gehen Sie dann früh nach Hause!

❋ 해석 저는 매우 피곤해요. - 그러면 일찍 집으로 가세요.

❋ 어휘 so [부사어] 그렇게, 매우 ▌müde [형용사] 피곤한 ▌gehen [동사] 가다 ▌dann [부사어] 그렇다면 ▌früh [형용사] 이른, (부사적) 일찍 ▌nach Haus(e) 집으로

문장 1

☞ 형용사 보어 müde와 결합하므로 동사 sein이 와야 함.
주어가 Ich이므로 동사 형태는 *bin*임.

문장 2

► Sie-명령문「동사 원형 + Sie ...!」...하세요 : Geh*en* Sie ...! 가세요.

► 형용사 früh는 여기서 부사적 용법으로서 '일찍'으로 해석됨.

3. Haben Sie noch einen Wunsch? - Nein, das ist alles.

✻ **해석** 원하시는 것이 더 있습니까? - 아니오, 그것이 전부에요.

※ 이 예문은 상점에서 이루어지는 대화이다.
판매원이 손님에게 "아직 원하시는 것이 있습니까?", 즉 "더 구입하실 것이 있나요?"라고 묻자, 손님이 점원에게 "아니오, 그것이 전부에요", 즉 "아니오, 됐어요"라고 답하는 경우이다.

✻ **어휘** haben [타동사] ...을 가지고 있다 (불규칙 변화: du *hast* ; er (sie, es) *hat*) ▌noch [부사어] 아직 ▌der Wunsch 소원 (die Wünsch*e*) ← wünschen [타동사] ...을 소원하다 ▌all*es* 모든 것 (↔ all*e* 모든 사람들)

문장 1

☞ 4격 목적어인 einen Wunsch가 있으므로 타동사 haben이 와야 함.
주어가 Sie('당신은')이므로 동사 형태는 hab*en*임.

► 명사 Wunsch는 *남성*이며, 동사 Haben의 *4격* 목적어이므로 *남성 4격!!*
따라서 *남성 4격* 부정관사 ein*en*이 앞에 옴.

4. Es ist schon spät! Fahren wir jetzt los?

✻ **해석** 벌써 늦었어. 이제 우리 출발할까?

✻ **어휘** schon [부사어] 벌써, 이미 ▌spät [형용사] 늦은, (부사적) 늦게 ▌Fahren ... *los* ⇒ *los*fahren [분리동사] (차 타고) 출발하다, 떠나다 → *los*- [분리전철] 출발한 + fahren [동사] (차 타고) 가다 ▌jetzt [부사어] 지금

문장 1

☞ '시간'을 말할 때 비인칭 주어 es와 함께 동사 sein이 사용됨.
따라서 주어가 Es이므로 동사 sein의 형태는 *ist*임.

문장 2

► 분리동사 *los*fahren의 전철 *los*-는 분리되어 문장 맨 뒤에 위치함: Fahren ... *los*?

5. Habt ihr vielleicht heute Abend Zeit? - Nein, leider haben wir keine Zeit.

✻ **해석** 너희는 혹시 오늘 저녁 시간 있니? - 아니, 유감스럽게도 우리는 시간이 없어.

✻ **어휘** haben [타동사] ...을 가지고 있다 (불규칙 변화: du *hast* ; er (sie, es) *hat*) ▌vielleicht [부사어] 아마도, 혹시 ▌heute Abend 오늘 저녁에 ▌die Zeit 시간 (복수 없음!) ▌leider [부사어] 유감스럽게도, 아쉽게도

문장 1

☞ 4격 목적어인 Zeit가 있으므로 타동사 haben이 와야 함.
주어가 ihr('너희는')이므로 동사 형태는 Hab*t*임

► 명사 Zeit는 동사 Habt의 4격 목적어임.

<주의> 여기서 명사 Zeit의 경우, "그 시간"이 아니라 막연히 "시간"을 나타내므로 원칙적으로 정관사 d-가 아니라 부정관사 ein-이 앞에 와야 함.
그런데 Zeit는 "한 개, 두 개 ..." 셀 수 없는 추상명사로서 부정관사가 올 수 없으므로 관사 없이 사용됨.

문장 2

☞ 4격 목적어인 keine Zeit가 있으므로 타동사 haben이 와야 함.
주어가 wir('우리는')이므로 동사 형태는 hab*en*임.

► 「kein*e* Zeit」:
명사 Zeit가 *여성*이며, 동사 haben의 *4격* 목적어이므로 *여성 4격!!*
따라서 kein-은 *여성 4격* 부정관사 ein*e*처럼 어미변화 하여 kein*e*임.

6. Herr Müller, haben Sie einen Moment Zeit? Ich habe eine Frage.

✹ **해석** 뮐러씨, 잠깐 시간 있습니까? 저는 질문이 하나 있어요.

✹ **어휘** haben [타동사] ...을 가지고 있다 (불규칙 변화: du *hast* ; er (sie, es) *hat*) ▌der Moment 잠시의 시간, 순간 (die Moment*e*) → einen Moment 잠시 동안, 잠깐 ▌die Zeit 시간 (복수 없음!) ▌die Frage 질문 (die Frage*n*)

문장 1

☞ 4격 목적어인 Zeit가 있으므로 타동사 haben이 와야 함.
주어가 Sie('당신은')이므로 동사 형태는 hab*en*임.

► 명사 Zeit는 동사 haben의 4격 목적어임.

<주의> Zeit는 추상명사로서 부정관사 ein-이 올 수 없음. → 따라서 관사 없이 사용됨!

문장 2

☞ 4격 목적어인 eine Frage가 있으므로 타동사 haben이 와야 함.
주어가 ich이므로 동사 형태는 hab*e*임.

► 명사 Frage는 *여성*이며, 동사 habe의 *4격* 목적어이므로 *여성 4격!!*
따라서 *여성 4격* 부정관사 *eine*가 앞에 옴.

Ⅱ. 밑줄 친 곳에 알맞은 소유대명사를 적으시오? (5과, 심화문제: 교재 28쪽)

1. Herzlichen Dank für deinen / Ihren / euren Brief!

✹ **해석** 너의 / 당신의 / 너희의 편지에 대해 진심으로 고마워 / 감사드립니다!

✺ **어휘** herzlich [형용사] 진심의, 진정한 → das Herz 심장 (die Herz*en*) + 형용사 어미 -lich ▌ der Dank 감사 (복수 없음!) ▌ für [전치사] ~을 위한 ▌ der Brief 편지 (die Brief*e*)

► 「Herzlich*en* Dank für + 4격!」 ...에 대해 진심으로 감사합니다!

<참고> Viel*en* Dank! 및 Schön*en* Dank! 역시 비슷한 의미임.

☞ • 대화 상대자에게 직접 '감사'를 표현하는 경우이므로 2인칭에 해당하는 것은 모두 가능함. 즉, 단수 2인칭인 dein-('너의')과 Ihr-('당신의'), 그리고 복수 2인칭인 euer-('너희의')와 Ihr-('당신들의')가 모두 사용될 수 있음.

• 「dein*en* / Ihr*en* / eur*en* Brief」 :

명사 Brief가 *남성*이며, *4격* 전치사 für의 목적어이므로 *남성 4격!!*

따라서 소유대명사 dein-('너의'), Ihr-('당신의, 당신들의'), euer-('너희의')는 *남성 4격 부정관사* ein*en*처럼 어미변화 하여 각각 dein*en* / Ihr*en* / eur*en*임.

소유대명사는 기본적으로 ***부정관사*** ein- 어미변화 하지만, ***복수***일 경우 부정관사가 없으므로 ***정관사*** d- 어미변화 함.

2. Stefan macht im August sein Examen.

✺ **해석** 슈테판은 8월에 그의 졸업시험을 본다.

✺ **어휘** machen [타동사] ...을 행하다 ▌ 「im + 월 명」 : im August 8월에 ▌ das Examen 졸업시험 (die Examen) → ein Examen machen 졸업시험을 보다

<참고> die Prüfung (일반적) 시험 (die Prüfung*en*)

☞ • 앞에 나온 남자 인물 Stefan을 받는 남성 소유대명사 sein-('그의')가 사용됨.

• 「sein Examen」 :

명사 Examen은 *중성*이며, 동사 macht의 *4격* 목적어이므로 *중성 4격!!*

따라서 소유대명사 sein-('그의')은 *중성 4격* 부정관사 ein_처럼 어미 없이 sein_임.

3. Frau Schneider, bringen Sie bitte Ihre Kinder mit! Ich kenne sie noch nicht.

✺ **해석** 슈나이더 부인, 당신의 아이들을 함께 데려오세요. 저는 그 아이들을 아직 알지 못하거든요.

✺ **어휘** bringen ... *mit* ⇒ *mit*bringen [분리동사&타동사] 누구를 함께 데려오다 → *mit-* [분리전철] 함께 + bringen [타동사] ...을 가져오다 ▌ das Kind 아이 (die Kind*er*) ▌ kennen [타동사] 누구를 알다 ▌ noch [부사어] 아직 → 「... noch nicht」 아직 ... 않다

문장 1

► Sie-명령문 「동사 원형 + Sie ...!」 ...하세요 : ..., bring*en* Sie ... *mit*!

(분리동사 *mit*bringen의 전철 *mit-*은 분리되어 문장 맨 뒤에 위치함!)

☞ • 첫째, 정중하게 "Frau ..."라는 호칭을 사용한 점,
둘째, Sie-명령문 형식을 사용한 점을 고려할 때,
여기서는 격식칭 Sie('당신은')에 해당하는 소유대명사인 Ihr-('당신의')가 와야 함.

• 「Ihr*e* Kind*er*」 :
명사 Kind*er*는 *복수*이며, 분리동사 bringen ... *mit*의 *4격* 목적어이므로 *복수 4격!!*
따라서 소유대명사 Ihr-('당신의')는 *복수 4격 정관사* die처럼 어미변화 하여 Ihr*e*임.
소유대명사는 기본적으로 ***부정관사*** ein- 어미변화 하지만,
복수일 경우 부정관사가 없으므로 ***정관사*** d- 어미변화 함.

문장 2

► 동사 kenne의 4격 목적어로 사용된 sie는 복수 인칭대명사 sie('그들')의 4격 형임,
여기서는 앞 문장의 복수명사 Ihre Kind*er*를 받음.

4. Petra, grüß bitte __deinen__ Mann von mir!

✷ **해석** 페트라야, 네 남편에게 내 안부 인사를 부탁해.

✷ **어휘** 「grüßen + 4격(사람)」 누구에게 인사하다 (4격 요구 동사!) ▌bitte [부사어] 정중한 표현에 사용! ▌der Mann 남편 (die Männ*er*) ▌von mir 나로부터 → von [전치사] ~으로부터 + mir 나, 나에게

► du-명령문 「*동사 어간* ...!」 ...해라 : grüß*en* → Grüß ...! 인사해라.
<주의> Sie-명령문은 「*동사 원형* + Sie ...!」 : Grüß*en* Sie ...! 인사하세요.

☞ • 첫째, "Petra, ..."라고 대화 상대자의 이름을 직접 호칭으로 사용한 점,
둘째, du-명령문 형식을 사용한 점을 고려할 때,
여기서는 du('너는')에 해당하는 소유대명사인 dein-('너의')이 와야 함.

• 「dein*en* Mann」 :
명사 Mann이 *남성*이며, 동사 grüß의 *4격* 목적어이므로 *남성 4격!!*
따라서 dein-('너의')은 *남성 4격* 부정관사 ein*en*처럼 어미변화 하여 dein*en*임.

► 이 문장은 직역하면 "나로부터 네 남편에게 인사해줘."
따라서 "네 남편에게 나의 안부인사 전해 줘"로 해석됨.

5. Ist das Annas Tasche? - Nein, das ist nicht __ihre__ Tasche.

✷ **해석** 이것은 안나의 핸드백이니? - 아니, 그것은 그녀의 핸드백이 아니야.

✷ **어휘** 「Das *ist* + *단수 1격*」 이것은 ...이다 ▌die Tasche 핸드백, 작은 가방 (die Tasche*n*)

문장 1

► 사람 이름에 어미 -s가 붙으면 소유격('...*의*'): Anna*s* Tasche 안나*의* 핸드백

문장 2

☞ • 앞 문장의 여자 인물 Anna를 받으므로 여성의 소유대명사 ihr-('그녀의')가 사용됨.

• 「ihr*e* Tasche」 :
명사 Tasche는 *여성*이며, 동사 ist의 *주격* 보어이므로 *여성 1격!!*
따라서 소유대명사 ihr-('그녀의')는 *여성 1격* 부정관사 ein*e*처럼 어미변화 하여 ihr*e*임.

III. 밑줄 친 곳에 kein-의 알맞은 형태를 적으시오. (5과, 심화문제: 교재 28쪽)

1. Trinkt er immer noch gern Bier? - Nein, er trinkt <u>kein</u> Bier mehr.

✱ **해석** 그는 여전히 맥주를 즐겨 마시니? - 아니, 그는 더 이상 맥주를 마시지 않아.

✱ **어휘** trinken [타동사] ...을 마시다 ▌「immer noch ...」 여전히 계속 ... → immer [부사어] 항상 + noch [부사어] 아직 ▌gern(e) [부사어] 즐겨, 기꺼이 ▌das Bier 맥주 ▌「kein- ... mehr」 더 이상 ... 않다

문장 1

► 명사 Bier는 동사 Trinkt의 4격 목적어.

<주의> 여기서 명사 Bier의 경우, "<u>그</u> 맥주"가 아니라 막연히 "맥주"를 나타내므로 원칙적으로 정관사 d-가 아니라 부정관사 ein-이 앞에 와야 함.
그런데 Bier는 "한 개, 두 개 ..." 셀 수 없는 물질명사로서 부정관사가 올 수 없으므로 관사 없이 사용됨.

► 부사어 gern(e)가 있는 문장은 "즐겨 ...하다" 혹은 "...하기를 좋아하다"로 해석함.

문장 2

☞ 「kein Bier」 :

명사 Bier는 *중성*이며, 동사 trinkt의 *4격* 목적어이므로 <u>*중성 4격*</u>*!!*

따라서 kein-은 <u>*중성 4격* 부정관사 ein_처럼</u> 어미 없이 kein_임.

부정어 kein-은 소유대명사와 동일한 어미변화 함.
따라서 기본적으로 ***부정관사*** 어미변화 함.

2. Er hat Glück, aber ich habe <u>kein</u> Glück.

✱ **해석** 그는 운이 좋지만, 나는 운이 없어.

✱ **어휘** hat ⇒ haben [타동사] ...을 가지고 있다 (불규칙 변화: du *hast* ; er (sie, es) *hat*) ▌ das Glück 행운, 운 (복수 없음!) ▌aber [접속사] 그러나 (앞에는 반드시 콤마!)

► 접속사 aber에 의해 두 문장이 연결됨.

접속사 aber 앞 문장

► 주어가 Er이므로 동사 haben의 형태는 *hat*임.

► 명사 Glück은 동사 hat의 4격 목적어임.

<주의> Glück은 "한 개, 두 개 ..." 셀 수 없는 추상명사로서 부정관사 ein-이 올 수 없음!
따라서 관사 없이 사용됨!

접속사 aber 뒤 문장

▸ 주어가 ich이므로 동사 haben의 형태는 hab*e*임.

☞ 「kein Glück」 :

명사 Glück이 *중성*이며, 동사 habe의 *4격* 목적어이므로 *중성 4격!!*

따라서 kein-은 *중성 4격* 부정관사 ein_처럼 어미 없이 kein_임.

3. Er hat jetzt keine Frau und keinen Job mehr.

✺ **해석** 그는 이제 더 이상 부인도 직업도 없다.

✺ **어휘** hat ⇒ haben [타동사] ...을 가지고 있다 (불규칙 변화: du *hast* ; er (sie, es) *hat*) ▌jetzt [부사어] 지금 ▌die Frau 부인, 아내 (die Frau*en*) ▌und [접속사] 그리고 ▌der Job (방학 등 단기간의) 일자리, 직업 (die Job*s*) ▌「kein- ... mehr」 더 이상 ... 않다

▸ 주어가 Er이므로 동사 haben의 형태는 *hat*임.

☞ 「kein*e* Frau」 :

명사 Frau가 *여성*이며, 동사 hat의 *4격* 목적어이므로 *여성 4격!!*

따라서 kein-은 *여성 4격* 부정관사 ein*e*처럼 어미변화 하여 kein*e*임.

☞ 「kein*en* Job」 :

명사 Job이 *남성*이며, 동사 hat의 *4격* 목적어이므로 *남성 4격!!*

따라서 kein-은 *남성 4격* 부정관사 ein*en*처럼 어미변화 하여 kein*en*임.

4. Haben Sie Hunger? - Nein, ich habe noch keinen Hunger.

✺ **해석** 당신은 시장하시나요? - 아니오, 저는 아직 배고프지 않아요.

✺ **어휘** haben [타동사] ...을 가지고 있다 (불규칙 변화: du *hast* ; er (sie, es) *hat*) ▌der Hunger 배고픔 (복수 없음!) → Hunger haben 배고프다 ▌noch [부사어] 아직

<참고> der Durst 갈증 (복수 없음!) → Durst haben 목마르다

문장 1

▸ 주어가 Sie('당신은')이므로 동사 형태는 Hab*en*임.

▸ 명사 Hunger는 동사 Haben의 4격 목적어임.

<주의> Hunger는 추상명사로서 부정관사 ein-이 올 수 없으므로 관사 없이 사용됨.

문장 2

▸ 주어가 ich이므로 동사 haben의 형태는 hab*e*임.

☞ 「kein*en* Hunger」 :

명사 Hunger는 *남성*이며, 동사 habe의 *4격* 목적어이므로 *남성 4격!!*

따라서 kein-은 *남성 4격* 부정관사 ein*en*처럼 어미변화 하여 kein*en*임.

5. Hast du keine Zeit? - Doch, ich habe viel Zeit.

✺ **해석** 너는 시간이 없니? - 천만에, 나는 시간이 많아.

✺ **어휘** hast ⇒ haben [타동사] ...을 가지고 있다 (불규칙 변화: du *hast* ; er (sie, es) *hat*) ▌die Zeit 시간 (복수 없음!) ▌doch 아니, 천만에 (부정 질문에 대한 긍정 답변에 사용!) ▌「viel + 셀 수 없는 명사」 많은 ... (영. 「much + 명사」) : viel Zeit 많은 시간, viel Geld 많은 돈

<주의> 「viel*e* + 복수명사」 많은 ...들 (영. 「many + 복수명사」) : viele Leute 많은 사람들

문장 1

► 주어가 du이므로 동사 haben의 형태는 *Hast*임.

☞ 「kein*e* Zeit」 :

명사 Zeit가 *여성*이며, 동사 Hast의 *4격* 목적어이므로 *여성 4격!!*

따라서 kein-은 *여성 4격* 부정관사 ein*e*처럼 어미변화 하여 kein*e*임.

문장 2

► 주어가 ich이므로 동사 haben의 형태는 hab*e*임.

► viel Zeit는 동사 habe의 4격 목적어임.

<참고> viel Zeit haben 시간이 많다 / viel Geld haben 돈이 많다

6. Habt ihr noch Fragen dazu? - Nein, wir haben keine Fragen mehr.

✺ **해석** 너희는 아직 그것에 대해 질문들이 있니? - 아니, 우리는 더 이상 질문이 없어.

✺ **어휘** haben [타동사] ...을 가지고 있다 (불규칙 변화: du *hast* ; er (sie, es) *hat*) ▌noch [부사어] 아직 ▌die Frage 질문 (die Frage*n*) ▌dazu [부사어] 그것에 대해

문장 1

► 주어가 ihr('너희는')이므로 동사 haben의 형태는 Hab*t*임.

► 명사 Frage*n*은 복수이며, 동사 Habt의 4격 목적어임.

<주의> 내용상 부정관사가 와야 하지만, 복수는 부정관사가 없으므로 관사 없이 사용됨!

► dazu('그것에 대하여')는 전치사 zu('~에 대하여')와 지시대명사 das('그것')가 결합된 형태임.

문장 2

► 주어가 wir이므로 동사 형태는 hab*en*임.

☞ 「kein*e* Frage*n*」 :

명사 Frage*n*이 *복수*이며, 동사 haben의 *4격* 목적어이므로 *복수 4격!!*

따라서 kein-은 *복수 4격 정관사* di*e*처럼 어미변화 하여 kein*e*임.

부정어 kein-은 소유대명사와 동일한 어미변화 함.

따라서 기본적으로 ***부정관사*** 어미변화 하지만, ***복수***일 경우는 ***정관사*** 어미변화 함.

IV. 알맞은 의문대명사를 적으시오. (5과, 심화문제: 교재 28쪽)

1. Wer ist die Frau da drüben? - Das ist Ansgars Tante.

✱ **해석** 저기 건너편에 있는 여자는 누구야? - 그것은 안스가의 숙모야.

✱ **어휘** wer [의문사] 누구? ▌die Frau [1] 부인 ; [2] 성인 여자 (die Frau*en*) ▌da [부사어] 저기 + drüben [부사어] 건너편에 → da drüben [부사어] 저기 건너편에 ▌die Tante 숙모, 아주머니 (die Tante*n*)

문장 1

☞ 사람의 이름, 신분, 가족관계 등을 묻는 경우 의문사 wer가 사용됨.
(여기서 의문사 Wer는 동사 ist의 주격 보어이므로 1격 형임!)

<주의> 사람의 직업을 묻는 경우는 의문사 was가 사용됨:
Was ist die Frau da drüben? - Sie ist *Lehrerin*.
저기 건너편에 있는 여자는 무엇인가? - 그녀는 선생님이다.

문장 2

► 사람 이름에 어미 *-s*가 붙으면 소유격('... *의*'): Ansgar*s* Tante 안스가*의* 숙모

2. Was ist das hier? - Das ist ein Fahrrad.

✱ **해석** 여기 이것은 무엇이니? - 그것은 자전거야.

✱ **어휘** 「Das *ist* + *단수 1격*」 이것은 ...이다 ▌was [의문사] 무엇? ▌hier [부사어] 여기 ▌das Fahrrad 자전거 (die Fahrr**ä**d*er*)

문장 1

☞ 사물을 묻는 의문사 was가 사용됨.
(의문사 Was는 동사 ist의 주격 보어이므로 1격 형임!)

문장 2

► 명사 Fahrrad는 *중성*이며, 동사 ist의 *주격* 보어이므로 *중성 1격!!*
따라서 *중성 1격* 부정관사 *ein*이 앞에 옴.

3. Wen rufst du an? - Ich rufe meinen Sportlehrer an.

✱ **해석** 너는 누구에게 전화하니? - 나는 나의 체육 선생님께 전화해.

✱ **어휘** wen [의문사] 누구를? (의문사 wer의 4격 형!) ▌rufst ... *an* ⇒ *an*rufen [분리동사&타동사] ...에게 전화걸다 ▌der Sportlehrer 체육 선생님, 남자 체육 선생님 (die Sportlehrer) → der Sport 체육, 스포츠 + der Lehrer 선생님, 남자 선생님 (die Lehrer)

문장 1

☞ 사람을 묻는 의문사 wer가 분리동사 rufst ... *an*의 4격 목적어이어야 함.
따라서 wer의 4격 형 *wen*이 빈칸에 옴.

문장 2

► 「mein*en* Sportlehrer」:

명사 Sportlehrer는 *남성*이며, 분리동사 rufe ... *an*의 *4격* 목적어이므로 *남성 4격!!*

따라서 소유대명사 mein-은 *남성 4격* 부정관사 ein*en*처럼 어미변화 하여 mein*en*임.

4. Für __wen__ sind die Blumen? - Sie sind für meine Frau.

✺ **해석** 그 꽃들은 누구를 위한 것이니? - 그것들은 나의 아내를 위한 것이야.

✺ **어휘** für [전치사] ~을 위한 ▌wen [의문사] 누구를? (의문사 wer의 4격 형!) ▌die Blume 꽃 (die Blume*n*) ▌die Frau 아내 (die Frau*en*)

문장 1

☞ 내용상 '사람'을 묻는 의문사 wer가 전치사 für의 4격 목적어이어야 함.

따라서 wer의 4격 형 *wen*이 빈칸에 옴.

문장 2

► 문장 맨 앞의 주어 Sie는 앞 문장의 die Blume*n*을 받는 복수의 sie('그것들은')임.

► 「für mein*e* Frau」:

명사 Frau가 *여성*이며, 전치사 für의 *4격* 목적어이므로 *여성 4격!!*

따라서 소유대명사 mein-('나의')은 *여성 4격* 부정관사 ein*e*처럼 어미변화 하여 mein*e*임.

5. __Was__ trinken Sie, bitte? - Ein Glas Bier, bitte.

✺ **해석** 당신은 무엇을 마시겠습니까? - 한 잔의 맥주를 부탁합니다.

※ 이 예문은 식당에서 이루어지는 대화이다.
앞 문장에서 식당 종업원이 손님에게 주문 사항을 묻자, 뒤 문장에서 손님이 주문하고 있다.

✺ **어휘** was [의문사] [1] 무엇이? (1격) ; [2] 무엇을? (4격) ▌trinken [타동사] ...을 마시다 ▌bitte [부사어] 정중한 표현에 사용! ▌das Glas 유리잔 (die Gläs*er*) ▌das Bier 맥주

문장 1

☞ 내용상 '사물'을 묻는 의문사 was가 동사 trinken의 4격 목적어이어야 함.

따라서 4격 형 Was('무엇*을*?')가 빈칸에 와야 함.

<주의>

의문사 wer → 1격 형은 wer('누가?'), 4격 형은 wen('누구를?')임

의문사 was → 1격과 4격 형이 동일하게 was('무엇이?, 무엇을?')임

문장 2

► 물질명사 Bier는 Glas를 단위로 양을 헤아릴 수 있음:

ein Glas Bier 한 잔의 맥주 / zwei Gläs*er* Bier 두 잔의 맥주

<참고> 물질명사의 단위:

die Tasse 찻잔 (die Tasse*n*) → eine Tasse Kaffee / zwei Tasse*n* Tee
die Flasche 병 (die Flasche*n*) → eine Flasche Wasser / drei Flasche*n* Saft
die Dose 깡통 (die Dose*n*) → eine Dose Mineralwasser / vier Dose*n* Cola

► 이 문장은 (Ich trinke) Ein Glas Bier, bitte가 축약된 형태:
명사 Glas는 *중성*이며, 동사 trinke의 *4격* 목적어이므로 *중성 4격!!*
따라서 중성 4격 부정관사 *Ein*이 앞에 옴.

6. Hallo Laura, was machst du hier? - Ich habe Hunger und suche gerade ein Restaurant.

✺ **해석** 안녕 라우라, 너 여기서 무엇을 하고 있니? - 나는 배가 고파서 막 식당을 찾고 있던 중이야.

✺ **어휘** hallo! 안녕! (젊은이들의 구어체 인사말!) ▌ was [의문사] 무엇을? (4격 형) ▌ machen [타동사] ...을 행하다 ▌ hier [부사어] 여기서 ▌ haben [타동사] ...을 가지고 있다 (불규칙 변화: du *hast* ; er (sie, es) *hat*) ▌ der Hunger 배고픔 (복수 없음!) ▌ suchen [타동사] ...을 찾다, 구하다 ▌ gerade [부사어] 막, 방금 (영. just) ▌ das Restaurant 식당 (die Restaurant*s*)

문장 1

☞ 내용상 '사물'을 묻는 의문사 was가 동사 machst의 4격 목적어이어야 함.
따라서 4격 형 was('무엇*을*?')가 빈칸에 와야 함.

문장 2

► 주어가 ich이므로 동사 haben의 형태는 hab*e*임.
► 명사 Hunger는 동사 habe의 4격 목적어임.
<주의> 셀 수 없는 추상명사이므로 부정관사 ein-이 올 수 없음. → 따라서 관사 없이 사용됨!
► 명사 Restaurant는 *중성*이며, 동사 suche의 *4격* 목적어이므로 *중성 4격!!*
따라서 *중성 4격* 부정관사 *ein*이 앞에 옴.
► 부사어 gerade가 현재 시제 문장에 나오면 "막 ...하는 중이다"로 해석됨.
(영어의 "현재진행" 시제에 해당함.)

마무리 문제

I. 괄호 안의 낱말을 사용하여 독일어로 옮기시오. (5과, 마무리문제: 교재 29쪽)

1. 이 편지가 언제 한국에 도착합니까?

(dies-, wann, Brief, in Korea, *an*kommen)

✹ **어휘** dies- [지시대명사] 이 ... (정관사 어미변화!) ▌wann [의문사] 언제? ▌der Brief 편지 (die Brief*e*) ▌in Korea 한국에(서) ▌*an*kommen [분리동사] 도착하다

정답 Wann kommt dieser Brief in Korea an?

► 우리말 "언제?"가 있음. → 의문사 wann이 있는 의문문으로서 어순은 도치됨.

► 우리말 "이 편지가"는 주어임.

즉, 「dies*er* Brief」:

뒤에 오는 명사 Brief가 *남성*이며, 문장의 *주어*이므로 *남성 1격*!!

따라서 지시대명사 dies-는 *남성 1격 정관사* d*er*처럼 어미변화 하여 dies*er*임.

► 주어인 dieser Brief는 남성의 er('그는')에 해당하므로 동사 형태는 komm*t* ... *an*임.

(분리동사 *an*kommen의 전철 an-은 분리되어 문장 끝에 위치함!)

2. 우리는 토요일에 소풍을 간다.

(wir, Ausflug, am Samstag, ein-, machen)

✹ **어휘** der Ausflug 소풍 (die Ausfl*ü*g*e*) ▌am Samstag 토요일에 ▌machen [타동사] ...을 하다

→ einen Ausflug machen 소풍가다

정답 Wir machen am Samstag einen Ausflug.

문장 1

► 주어는 우리말 "우리는", 즉 wir임.

따라서 주어가 wir('우리는')이므로 동사 형태는 mach*en*임.

► 우리말 "소풍을 간다"는 「machen ... ein*en* Ausflug」:

명사 Ausflug은 *남성*이며, 동사의 *4격* 목적어이므로 *남성 4격*!!

따라서 *남성 4격* 부정관사 ein*en*이 앞에 옴.

기타 정답

Am Samstag machen wir einen Ausflug.

► 부사어 Am Samstag이 앞으로 나와 어순이 도치될 수 있음!

3. 무엇을 마시겠습니까? 와인 한 잔 마시겠습니까?

(was, trinken) (Wein, ein Glas, trinken)

✹ 어휘 was [의문사] 무엇을? (4격 형) ▌trinken [타동사] ...을 마시다 ▌der Wein 포도주 (die Wein*e*) ▌das Glas 유리잔 (die Gläs*er*)

정답 Was trinken Sie? Trinken Sie ein Glas Wein?

문장 1

► 우리말 "무엇을"은 의문사 was의 4격 형으로서 동사 trinken의 4격 목적어임.
(의문사 Was는 문장 맨 앞에 위치하며 어순은 도치됨!)

► 주어는 우리말에서 생략된 "당신은", 즉 격식칭 Sie임.
따라서 주어가 Sie('당신은')이므로 동사 형태는 trink*en*임.

문장 2

► 의문사 없는 의문문이므로 어순은 도치됨.

► 주어는 우리말에서 생략된 "당신은", 즉 격식칭 Sie임.
따라서 주어가 Sie('당신은')이므로 동사 형태는 trink*en*임.

► 우리말 "와인 한 잔(*을*)"은 동사 trinken의 4격 목적어임.
즉,「*ein* Glas Wein」:
명사 Glas는 *중성*이며, 동사 trinken의 *4격* 목적어이므로 *중성 4격!!*
따라서 *중성 4격* 부정관사 *ein*이 앞에 옴.

4. 오늘 저녁에 누구를 방문하십니까? - 내 여자 친구를 방문합니다.

(heute Abend, wen, besuchen) (Freundin, mein-, besuchen)

✹ 어휘 heute Abend 오늘 저녁(에) → heute [부사어] 오늘 + der Abend 저녁 ▌wen [의문사] 누구를? (의문사 wer의 4격 형) ▌besuchen [타동사] ...을 방문하다' ▌die Freund*in* 여자 친구 (die Freundin*nen*)

정답 Wen besuchen Sie heute Abend? - Ich besuche meine Freundin.

문장 1

► 우리말 "누구를"은 의문사 wer의 4격 형 wen으로서 동사 besuchen의 4격 목적어임.
(의문사 Wen은 문장 맨 앞에 위치하며 어순은 도치됨!)

► 주어는 우리말에서 생략된 "당신은", 즉 격식칭 Sie임.
따라서 주어가 Sie('당신은')이므로 동사 형태는 besuch*en*임.

문장 2

► 주어는 우리말에서 생략된 주어 "저는", 즉 ich임.
따라서 주어가 ich이므로 동사 형태는 besuch*e*임.

► 우리말 "내 여자 친구를"은 동사 besuche의 4격 목적어임.
즉, 「mein*e* Freund*in*」:
명사 Freund*in*이 *여성*이며, 동사의 *4격* 목적어이므로 *여성 4격!!*
따라서 소유대명사 mein-('나의')은 *여성 4격* 부정관사 ein*e*처럼 어미변화 하여 mein*e*임.

5. 당신은 아이들이 있습니까? - 아니오 저는 아이들이 없어요.

(Kinder, haben) (nein, kein-, Kinder, haben)

✹ **어휘** das Kind 아이 (die Kind*er*) ▌haben [타동사] ...을 가지고 있다 (불규칙 변화: du *hast* ; er (sie, es) *hat*)

정답 Haben Sie Kinder? - Nein, ich habe keine Kinder.

문장 1

► 주어는 우리말 "당신은", 즉 격식칭 Sie임.
우리말 "아이들이 *있습니까?*"는 다시 말해 "아이들을 *가지고 있습니까?*"이므로 동사 haben이 사용됨.
따라서 주어가 Sie('당신은')이므로 동사 형태는 hab*en*임.

► 우리말 "아이*를*", 즉 복수명사 Kind*er*가 동사 haben의 4격 목적어임.
(내용상 "*그* 아이들"이 아니라 막연히 "아이들"이므로 명사 Kinder 앞에는 부정관사가 와야 하지만 복수는 부정관사가 없으므로 관사 없이 사용됨!)

문장 2

► 주어는 "저는", 즉 ich이므로 동사 형태는 hab*e*임.

► 우리말 "아이들이 *없어요*", 즉 "아이들을 *가지고 있지 않아요*"이므로 부정문임.
따라서 동사 habe의 4격 목적어로서 「kein- + Kind*er*」 형식이 사용됨.
즉, 「kein*e* Kind*er*」:
명사 Kind*er*가 *복수*이며, 동사 habe의 *4격* 목적어이므로 *복수 4격!!*
따라서 kein-은 *복수 4격 정관사* di*e*처럼 어미변화 하여 kein*e*임.
부정어 kein-은 소유대명사와 동일한 어미변화 함.
따라서 기본적으로 ***부정관사*** 어미변화 하지만, ***복수***일 경우는 ***정관사*** 어미변화 함.

II. 잘못된 부분(들)을 고쳐서 다시 적으시오. (5과, 마무리문제: 교재 29쪽)

1. Habst[오류1] du eine Frage? - Ja, Ich[오류2] habe eine Frage.

✹ **해석** 너는 질문이 있니? - 응, 나는 질문이 하나 있어.

✺ 어휘 haben [타동사] ...을 가지고 있다 (불규칙 변화: du *hast* ; er (sie, es) *hat*) ▌die Frage 질문 (die Frage*n*)

<오류> 1

주어가 du일 경우 동사 haben은 불규칙 변화하여 *Hast*이어야 옳음!

<오류> 2

영어는 단수 1인칭 인칭대명사인 I('나는')가 항상 대문자 표기되지만, 독일어는 그렇지 않음.
즉, 독일어의 단수 1인칭 인칭대명사 ich('나는')는 다른 일반 낱말들처럼 문장 맨 앞에 올 때만 대문자 표기될 뿐, 그 이외에는 소문자로 표기됨!

정답 *Hast* du eine Frage? - Ja, *ich* habe eine Frage.

문장 1

► 명사 Frage는 *여성*이며, 동사 Hast의 *4격* 목적어이므로 *여성 4격!!*
따라서 *여성 4격* 부정관사 ein*e*가 앞에 옴.

문장 2

► 주어가 ich이므로 동사 형태는 hab*e*임.
► 명사 Frage는 *여성*이며, 동사 habe의 *4격* 목적어이므로 *여성 4격!!*
따라서 *여성 4격* 부정관사 ein*e*가 앞에 옴.

2. Unser[오류1] Lehrerin kauft oft Blumen für ihr[오류2] Mann.

✺ 해석 우리 여선생님은 자주 자신의 남편을 위해서 꽃들을 산다.

✺ 어휘 die Lehrer*in* 여선생님 (die Lehrerin*nen*) ▌kaufen [타동사] ...을 사다 ▌oft [부사어] 자주, 빈번히 ▌die Blume 꽃 (die Blume*n*) ▌für [전치사] ~을 위해 ▌der Mann 남편 (die M*ä*nn*er*)

<오류> 1

독일어의 소유대명사는 뒤에 오는 명사에 따라 부정관사 어미변화 한다.
(뒤에 복수명사가 올 경우는 정관사 어미변화!)
따라서 여기서도 소유대명사 Unser-('우리의')는 어미변화 해야 옳음!

<오류> 2

여기서도 소유대명사 ihr-('그녀의')는 어미변화 해야 옳음!

정답 *Unsere* Lehrerin kauft oft Blumen für *ihren* Mann.

► 「Unser*e* Lehrer*in*」:
명사 Lehrer*in*이 *여성*이며, 문장의 *주어*이므로 *여성 1격!!*
따라서 Unser-('우리의')는 *여성 1격* 부정관사 ein*e*처럼 어미변화 하여 Unser*e*임.

► 명사 Blume*n*은 *복수*이며, 동사 kauft의 *4격* 목적어로서 *복수 4격!!*
내용상 부정관사가 와야 하지만 복수는 부정관사가 없으므로 관사 없이 사용됨!

► 소유대명사 ihren('그녀의')은 앞의 여성명사 Unsere Lehrerin을 받음.
「ihr*en* Mann」:
명사 Mann은 *남성*이며, 전치사 für의 *4격* 목적어이므로 *남성 4격!!*
따라서 소유대명사 ihr-('그녀의')는 *남성 4격* 부정관사 ein*en*처럼 어미변화 하여 ihr*en*임.

3. Morgens esse[오류1] ich ein[오류2] Apfel und ein Glas Milch.

✻ **해석** 아침마다 나는 사과 한 개와 우유 한 잔을 먹는다.

✻ **어휘** morgens [부사어] 아침에, 아침마다 <주의> 부사어 morgen('내일'), 남성명사 der Morgen ('아침')과 혼동하지 말 것! ▌ essen [타동사] ...을 먹다 ▌ der Apfel 사과 (die Äpfel) ▌ das Glas 유리잔 (die Gläs*er*) ▌ die Milch 우유 (복수 없음!)

<참고> morgen*s* 아침에 / vormittag*s* 오전에 / mittag*s* 정오에 / nachmittag*s* 오후에 / abend*s* 저녁에 / nacht*s* 밤에

<오류> 1
예문에서 타동사 essen의 목적어로 "사과"와 "한 잔의 우유"가 온다.
그런데 동사 essen은 의미가 '먹다'이므로 "사과"는 그 목적어가 될 수 있지만 "한 잔의 우유"는 불가능하다. ("우유"는 오히려 동사 trinken('마시다') 등의 목적어가 됨!)
따라서 동사 essen을 사용한 것은 오류임.
여기서는 '먹다' 및 '마시다'의 의미를 포괄하는 타동사 nehmen('...을 취하다')을 사용해야 옳음!

<오류> 2
부정관사 ein이 온 것은 오류임.
명사 Apfel은 *남성*이며, 동사의 *4격* 목적어이므로 *남성 4격!!*
따라서 *남성 4격* 부정관사 ein*en*이 앞에 와야 옳음!
(예문처럼 부정관사 ein을 사용하면 남성 1격 형이 됨.)

정답 Morgens *nehme* ich *einen* Apfel und ein Glas Milch.

► 「*ein* Glas Milch」:
명사 Glas는 *중성*이며, 동사 nehme의 *4격* 목적어이므로 *중성 4격!!*
따라서 *중성 4격* 부정관사 *ein*이 앞에 옴.
<주의> Milch는 셀 수 없는 물질명사로서 "한 개"를 뜻하는 부정관사가 직접 앞에 올 수 없음.
따라서 Glas('유리 잔') 등을 단위로 양을 헤아릴 수 있음. 이 밖에도:
ein Glas Wasser 한 잔의 물 (Bier 맥주, Wein 포도주, Apfelsaft 사과 주스 등)

4. Wer[오류1] rufst du an? - Ich rufe meinen[오류2] Eltern an.

✻ **해석** 너는 누구에게 전화하니? - 나는 나의 부모님께 전화해.

✱ **어휘** wer [의문사] 누가? (1격 형) → wen [의문사] 누구를? (4격 형) ▌rufst ... *an* ⇒ *an*rufen [분리동사&타동사] 누구에게 전화 걸다 ▌die Eltern (항상 복수) 부모

<오류> 1

타동사인 분리동사 rufst ... *an*의 4격 목적어이므로 4격 형 *Wen*이 와야 옳음!

<오류> 2

소유대명사 mein-('나의')의 어미변화 방식, 즉 어미 *-en*이 붙어 mein*en*이 된 것은 오류임!

정답 *Wen* rufst du an? - Ich rufe *meine* Eltern an.

문장 1

► 의문사 wer의 4격 형인 wen이 분리동사 rufst ... *an*의 4격 목적어로 사용됨. 의문사이므로 문장 맨 앞에 위치하여 (대문자 표기되어) Wen임.

문장 2

► 「mein*e* Eltern」:
명사 Eltern은 *복수*이며, 분리동사 rufe ... *an*의 *4격* 목적어이므로 *복수 4격!!*
따라서 소유대명사 mein-('나의')은 *복수 4격* 정관사 di*e*처럼 어미변화 하여 mein*e*임.

5. Hast du ein Geschwister[오류1]? - Ja, ich habe zwei Bruder[오류2].

✱ **해석** 너는 형제가 있니? - 응, 나는 두 명의 남자 형제가 있어.

✱ **어휘** haben [타동사] ...을 가지고 있다 (불규칙 변화: du *hast* ; er (sie, es) *hat*) ▌die Geschwister (항상 복수) 형제, 자매, 남매 ▌zwei [수사] 2, 둘 ▌der Bruder 남자 형제, 형, 오빠, 남동생 (die Brüder)

<오류> 1

명사 Geschwister는 항상 복수이므로 부정관사는 올 수 없음.
따라서 여기서는 관사 없이 사용되어야 옳음!

<오류> 2

수사 zwei와 결합하므로 복수형 Brüder가 와야 옳음!

정답 Hast du *Geschwister*? - Ja, ich habe zwei *Brüder*.

문장 1

► 주어가 du이므로 동사 haben은 불규칙 변화하여 *Hast*임.

► 명사 Geschwister는 *복수*이며, 동사 Hast의 *4격* 목적어이므로 *복수 4격!!*
여기서는 복수라서 부정관사가 올 수 없으므로 관사 없이 사용됨.

문장 2

► 주어가 ich이므로 동사 haben의 형태는 hab*e*임.

► zwei Brüder는 동사 habe의 4격 목적어임.

6. Morgen besuche ich mein[오류] Bruder in Frankreich.

✺ **해석** 내일 나는 프랑스에 있는 내 남동생을 방문한다.

✺ **어휘** morgen [부사어] 내일 ▌besuchen [타동사] ...을 방문하다 ▌der Bruder 남자 형제 (die Brüder) ▌in [전치사] ~안에 ▌Frankreich [고유명사] 프랑스

<주의> der Morgen [명사] 아침 / morgen [부사어] 내일 / morgens [부사어] 아침에

<오류>

소유대명사 mein-('나의')의 어미변화 방식, 즉 어미 없이 mein_이 온 것은 오류임!

정답 Morgen besuche ich *meinen* Bruder in Frankreich.

► 「mein*en* Bruder」:

명사 Bruder는 *남성*이며, 동사 besuche의 *4격* 목적어이므로 *남성 4격!!*

따라서 소유대명사 mein-('나의')은 *남성 4격* 부정관사 ein*en*처럼 어미변화 하여 mein*en*임.

7. Habt[오류1] er nicht Geld[오류2] mehr? - Nein[오류3], er habt[오류4] noch viel Geld.

✺ **해석** 그가 더 이상 돈이 없습니까? - 아니오, 그는 아직 많은 돈을 가지고 있어요.

✺ **어휘** haben [타동사] ...을 가지고 있다 (불규칙 변화: du *hast* ; er (sie, es) *hat*) ▌das Geld 돈 (복수 없음!) ▌noch [부사어] 아직 ▌「viel + 셀 수 없는 명사」 많은 ... : viel Geld 많은 돈, viel Zeit 많은 시간

<오류> 1

주어가 er이므로 동사 haben은 불규칙 변화하여 *hat*이어야 옳음!

<오류> 2

nicht를 사용하여 명사 Geld를 부정하고 있는 것은 오류임.

명사를 부정하는 kein-을 사용하여 「kein- + Geld」 형식이어야 옳음!:

<오류> 3

앞 문장은 부정어 kein-이 사용된 부정 질문임.

따라서 뒤 문장은 부정 질문에 대한 긍정 답변이므로 Nein('예')이 아니라 Doch('아니오')를 사용해야 옳음!

<오류> 4

주어가 er이므로 동사 haben은 불규칙 변화하여 *hat*이어야 옳음!

정답 *Hat* er *kein Geld* mehr? - *Doch* , er *hat* noch viel Geld.

문장 1

► 「kein Geld」:

명사 Geld는 *중성*이며, 동사 Hat의 *4격* 목적어이므로 *중성 4격!!*

따라서 kein-은 *중성 4격* 부정관사 ein_처럼 어미 없이 kein_임.

► 「kein- ... mehr」 더 이상 ... 않다

문장 2

- viel Geld는 동사 hat의 4격 목적어임.

Lektion 6

인칭대명사 4격

형용사 어미변화 (1)

unit 01

기초문제

I. 밑줄 친 곳에 알맞은 인칭대명사는? (6과, 기초문제: 교재 32쪽)

1. Ich suche mein Wörterbuch. Wer hat __es__ ?

✺ **해석** 나는 내 사전을 찾고 있어. 누가 그것을 갖고 있지?

✺ **어휘** suchen [타동사] ...을 찾다, 구하다 ▌das Wörterbuch 사전 (die Wörterbüch*er*) → das Wort 낱말 (die Wört*er*) + das Buch 책 (die Büch*er*) ▌wer 누가? (1격 형)

문장 1

► 「*mein* Wörterbuch」:
명사 Wörterbuch는 *중성*이며, 동사 suche의 *4격* 목적어이므로 *중성 4격!!*
따라서 mein-은 *중성 4격* 부정관사 ein_처럼 어미 없이 mein_임.

문장 2

► Wer는 1격 형으로서 이 문장의 주어임.
주어인 Wer는 er('그는')에 해당하므로 동사 haben의 형태는 *hat*임.

☞ 빈칸에 올 낱말은 앞 문장의 *중성*명사 Wörterbuch를 받으며, 동사 hat의 *4격* 목적어임.
따라서 *중성* 인칭대명사 es의 *4격* 형인 *es*가 정답.

2. Wo sind die Kinder? Ich suche __sie__ überall.

✺ **해석** 어디에 그 아이들이 있니? 나는 그들을 여기저기 온통 찾고 있어.

✺ **어휘** wo 어디에? ▌das Kind 아이 (die Kind*er*) ▌suchen [타동사] ...을 찾다 ▌überall [부사어] 도처에, 모든 곳에 (영. everywhere)

문장 1

► 「*die* Kind*er*」:
명사 Kind*er*는 *복수*이며, 이 문장의 *주어*이므로 *복수 1격!!*
따라서 *복수 1격* 정관사 *die*가 앞에 옴.

문장 2

☞ 빈칸에 올 낱말은 앞 문장의 *복수*명사 Kind*er*를 받으며, 동사 suche의 *4격* 목적어임.
따라서 *복수* 인칭대명사 sie('그들은')의 *4격* 형인 *sie*가 정답.

3. Wir sind am Sonntag zu Hause. Bitte, besuchen Sie __uns__ doch!

✺ **해석** 우리는 일요일에 집에 있어요. 부탁하건대, (그러지 말고) 우리를 방문해 주세요.

✳ 어휘 am Sonntag 일요일에 ▌zu Haus(e) 집에, 집에서 ▌bitte [부사어] 명령문에서 정중한 요구를 위해 사용됨. ▌besuchen [타동사] ...을 방문하다 ▌doch [부사어] 명령문에서 요구 내용을 강조함. ("그러지 말고" 등으로 해석함!)

문장 1

► 동사 sind의 의미는 '있다, 존재하다'임: ... sind ... zu Hause. 집에 있다.

문장 2

► Sie-명령문「동사 원형 + Sie ...!」...하세요. : ..., besuch*en* Sie ...!

☞ 빈칸에 올 낱말은 *wir*를 지칭하며, 동사 besuchen의 *4격* 목적어임.
따라서 *wir*('우리는')의 *4격* 형인 *uns*가 정답임.

4. Hast du heute Abend Zeit für mich? - Nein, ich habe leider keine Zeit für dich .

✳ 해석 너 오늘 저녁 나를 위해 시간 낼 수 있니? - 아니, 유감스럽게도 너를 위한 시간이 없어.

✳ 어휘 heute Abend 오늘 저녁 ▌die Zeit 시간 (복수 없음!) ▌für [4격 전치사] ~을 위해 ▌leider 유감스럽게도, 아쉽게도

문장 1

► 주어가 du이므로 동사 haben의 형태는 *hast*임.

► 명사 Zeit는 동사 Hast의 *4격* 목적어.
<주의> Zeit는 셀 수 없는 추상명사로서 부정관사 ein-과 결합할 수 없으므로 관사 없음!

► 4격 전치사 für의 목적어이므로 4격 형 *mich*가 사용됨.

문장 2

► 주어가 ich이므로 동사 haben의 형태는 hab*e*임.

►「kein*e* Zeit」:
명사 Zeit는 *여성*이며, 동사 habe의 *4격* 목적어이므로 *여성 4격!!*
따라서 kein-은 *여성 4격* 부정관사 ein*e*처럼 어미 *-e*가 붙어 kein*e*임.

☞ 빈칸에 올 낱말은 *du*를 지칭하며, *4격* 전치사 für의 목적어임.
따라서 *du*의 *4격* 형인 *dich*가 정답임.

5. Kennst du den jungen Mann dort? - Nein, ich kenne ihn auch nicht.

✳ 해석 너는 저기 있는 젊은 남자를 아니? - 아니, 나도 그를 알지 못해.

✳ 어휘 kennen [타동사] ...을 알다 ▌jung [형용사] 젊은 ▌der Mann 남자 (die Männ*er*) ▌dort 저기, 저기에 ▌auch 역시, ...도

문장 1

► 「*den* jung*en* Mann」:

- 명사 Mann은 *남성*이며, 동사 Kennst의 *4격* 목적어이므로 *남성 4격!!*
  따라서 *남성 4격* 정관사 *den*이 앞에 옴.
- 형용사 jung 앞에 *남성 4격*의 d*en*이 있음.
  → 따라서 d*en* jung*en* ...
  (근거: 남성 4격 d*en*, ein*en*, mein*en*, ihr*en*, unser*en*, kein*en*, dies*en* + 형용사 *-en*)

문장 2

☞ 빈칸에 올 낱말은 앞 문장의 *남성*명사 Mann을 받으며, 동사 kenne의 *4격* 목적어임.
따라서 *남성* 인칭대명사 er의 *4격* 형인 *ihn*이 정답임.

6. Bringst du deine Freundin mit? - Nein, ich bringe __sie__ nicht mit.

✳ **해석** 너는 네 여자 친구를 함께 데려오니? - 아니, 나는 그녀를 함께 데려오지 않아.

✳ **어휘** Bringst ... *mit* ⇒ *mit*bringen [분리동사&타동사] 누구를 함께 데려오다 ▌die Freund*in* 여자 친구 (die Freundin*nen*)

문장 1

► 분리동사 *mit*bringen의 전철 *mit-*은 분리되어 문장 맨 뒤에 위치함: Bringst ... *mit*?

► 「dein*e* Freund*in*」:
명사 Freund*in*은 *여성*이며, 분리동사 Bringst ... mit의 *4격* 목적어이므로 *여성 4격!!*
따라서 dein-은 *여성 4격* 부정관사 ein*e*처럼 어미 *-e*가 붙어 dein*e*임.

문장 2

☞ 빈칸의 낱말은 앞 문장의 *여성*명사 Freundin을 받으며, 동사 bringe ... *mit*의 *4격* 목적어임.
따라서 *여성* 인칭대명사 sie('그녀')의 *4격* 형인 *sie*가 정답임.

II. 밑줄 친 곳에 알맞은 어미는? (6과, 기초문제: 교재 32쪽)

1. Die gut__e__ alt__e__ Zeit kommt nicht mehr.

✳ **해석** 그 좋았던 옛 시절은 더 이상 오지 않는다.

✳ **어휘** gut [형용사] 좋은 ▌alt [형용사] 오랜, 늙은 ▌die Zeit 시절, 시대 (die Zeit*en*) / kommen 오다 ▌... nicht mehr 더 이상 ... 않다

☞「Di*e* alt*e* gut*e* Zeit」:

- 명사 Zeit는 *여성*이며, 이 문장에서 *주어*이므로 *여성 1격!!*
  따라서 *여성 1격* 정관사 *Die*가 앞에 옴.
- 형용사 gut과 alt 앞에는 *여성 1격*의 Di*e*가 있음.
  → 따라서 Di*e* gut*e* alt*e* ...
  (근거: 여성 1, 4격 di*e*, ein*e*, mein*e*, ihr*e*, unser*e*, kein*e*, dies*e* + 형용사 *-e*)

2. Das kleine_ Kind ist süß.

✹ **해석** 그 작은 아이는 귀엽다.

✹ **어휘** klein [형용사] 작은 ▌ das Kind 아이 (die Kind*er*) ▌ süß [형용사] 1 (맛이) 달콤한; 2 (목소리, 옷 등이) 귀여운, 마음에 드는

<참고> '맛' 형용사: sauer 신, salzig 짠, bitter 쓴

☞「*Das* klein*e* Kind」:

- 명사 Kind는 *중성*이며, 이 문장의 *주어*이므로 *중성 1격!!*
  따라서 *중성 1격* 정관사 *Das*가 앞에 옴.
- 형용사 klein 앞에는 *중성*의 D*as*가 있음.
  → 따라서 D*as* klein*e* ...
  (근거: 중성 1, 4격 d*as*, dies*es* + 형용사 *-e*)

► 형용사 süß는 동사 ist의 형용사 보어임.
따라서 뒤에 있는 명사를 수식하는 형용사가 아니므로 어미변화 없음.

3. Das ist eine gute_ Nachricht.

✹ **해석** 그것은 좋은 소식이다.

✹ **어휘** gut [형용사] 좋은 ▌ die Nachricht 소식 (die Nachricht*en*)

☞「ein*e* gut*e* Nachricht」:

- 명사 Nachricht는 *여성*이며, 동사 ist의 *주격* 보어이므로 *여성 1격!!*
  따라서 *여성 1격* 부정관사 *eine*가 앞에 옴.
- 형용사 gut 앞에 *여성*의 ein*e*가 있음.
  → 따라서 ein*e* gut*e* ...
  (근거: 여성 1, 4격 di*e*, ein*e*, mein*e*, ihr*e*, unser*e*, kein*e*, dies*e* + 형용사 *-e*)

4. Der blaue_ Pulli ist schön.

✹ **해석** 그 파란색 스웨터는 예쁘다.

✹ **어휘** blau [형용사] 파란 ▌ der Pulli (구어체) 스웨터 (die Pulli*s*) = der Pullover (die Pullover) ▌ schön [형용사] 예쁜, 아름다운

<참고> '색' 형용사: rot 빨간, gelb 노란, grün 녹색의, schwarz 검정색의, weiß 흰색의

☞「*Der* blau*e* Pulli」:

- 명사 Pulli는 *남성*이며, 이 문장의 *주어*이므로 *남성 1격!!*
  따라서 *남성 1격* 정관사 *Der*가 앞에 옴.
- 형용사 blau 앞에는 *남성*의 D*er*가 있음.
  → 따라서 D*er* blau*e* ...
  (근거: 남성 1격 d*er*, dies*er* + 형용사 *-e*)

► 형용사 schön은 동사 ist의 형용사 보어임.
따라서 명사 앞에서 수식하는 형용사가 아니므로 어미변화 없음.

5. Der alte_ Herr geht gern spazieren.

✵ **해석** 그 연로한 신사는 산책하기를 좋아한다.

✵ **어휘** alt [형용사] 늙은 ▌der Herr 신사 (die Herr*en*) ▌gehen 가다 + spazieren 산책가다 → gehen ... spazieren 산책하다 ▌gern 즐겨

☞「*Der* alt*e* Herr」:

- 명사 Herr는 *남성*이며, 이 문장의 *주어*이므로 *남성 1격*!!
  따라서 *남성 1격* 정관사 *Der*가 앞에 옴.
- 형용사 alt 앞에는 *남성*의 D*er*가 있음.
  → 따라서 D*er* alt*e* ...
  (근거: 남성 1격 d*er*, dies*er* + 형용사 *-e*)

6. Seine schönen_ Augen strahlen.

✵ **해석** 그의 아름다운 눈이 빛난다.

✵ **어휘** schön [형용사] 아름다운 ▌das Auge 눈 (die Auge*n*) ▌strahlen 빛나다, 광채나다

☞「Sein*e* schön*en* Auge*n*」:

- 명사 Auge*n*이 *복수*이며, 이 문장의 *주어*이므로 *복수 1격*!!
  따라서 Sein-('그의')은 *복수 1격 정관사* di*e*처럼 어미 *-e*가 붙어 Sein*e*임.
  소유대명사 Sein-은 기본적으로 ***부정관사 ein-*** 어미변화 하지만,
  복수의 경우, (부정관사가 없으므로) ***정관사 d-*** 어미변화 함!
- 형용사 schön 앞에는 *복수*의 di*e*에 일치하는 Sein*e*가 있음.
  → 따라서 Sein*e* schön*en* ...
  (근거: 복수 1, 4격 di*e*, mein*e*, sein*e*, ihr*e*, unser*e*, kein*e*, dies*e* + 형용사 *-en*)

<주의> "왼쪽 눈", "오른쪽 눈" 등과 같이 '한 쪽 눈'만을 뜻하는 특수한 경우를 제외하고,
일반적으로 '눈'을 말할 경우 '두 개의 눈'을 뜻하므로 복수형 Auge*n*이 사용됨.

7. Ich suche eine weiße_ Jacke. - Tut mir Leid! Wir haben keine_ weiße_ mehr.

✵ **해석** 저는 흰색 재킷을 찾고 있어요. - 유감입니다! 저희는 더 이상 흰색 재킷이 없어요.

※ 이 예문은 의복 상점에서 고객과 점원 사이에 이루어지는 대화 내용이다.

✺ 어휘 suchen [타동사] ...을 찾다, 구하다 ▌ weiß [형용사] 흰색의 ▌ die Jacke 재킷 (die Jacke*n*) ▌ tun [타동사] ...을 행하다 (영. do) ▌ mir 나에게 ▌ das Leid 괴로움 ▌「kein- ... mehr」 더 이상 ... 않다

문장 1

☞「ein*e* weiß*e* Jacke」:

- 명사 Jacke는 *여성*이며, 동사 suche의 *4격* 목적어이므로 *여성 4격!!* 따라서 *여성 4격* 부정관사 *eine*가 앞에 옴.
- 형용사 weiß 앞에 *여성*의 ein*e*가 있음.

  → 따라서 ein*e* weiß*e* ...

  (근거: 여성 1, 4격 di*e*, ein*e*, mein*e*, ihr*e*, unser*e*, eur*e*, kein*e*, dies*e* + 형용사 *-e*)

문장 2

► Tut mir Leid! 유감입니다! (영. I am sorry!)

<참고> 본래의 문장 형태는 Das tut mir Leid! 여기서 주어인 Das가 생략된 구어체임. "그것은 나에게 괴로움을 준다." 즉, "그것으로 인해 마음이 아프다"라는 뜻임.

문장 3

► 주어가 Wir이므로 haben 동사의 형태는 원형과 같은 *haben*임.

☞「kein*e* weiß*e* (Jacke)」:

- 생략된 명사 Jacke는 *여성*이며, 동사 haben의 *4격* 목적어이므로 *여성 4격!!*
- 부정어 kein-은 *여성 4격* 부정관사 ein*e*처럼 어미 -e가 붙어 kein*e*임.
- 형용사 weiß 앞에 *여성*의 ein*e*에 일치하는 kein*e*가 있음.

  → 따라서 kein*e* weiß*e* ...

  (근거: 여성 1, 4격 di*e*, ein*e*, mein*e*, ihr*e*, unser*e*, eur*e*, kein*e*, dies*e* + 형용사 *-e*)

기타 정답

Ich suche eine weiße Jacke. - Tut mir leid! Wir haben keine_ weißen_ mehr.

(저는 흰색 재킷을 찾고 있어요. - 유감입니다! 저희는 더 이상 흰색 재킷들이 없어요.)

► 복수명사 Jacke*n*이 생략된 형식인「kein_ weiß_ (Jacke*n*)」 역시 정답이 됨:

- 생략된 명사 Jacke*n*은 *복수*이며, 동사 haben의 *4격* 목적어이므로 *복수 4격!!*
- kein-은 *복수 4격 정관사* di*e*처럼 어미 *-e*가 붙어 kein*e*임.

  부정어 kein-은 기본적으로 ***부정관사 ein-*** 어미변화 하지만,
  복수의 경우, (부정관사가 없으므로) ***정관사 d-*** 어미변화 함!

- 형용사 weiß 앞에 *복수*의 di*e*에 일치하는 kein*e*가 있음.

  → kein*e* weiß*en* ...

  (근거: 복수 1, 4격 di*e*, mein*e*, ihr*e*, unser*e*, eur*e*, kein*e*, dies*e* + 형용사 *-en*)

8. Die frische_ saubere_ Luft ist gut für die Gesundheit.

✺ 해석 신선한 깨끗한 공기는 건강에 좋다.

✺ **어휘** frisch [형용사] 신선한 ▌sauber [형용사] 깨끗한 (↔ schmutzig 더러운) ▌die Luft 공기 (보통 단수!) ▌gut [형용사] 좋은 ▌für [4격 전치사] ~을 위해 ▌die Gesundheit 건강 (복수 없음) ← gesund [형용사] [1] 건강한; [2] 건강에 좋은

☞「*Die* frisch*e* sauber*e* Luft」:

- 명사 Luft는 *여성*이며, 이 문장의 *주어*이므로 *여성 1격!!*
  따라서 *여성 1격* 정관사 *Die*가 앞에 옴.
- 형용사 frisch와 sauber 앞에 *여성*의 Di*e*가 있음.
  → 따라서 Di*e* frisch*e* sauber*e* ...
  (근거: 여성 1, 4격 di*e*, ein*e*, kein*e*, dies*e*, mein*e*, ihr*e*, unser*e*, eur*e* + 형용사 *-e*)

► 형용사 gut은 동사 ist의 형용사 보어임.
따라서 뒤에 오는 명사를 수식하는 형용사가 아니므로 어미변화 없음.

►「für *die* Gesundheit」:
명사 Gesundheit는 *여성*이며, *4격* 전치사 für의 목적어이므로 *여성 4격!!*
따라서 *여성 4격* 정관사 *die*가 앞에 옴.

9. Herr Müller, das ist der neu<u>e</u> Chef. - Unser neu<u>er</u> Chef? - Ja, seit gestern haben wir einen neu<u>en</u> Chef.

✺ **해석** 뮐러씨, 저 분이 새 부장님입니다. - 우리의 새 부장님이라고요? - 예, 어제부터 우리는 새 부장님이 있어요.

✺ **어휘** neu [형용사] 새, 새로운 ▌der Chef 사장, 부장, 과장 (die Chef*s*) ▌seit [전치사] ~이래, ~이후 (영. since) ▌gestern 어제

<참고> vorgestern 그저께, gestern 어제, heute 오늘, morgen 내일, übermorgen 모레

문장 1

☞「*der* neu*e* Chef」:

- 명사 Chef는 *남성*이며, 동사 ist의 *주격* 보어이므로 *남성 1격!!*
  따라서 *남성 1격* 정관사 *der*가 앞에 옴.
- 형용사 neu 앞에는 *남성*의 d*er*가 있음.
  → 따라서 d*er* neu*e* ...
  (근거: 남성 1격 d*er*, dies*er* + 형용사 *-e*)

문장 2

► 이 문장은 (Ist das) Unser neuer Chef?의 축약 형태임.

☞「Unser neu*er* Chef」:

- 명사 Chef는 *남성*이며, 동사 Ist의 *주격* 보어이므로 *남성 1격!!*
  따라서 Unser-는 *남성 1격* 부정관사 ein_과 동일하게 어미 없이 Unser_임.
- 형용사 neu 앞에 *남성*의 ein_에 일치하는 Unser_가 있음.
  → 따라서 Unser neu*er* ...
  (근거: 남성 1격 ein_ , mein_ , ihr_ , unser_ , euer_ , kein_ + 형용사 *-er*)

문장 3

► 주어가 wir이므로 동사 haben의 형태는 원형 hab*en*임.

☞ 「ein*en* neu*en* Chef」 :

- 명사 Chef는 *남성*이며, 동사 haben의 *4격* 목적어이므로 *남성 4격*!!
  따라서 *남성 4격* 부정관사 ein*en*이 앞에 옴.
- 형용사 neu 앞에는 *남성 4격*의 ein*en*이 있음.
  → 따라서 ein*en* neu*en* ...
  (근거: 남성 4격 d*en*, ein*en*, mein*en*, ihr*en*, unser*en*, kein*en*, dies*en* + 형용사 -*en*)

10. Kennen Sie die Kinder? - Ja, das klein<u>e</u> , blond<u>e</u> Mädchen ist Gabi Ternes und das groß<u>e</u> , dick<u>e</u> ist ihre Schwester Susi. Aber der schwarzhaarig<u>e</u> Junge? Ihn kenne ich auch nicht.

✵ **해석** 당신은 이 아이들을 아십니까? - 예, 작고 금발인 이 소녀는 가비 테르네스이며, 키가 크고 뚱뚱한 이 소녀는 그녀의 언니 수지입니다. 하지만 검정머리의 이 소년이요? 이 아이는 저 역시 알지 못해요.

✵ **어휘** kennen [타동사] 누구를 알다 ▌das Kind 아이 (die Kind*er*) ▌klein [형용사] 작은 ▌blond(e) [형용사] 금발의 ▌das Mädchen [축소명사] 소녀, 아가씨 (die Mädchen) ▌groß [형용사] 키 큰 ▌dick [형용사] [1] 뚱뚱한; [2] 두꺼운 (↔ schlank 날씬한; dünn 얇은) ▌die Schwester 여자 형제 (die Schwester*n*) ▌schwarzhaarig [형용사] 검은 머리의 → schwarz [형용사] 검정색의 + -haarig (= das Haar 머리카락 + 형용사화 어미 -ig) ▌der Junge 소년 (die Junge*n*) ▌auch 역시

문장 1

► 명사 Kind*er*는 *복수*이며 동사 Kennen의 *4격* 목적어이므로 *복수 4격*!!
따라서 *복수 4격* 정관사 *die*가 앞에 옴.

문장 2

☞ 「*das* klein*e* , blond*e* Mädchen」 :

- 명사 Mäd*chen*은 축소명사로서 *중성*이며, *주어*이므로 *중성 1격*!!
  따라서 *중성 1격* 정관사 *das*가 앞에 옴.
- 형용사 klein과 blond(e) 앞에는 중성의 d*as*가 있음.
  → 따라서 d*as* klein*e* blond*e* ...
  (근거: 중성 1, 4격 d*as*, dies*es* + 형용사-*e*)

<참고> 여러 개의 형용사가 함께 올 경우:

① 형용사들의 의미가 *대등하게 병렬되면* 콤마를 사용함:
das kleine, blonde Mädchen 키가 작<u>고</u> 금발인 그 소녀
(이 경우 접속사 und의 사용이 가능함: das kleine *und* blonde Mädchen.)

② 형용사들의 의미가 대등하지 *않으면* 콤마를 두지 않음:
das kleine blonde Mädchen 키가 작<u>은</u> 그 금발의 소녀'
(이 경우는 접속사 und의 사용이 불가능함!)

☞ 접속사 und 뒤 문장의 주어는 「*das* groß*e* , dick*e* (Mädchen)」 :

- 생략된 명사 Mädchen은 *중성*이며, 문장의 *주어*이므로 *중성 1격!!*
  따라서 *중성 1격* 정관사 *das*가 앞에 옴.
- 형용사 groß와 dick 앞에는 중성의 d*as*가 있음.
  → 따라서 d*as* groß*e*, dick*e* ...
  (근거: 중성 1, 4격 d*as*, dies*es* + 형용사 *-e*)

► 「ihr*e* Schwester Susi」 :

- 명사 Schwester는 *여성*이며, 동사 ist의 *주격* 보어이므로 *여성 1격!!*
  따라서 ihr-('그녀의')는 *여성 1격* 부정관사 ein*e*처럼 어미변화 하여 ihr*e*임.
  (여기서 여성 소유대명사 ihr-는 앞에 나온 여자 인물 Gabi Ternes를 받음.)
- ihre Schwester('그녀의 언니')와 Susi('수지')는 동격임!

문장 3

► 이 문장은 축약된 형태임: Aber (wer ist) der schwarzhaarige Junge?

☞ 「*der* schwarzhaarig*e* Junge」 :

- 명사 Junge는 *남성*이며, 주어로서 *1격*이므로 *남성 1격!!*
  따라서 *남성 1격* 정관사 *der*가 앞에 옴.
- 형용사 schwarzhaarig의 앞에 남성의 d*er*가 있음.
  → 따라서 d*er* schwarzhaarig*e* ...
  (근거: 남성 1격 d*er*, dies*er* + 형용사 *-e*)

문장 4

► 문장 맨 앞의 Ihn은 *남성* 인칭대명사 er의 *4격* 형임.
바로 앞 문장의 *남성*명사 Junge를 받으며 동사 kenne의 *4격* 목적어임.

► 주어가 아닌 4격 목적어 Ihn이 문장 맨 앞에 나오므로 어순은 도치됨: *Ihn* kenn*e* *ich* ...

III. 밑줄 친 곳에 알맞은 어미는? (6과, 기초문제: 교재 32쪽)

1. Unser lieb*er* Vater hat heute Geburtstag.

   ✹ **해석** 사랑하는 우리 아버지는 오늘 생일이시다

   ✹ **어휘** lieb- [형용사] 사랑하는 ... (형용사 lieb-은 뒤의 명사를 수식하는 용법만 있음!) ▌der Vater 아버지 (die Väter) ▌heute 오늘 ▌der Geburtstag 생일 → die Geburt 출생 + der Tag 날 (die Tag*e*) : Geburtstag haben 생일이다

   ☞ 「Unser lieb*er* Vater」 :

   - 명사 Vater가 *남성*이며, 이 문장의 *주어*이므로 *남성 1격!!*
     따라서 Unser-는 *남성 1격* 부정관사 ein_과 동일하게 어미 없이 Unser_임.

- 형용사 lieb- 앞에 *남성*의 ein_에 일치하는 Unser_가 있음.

  → 따라서 Unser lieb*er* ...

  (근거: 남성 1격 ein_ , mein_ , dein_ , ihr_ , unser_ , euer_ , kein_ + 형용사 *-er*)

2. Er ist ein__ fleißiger_ Student. - Ja, er ist wirklich ein__ intelligenter_ und sympathischer junger_ Mann.

   ✺ **해석** 그는 부지런한 대학생이야. - 맞아, 그는 정말 명석하고 호감을 주는 젊은 남자야.

   ✺ **어휘** fleißig [형용사] 부지런한 ▌der Student 대학생 (die Student*en*) ▌wirklich [형용사] 현실의, (부사적) 정말로 ▌intelligent [형용사] 명석한 ▌sympathisch [형용사] 호감을 주는, 마음에 드는 → die Sympathie 호감 + 형용사 어미 -isch ▌jung [형용사] 젊은 ▌der Mann 남자 (die Männ*er*)

문장 1

☞「*ein* fleißig*er* Student」:

- 명사 Student는 *남성*이며, 동사 ist의 *주격* 보어이므로 *남성 1격!!*

  따라서 *남성 1격* 부정관사 ein이 앞에 옴.

- 형용사 fleißig 앞에 *남성*의 ein이 있음.

  → 따라서 *ein* fleißig*er* ...

  (근거: 남성 1격 ein_ , mein_ , ihr_ , unser_ , euer_ , kein_ + 형용사 *-er*)

  <주의>

  신분이나 직업을 말할 경우 동사 sein의 명사 보어는 관사가 없어야 함:

  z.B. Er ist *Student*. 그는 대학생이다.

  그러나 위 예문 "Er ist *ein* intelligenter Student."는 신분, 직업을 규정하는 것이 아니라, 형용사 intelligent를 사용하여 성격이나 특성을 설명하는 것이므로 *부정관사 ein*이 사용됨.

문장 2

☞「*ein* intelligent*er* und sympathisch*er* jung*er* Mann」:

- 명사 Mann은 *남성*이며, 동사 ist의 *주격* 보어이므로 *남성 1격!!*

  따라서 *남성 1격* 부정관사 ein이 앞에 옴.

- 세 개의 형용사 intelligent, sympathisch, jung 앞에 *남성*의 ein이 있음.

  → 따라서 *ein* intelligent*er* und sympathisch*er* jung*er* ...

  (근거: 남성 1격 ein_ , mein_ , ihr_ , unser_ , euer_ , kein_ + 형용사 *-er*)

  <주의> 세 개의 형용사 intelligent, sympathisch, jung이 함께 명사 Mann을 수식하고 있다. 우선적으로 jung이 먼저 Mann을 수식하여 '젊은 남자'를 뜻하고, 그 다음에 이어서 접속사 und에 의해 대등한 위치로 연결된 intelligent와 sympathisch가 그 '젊은 남자'를 수식하게 된다. 따라서 이 문장의 의미는 '그는 *젊은* 남자인데, 이 남자는 두 개의 특성, 즉 *명석한* 면과 *호감을 주는* 면이 있다'는 것으로 분석될 수 있다.

3. Das sind meine_ neuen_ Schuhe. Wie findest du sie?

✸ **해석** 이것은 나의 새 신발이야. 너는 (이것을) 어떻게 생각하니?

✸ **어휘** 「Das *sind* + *복수* 1격」 이것들은 ...이다 ↔ 「Das *ist* + *단수* 1격」 이것은 ...이다 ▌ neu [형용사] 새, 새로운 ▌ der Schuh 신발 (die Schuh*e*) ▌ wie 어떻게? ▌ 「finden + 4격 + 형용사」 *4격*이 ...하다고 생각하다 : Ich finde die Frau schön. 나는 그 여자가 예쁘다고 생각한다.

문장 1

☞ 「mein*e* neu*en* Schuh*e*」 :

- 명사 Schuh*e*는 *복수*이며, 동사 sind의 *주격* 보어이므로 *복수 1격!!*
  따라서 mein-은 *복수 1격 정관사* di*e*처럼 어미변화 하여 mein*e*임.
  소유대명사 mein-은 기본적으로 ***부정관사 ein-*** 어미변화 하지만,
  복수의 경우, (부정관사가 없으므로) ***정관사 d-*** 어미변화 함!
- 형용사 neu 앞에 *복수*의 di*e*에 일치하는 mein*e*가 있음.
  → 따라서 mein*e* neu*en* ...
  (근거: 복수 1, 4격 di*e*, mein*e*, ihr*e*, unser*e*, eur*e*, kein*e*, dies*e* + 형용사 *-en*)

<주의>
신발은 두 개가 짝을 이루어 한 켤레가 된다. 따라서 “왼쪽 신발”, “오른쪽 신발” 등과 같이 분명하게 ‘한 개’를 뜻하는 특수한 경우를 제외하면, 보통의 ‘신발’을 뜻할 경우는 복수형 Schuh*e*가 사용된다!

문장 2

► 주어가 du이므로 동사의 형태는 find*est*임.
동사 fin*d*en은 어간 끝이 -d이므로 발음상 -e-가 첨가되어 find*est*임. (즉, find*st*는 틀림!)

► 문장 맨 뒤의 sie는 *복수* 인칭대명사 sie(‘그것들’)의 *4격* 형임.
앞 문장의 *복수*명사 Schuh*e*를 받으며, 동사 findest의 *4격* 목적어임.

4. Das ist mein__ bester_ Freund. Er ist wirklich ein__ netter_ Mann.

✸ **해석** 이것은 나의 최고의 남자 친구야. 그는 정말로 친절한 남자야.

✸ **어휘** best [형용사] *가장* 좋은 (형용사 gut의 최상급) ▌ der Freund 남자 친구 (die Freund*e*) ▌ wirklich [형용사] 정말의, (부사적) 정말로 (영. real, really) ▌ nett [형용사] 친절한 ▌ der Mann 남자 (die M**ä**nn*er*)

문장 1

☞ 「*mein* best*er* Freund」 :

- 명사 Freund는 *남성*이며, 동사 ist의 *주격* 보어이므로 *남성 1격!!*
  따라서 mein-은 *남성 1격* 부정관사 ein_처럼 어미 없이 mein_임.
- 형용사 best 앞에 *남성*의 ein_에 일치하는 mein_이 있음.
  → 따라서 *mein* best*er* ...
  (근거: 남성 1격 ein_ , mein_ , ihr_ , unser_ , euer_ , kein_ + 형용사 *-er*)

문장 2

☞「*ein* nett*er* Mann」:

- 명사 Mann은 *남성*이며, 동사 ist의 *주격* 보어이므로 *남성 1격!!*
  따라서 *남성 1격* 부정관사 ein이 앞에 옴.
- 형용사 nett 앞에는 *남성*의 ein이 있음.
  → 따라서 *ein* nett*er* ...
  (근거: 남성 1격 ein_ , mein_ , ihr_ , unser_ , euer_ , kein_ + 형용사 *-er*)

5. Wir haben hier ein*en* sehr preiswert*en* Herrenanzug. - Ist das auch ein*e* gut*e* Qualität?

✹ **해석** 여기에 매우 저렴한 가격의 신사용 양복 한 벌이 있습니다. - 그것도 좋은 품질입니까?

✹ **어휘** hier 여기에 ▌sehr 매우 ▌preiswert [형용사] 가격이 저렴한 → der Preis 가격 + 형용사화 어미 -wert ▌der Herrenanzug 신사용 양복 → der Herr 신사 (die Herr*en*) + der Anzug 양복 (die Anzüg*e*) ▌auch 역시, ...도 ▌gut [형용사] 좋은 ▌die Qualität 질, 품질 (die Qualität*en*)

<참고 1> 형용사화 어미 -wert '...할 가치 있는' :
empfehlen 추천하다 + -wert → empfehlens*wert* '추천할 가치 있는', 즉 '추천할만한'

<참고 2> 형태가 *-ät*인 명사는 항상 *여성*이며 복수형은 *-en*이다:
die Quantität 양 (die Quantität*en*) / *die* Universität 대학교 (die Universität*en*)

문장 1

► 주어가 Wir이므로 동사 haben의 형태는 원형의 hab*en*임.

☞「ein*en* sehr preiswert*en* Herrenanzug」:

- 명사 Herrenanzug은 *남성*이며, 동사 haben의 *4격* 목적어이므로 *남성 4격!!*
  따라서 *남성 4격* 부정관사 ein*en*이 앞에 옴.
- 형용사 preiswert 앞에 *남성 4격*의 ein*en*이 있음.
  → 따라서 ein*en* preiswert*en* ...
  (근거: 남성 4격 d*en*, ein*en*, mein*en*, ihr*en*, unser*en*, kein*en*, dies*en* + 형용사 *-en*)
- sehr는 형용사 preiswert를 수식하는 부사어이므로 어미변화 없음.

문장 2

☞「ein*e* gut*e* Qualität」:

- 명사 Qualität는 *여성*이며, 동사 Ist의 *주격* 보어이므로 *여성 1격!!*
  따라서 *여성 1격* 부정관사 ein*e*가 앞에 옴.
- 형용사 gut 앞에 *여성*의 ein*e*가 있음.
  → 따라서 ein*e* gut*e* ...
  (근거: 여성 1, 4격 ein*e*, mein*e*, ihr*e*, unser*e*, eur*e*, kein*e* + 형용사 *-e*)

6. Sehen Sie das groß<u>e</u> Gebäude da? Das ist ein__ neu<u>es</u> Theater.

✹ **해석** 저기 큰 건물 보이세요? 그것은 새로 생긴 극장이어요.

✹ **어휘** sehen [타동사] ...을 보다 ▌ groß [형용사] 큰 ▌ das Gebäude 건물 (die Gebäude) ▌ da 저기에 ▌ neu [형용사] 새, 새로운 ▌ das Theater (연극) 극장 (die Theater)

문장 1

☞「*das* groß*e* Gebäude」:

- 명사 Gebäude는 *중성*이며, 동사 Sehen의 *4격* 목적어이므로 *중성 4격!!*
  따라서 *중성 4격* 정관사 *das*가 앞에 옴.
- 형용사 groß 앞에는 중성의 d*as*가 있음.
  → 따라서 d*as* groß*e* ...
  (근거: 중성 1, 4격 d*as*, dies*es* + 형용사 *-e*)

문장 2

☞「*ein* neu*es* Theater」:

- 명사 Theater는 *중성*이며, 동사 ist의 *주격* 보어이므로 *중성 1격!!*
  따라서 *중성 1격* 부정관사 ein이 앞에 옴.
- 형용사 neu 앞에는 *중성*의 ein이 있음.
  → 따라서 *ein* neu*es* ...
  (근거: 중성 1, 4격 ein_ , mein_ , ihr_ , unser_ , euer_ , kein_ + 형용사 *-es*)

7. Ich brauche unbedingt ein<u>en</u> gut<u>en</u> Computer für mein<u>e</u> neu<u>e</u> Arbeit.

✹ **해석** 나는 나의 새 작업을 위해 좋은 컴퓨터 한 대가 절대적으로 필요하다.

✹ **어휘** brauchen [타동사] ...을 필요로 하다 ▌ unbedingt [형용사] 무조건의, (부사적) 무조건 ▌ gut [형용사] 좋은 ▌ der Computer 컴퓨터 (die Computer) ▌ für [4격 전치사] ~을 위해 ▌ neu [형용사] 새로운 ▌ die Arbeit 일, 작업 (die Arbeit*en*) → arbeiten 일하다, 공부하다

☞「ein*en* gut*en* Computer」:

- 명사 Computer는 *남성*이며, 동사 brauche의 *4격* 목적어이므로 *남성 4격!!*
  따라서 *남성 4격* 부정관사 ein*en*이 앞에 옴.
- 형용사 gut 앞에 ein*en*이 있음.
  → 따라서 ein*en* gut*en* ...
  (근거: 남성 4격 d*en*, ein*en*, mein*en*, ihr*en*, unser*en*, kein*en*, dies*en* + 형용사 *-en*)

☞「für mein*e* neu*e* Arbeit」:

- 명사 Arbeit가 *여성*이며, *4격* 전치사 für의 목적어이므로 *여성 4격!!*
  따라서 mein-은 *여성 4격* 부정관사 ein*e*와 동일한 어미 *-e*가 붙어 mein*e*임.
- 형용사 neu 앞에 *여성*의 ein*e*에 일치하는 mein*e*가 있음.
  → 따라서 ein*e* neu*e* ...
  (근거: 여성 1, 4격 ein*e*, mein*e*, ihr*e*, unser*e*, eur*e*, kein*e* + 형용사 *-e*)

unit 02

심화문제

I. 다음 밑줄 친 곳에 알맞은 인칭대명사는? (6과, 심화문제: 교재 34쪽)

1. Mein Computer ist kaputt. Mein Bruder repariert <u>ihn</u>.

   ✱ **해석** 내 컴퓨터는 고장 났어. 나의 형이 그것을 수선하고 있어.

   ✱ **어휘** der Computer 컴퓨터 (die Computer) ▌kaputt [형용사] 고장 난 ▌der Bruder 남자 형제, 형, 오빠, 남동생 (die Brüder) ▌reparieren [타동사] ...을 수선하다

   문장 1

   ▸「Mein Computer」:
   명사 Computer는 *남성*이며, 이 문장의 *주어*이므로 *<u>남성 1격!!</u>*
   따라서 mein-은 *남성 1격* 부정관사 ein_처럼 어미 없이 Mein_임.

   문장 2

   ▸「Mein Computer」:
   명사 Bruder는 *남성*이며, 이 문장의 *주어*이므로 *<u>남성 1격!!</u>*
   따라서 mein-은 *남성 1격* 부정관사 ein_과 동일하게 어미 없이 Mein_임.

   ☞ 빈칸에 올 낱말은 앞 문장의 *남성*명사 Computer를 받으며, 동사 repariert의 *4격* 목적어임. 따라서 *남성* 인칭대명사 er의 *4격* 형인 *ihn*이 정답임.

2. Wann kommt ihr an? Ich hole <u>euch</u> ab.

   ✱ **해석** 너희는 언제 도착하니? 내가 너희를 마중 나갈 거야.

   ✱ **어휘** wann 언제? ▌kommt ... *an* ⇒ *an*kommen [분리동사] 도착하다 ▌hole ... *ab* ⇒ *ab*holen [분리동사&타동사] 누구를 마중 가다 (영. pick up) → 분리전철 *ab*- '떨어져, 떼어 낸' (영. off, up) + 타동사 holen '...을 가져오다'

   문장 1

   ▸ 분리동사 *an*kommen의 전철 *an*-은 분리되어 문장 맨 뒤에 위치함: ... kommt ... *<u>an</u>*?

   문장 2

   ▸ 분리동사 *ab*holen의 전철 *ab*-은 분리되어 문장 맨 뒤에 위치함: ... hole ... *<u>ab</u>*.

   ☞ 빈칸의 낱말은 앞 문장 주어 ihr('너희는')를 지칭하며, 분리동사 hole ... *ab*의 *4격* 목적어임. 따라서 ihr의 *4격* 형인 *euch*가 정답임.

3. Kennst du meinen Bruder nicht? - Nein, ich kenne __ihn__ noch nicht.

✺ **해석** 너는 내 남동생을 알지 못하니? - 응, 아직 그를 알지 못해.

✺ **어휘** kennen [타동사] 누구를 알다 ▌der Bruder 남자 형제 (die Brüder) ▌noch 아직, 여전히

문장 1

► 「mein*en* Bruder」:
명사 Bruder는 *남성*이며, 동사 Kennst의 *4격* 목적어이므로 *남성 4격*!!
따라서 mein-은 *남성 4격* 부정관사 ein*en*처럼 어미 *-en*이 붙어 mein*en*임.

문장 2

☞ 빈칸에 올 낱말은 앞 문장의 *남성*명사 Bruder를 받으며, 동사 kenne의 *4격* 목적어임.
따라서 *남성* 인칭대명사 er의 *4격* 형인 *ihn*이 정답임.

4. Ich bleibe zu Hause. Rufst du __mich__ morgen an?

✺ **해석** 나는 집에 머무를 거야. 내일 나에게 전화해 줄래?

✺ **어휘** bleiben 머무르다 ▌zu Haus(e) 집에 ▌Rufst ... *an* ⇒ *an*rufen [분리동사&타동사] : 「rufen + 4격(사람) ... *an*」 누구에게 전화하다 (4격 요구 동사!) ▌morgen 내일

문장 2

► 분리동사 *an*rufen의 전철 *an-*은 분리되어 문장 맨 뒤에 위치함: Rufst ... *an*?
☞ 빈칸의 낱말은 앞 문장의 주어 Ich를 지칭하며, 분리동사 Rufst ... *an*의 *4격* 목적어임.
따라서 Ich의 *4격* 형인 *mich*가 정답임.

5. Das sind Peter und Petra. Ich lade __sie__ für Sonntag ein.

✺ **해석** 이들은 페터와 페트라야. 나는 그들을 일요일에 초대해.

✺ **어휘** lade ... *ein* ⇒ *ein*laden [분리동사&타동사] ...을 초대하다 ▌für [4격 전치사] ~을 위해 ▌der Sonntag 일요일 (die Sonntag*e*)

문장 2

► 분리동사 *ein*raden의 전철 *ein-*은 분리되어 문장 맨 뒤에 위치함: ... lade ... *ein*.
☞ 빈칸의 낱말은 앞 문장의 Peter und Petra를 받으며, 분리동사 lade ... *ein*의 *4격* 목적어임.
따라서 *복수* 인칭대명사 sie('그들')의 *4격* 형인 *sie*가 정답임.
► 여기서는 "일요일에 있을 특정 행사에 초대하는" 것이므로 *für* Sonntag이다.
(즉, "일요일 시점에 초대한" 것이 아니므로 *am* Sonntag 아님!)

6. Ich nehme das Buch mit. Oder brauchst du __es__ noch?

✺ **해석** 내가 이 책을 가져가겠어. 아니면 너 그것을 아직 필요로 하니?

✺ **어휘** nehme ... *mit* ⇒ *mit*nehmen [분리동사&타동사] 무엇을 지참해 가져가다 → 분리전철 *mit-* '함께' + 타동사 nehmen '...을 취하다' (영. take) ▌das Buch 책 (die Büch*er*) ▌oder [접속사] 혹은 (영. or) ▌brauchen [타동사] ...을 필요로 하다 ▌noch 아직

문장 1

► 분리동사 *mit*nehmen의 전철 *mit*-은 분리되어 문장 맨 뒤에 위치함: ... nehme ... *mit*.

► 「*das* Buch」 :

명사 Buch는 *중성*이며, 분리동사 nehme ... *mit*의 *4격* 목적어이므로 *중성 4격!!*

따라서 *중성 4격* 정관사 *das*가 앞에 옴.

문장 2

☞ 빈칸의 낱말은 앞 문장의 *중성*명사 das Buch를 받으며, 동사 brauche의 *4격* 목적어임.

따라서 *중성* 인칭대명사 es의 *4격* 형인 *es*가 정답임.

7. Ich bin so unglücklich ohne dich. Wann kommst du endlich wieder zurück?

✺ **해석** 나는 네가 없어서 아주 불행해. 너는 언제 다시 돌아오니?

✺ **어휘** so [부사어] 그렇게, 매우 ▌unglücklich [형용사] 불행한 → 부정 접두어 un- + das Glück '행운' + 형용사화 어미 -lich ▌ohne [4격 전치사] ~없이 (영. without) ▌wann 언제? ▌kommst ... *zurück* ⇒ *zurück*kommen [분리동사] 돌아오다 (영. come back) → 분리전철 *zurück*- '되돌아, 뒤로' (영. back) + 동사 kommen '오다' ▌endlich 마침내, 드디어 ▌wieder 다시, 재차

문장 1

☞ 빈칸의 낱말은 du를 지칭하며, *4격* 전치사 ohne의 목적어임.

따라서 du의 *4격* 형인 *dich*가 정답임.

문장 2

► 분리동사 *zurück*kommen의 전철 *zurück*-은 분리되어 문장 맨 뒤에 위치함:

... kommst ... *zurück*.

Ⅱ. 밑줄 친 곳에 알맞은 어미는? (6과, 심화문제: 교재 34쪽)

1. Dies*en* lang*en* Brief lese ich nicht. Er ist sehr unhöflich!

✺ **해석** 이 긴 편지를 나는 읽지 않겠어. 그것은 아주 무례해!

✺ **어휘** dies- [지시대명사] 이 ... (영. this ...) (dies-는 정관사 어미변화!) ▌lang [형용사] 긴 ▌der Brief 편지 (die Brief*e*) ▌lesen [타동사] ...을 읽다 ▌sehr 매우 ▌unhöflich [형용사] 무례한 → 부정의 접두어 un- + 형용사 höflich '공손한, 예의 바른'

문장 1

☞ 「Dies*en* lang*en* Brief」 :

• 명사 Brief는 *남성*이며, 동사 lese의 *4격* 목적어이므로 *남성 4격!!*

따라서 지시대명사 Dies-는 *남성 4격* 정관사 d*en*처럼 어미 *-en*이 붙어 Dies*en*임.

- 형용사 lang 앞에 *남성 4격*의 d*en*에 일치하는 Dies*en*이 있음.
  → 따라서 Dies*en* lang*en* ...
  (근거: 남성 4격 d*en*, ein*en*, mein*en*, ihr*en*, unser*en*, kein*en*, dies*en* + 형용사 *-en*)

► 동사 lese의 4격 목적어인 Diesen langen Brief가 문장 앞에 나오므로 어순이 도치됨: Diesen langen Brief lese ich ...

문장 2

► 주어인 남성 인칭대명사 Er는 앞 문장의 남성명사 Brief를 받음.

2. Wir kennen das Mädchen, aber nicht den klein<u>en</u> Junge<u>n</u>.

✵ **해석** 우리는 그 소녀는 알지만 그 어린 소년은 알지 못한다.

✵ **어휘** kennen [타동사] 누구를 알다 ▌das Mäd*chen* [축소명사] 소녀, 아가씨 (die Mädchen) ▌aber [접속사] 그러나 (앞에는 항상 콤마!) ▌klein [형용사] 작은 ▌der Junge 소년 (die Junge*n*)

► 「*das* Mädchen」:
명사 Mädchen은 축소명사로서 *중성*이며, 동사 kennen의 *4격* 목적어이므로 *중성 4격!!*
따라서 *중성 4격* 정관사 *das*가 앞에 옴.

► 접속사 aber 뒤 문장은 반복을 피해 축약된 형태임:
Wir kennen das Mädchen, aber (wir kennen) nicht den kleinen Jungen.

☞ 「d*en* klein*en* Junge*n*」:

- 명사 Junge는 *남성*이며, 동사 kennen의 *4격* 목적어이므로 *남성 4격!!*
  따라서 *남성 4격* 정관사 d*en*이 앞에 옴.
- 형용사 klein 앞에 남성 4격의 d*en*이 있음.
  → 따라서 d*en* klein*en* ...
  (근거: 남성 4격 d*en*, ein*en*, mein*en*, ihr*en*, unser*en*, kein*en*, dies*en* + 형용사 *-en*)
- 명사 Junge는 단수에서, 주어 1격 이외에는 모두가 복수형처럼 어미 *-n*이 붙어 Junge*n*임.
  여기서도 Junge는 단수 1격이 아니라 *단수 4격*이므로 복수형과 동일하게 Junge*n*이 됨.

  <참고>
  형태가 *-e*인 *남성*명사의 경우:
  첫째, 복수형이 *-n*이다.
  둘째, 단수의 경우, 주어 1격 이외의 나머지 모두가 복수형과 동일하게 *-n*이다.
  z.B. der Jung*e* 소년 (die Junge*n*) / der Kolleg*e* 동료 (die Kollege*n*) / der Kund*e* 고객 (die Kunde*n*)

3. Dies<u>e</u> schön<u>e</u> Musik höre ich sehr gerne. Hörst du sie auch gerne?

✵ **해석** 나는 이 아름다운 음악을 매우 즐겨 들어. 너도 그것을 즐겨 듣니?

✵ **어휘** dies- [지시대명사] 이 ... (정관사 어미변화!) ▌schön [형용사] 아름다운 ▌die Musik 음악 (die Musik*en*) ▌hören [타동사] ...을 듣다 ▌sehr 매우 ▌gern(e) 즐겨, 기꺼이 ▌auch ...도

문장 1

☞「Dies*e* schön*e* Musik」:

- 명사 Musik은 *여성*이며, 동사 höre의 *4격* 목적어이므로 *여성 4격!!*
  따라서 지시대명사 Dies-는 *여성 4격* 정관사 di*e*처럼 어미변화 하여 Dies*e*임.
- 형용사 schön 앞에 여성의 di*e*에 일치하는 Dies*e*가 있음.
  → 따라서 Dies*e* schön*e* ...
  (근거: 여성 1, 4격 di*e*, ein*e*, mein*e*, ihr*e*, unser*e*, eur*e*, kein*e*, dies*e* + 형용사 *-e*)

► 동사 höre의 4격 목적어 Diese schöne Musik이 앞에 나오므로 어순이 도치됨: Diese schöne Musik *höre ich* ...

문장 2

► 문장 가운데 위치한 sie는 *여성* 인칭대명사 sie('그녀')의 *4격* 형으로서, 앞 문장의 *여성*명사 Musik을 받으며, 동사 Hörst의 *4격* 목적어임.

4. Sehen Sie unser*e* billig*en* Preise, zum Beispiel für dies*e* schön*e* Damen- und Kinderwäsche!

✵ **해석** 우리의 저렴한 가격들을 보세요, 예를 들어 이 멋진 숙녀용과 어린이용 내복의 경우를!

✵ **어휘** sehen [타동사] ...을 보다 ▌billig [형용사] 가격이 싼 ▌der Preis 가격 (die Preis*e*) ▌das Beispiel (구체적) 예 (die Beispiel*e*) : zum Beispiel 예를 들면 (= 축약형 z.B.) ▌für [4격 전치사] ~을 위한 ▌dies- [지시대명사] 이 ... (정관사 어미변화!) ▌schön [형용사] 예쁜 ▌die Damenwäsche 숙녀용 내의 → die Dame 숙녀 (die Dame*n*) + die Wäsche 속옷, 내의 (die Wäsche*n*) ▌die Kinderwäsche 어린이용 내의 → das Kind 아이 (die Kind*er*) + die Wäsche

► Sie-명령문「동사 원형 + Sie ...!」...하세요 : Seh*en* Sie ...!

☞「unser*e* billig*en* Preis*e*」:

- 명사 Preis*e*는 *복수*이며, 동사 Sehen의 *4격* 목적어이므로 *복수 4격!!*
  따라서 unser-('우리들의')는 *복수 4격 정관사* di*e*처럼 어미 *-e*가 붙어 unser*e*임.
- 형용사 billig 앞에 *복수*의 di*e*에 일치하는 unser*e*가 있음.
  → 따라서 unser*e* billig*en* ...
  (근거: 복수 1, 4격 di*e*, mein*e*, ihr*e*, unser*e*, eur*e*, kein*e*, dies*e* + 형용사 *-en*)

☞「für dies*e* schön*e* Damen- und Kinderwäsche」:

- 명사 Damen- und Kinderwäsche는 *여성*이며, *4격* 전치사 für의 목적어이므로 *여성 4격!!*
  따라서 지시대명사 dies-는 *여성 4격* 정관사 di*e*처럼 어미 *-e*가 붙어 dies*e*임.
- 형용사 schön 앞에 *여성*의 di*e*에 일치하는 dies*e*가 있음.
  → 따라서 für dies*e* schön*e* ...
  (근거: 여성 1, 4격 di*e*, ein*e*, mein*e*, ihr*e*, unser*e*, eur*e*, kein*e*, dies*e* + 형용사 *-e*)

<주의> 명사 Damen- und Kinderwäsche를 두 개의 대상, 즉 복수로 오해하여 복수 4격 어미변화가 이루어지면 안 됨!

5. Das ist mein__ neu*er* Freund. Wie findest du ihn?

✻ **해석** 이것은 나의 새 남자 친구야. 너는 그를 어떻게 생각하니?

✻ **어휘** neu [형용사] 새, 새로운 ▌der Freund 친구, 남자 친구 (die Freund*e*) ▌wie 어떻게? ▌「finden + 4격 + 형용사」 *4격*이 ...하다고 생각하다 (의견 표명) → 「Wie findest du + 4격?」 *4격*을 어떻게 생각하니? (의견 문의)

문장 1

☞ 「*mein* neu*er* Freund」 :

- 명사 Freund는 *남성*이며, 동사 ist의 *주격* 보어이므로 *남성 1격!!*
  따라서 mein-은 *남성 1격* 부정관사 ein_과 동일하게 어미 없이 mein_임.
- 형용사 neu 앞에 *남성*의 ein_에 일치하는 mein_이 있음.
  → 따라서 *mein* neu*er* ...
  (근거: 남성 1격 ein_ , mein_ , ihr_ , unser_ , euer_ , kein_ + 형용사 *-er*)

문장 2

► 주어가 du이므로 동사 형태는 findes*t*임.
동사 fin*d*en의 어간 끝이 -d이므로 발음상 -e-를 첨가하여 find*est*임. (즉, finds*t*는 틀림!)

► er의 *4격* 형인 *ihn*은 앞 문장의 *남성*명사 Freund를 받으며, 동사 findest의 *4격 목적어*임.

III. 밑줄 친 곳에 알맞은 의문사는? (6과, 심화문제: 교재 34쪽)

1. Wen rufst du jetzt an? - Ich rufe Herrn Müller an.

✻ **해석** 너는 지금 누구에게 전화하니? - 나는 뮐러씨에게 전화해.

✻ **어휘** wen 누구를? (wer의 4격 형) ▌rufe ... *an* ⇒ *an*rufen [분리동사&타동사] ...에게 전화 걸다 (4격 요구 동사!) ▌jetzt 지금 ▌der Herr [1] (남자 호칭) ...씨; [2] 신사 (die Herr*en*)

문장 1

► 분리동사 *an*rufen의 전철 *an*-은 분리되어 문장 맨 뒤에 위치함: ... rufst ... *an*?

☞ 사람을 묻는 의문사 wer가 분리동사 rufst ... *an*의 4격 목적어이어야 함.
따라서 wer의 4격 형인 *Wen*이 빈칸에 옴.

문장 2

► 남성명사 Herr는 단수에서 주어 1격 이외에는 나머지 모두가 어미 *-n*이 붙어 Herr*n*임.
여기서도 Herr Müller는 rufe ... *an*의 *4격* 목적어, 즉 *단수 4격*이므로 Herr*n* Müller임.

2. Wann machst du denn dieses Jahr Urlaub? - Im Herbst, wahrscheinlich im Oktober.

✺ **해석** 금년에 너는 언제 휴가 가니? - 가을에, 아마도 10월이 될 거야.

✺ **어휘** wann [의문사] 언제? (영. when?) ▌ machen [타동사] ...을 행하다 ▌ dies- [지시대명사] 이 ... (정관사 어미변화!) ▌ das Jahr 해, 년 (die Jahr*e*) ▌ der Urlaub 휴가 (die Urlaub*e*) → Urlaub machen 휴가를 갖다 ▌ 「im + 계절」 : im Herbst 가을에 ▌ wahrscheinlich 아마도 (가능성 높은 추측!) ▌ 「im + 달」 : im Oktober 10월에

<참고>
Januar 1월, Februar 2월, März 3월, April 4월, Mai 5월, Juni 6월,
Juli 7월, August 8월, September 9월, Oktober 10월, November 11월, Dezember 12월

문장 1

☞ 내용상 빈칸에는 '시간' 및 '때'를 묻는 의문사 *Wann*이 와야 함.

► 부사어 denn은 의문문에서 질문을 자연스럽게 유도함. (우리말 해석 필요 없음!)

► '시간' 명사의 4격은 시간 부사어임: dieses Jahr 금년에

<참고> 4격의 시간 부사어: den ganzen Tag 온종일, jeden Tag 매일

3. Für wen kaufst du die Rosen? Für deine Freundin?

✺ **해석** 너는 누구를 위해 이 장미들을 구입하니? 네 여자 친구를 위해서니?

✺ **어휘** für [4격 전치사] ~을 위해 ▌ wen 누구를? (의문사 wer의 4격 형) ▌ kaufen [타동사] ...을 사다, 구입하다 ▌ die Rose 장미 (die Rose*n*) ▌ die Freund*in* 여자 친구 (die Freundin*nen*)

문장 1

☞ "누구를 위해"라는 내용이므로 「für + 의문사 wer」 형식이 빈칸에 와야 함.
4격 전치사 für와 결합하므로 wer의 4격 형 wen이 사용되어 *Für wen*이 정답.

► 「*die* Rosen」 :
명사 Rose*n*은 *복수*이며, 동사 kaufst의 *4격* 목적어이므로 *복수 4격!!*
따라서 *복수 4격* 정관사 *die*가 앞에 옴.

문장 2

► 「Für dein*e* Freund*in*」 :
명사 Freund*in*은 *여성*이며, *4격* 전치사 für의 목적어이므로 *여성 4격!!*
따라서 dein-은 *여성 4격* 부정관사 ein*e*처럼 어미 *-e*가 붙어 dein*e*임.

4. Wie oft besuchen Sie Ihre Eltern? - Einmal im Monat.

✺ **해석** 당신은 얼마나 자주 당신의 부모님을 방문하십니까? - 한 달에 한번입니다.

✷ **어휘** wie oft 얼마나 자주? (영. how many times?) → wie 어떻게? (영. how?) + oft 자주 (영. often) ▌ besuchen [타동사] ...을 방문하다 ▌ die Eltern (항상 복수) 부모 ▌ einmal 한번 ▌ der Monat 달, 월 (die Monat*e*) : im Monat 한 달에

<참고> der Tag 날 (die Tag*e*) / die Woche 주, 주일 (die Woche*n*) / der Monat 달, 개월 (die Monat*e*) / das Jahr 해 (die Jahr*e*)

문장 1

☞ 내용상 '빈도수'를 묻는 의문사 Wie oft가 와야 함. 따라서 *Wie*가 정답.

► 「Ihr*e* Eltern」:

명사 Eltern은 *복수*이며, 동사 besuchen의 *4격* 목적어이므로 *복수 4격!!*

따라서 Ihr-('당신의')는 *복수 4격* 정관사 di*e*처럼 어미 *-e*가 붙어 Ihr*e*임.

5. <u>Worauf</u> wartest du jetzt? - Ich warte auf den Bus.

✷ **해석** 너는 지금 무엇을 기다리니? - 나는 버스를 기다려.

✷ **어휘** 의문사 worauf? → 전치사 auf + 의문사 was ▌ warten 기다리다 → 「warten auf + 4격」 *4격*을 기다리다 ▌ jetzt 지금 ▌ der Bus 버스 (die Bus*se*)

문장 1

☞ 동사 warten은 타동사가 아니므로 4격 목적어를 가질 수 없다.

그러므로 '...을 기다리다'의 의미는 「warten auf + 4격」의 형식으로 표현된다.

따라서 빈칸에는 「auf + was」의 형태인 *Worauf*가 옴.

<참고> 전치사와 의문사 *was*(*무엇?*)가 결합할 경우 "wo(r) + 전치사" 형태임:

für + was → wofür / mit + was → womit

auf + was → wo*r*auf / in + was → wo*r*in

전치사 **a**uf와 **i**n은 모음으로 시작하므로 발음상 *-r-*가 추가됨!

<주의> 전치사와 의문사 *wer*(*누가?*)가 결합할 경우는 「전치사 + wer」 형식임:

Auf wen wartest du jetzt? 너는 지금 *누구를* 기다리니?

문장 2

► 「auf *den* Bus」:

명사 Bus는 *남성*이며, 전치사 auf의 *4격* 목적어이므로 *남성 4격!!*

따라서 *남성 4격* 정관사 *den*이 앞에 옴.

IV. 밑줄 친 대명사 가운데 용법이 다른 것은? (6과, 심화문제: 교재 34쪽)

1. Wann sehen wir <u>uns</u> wieder? - Hast du am Samstag Zeit?

✷ **해석** 우리 언제 다시 서로 만나지? - 너 토요일에 시간 있니?

✵ **어휘** wann 언제? ▍sehen ... *wieder* ⇒ *wieder*sehen [분리동사&타동사] 누구를 다시 만나다 (영. see again) → 분리전철 *wieder*- '다시' (영. again) + 타동사 sehen '...을 보다' (영. see) ▍am Samstag 토요일에 ▍die Zeit 시간 (복수 없음!)

문장 1

☞ 밑줄 친 uns는 4격 형으로서 분리동사 sehen ... *wieder*의 4격 목적어임.
이 uns는 주어인 wir와 동일한 복수 1인칭이므로 *재귀대명사*이다. ("*우리 자신*"으로 해석!)
따라서 이 문장을 해석하면 "우리 언제 다시 *우리 자신을* 만나지?", 즉 "우리 언제 다시 *서로* 만나지?"

2. Dieser Spielplatz ist nur für mich. - Nur für dich? Warum denn?

✵ **해석** 이 놀이터는 오로지 나를 위한 것이야. - 오로지 너를 위한 것이라고? 도대체 왜?

✵ **어휘** dies- [지시대명사] 이 ... (정관사 어미변화!) ▍der Spielplatz 놀이터 (die Spielpl*ä*tz*e*) → das Spiel 놀이, 경기 (die Spiel*e*) + der Platz 장소 (die Pl*ä*tz*e*) ▍nur 단지, 오로지 ▍für [4격 전치사] ~을 위해 ▍warum [의문사] 왜? (영. why?)

문장 1

► 「Dies*er* Spielplatz」:
명사 Spielplatz는 *남성*이며, 이 문장의 *주어*이므로 *남성 1격!!*
따라서 지시대명사 Dies-는 *남성 1격* 정관사 d*er*처럼 어미변화 하여 Dies*er*임.

☞ 밑줄 친 mich는 4격 전치사 für의 목적어임.
여기서 mich(*단수 1인칭*)는 주어인 Dieser Spielplatz(*단수 3인칭*)와 동일한 인칭이 아니다.
따라서 mich는 재귀대명사가 아니라 *인칭대명사*임.

문장 2

► 축약된 구어체 문장임. 본래의 문장 형태는 (Ist er) Nur für dich?

☞ 밑줄 친 dich는 4격 전치사 für의 목적어임.
여기서 dich(*단수 2인칭*)는 생략된 주어 er(*단수 3인칭*)와 동일한 인칭이 아니다.
따라서 dich는 재귀대명사가 아니라 *인칭대명사*이다.

문장 3

► 부사어 denn은 의문문에서 화자의 *불만족* 등을 간접적으로 나타냄.
(이 경우 우리말 "도대체"로 해석될 수 있음!)

3. Ihre Wohnung ist sehr gemütlich. Ich fühle mich wohl.

✵ **해석** 당신의 아파트는 매우 아늑합니다. 저는 편안해요.

✵ **어휘** die Wohnung 아파트, 주택 (die Wohnung*en*) ▍sehr 매우 ▍gemütlich 아늑한, 편안한 ▍wohl [형용사] 몸 상태가 좋은 (영. well) ▍fühlen [타동사] ...을 느끼다 → 「fühlen sich + 형용사」 [재귀동사] 몸의 느낌이 ...하다 : sich wohl fühlen 몸 컨디션이 좋다

문장 1

► 「Ihr*e* Wohnung」:

명사 Wohnung은 *여성*이며, 이 문장의 *주어*이므로 *여성 1격!!*

따라서 Ihr-('당신의')는 *여성 1격* 부정관사 ein*e*처럼 어미 *-e*가 붙어 Ihr*e*임.

문장 2

☞ 밑줄 친 mich는 동사 fühle의 4격 목적어임.

그런데 이 mich는 주어인 Ich와 동일한 1인칭이므로 *재귀대명사*임.

<주의> 이 예문에서는 재귀대명사 mich를 "나 자신"으로 해석하면 문장 내용이 잘 파악되지 않는다. 이런 경우는 해당 재귀동사 형식 「fühlen sich + 형용사」를 마치 관용구처럼 암기 학습해야 한다!

4. Ich ärgere mich über diesen dummen Fehler.

✺ **해석** 나는 이 어리석은 실수에 대해 화가 난다.

✺ **어휘** 「ärgern + 4격(사람)」 [타동사] 누구를 화나게 하다 → 「ärgern sich über + 4격」 [재귀동사] *4격*에 대해 화나다 ▌「über + 4격」 ...에 대하여 (영. about) ▌ dies- [지시대명사] 이 ... (정관사 어미변화!) ▌ dumm [형용사] 어리석은 ▌ der Fehler 실수 (die Fehler)

☞ 밑줄 친 mich는 동사 ärgere의 4격 목적어임.

그런데 이 mich는 주어 ich와 동일한 단수 1인칭이므로 *재귀대명사*임. ("*나 자신*"으로 해석):

Ich ärgere *mich* ... '나는 *나 자신을* 화나게 한다', 즉 '나는 화난다'

► 「über dies*en* dumm*en* Fehler」:

- 명사 Fehler는 *남성*이며, 전치사 über와 결합하여 *4격*이므로 *남성 4격!!*
  따라서 지시대명사 dies-는 *남성 4격* 정관사 d*en*처럼 어미 *-en*이 붙어 dies*en*임.
- 형용사 dumm 앞에 *남성*의 d*en*에 일치하는 dies*en*이 있음.
  → 따라서 über dies*en* dumm*en* ...
  (근거: 남성 4격 d*en*, ein*en*, mein*en*, ihr*en*, unser*en*, kein*en*, dies*en* + 형용사 *-en*)

5. Worüber freust du dich denn so? - Über das Geschenk.

✺ **해석** 너는 무엇에 대해 그렇게 기뻐하니? - 이 선물 때문이야.

✺ **어휘** 「über + 4격」 ...에 대하여 ▌ worüber [의문사] 무엇에 대하여? → 전치사 über + 의문사 was ▌「freuen + 4격(사람)」 [타동사] 누구를 기쁘게 하다 → 「freuen sich über + 4격」 [재귀동사] *4격*에 대해 기뻐하다 ▌ so 그렇게 ▌ das Geschenk 선물 (die Geschenk*e*)

문장 1

☞ 밑줄 친 dich는 동사 freust의 4격 목적어임.
그런데 이 dich는 주어 du와 동일한 단수 2인칭이므로 *재귀대명사*임. ("너 *자신*"으로 해석!):
Du freust *dich*. '너는 *너 자신을* 기쁘게 만든다', 즉 '너는 기뻐한다'.

► 부사어 denn은 의문문에서 질문을 자연스럽게 유도함. (우리말 해석 필요 없음!)

문장 2

► 「Über *das* Geschenk」 :
명사 Geschenk는 *중성*이며, 전치사 über의 목적어로서 *4격*이므로 *중성 4격!*
따라서 *중성 4격* 정관사 *das*가 앞에 옴.

6. Das Geschenk freut uns sehr.

✺ **해석** 그 선물은 우리를 매우 기쁘게 한다.

✺ **어휘** das Geschenk 선물 (die Geschenk*e*) ▌「freuen + 4격(사람)」 [타동사] 누구를 기쁘게 하다 ▌sehr 매우

☞ 밑줄 친 uns는 동사 freut의 4격 목적어임.
그런데 이 uns(*복수 1인칭*)는 주어 Das Geschenk(*단수 3인칭*)와 동일한 인칭이 아니다.
따라서 uns는 재귀대명사가 아니라 *인칭대명사*임.
(아울러 이 문장의 동사 freuen은 "재귀동사"가 아니라 일반 "타동사"가 됨!)

unit 03

마무리 문제

I. 괄호 안의 낱말을 사용하여 독일어로 옮기시오. (6과, 마무리문제: 교재 35쪽)

1. 너 우리 여교수님 어때? - 아주 호감이 가.

(du, mein-, wie, Professorin, finden) (ich, sie, sehr, sympathisch, finden)

✲ 어휘 wie [의문사] 어떻게? (영. how?) ▌die Professor*in* 여교수 (die Professorin*nen*) ↔ der Professor 교수, 남자 교수 (die Professor*en*) ▌「finden + 4격 + 형용사」 *4격*이 ... 하다고 생각하다 ▌sehr 매우 ▌sympathisch [형용사] 호감 주는

<참고> 형태가 *-or*인 명사는 *남성*이며 복수형은 *-en*이다:
der Dóktor 의사, 박사 (die Doktór*en*) / *der* Áutor 작가 (die Autór*en*)

정답 Wie findest du meine Professorin? - Ich finde sie sehr sympathisch.

문장 1

► "너는 우리 여교수님을 어떻게 생각해?"로 파악하여 독일어로 옮겨야 함.

► 의견을 묻는 내용으로서 동사 finden을 사용함:
주어가 "너는", 즉 du이므로 동사 형태는 find*est*임.
동사 fin*d*en의 어간 끝이 -d이므로 발음상 -e-가 첨가되어 find*est*임 (즉, find*st* 아님!)

► "우리 여교수님"은 동사 finden의 4격 목적어가 되어 「mein*e* Professorin」 임:
명사 Professor*in*은 *여성*이며, 동사의 *4격* 목적어이므로 *여성 4격!!*
「'신분, 직업'의 ***남성***명사 + ***-in***」은 *여성*이 되며, 복수형은 ***-nen***임.

따라서 mein-은 *여성 4격* 부정관사 ein*e*처럼 어미 *-e*가 붙어 mein*e*임.

문장 2

► "나는 그녀가 아주 호감을 준다고 생각해"로 파악하여 독일어로 옮겨야 함.

► 의견을 표명하는 내용으로서 역시 동사 finden을 사용함.

► 앞 문장의 *여성*명사 Professorin을 받으며 동사 finden의 *4격 목적어*이어야 하므로 *여성* 인칭대명사 sie('그녀')의 *4격* 형 *sie*가 사용됨.

2. 나의 새 셔츠가 어디 있지? 지금 그것을 벌써 오랫동안 찾고 있는 중이야.

(mein-, wo, Hemd, neu, sein) (ich, jetzt, lange, es, schon, suchen)

✲ 어휘 wo [의문사] 어디에? (영. where) ▌das Hemd 와이셔츠, 런닝셔츠 (die Hemd*en*) ▌neu [형용사] 새, 새로운 ▌jetzt 지금 ▌lange 오랫동안 ▌schon 이미 ▌suchen [타동사] ...을 찾다, 구하다

정답 Wo ist mein neues Hemd? - Ich suche es jetzt schon lange.

문장 1

► 주어인 "나의 새 셔츠"는「mein neu*es* Hemd」가 됨:

• 명사 Hemd는 *중성*이며, 문장의 *주어*이므로 *중성 1격!!*
따라서 mein-은 *중성 1격* 부정관사 ein_처럼 어미 없이 mein_임.

• 형용사 neu 앞에 *중성*의 ein_에 일치하는 mein_이 있음.
→ 따라서 *mein* neu*es* ...
(근거: 중성 1, 4격 ein_ , mein_ , ihr_ , unser_ , euer_ , kein_ + 형용사 *-es*)

문장 2

► 앞 문장의 *중성*명사 Hemd를 받으며 동사 suchen의 *4격* 목적어이어야 하므로 *중성* 인칭대명사 es의 *4격* 형 *es*가 사용됨.

► 어순: 대명사는 다른 요소보다 앞에 위치한다!
따라서 인칭*대명사*인 es는 부사어인 jetzt 및 schon lange보다 앞에 위치함.

3. Meyer 씨에게 한번 물어보세요. 당신은 그를 잘 알잖아요.

(Sie, Herr Meyer, mal, fragen) (Sie, doch, gut, ihn, kennen)

✸ 어휘 Herr ... (남자 호칭) ...씨 ▌mal [부사어] 명령문에서 정중한 요구를 나타냄. (우리말 해석 필요 없음!) ▌「fragen + 4격(사람)」[타동사] 누구에게 질문하다 (4격 요구 동사!) ▌doch [부사어] 평서문에서 대화 상대자의 동의나 인정을 구하며 말할 때 사용함. ("...잖아"로 해석됨!) ▌gut [형용사] 좋은 ▌kennen [타동사] 누구를 알다

정답 Fragen Sie mal Herrn Meyer! - Sie kennen ihn doch gut.

문장 1

► Sie-명령문「동사 원형 + Sie ...!」형식이 사용됨: Frag*en* Sie ...!

► "Meyer 씨", 즉 Herr Meyer가 동사 fragen의 4격 목적어임:
남성명사 Herr는 단수에서 주어 1격 이외에는 나머지 모두가 어미 *-n*이 붙어 Herr*n*임.
여기서도 동사 Fragen의 4격 목적어, 즉 *단수 4격*이므로 Herr*n* Meyer가 됨.

문장 2

► "그를"은 앞 문장의 *남성*명사 Herrn Meyer를 받으며 동사 kennen의 *4격* 목적어임.
따라서 *남성* 인칭대명사 er의 *4격* 형인 *ihn*이 사용됨.

4. 그녀는 아주 부지런한 소녀입니다. - 예, 나도 그녀가 부지런한 여학생이라고 생각해요.

(sie, ein-, fleißig, sehr, Mädchen, sein)

(ich, ja, auch, ein-, Schülerin, fleißig, für, halten)

✵ **어휘** fleißig [형용사] 부지런한 ▌ sehr 매우 ▌ das Mädchen [축소명사] 소녀, 아가씨 (die Mädchen) ▌ auch ...도, 역시 ▌ die Schüler*in* 여자 초・중・고등학생 (die Schülerin*nen*) ▌ für [4격 전치사] (영. for) ▌ 「halten + 4격 + für + 4격」 *4격*이 ...라고 생각하다, 여기다 (영. consider ... to be + 형용사)

정답 Sie ist ein sehr fleißiges Mädchen. - Ja, ich halte sie auch für eine fleißige Schülerin.

문장 1

► "아주 부지런한 소녀"는 동사 sein의 주격 보어로서 「ein sehr fleißig*es* Mädchen」 임:

- 명사 Mäd*chen*은 축소명사로서 *중성*이며, 동사 sein의 *주격* 보어이므로 *중성 1격!!*
  따라서 *중성 1격* 부정관사 *ein*이 앞에 옴.
- "아주"를 뜻하는 sehr는 형용사 fleißig를 수식하는 부사어이므로 어미변화 없음.
- 형용사 fleißig 앞에 *중성*의 ein이 있음.
  → 따라서 *ein* sehr fleißig*es* ...
  (근거: 중성 1, 4격 ein_ , mein_ , ihr_ , unser_ , euer_ , kein_ + 형용사 *-es*)

문장 2

► 동사 halten의 문장 형식 「halten + 4격 + für + 4격」 이 적용됨.

► "그녀"는 앞 문장의 주어 Sie('그녀는')를 받으며, 동사 halten의 4격 목적어임.
따라서 *여성* 인칭대명사 sie('그녀는')의 4격 형인 *sie*가 사용됨.

► "부지런한 여학생이라고"는 「für ein*e* fleißig*e* Schülerin」 임:

- 명사 Schüler*in*은 *여성*이며 *4격* 전치사 für와 결합하므로 *여성 4격!!*
  따라서 *여성 4격* 부정관사 *eine*가 앞에 옴.
- 형용사 fleißig 앞에 *여성*의 ein*e*가 있음.
  → 따라서 für ein*e* fleißig*e* ...
  (근거: 여성 1, 4격 di*e*, ein*e*, mein*e*, ihr*e*, unser*e*, eur*e*, kein*e*, dies*e* + 형용사 *-e*)

5. 나의 새 과장님은 활동적인 젊은 남자이다.
(neu, mein-, dynamisch, Mann, jung, Chef, sein)

✵ **어휘** neu [형용사] 새, 새로운 ▌ dynamisch [형용사] 활동적인 ▌ der Mann (성인) 남자 (die Männ*er*) ▌ jung [형용사] 젊은 ▌ der Chef 사장, 부장, 과장 (die Chef*s*)

정답 Mein neuer Chef ist ein dynamischer junger Mann.

► 주어인 "나의 새 과장님"은 「Mein neu*er* Chef」 임:

- 명사 Chef는 *남성*이며, 문장의 *주어*이므로 *남성 1격!!*
  따라서 mein-은 *남성 1격* 부정관사 ein_과 동일하게 어미 없이 Mein_임.
- 형용사 neu 앞에 *남성*의 ein_에 일치하는 Mein_이 있음.
  → 따라서 *Mein* neu*er* ...
  (근거: 남성 1격 ein_ , mein_ , ihr_ , unser_ , euer_ , kein_ + 형용사 *-er*)

► "활동적인 젊은 남자"는 동사 sein의 주격 보어로서 「ein dynamischer junger Mann」 임:

- 명사 Mann은 *남성*이며, 동사 sein의 *주격* 보어이므로 *남성 1격!!*
  따라서 *남성 1격* 부정관사 *ein*이 앞에 옴.
- 형용사 dynamisch와 jung 앞에 *남성*의 ein이 있음.
  → *ein* dynamisch*er* jung*er* ...
  (근거: 남성 1격 ein_ , mein_ , ihr_ , unser_ , euer_ , kein_ + 형용사 *-er*)

II. 잘못된 부분(들)을 고쳐서 다시 적으시오. (6과, 마무리문제: 교재 35쪽)

1. Die warmen[오류1] Sonne, der blauer[오류2] Himmel, die weiße[오류3] Wolken, das weites[오류4] Meer - Oh, Ferien!

✺ **해석** 따뜻한 태양, 푸른 하늘, 하얀 구름들, 넓은 바다 - 오, 방학이다!

✺ **어휘** warm [형용사] 따뜻한 ▌die Sonne 태양 (복수 없음!) ▌blau [형용사] 푸른 ▌der Himmel 하늘 (보통 단수!) ▌weiß [형용사] 흰색의 ▌die Wolke 구름 (die Wolke*n*) ▌weit [형용사] 넓은 ▌das Meer 바다, 대양 (die Meer*e*) ▌die Ferien (항상 복수) 휴가, 방학

<오류> 1

형용사 warm 앞에 *여성*의 die가 있으므로 어미 *-e*가 붙어야 옳음: Di*e* warm*e* ...
(근거: 여성 1, 4격 di*e*, ein*e*, mein*e*, ihr*e*, unser*e*, eur*e*, kein*e*, dies*e* + 형용사 *-e*)

<오류> 2

형용사 blau 앞에 *남성*의 der가 있으므로 어미 *-e*가 붙어야 옳음: d*er* blau*e* ...
(근거: 남성 1격 d*er*, dies*er* + 형용사 *-e*)

<오류> 3

형용사 weiß 앞에 *복수*의 die가 있으므로 어미 *-en*이 붙어야 옳음: di*e* weiß*en* ...
(근거: 복수 1, 4격 di*e*, mein*e*, ihr*e*, unser*e*, eur*e*, kein*e*, dies*e* + 형용사 *-en*)

<오류> 4

형용사 weit 앞에 *중성*의 das가 있으므로 어미 *-e*가 붙어야 옳음: d*as* weit*e* ...
(근거: 중성 1, 4격 d*as*, dies*es* + 형용사 *-e*)

정답 Die warm*e* Sonne, der blau*e* Himmel, die weiß*en* Wolken, das weit*e* Meer - Oh, Ferien!

2. Ich lade ihr[오류] ein. Habt ihr am Samstag Zeit?

✺ **해석** 나는 너희를 초대할게. 너희는 토요일에 시간 있니?

✳ **어휘** lade ... *ein* ⇒ *ein*laden [분리동사&타동사] ...을 초대하다 ▌am Samstag 토요일에 ▌die Zeit 시간 (복수 없음!)

<오류>

분리동사 lade ... *ein*의 *4격* 목적어이므로 복수 2인칭 ihr('너희')의 *4격 형*인 *euch*가 와야 옳음!

정답 Ich lade *euch* ein. Habt ihr am Samstag Zeit?

문장 2

► 주어가 ihr('너희는')이므로 동사 haben의 형태는 *habt*임.

3. Für wer[오류1] kaufst du das dickes[오류2] Buch? - Für meinen Bruder.

✳ **해석** 너는 누구를 위해 그 두꺼운 책을 사니? - 내 남동생을 위해서.

✳ **어휘** für [4격 전치사] ~을 위해 ▌wen 누구를? (의문사 wer의 4격 형) ▌kaufen [타동사] ...을 사다, 구입하다 ▌dick [형용사] 두꺼운 ▌das Buch 책 (die Büch*er*) ▌der Bruder 남자 형제 (die Brüder)

<오류> 1

4격 전치사 Für와 결합하므로 의문사 wer의 *4격* 형인 *wen*이 와야 옳음!

<오류> 2

형용사 dick 앞에 중성 정관사 d*as*가 있으므로 어미 *-e*가 붙어 dick*e*이어야 옳음!
(근거: 중성 1, 4격 d*as*, dies*es* + 형용사 *-e*)

정답 Für *wen* kaufst du das dick*e* Buch? - Für meinen Bruder.

문장 1

► das dicke Buch는 동사 kaufst의 *4격* 목적어임.

문장 2

► 축약된 문장으로서 원래의 형태는 Für meinen Bruder (kaufe ich es)임.

► 「Für mein*en* Bruder」:
명사 Bruder가 *남성*이며, *4격* 전치사 für의 목적어이므로 *남성 4격!!*
따라서 mein-은 *남성 4격* 부정관사 ein*en*처럼 어미 *-en*이 붙어 mein*en*임.

4. Wann kommst du? Ich abhole[오류] dich gerne.

✳ **해석** 언제 너는 오니? 내가 너를 기꺼이 마중 나갈게.

✳ **어휘** wann 언제? (영. when?) ▌kommen 오다 ▌*ab*holen [분리동사&타동사] 누구를 마중 가다 ▌gern(e) 기꺼이, 즐겨

<오류>

동사 *ab*holen은 분리동사이므로 전철 *ab*-이 분리되어 문장 맨 뒤에 위치해야 옳음: holen ... *ab*

정답 Wann kommst du? Ich *hole* dich gerne *ab*.

문장 2

► 분리동사 hole ... *ab*의 4격 목적어이므로 du의 4격 형인 *dich*가 사용됨.

5. Was ist denn los? Über was[오류] ärgerst du dich so sehr?

✱ **해석** 무슨 일이야? 너는 무엇에 대해 그렇게 화가 났니?

✱ **어휘** was 무엇이? ▌denn [부사어] 의문문에서 질문을 자연스럽게 유도함. (우리말 해석 필요 없음!) ▌「동사 sein + los」 발생하다, 일어나다 ▌「전치사 über + 4격」 ...에 대하여 ▌「ärgern + 4격(사람)」 [타동사] 누구를 화나게 하다 → 「ärgern sich über + 4격」 [재귀동사] *4격*에 대해 화나다 ▌so 그렇게 ▌sehr 매우

<오류>

「전치사 + 의문사 was」는 "wo(*r*)- +전치사" 형태이어야 한다.
따라서 über와 was가 결합한 형태는 Wo*r*über이어야 옳음!

정답 Was ist denn los? - *Worüber* ärgerst du dich so sehr?

문장 1

► Was ist denn los?는 구어체로서 "무엇이 발생했나?", 즉 ""무슨 일이냐?""임.

문장 2

► 재귀동사 형식 「ärgern sich über + 4격」이 적용됨:
주어 du와 동일한 단수 2인칭 재귀대명사 dich가 동사 ärgerst의 4격 목적어로 옴.

► 「전치사 über + 의문사 was」 결합 형태인 Wo*r*über가 의문사로서 문장 앞에 위치함.

6. Leider verstehen meine Eltern mich[오류] nicht immer richtig. Manchmal missverstehen sie mich.

✱ **해석** 유감스럽게도 나의 부모님은 나를 항상 올바르게 이해하시는 것은 아니야. 간혹 그들은 나를 오해해.

✱ **어휘** leider [부사어] 유감스럽게도 ▌verstehen [타동사] ...을 이해하다 ▌die Eltern (항상 복수) 부모 ▌immer 항상, 언제나 ▌richtig [형용사] 올바른, (부사적) 올바르게 ▌manchmal [부사어] 가끔, 간혹 ▌missverstehen [타동사] ...을 오해하다 ← 접두어 miss- + 타동사 verstehen '...을 이해하다'

<참고> 접두어 *miss*-의 두 가지 용법:

① '실수, 잘못함'을 뜻함: *miss*brauchen 남용, 오용하다 / *miss*interpretieren 잘못 해석하다

② 반대말을 만듦: trauen 신뢰하다 ↔ *miss*trauen 불신하다

<오류>

어순: 대명사는 다른 요소보다 앞에 위치함.

여기서 동사 verstehen의 4격 목적어 mich는 인칭*대명사*이며, 주어인 meine Eltern은 일반 명사이다. 따라서 mich는 대명사이므로 주어 meine Eltern보다 앞에 와야 옳음!

정답 Leider verstehen *mich meine Eltern* nicht immer richtig. Manchmal missverstehen sie mich.

문장 1

► nicht immer는 '항상 ...하는 것은 아니다'로서 이른바 "부분 부정"의 의미임.

<주의> 이와는 달리 immer nicht는 '항상 ...하지 않다', 즉 "전체 부정"이다:

Leider verstehen mich meine Eltern immer nicht richtig.

유감스럽게도 나의 부모님은 나를 *항상 올바르지 않게* 이해하신다.

문장 2

► 여기서는 주어인 sie도 인칭*대명사*이고, 동사의 4격 목적어 mich도 인칭*대명사*이다. 따라서 같은 대명사들이므로 당연히 주어인 sie가 목적어인 mich보다 앞에 위치함.

Lektion 7

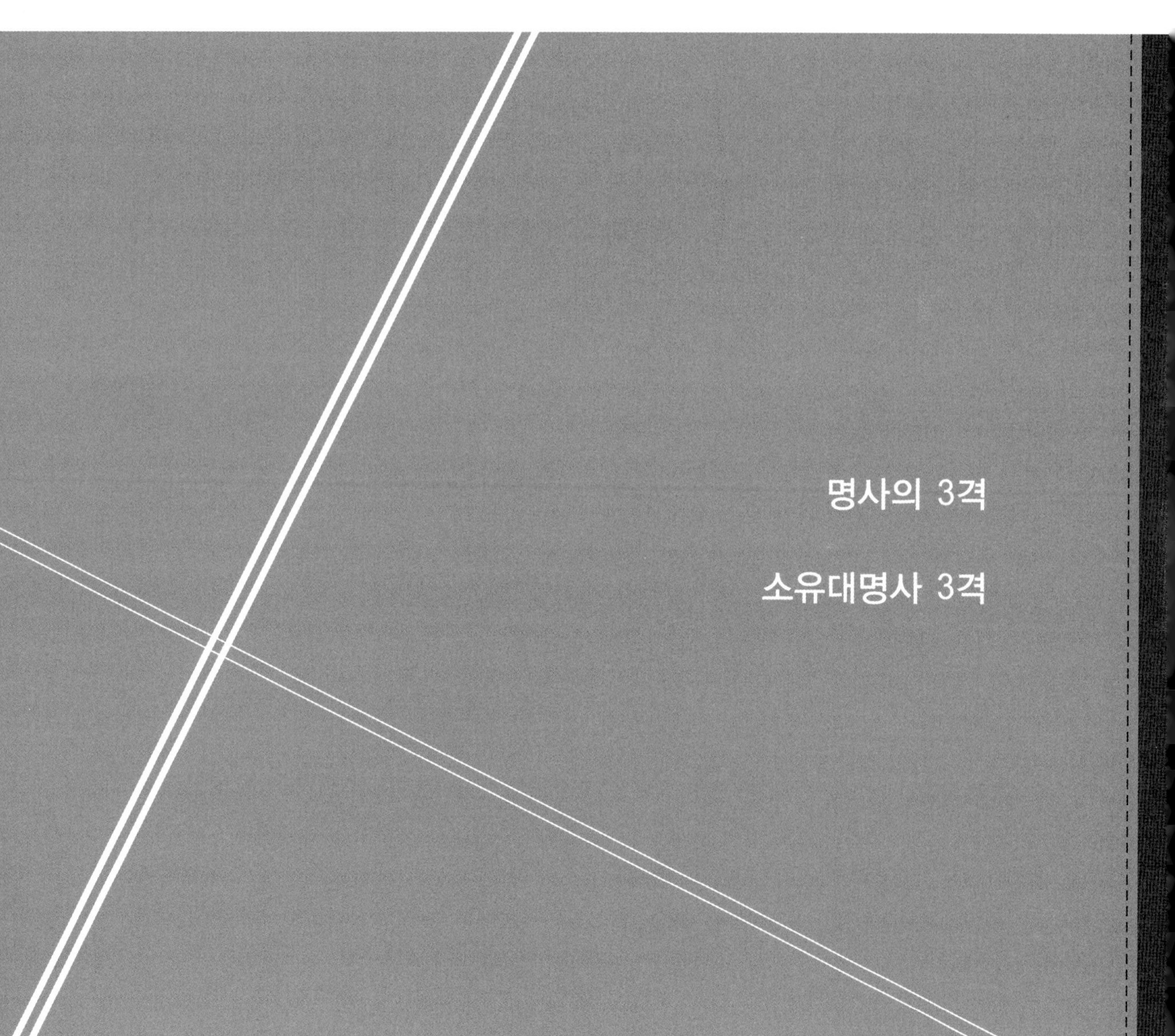

unit 01

기초문제

I. 알맞은 3격 형태는? (7과, 기초문제: 교재 37~38쪽)

1. Nach der Schule geht er noch zu seinem Freund.

 ✽ 해석 학교 수업 후에도 그는 자신의 친구에게 간다.

 ✽ 어휘 nach [3격 전치사] (시간) ~후에 ▌die Schule 학교 (die Schulen) ▌gehen 가다 ▌noch 아직, 여전히 ▌zu [3격 전치사] → 「zu + 사람」 (방향) 누구에게로 ▌der Freund 친구 (die Freunde)

 ☞ 「Nach der Schule」 :
 명사 Schule는 *여성*이며, *3격* 전치사 nach의 목적어이므로 *여성 3격!!*
 따라서 *여성 3격* 어미 *-er*를 지니는 정관사 der가 앞에 옴.

 ☞ 「zu seinem Freund」 :
 명사 Freund는 *남성*이며, *3격* 전치사 zu의 목적어이므로 *남성 3격!!*
 따라서 소유대명사 sein-은 *남성 3격* 어미 *-em*이 붙어 seinem임.
 3격 어미: ***-em***(남성, 중성), ***-er***(여성), ***-en***(복수)

2. Vor dem Essen machen wir einen Spaziergang.

 ✽ 해석 식사 전에 우리는 산책을 한다.

 ✽ 어휘 「전치사 vor + 3격」 (시간) ~전에 ▌das Essen 식사 (die Essen) ← essen 식사하다 ▌machen [타동사] ...을 행하다 + der Spaziergang 산책 (die Spaziergänge) → einen Spaziergang machen 산책하다

 ☞ 「vor dem Essen」 :
 명사 Essen은 *중성*이며, 전치사 vor의 *3격* 목적어이므로 *중성 3격!!*
 따라서 *중성 3격* 어미 *-em*을 지니는 정관사 dem이 앞에 옴.

 ► 명사 Spaziergang은 *남성*이며, 동사 machen의 *4격* 목적어이므로 *남성 4격!!*
 따라서 *남성 4격* 부정관사 einen이 앞에 옴.

3. Ich fahre jetzt mit meinem Bruder zu unserem Onkel.

 ✽ 해석 나는 지금 내 형과 함께 우리의 삼촌에게 간다.

 ✽ 어휘 fahren (차 타고) 가다 ▌jetzt 지금 ▌mit [3격 전치사] ~와 함께, ~을 가지고 (영. with) ▌der Bruder 남자 형제 (die Brüder) ▌zu [3격 전치사] : 「zu + 사람」 (방향) 누구에게로 ▌der Onkel 삼촌, 아저씨 (die Onkel)

☞「mit mein*em* Bruder」:
명사 Bruder는 *남성*이며, *3격* 전치사 mit의 목적어이므로 *남성 3격!!*
따라서 mein-은 *남성 3격* 어미 *-em*이 붙어 mein*em*임.

☞「zu unser*em* Onkel」:
명사 Onkel은 *남성*이며, *3격* 전치사 zu의 목적어이므로 *남성 3격!!*
따라서 unser-는 *남성 3격* 어미 *-em*이 붙어 unser*em*임.

4. Seit ein<u>em</u> Monat ist sie nicht mehr hier.

❋ **해석** 한 달 전부터 그녀는 더 이상 여기에 있지 않다.

❋ **어휘** seit [3격 전치사] ~이래, ~이후 (영. since) ▌der Monat 달, 개월 (die Monat*e*) ▌hier 여기

☞「seit ein*em* Monat」:
명사 Monat는 *남성*이며, *3격* 전치사 seit의 목적어이므로 *남성 3격!!*
따라서 *남성 3격* 어미 *-em*을 지닌 부정관사 ein*em*이 앞에 옴.

5. Wohnt er nicht bei sein<u>er</u> Tante? - Nein, er wohnt bei sein<u>em</u> Freund.

❋ **해석** 그는 자신의 숙모 댁에 살지 않니? - 응, 그는 자신의 친구 집에서 살아.

❋ **어휘** wohnen 살다, 거주하다 ▌bei [3격 전치사] :「bei + 사람」(위치) 누구에게서, 누구 집에서 ▌die Tante 숙모, 고모, 이모 (die Tante*n*) ▌der Freund 친구 (die Freund*e*)

문장 1

☞「bei sein*er* Tante」:
명사 Tante는 *여성*이며, *3격* 전치사 bei의 목적어이므로 *여성 3격!!*
따라서 sein-은 *여성 3격 어미 -er*가 붙어 sein*er*임.
3격 어미: ***-em***(남성, 중성), ***-er***(여성), ***-en***(복수)

문장 2

► 부정 질문에 대한 부정 답변이므로 Nein('응')이 사용됨.
<주의> 부정 질문에 대한 *긍정* 답변은 doch('천만에, 아니')가 사용됨.

☞「bei sein*em* Freund」:
명사 Freund는 *남성*이며, *3격* 전치사 bei의 목적어이므로 *남성 3격!!*
따라서 sein-은 *남성 3격* 어미 *-em*이 붙어 sein*em*임.

II. 밑줄 친 곳에 알맞은 어미는? (7과, 기초문제: 교재 38쪽)

1. Ich gebe mein<u>er</u> Schwester ein<u>en</u> Rat.

✹ **해석** 나는 내 누이에게 충고를 하나 한다.

✹ **어휘** 「geben + 3격 + 4격」 *3격*에게 *4격*을 주다 ▌die Schwester 누이 (die Schwester*n*) ▌der Rat 충고, 조언 (복수 없음!)

☞ 「mein*er* Schwester」 :
명사 Schwester는 *여성*이며, 동사 gebe의 간접목적어, 즉 *3격* 목적어이므로 <u>*여성 3격*</u>!!
따라서 mein-은 *여성 3격* 어미 *-er*가 붙어 mein*er*임.

☞ 「ein*en* Rat」 :
명사 Rat는 *남성*이며, 동사 gebe의 *4격* 목적어이므로 <u>*남성 4격*</u>!!
따라서 *남성 4격* 부정관사 ein*en*이 앞에 옴.

2. Was schenkst du dein<u>er</u> Frau zum Hochzeitstag?

✹ **해석** 너는 너의 아내에게 결혼기념일을 위해 무엇을 선물하니?

✹ **어휘** 「schenken + 3격 + 4격」 *3격*에게 *4격*을 선물하다 ▌die Frau 부인, 아내 (die Frau*en*) ▌「zum + 남성 · 중성명사」 ...을 위해 (zum = zu dem) : zum Hochzeitstag 결혼기념일을 위해 ▌der Hochzeitstag 결혼일, 결혼기념일 → die Hochzeit 결혼, 결혼식 (die Hochzeit*en*) + der Tag 날 (die Tag*e*)

<참고> 「zur + 여성명사」 (zur = zu der): zur Hochzeit 결혼을 위해

☞ 「dein*er* Frau」 :
명사 Frau는 *여성*이며, 동사 schenkst의 간접목적어, 즉 *3격* 목적어이므로 <u>*여성 3격*</u>!!
따라서 dein-은 *여성 3격* 어미 *-er*가 붙어 dein*er*임.

► 의문사 Was는 4격 형으로서 '무엇<u>을</u>?'로 해석되며, 동사 schenkst의 4격 목적어임.

3. Ich schreibe mein<u>em</u> Freund gerade ein<u>en</u> Brief.

✹ **해석** 나는 내 친구에게 편지 하나를 쓰고 있는 중이다.

✹ **어휘** schreiben [타동사] ...을 쓰다 (영. write) → 「schreiben + 3격 + 4격」 *3격*에게 *4격*을 쓰다, 편지 보내다 ▌der Freund 친구 (die Freund*e*) ▌gerade [부사어] 막, 방금 ▌der Brief 편지 (die Brief*e*)

☞ 「mein*em* Freund」 :
명사 Freund는 *남성*이며, 동사 schreibe의 간접목적어, 즉 *3격* 목적어이므로 <u>*남성 3격*</u>!!
따라서 mein-은 <u>*남성 3격* 어미 *-em*</u>이 붙어 mein*em*임.
3격 어미: ***-em***(남성, 중성), ***-er***(여성), ***-en***(복수)

☞ 「ein*en* Brief」 :
명사 Brief는 *남성*이며, 동사 schreibe의 *4격* 목적어이므로 <u>*남성 4격*</u>!!
따라서 *남성 4격* 부정관사 ein*en*이 앞에 옴.

► 부사어 gerade는 현재 시제 문장에서 '막 ...하는 중이다'를 뜻함.
(즉, 영어의 "현재진행" 「be + -ing」 형식에 해당함.)

4. Tobias zeigt sein<u>er</u> Kollegin d<u>as</u> Haus.

✴ **해석** 토비아스는 자신의 여자 동료에게 집을 보여준다.

✴ **어휘** zeigen [타동사] 보여주다 (영. show) → 「zeigen + 3격 + 4격」 *3격*에게 *4격*을 보여주다
▌die Kolleg*in* 여자 동료 (die Kollegin*nen*) ↔ der Kollege 남자 동료 (die Kollege*n*)
▌das Haus 집 (die Häus*er*)

☞ 「sein*er* Kollegin」 :
명사 Kolleg*in*은 *여성*이며, 동사 zeigt의 간접목적어, 즉 *3격* 목적어이므로 *여성 3격!!*
따라서 sein-은 *여성 3격* 어미 *-er*가 붙어 sein*er*.

☞ 「*das* Haus」 :
명사 Haus는 *중성*이며, 동사 zeigt의 *4격* 목적어이므로 *중성 4격!!*
따라서 *중성 4격* 정관사 *das*가 앞에 옴.

5. Ich leihe mein<u>em</u> Kommilitonen ein<u>en</u> Computer aus.

✴ **해석** 나는 나의 동료 학생에게 컴퓨터를 빌려준다.

✴ **어휘** leihe ... *aus* ⇒ *aus*leihen [분리동사&타동사] : 「leihen + 3격 + 4격 ... aus」 *3격*에게 *4격*을 빌려주다 ▌der Kommilitone 동료 대학생 (die Kommilitone*n*) ▌der Computer 컴퓨터 (die Computer)

☞ 「mein*em* Kommilitone*n*」 :
- 명사 Kommilitone는 *남성*이며, 분리동사 leihe ... aus의 *3격* 목적어이므로 *남성 3격!!*
따라서 mein-은 *남성 3격* 어미 *-em*이 붙어 mein*em*임.
- 형태가 -*e*인 *남성*명사는 복수형이 -*n*이며, 단수에서 주어 1격 이외에는 나머지 모두가 복수형처럼 어미 -*n*이 붙음! (der Kolleg*e* 동료, der Jung*e* 소년, der Kund*e* 고객)
명사 Kommilitone도 *단수 3격*이므로 복수형과 동일하게 -*n*이 붙어 Kommilitone*n*임.

☞ 「ein*en* Computer」 :
명사 Computer는 *남성*이며, 분리동사 leihe ... aus의 *4격* 목적어이므로 *남성 4격!!*
따라서 *남성 4격* 부정관사 ein*en*이 앞에 옴.

III. 3격 혹은 4격? 알맞은 어미는? (7과, 기초문제: 교재 38쪽)

1. Fahren Sie mit dem Bus? - Nein, ich fahre mit der U-Bahn.

✵ **해석** 당신은 버스를 타고 가시나요? - 아니오, 저는 지하철로 가요.

✵ **어휘** fahren (차 타고) 가다 ▌mit [3격 전치사] : 「mit + 차량」 ...을 타고 ▌der Bus 버스 (die Bus*se*) ▌die U-Bahn 지하철 (die U-Bahn*en*)

문장 1

☞ 「mit d*em* Bus」 :

명사 Bus는 *남성*이며, *3격* 전치사 mit의 목적어이므로 *남성 3격!!*

따라서 *남성 3격* 어미 *-em*을 지닌 정관사 d*em*이 앞에 옴.

문장 2

☞ 「mit d*er* U-Bahnl」 :

명사 U-Bahn은 *여성*이며, *3격* 전치사 mit의 목적어이므로 *여성 3격!!*

따라서 *여성 3격* 어미 *-er*를 지닌 정관사 d*er*가 앞에 옴.

3격 어미: ***-em***(남성, 중성), ***-er***(여성), ***-en***(복수)

2. Kaufst du die Blumen für deine Freundin? - Ja, für sie

✵ **해석** 너는 그 꽃들을 네 여자 친구를 위해 사니? - 응, 그녀를 위해서야.

✵ **어휘** kaufen [타동사] ...을 사다 ▌die Blume 꽃 (die Blume*n*) ▌für [4격 전치사] ~을 위해 ▌die Freund*in* 여자 친구 (die Freundin*nen*)

문장 1

☞ 「für dein*e* Freundin」 :

명사 Freund*in*은 *여성*이며, *4격* 전치사 für의 목적어이므로 *여성 4격!!*

따라서 dein-은 *여성 4격* 부정관사 ein*e*처럼 어미변화 하여 dein*e*임.

► Blume*n*은 *복수*이며, 동사 Kaufst의 *4격* 목적어이므로 *복수 4격 die*가 앞에 옴.

문장 2

► 앞 문장의 *여성*명사 Freundin을 받으며 *4격* 전치사 für와 결합하므로 *여성* 인칭대명사 sie('그녀')의 *4격* 형 *sie*('그녀를')가 사용됨.

3. Ich schenke meinem Vater ein Buch. Er hat heute Geburtstag.

✵ **해석** 나는 내 아버지께 책을 한 권 선물한다. 그는 오늘이 생신이시다.

✵ **어휘** 「schenken + 3격 + 4격」 *3격*에게 *4격*을 선물하다 ▌der Vater 아버지 (die Väter) ▌das Buch 책 (die Büch*er*) ▌heute 오늘 ▌der Geburtstag 생일 → Geburtstag haben 생일이다

문장 1

☞「mein*em* Vater」:

명사 Vater는 *남성*이며, 동사 schenke의 *3격* 목적어이므로 *남성 3격!!*

따라서 mein-은 *남성 3격 어미 -em*이 붙어 mein*em*.

3격 어미: ***-em***(남성, 중성), ***-er***(여성), ***-en***(복수)

►「*ein* Buch」:

명사 Buch는 *중성*이며 동사 schenke의 *4격* 목적어이므로 *중성 4격!!*

따라서 *중성 4격* 부정관사 *ein*이 앞에 옴.

4. Seit ein<u>em</u> Monat lerne ich Deutsch. Das ist sehr interessant.

✺ **해석** 한 달 전부터 나는 독일어를 배운다. 그것은 매우 흥미롭다.

✺ **어휘** seit [3격 전치사] ~이후로, ~이래 ▌der Monat 달 (die Monat*e*) ▌lernen [타동사] ...을 배우다 ▌Deutsch [고유명사] 독일어 (관사 없음!) ▌sehr 매우 ▌interessant 흥미로운

문장 1

☞「Seit ein*em* Monat」:

명사 Monat는 *남성*이며 *3격* 전치사 seit의 목적어이므로 *남성 3격!!*

따라서 *남성 3격* 어미 *-em*을 지닌 부정관사 ein*em*이 앞에 옴.

문장 2

► 지시대명사 Das는 앞 문장의 Deutsch를 받음.

5. Hast du kein<u>en</u> Durst? - Nein, ich habe kein<u>en</u> Durst.

✺ **해석** 너는 목마르지 않니? - 응, 나는 목마르지 않아.

✺ **어휘** der Durst 갈증 (복수 없음!) → Durst haben 목마르다

문장 1

☞「kein*en* Durst」:

명사 Durst는 *남성*이며, 동사 Hast의 *4격* 목적어이므로 *남성 4격!!*

따라서 kein-은 *남성 4격* 부정관사 ein*en*처럼 어미 *-en*이 붙어 kein*en*임.

문장 2

► 부정 질문에 대한 부정 답변이므로 Nein('응')이 사용됨.

☞「kein*en* Durst」:

명사 Durst는 *남성*이며, 동사 habe의 *4격* 목적어이므로 *남성 4격!!*

따라서 kein-은 *남성 4격* 부정관사 ein*en*처럼 어미 *-en*이 붙어 kein*en*임.

6. Der Schüler fragt d<u>en</u> Lehrer und der Lehrer antwortet d<u>em</u> Schüler.

✺ **해석** 그 학생이 선생님께 질문하자, 선생님은 그 학생에게 대답한다.

✻ 어휘 der Schüler (남자 혹은 일반적) 초・중・고등학생 (die Schüler) ▌fragen [타동사] :「fragen + 4격」 *4격*에게 질문하다 (4격 요구 동사!) ▌der Lehrer 선생님, 남자 선생님 (die Lehrer) ▌antworten 대답하다

접속사 und 앞 문장

☞「d*en* Lehrer」:

명사 Lehrer는 *남성*이며, 동사 fragt의 *4격* 목적어이므로 *남성 4격!!*

따라서 *남성 4격* 부정관사 d*en*이 앞에 옴.

<참고>

fragen은 '... *에게* 질문하다'이지만 타동사로서 3격이 아닌 4격 목적어를 지님.
즉 "4격 요구 동사"임:
「fragen + 4격」 누구*에게* 질문하다
「rufen + 4격 ... *an*」 누구*에게* 전화하다
「grüßen + 4격」 누구*에게* 인사하다

접속사 und 뒤 문장

► 주어인 der Lehrer는 er('그는')에 해당하므로 동사 형태는 antwortet임.
동사 antwort*en*은 어간 끝이 -t이므로 발음상 -e-가 첨가됨. (즉, antwort*t* 아님!)

☞「d*em* Schüler」:

명사 Schüler는 *남성*이며, 동사 antwortet의 *3격* 목적어이므로 *남성 3격!!*

따라서 *남성 3격* 어미 *-em*을 지니는 정관사 d*em*이 앞에 옴.

IV. 밑줄 친 곳에 알맞은 어미는? (7과, 기초문제: 교재 38쪽)

1. Sie gratuliert ihr<u>em</u> Chef zum Geburstag.

✻ 해석 그녀는 그녀의 직장 상사에게 생일을 축하해 준다.

✻ 어휘「gratulieren + 3격(사람) + zu + 3격」 누구에게 ...에 대해 축하하다 ▌der Chef 직장 상사 (die Chef*s*) ▌「zum + 남성・중성명사」 ...에 대해 (zum = zu dem) ▌der Geburtstag 생일 (die Geburtstag*e*)

☞「ihr*em* Chef」:

명사 Chef는 *남성*이며 동사 gratuliert의 *3격* 목적어이므로 *남성 3격!!*

따라서 ihr-('그녀의')는 *남성 3격* 어미 *-em*이 붙어 ihr*em*임.

2. Geben Sie bitte Herr<u>n</u> Krause dies<u>en</u> Brief! Der ist für ihn.

✻ 해석 크라우제씨에게 이 편지를 주세요. 그것은 그의 것이에요.

✻ 어휘「geben + 3격(사람) + 4격」 누구에게 ...을 주다 ▌bitte [부사어] 정중한 표현에 사용함. ▌Herr ... (남자 호칭) ...씨 ▌dies- [지시대명사] 이 ... (정관사 어미변화!) (영. this ...) ▌der Brief 편지 (die Brief*e*) ▌für [4격 전치사] ~을 위한

문장 1

☞ 불규칙명사 Herr는 단수에서 주어 1격 이외의 나머지 모두가 어미 *-n*이 붙어 Herr*n*임.
여기서도 Herr Krause는 동사 Geben의 3격 목적어, 즉 주어가 아닌 *단수 3격*이므로 어미 *-n*이 붙어 Herr*n* Krause임.

☞ 「dies*en* Brief」 :
명사 Brief는 *남성*이며, 동사 Geben의 *4격* 목적어이므로 *남성 4격!!*
따라서 지시대명사 dies-는 *남성 4격* 정관사 d*en*처럼 어미 *-en*이 붙어 dies*en*임.

► Sie-명령문 「동사 원형 + Sie ...!」 ... 하세요 : Geben Sie ...!

문장 2

► 주어인 *Der*는 지시대명사로서 앞 문장의 *남성*명사 Brief를 받음.
(이 Der는 "*Der* Brief"의 축약형으로 이해할 수 있음!)

<참고>
앞에 나온 명사를 받을 경우, 해당 명사의 성에 따라 인칭대명사 er, sie, es 이외에도 지시대명사 der, die, das ...를 사용할 수 있음!

► 앞 문장의 *남성*명사 Herrn Krause를 받으며 *4격* 전치사 für의 목적어이므로 *남성* 인칭대명사 er의 *4격* 형 *ihn*이 사용됨.

3. Kommst du mit dein*em* Freund oder ohne ihn?

✺ **해석** 너는 네 남자 친구와 함께 오니 아니면 그가 없이 오니?

✺ **어휘** kommen 오다 ▌mit [3격 전치사] ~와 함께 ▌der Freund 친구, 남자 친구 (die Freund*e*) ▌oder [접속사] 혹은 (영. or) ▌ohne [4격 전치사] ~없이

☞ 「mit dein*em* Freund」 :
명사 Freund는 *남성*이며, *3격* 전치사 mit의 목적어이므로 *남성 3격!!*
따라서 dein-은 *남성 3격* 어미 *-em*이 붙어 dein*em*임.
3격 어미: ***-em***(남성, 중성), ***-er***(여성), ***-en***(복수)

► 앞에 나온 *남성*명사 Freund를 받으며 *4격* 전치사 ohne의 목적어이므로 *남성* 인칭대명사 er의 *4격* 형 *ihn*이 사용됨.

4. Ihr*e* Wohnung ist sehr gemütlich. Ich fühle mich hier wohl.

✺ **해석** 당신의 집은 매우 아늑합니다. 저는 여기가 편안해요.

✺ **어휘** die Wohnung 아파트, 집 (die Wohnung*en*) ▌sehr 매우 ▌gemütlich 아늑한 ▌fühlen [타동사] ...을 느끼다 → 「fühlen sich + 형용사」 [재귀동사] 몸 느낌이 ...하다 : sich wohl fühlen 몸 컨디션이 좋다 ▌wohl [형용사] 몸 상태가 좋은

문장 1

☞ 「Ihr*e* Wohnung」 :

명사 Wohnung은 *여성*이며, 문장의 *주어*이므로 *여성 1격!!*

따라서 Ihr-('당신의')는 *여성 1격* 부정관사 ein*e*처럼 어미 *-e*가 붙어 Ihr*e*임.

문장 2

► 동사 fühle의 4격 목적어인 mich는 주어 Ich와 동일한 1인칭이므로 "재귀대명사"임.
(따라서 이 문장의 동사 fühlen은 "재귀동사"임.)

5. Seit ein*er* Woche regnet es!

✺ **해석** 1 주일 전부터 비가 온다!

✺ **어휘** seit [3격 전치사] ~이후로 ▌die Woche 주, 주일 (die Woche*n*) ▌regnen 비오다

☞ 「seit ein*er* Woche」 :

명사 Woche는 *여성*이며 *3격* 전치사 seit의 목적어이므로 *여성 3격!!*

따라서 *여성 3격* 어미 *-er*를 지닌 부정관사 ein*er*가 앞에 옴.

► '날씨' 동사인 regnen의 주어는 항상 비인칭 주어 es임.
따라서 주어가 es이므로 동사 형태는 regn*e*t임.
동사 re**gn**en은 어간 끝이 -gn이므로 발음상 -e-가 첨가됨. (즉, regn*t* 아님!)

6. Für wen ist dies*er* dick*e* Brief? Ist er für dich? - Nein, er ist für mein*en* Bruder.

✺ **해석** 이 두꺼운 편지는 누구 것이지? 네 것이야? - 아니, 그것은 내 남동생 것이야.

✺ **어휘** für [4격 전치사] ~을 위한 ▌wen [의문사] 누구를? (wer의 4격 형) ▌dies- [지시대명사] 이 ... (정관사 어미변화!) ▌dick 두꺼운 ▌der Brief 편지 (die Brief*e*) ▌der Bruder 남자 형제 (die Br*ü*der)

문장 1

☞ 「dies*er* dick*e* Brief」 :

- 명사 Brief는 *남성*이며, 이 문장의 *주어*이므로 *남성 1격!!*
  따라서 지시대명사 dies-는 *남성 1격* 정관사 d*er*처럼 어미변화 하여 dies*er*임.
- 형용사 dick 앞에 *남성 1격* d*er*에 일치하는 dies*er*가 있음.
  → 따라서 dies*er* dick*e* ...
  (근거: 남성 1격 d*er*, dies*er* + 형용사 *-e*)

► 4격 전치사 für와 결합하므로 wer의 4격 형 wen이 사용됨.

문장 2

► 주어 er는 앞 문장의 *남성*명사 Brief를 받음.

► *4격* 전치사 für의 목적어이므로 *4격* 형인 *dich*가 사용됨.

문장 3

☞「für mein*en* Bruder」:

명사 Bruder는 *남성*이며, *4격* 전치사 für의 목적어이므로 *남성 4격!!*

따라서 mein-은 *남성 4격* 부정관사 ein*en*처럼 어미 *-en*이 붙어 mein*en*임.

7. Ich fahre morgen zu mein<u>em</u> Onkel nach Bremen. Er holt mich ab.

✻ **해석** 나는 내일 브레멘으로 나의 삼촌에게 간다. 그가 나를 마중 나온다.

✻ **어휘** fahren (차 타고) 가다 ▌morgen 내일 ▌zu [3격 전치사] :「zu + 사람」(방향) 누구에게로 ▌der Onkel 삼촌 (die Onkel) ▌nach [3격 전치사] :「nach + 도시」(방향) ...로 : nach Bremen 브레멘으로 ▌holt ... *ab* ⇒ *ab*holen [분리동사&타동사] 누구를 마중 나가다, 데리러 오다

문장 1

☞「zu mein*em* Onkel」:

명사 Onkel은 *남성*이며, *3격* 전치사 zu의 목적어이므로 *남성 3격!!*

따라서 mein-은 *남성 3격* 어미 *-em*이 붙어 mein*em*임

문장 2

► 분리동사 holt ... *ab*의 *4격* 목적어이므로 *4격* 형 *mich*가 사용됨.

8. Hast du Hunger? - Nein, ich habe kein<u>en</u> Hunger.

✻ **해석** 너는 배고프니? - 아니, 나는 배고프지 않아.

✻ **어휘** der Hunger 배고픔 (복수 없음!) → Hunger haben 배고프다

문장 2

☞「kein*en* Hunger」:

명사 Hunger가 *남성*이며, 동사 habe의 *4격* 목적어이므로 *남성 4격!!*

따라서 kein-은 *남성 4격* 부정관사 ein*en*처럼 어미 *-en*이 붙어 kein*en*임.

9. Ich schicke mein<u>er</u> Freundin ein__ Geschenk. Sie hat bald Geburtstag.

✻ **해석** 나는 나의 여자 친구에게 선물을 하나 보낸다. 그녀는 곧 생일이다.

✻ **어휘**「schicken + 3격(사람) + 4격」누구에게 ...을 보내다 ▌die Freund*in* 여자 친구 (die Freundin*nen*) ▌das Geschenk 선물 (die Geschenk*e*) ▌bald 곧, 머지않아 ▌der Geburtstag 생일 → Geburtstag haben 생일이다

문장 1

☞「mein*er* Freund*in*」:

명사 Freund*in*은 *여성*이며, 동사 schicke의 *3격* 목적어이므로 *여성 3격!!*

따라서 mein-은 *여성 3격* 어미 *-er*가 붙어 mein*er*.

☞「*ein* Geschenk」:

명사 Geschenk는 *중성*이며, 동사 schicke의 *4격* 목적어이므로 *중성 4격!!*

따라서 *중성 4격* 부정관사 *ein*이 앞에 옴.

10. Kümmerst du dich bitte um d*ie* Gäste? Ich habe jetzt keine Zeit.

✷ **해석** 네가 손님들을 돌보아 줄래? 나는 지금 시간이 없어.

✷ **어휘**「kümmern sich um + 4격」[재귀동사] *4격*을 돌보다 ▌um [4격 전치사] ~주위에, ~을 빙 돌아 (영. around) ▌bitte [부사어] 정중한 표현에 사용. ▌die Gast 손님 (die G**ä**st*e*) ▌jetzt 지금 ▌die Zeit 시간 (복수 없음!)

문장 1

☞「um d*ie* Gäste」:

명사 Gäst*e*는 *복수*이며, *4격* 전치사 um의 목적어이므로 *복수 4격!!*

따라서 *복수 4격* 정관사 d*ie*가 앞에 옴.

► 동사 Kümmerst는 재귀대명사를 목적어로 취하는 재귀동사임.

따라서 주어 du와 동일한 2인칭 재귀대명사 *dich*가 4격 목적어로 옴.

문장 2

►「kein*e* Zeit」:

명사 Zeit는 *여성*이며, 동사 habe의 *4격* 목적어이므로 *여성 4격!!*

따라서 kein-은 *여성 4격* 부정관사 ein*e*처럼 어미 *-e*가 붙어 kein*e*임.

11. Der Lehrer erklärt sein*em* Schüler ein*en* Satz.

✷ **해석** 선생님은 자신의 학생에게 문장 하나를 설명한다.

✷ **어휘** der Lehrer 선생님, 남자 선생님 (die Lehrer) ▌「erklären + 3격(사람) + 4격」 누구에게 ...을 설명하다 ▌der Schüler 초・중・고등학생 (die Schüler) ▌der Satz 문장 (die S**ä**tz*e*)

☞「sein*em* Schüler」:

명사 Schüler는 *남성*이며, 동사 erklärt의 *3격* 목적어이므로 *남성 3격!!*

따라서 sein-은 *남성 3격* 어미 *-em*이 붙어 sein*em*.

<주의>

명사 Schüler의 경우, 복수형이 단수형과 동일한 형태의 Schüler임.
따라서 "자신의 학생*들*에게"라는 의미로서 복수 3격의 sein*en*도 정답이 될 수 있다고 오해할 수 있음. 만약 그럴 경우 명사 Schüler는 *복수 3격*이므로 어미 *-n*이 붙어 Schüler*n*이었어야 함!

☞「ein*en* Satz」:

명사 Satz는 *남성*이며, 동사 erklärt의 *4격* 목적어이므로 *남성 4격!!*

따라서 *남성 4격* 부정관사 ein*en*이 앞에 옴.

12. Komm doch heute Abend! Bring deine_ Freunde auch mit!

✵ **해석** (그러지 말고) 오늘 저녁에 와라. 너의 친구들도 함께 데려와라.

✵ **어휘** kommen 오다 ▌doch [부사어] 명령문에서 요구 내용을 강조함. ("*그러지 말고* ...해라"로 해석!) ▌heute Abend [부사어] 오늘 저녁에 ▌Bring ... *mit* ⇒ *mit*bringen [분리동사&타동사] 누구를 함께 데려오다 ↔ *mit*nehmen [분리동사&타동사] 누구를 함께 데려가다 ▌der Freund 친구 (die Freund*e*) ▌auch 역시, ...도

<참고> heute Morgen = heute früh 오늘 아침 / heute Vormittag 오늘 오전 / heute Mittag 오늘 정오 / heute Nachmittag 오늘 오후 / heute Nacht 오늘 밤

문장 1

► du-명령문「동사 어간 ...!」... 해라 : 동사 *komm*en → *Komm* ...!

문장 2

► du-명령문「동사 어간 ...!」... 해라 : 분리동사 *bring*en ... *mit* → *Bring* ... *mit*!

☞「dein*e* Freund*e*」:

명사 Freund*e*는 *복수*이며, 분리동사 Bring ... *mit*의 *4격* 목적어이므로 *복수 4격!!*

따라서 dein-은 *복수 4격* 정관사 di*e*처럼 어미 *-e*가 붙어 dein*e*임.

13. Ich habe kein__ Geld. - Das ist kein__ Problem. Ich lade dich heute ein.

✵ **해석** 나는 돈이 없어. - 그것은 문제가 안 돼. 나는 너를 오늘 초대해.

✵ **어휘** das Geld 돈 (복수 없음!) ▌das Problem 문제 (die Problem*e*) ▌lade ... *ein* ⇒ *ein*laden [분리동사&타동사] ...를 초대하다 ▌heute 오늘

문장 1

☞「*kein* Geld」:

명사 Geld는 *중성*이며, 동사 habe의 *4격* 목적어이므로 *중성 4격!!*

따라서 kein-은 *중성 4격* 부정관사 ein_처럼 어미 없이 kein_임.

문장 2

☞「*kein* Problem」:

명사 Problem은 *중성*이며, 동사 ist의 *주격* 보어이므로 *중성 1격!!*

따라서 kein-은 *중성 1격* 부정관사 ein_처럼 어미 없이 kein_임.

문장 3

► 분리동사 lade ... *ein*의 *4격* 목적어이므로 *4격* 형 *dich*가 사용됨.

14. Tragen Sie immer einen_ grünen_ Hut? - Ich trage meist einen_ schwarzen.

✵ **해석** 당신은 항상 초록색 모자를 착용하십니까? - 저는 주로 검정색을 착용해요.

✵ **어휘** tragen [타동사] (의복 등의) ...을 착용하다 ▌immer 항상 ▌grün 초록색의 ▌der Hut (신사용) 모자 (die Hüt*e*) ▌meist 주로, 대부분 ▌schwarz 검정색의

문장 1

☞「ein*en* grün*en* Hut」:

- 명사 Hut은 *남성*이며, 동사 Tragen의 *4격* 목적어이므로 *남성 4격!!*
  따라서 *남성 4격* 부정관사 ein*en*이 앞에 옴.
- 형용사 grün 앞에 남성 4격의 ein*en*이 있음.
  → 따라서 ein*en* grün*en* ...
  (근거: 남성 4격 d*en*, ein*en*, ihr*en*, unser*en*, mein*en*, kein*en*, dies*en* + 형용사 *-en*)

문장 2

☞ 동사 trage의 4격 목적어「ein*en* schwarz*en* (Hut)」:

- 생략된 명사 Hut은 *남성*이며, 동사 trage의 *4격* 목적어이므로 *남성 4격!!*
  따라서 *남성 4격* 부정관사 ein*en*이 앞에 옴.
- 형용사 schwarz 앞에 *남성 4격* ein*en*이 있음.
  → 따라서 ein*en* schwarz*en* ...
  (근거: 남성 4격 d*en*, ein*en*, ihr*en*, unser*en*, mein*en*, kein*en*, dies*en* + 형용사 *-en*)

unit 02
심화문제

I. 알맞은 전치사는? (7과, 심화문제: 교재 40쪽)

1. Sind Sie verheiratet, ledig oder geschieden? - Ich bin seit sechs Monaten allein. Ich bin geschieden.

✸ **해석** 당신은 기혼 혹은 미혼이신지, 아니면 이혼하셨는지요? - 저는 6개월 전부터 홀몸이에요. 저는 이혼했습니다.

✸ **어휘** verheiratet 기혼인 ▌ledig 미혼인 ▌oder 혹은 ▌geschieden 이혼한 ▌seit [3격 전치사] ~이후로 ▌sechs 6 ▌der Monat 달, 개월 (die Monat*e*) ▌allein 혼자인

문장 2

☞ 문장 내용상 3격 전치사 seit('~이후로')와 연결될 수 있음.

► 「seit sechs Monat*en*」:

- 수사 sechs와 결합하므로 복수명사 Monat*e*가 와야 함.
- 따라서 명사 Monat*e*는 *복수*이며, *3격* 전치사 seit의 목적어이므로 *복수 3격!!*

  복수 3격 명사이므로 어미 *-n*이 붙어 Monat*en*임.

2. In drei Jahren mache ich mein Examen.

✸ **해석** 3년 후 나는 졸업시험을 본다.

✸ **어휘** 「in + 시간 단위(3격)」 ~후에 ▌drei 3 ▌das Jahr 해, 년 (die Jahr*e*) ▌machen [타동사] ...을 행하다 ▌das Examen 졸업시험 (die Examen) → das Examen machen 졸업시험 보다

☞ 전치사 in은 '*시간 단위*' 명사들인 das Jahr 해, der Monat 달, die Woche 주, der Tag 날, die Stunde 시간, die Minute 분, die Sekunde 초 등과 결합하여 '... 후에'를 뜻함: *in* einem Monat 한 달 *후에*, *in* zwei Tagen 이틀 *뒤에*

► 「In drei Jahr*en* 」:

- 수사 drei와 결합하므로 복수명사 Jahr*e*가 와야 함.
- 따라서 명사 Jahr*e*는 *복수*이며, 전치사 in의 *3격* 목적어이므로 *복수 3격!!*

  복수 3격 명사이므로 어미 *-n*이 붙어 Jahre*n*임.

  <주의> in의 공간적 의미 '~안에'와 혼동하여 In drei Jahren을 '3년 *안에*'라고 오해하지 말 것!

► 「*mein* Examen」:

명사 Examen은 *중성*이며, 동사 mache의 *4격* 목적어이므로 *중성 4격!!*

따라서 mein-은 *중성 4격* 부정관사 ein_처럼 어미 없이 mein_임.

3. <u>Von</u> meiner Wohnung bis <u>zur</u> Uni ist es nicht weit.

✷ **해석** 나의 아파트로부터 대학교까지는 멀지 않다.

✷ **어휘** von [3격 전치사] ~로부터 (영. from) ▌die Wohnung 아파트, 주택 (die Wohnung*en*) ▌「bis zur + 여성」, 「bis zum + 남성, 중성」 ...까지 ▌die Uni (구어체) 대학교 (die Uni*s*) = die Universität (die Universität*en*) ▌weit 거리가 먼

☞ 「von ... bis zu ...」 ...부터 ...까지

「bis *zur* + 여성」 : bis zur Uni 대학교까지

「bis *zum* + 남성 · 중성」 : bis zum Bahnhof 역까지 (남성) / bis zum Kino 극장까지 (중성)

► 「Von mein<u>*er*</u> Wohnung」 :

명사 Wohnung은 *여성*이며, *3격* 전치사 von의 목적어이므로 <u>*여성 3격*</u>*!!*

따라서 mein-은 <u>*여성 3격* 어미 *-er*</u>가 붙어 mein<u>*er*</u>임.

3격 어미: ***-em***(남성, 중성), ***-er***(여성), ***-en***(복수)

► '거리'를 표현할 때 비인칭 주어 *es*가 사용됨.

4. Gehen Sie bitte mal <u>zu</u> Herrn Baumann! Er wartet jetzt.

✷ **해석** 한번 바우만씨에게 가보세요. 그가 지금 기다리고 있어요.

✷ **어휘** gehen 가다 ▌bitte, mal [부사어] 명령문에서 정중한 요구를 표현함. ▌zu [3격 전치사] : 「zu + 사람」 (방향) 누구에게로 ▌warten 기다리다 ▌jetzt 지금

문장 1

► Sie-명령문 「동사 원형 + Sie ...!」 : Geh*en* Sie ...!

☞ 동사 Gehen과 결합하여 "*누구<u>에게로</u>* 가다"라는 내용이므로 3격 전치사 *zu*가 빈칸에 옴.

► 「zu Herr<u>*n*</u> Baumann」 :

불규칙명사 Herr는 단수에서 주어 1격 이외의 나머지 모두가 어미 *-n*이 붙어 Herr<u>*n*</u>임.

여기서도 *3격* 전치사 zu와 결합하여 *단수 3격*이므로 어미 *-n*이 붙어 Herr<u>*n*</u>이 됨.

문장 2

► 동사 war*t*en은 어간 끝이 -t이므로 주어가 Er일 때 발음상 -e-가 첨가되어 wart<u>*et*</u>임.

5. Wie komme ich am besten <u>zum</u> Bahnhof?

✷ **해석** 역으로 가는 가장 좋은 방법은 무엇입니까?

※ 길을 묻는 전형적인 표현 방식이다!

✷ **어휘** wie 어떻게? (영. how?) ▌kommen 오다 ▌best *가장* 좋은 (gut의 최상급!) → 「am + 최상급 -en」 가장 ...하게 : am best<u>*en*</u> 가장 좋게, 최선으로 ▌zu [3격 전치사] → 「zu + 기관」 (방향) ...으로 : zum Bahnhof 역으로 ▌der Bahnhof 역 (die Bahnh*ö*f*e*)

☞ 동사 komme와 결합하여 "*역으로* 가다"라는 내용이어야 하므로 전치사 zu가 옴.
여기서는 남성명사 Bahnhof와 결합하므로 *zum*이 빈칸에 올 정답임.
「zum + 남성 · 중성」 (zum = zu dem)

6. Gehst du gleich nach Haus? - Nein, ich gehe erst noch __zur__ Post.

❋ 해석 너는 곧 집으로 가니? - 아니, 우선은 우체국으로 가.

❋ 어휘 gehen 가다 ▌gleich 곧, 즉시 ▌nach Haus(e) (방향) 집으로 ▌erst 우선 + noch 아직 → erst noch 우선 먼저 ▌zu [3격 전치사] → 「zu + 기관」 (방향) ...으로 : zur Post 우체국으로 ▌die Post 우체국 (복수 없음!)

문장 2

☞ 동사 Gehen과 결합하여 "*우체국으로* 가다"라는 내용이어야 하므로 전치사 zu가 옴.
여기서는 여성명사 Post와 결합하므로 *zur*가 빈칸에 올 정답임.
「zur + 여성」 (zur = zu der)

► 이 문장은 부사어 erst noch가 있으므로 "*우선 먼저* 우체국으로 간다", 즉 "우선 먼저 우체국으로 가고 (그런 다음에 집으로 간다)"라는 내용임.

7. Ich bringe das Kind __zum__ Arzt. Es hat Fieber.

❋ 해석 나는 그 아이를 의사에게 데려가려고 해. 그 아이는 열이 있어.

❋ 어휘 bringen [타동사] 누구를 데려가다 ▌das Kind 아이 (die Kind*er*) ▌zu [3격 전치사] → 「zu + 사람」 (방향) 누구에게로 : zum Arzt 의사에게로, zur Ärzt*in* 여의사에게로 ▌der Arzt 의사 (die Ärzt*e*) ↔ die Ärzt*in* 여자 의사 (die Ärztin*nen*) ▌das Fieber 열 (복수 없음!) → Fieber haben 열이 있다

문장 1

☞ 동사 bringe와 결합하여 "*의사에게로* 데려가다"라는 내용이어야 하므로 전치사 zu가 옴.
여기서는 남성명사 Arzt와 결합하므로 *zum*이 빈칸에 올 정답임.

문장 2

► 주어 Es는 앞 문장의 중성명사 das Kind를 받음.

8. Ist Sabine da? - Nein, sie ist nicht __zu__ Haus. Sie ist __bei__ ihren Eltern.

❋ 해석 자비네가 있나요? - 아니오, 집에 없어요. 그녀는 자신의 부모님 집에 있어요.

❋ 어휘 「동사 sein + da」 있다, 출석하다 ▌zu Haus(e) 집에, 집에서 ▌bei [3격 전치사] → 「bei + 사람」 (위치) 누구에게서 ▌die Eltern (항상 복수) 부모

문장 2

☞ 동사 ist와 연결되어 "*집에* 있다"라는 내용이어야 하므로 zu Haus가 옴.
따라서 빈칸에 올 정답은 zu가 됨.
<참고> nach Haus(e) (방향) 집으로 / von zu Haus(e) (출처) 집으로부터

문장 3

☞ 동사 ist와 연결되어 "*부모님에게* 있다"라는 내용이어야 하므로 전치사 *bei*가 옴.

► 「bei ihr*en* Eltern」:

- 명사 Eltern은 *복수*이며, *3격* 전치사 bei의 목적어이므로 *복수 3격*!!
  따라서 ihr-('그녀의')는 *복수 3격* 어미 *-en*이 붙어 ihr*en*임.
- *복수 3격* 명사의 형태는 *-n*이어야 함.
  여기서 명사 Eltern은 *복수 3격*인데, 자체 형태가 이미 Elter*n*이므로
  추가로 어미 *-n*을 붙이지 않음. (즉, Eltern*n*은 틀림!)

9. Steig ein! Ich bringe dich __nach__ Haus.

✺ **해석** 차에 타라. 내가 너를 집으로 데려다 줄 게.

✺ **어휘** Steig *ein* ⇒ *ein*steigen [분리동사] 승차하다 ↔ *aus*steigen [분리동사] 하차하다 ▌ bringen [타동사] 누구를 데려가다 ▌ nach Haus(e) 집으로

문장 1

► du-명령문「동사 어간 ...!」... 해라 : 분리동사 steigen ... ein → *Steig* ... *ein*!
(분리동사 *ein*steigen의 전철 *ein*-이 분리되어 문장 끝에 위치함!)

문장 2

☞ 동사 bringe와 결합하여 "*집으로* 데려가다"의 내용이어야 하므로 nach Haus가 옴.
따라서 빈칸에 올 정답은 전치사 *nach*임.

► 동사 bringe의 *4격* 목적어이므로 *4격* 형인 *dich*가 사용됨.

10. Wie weit ist es? - __Mit__ dem Bus sind es 5 Minuten.

✺ **해석** 거리가 얼마나 먼가요? - 버스로 5분입니다.

✺ **어휘** wie weit 얼마나 먼? → wie 어떻게? + weit (거리가) 먼 ▌ mit [3격 전치사] : 「mit + 차량」...을 타고 ▌ der Bus 버스 (die Bus*se*) ▌ fünf 5 ▌ die Minute 분 (die Minute*n*)

<참고> die Sekunde 초 (die Sekunde*n*) / die Stunde 시간 (die Stunde*n*)

문장 1

► '거리'를 표현할 때 비인칭 주어 *es*가 사용됨.

문장 2

☞ "*버스를 타고*", 혹은 "*버스로*"라는 내용이어야 하므로 전치사 *mit*가 빈칸에 옴.

<참고> '차량' 명사: das Taxi 택시 (die Taxi*s*) / die U-Bahn 지하철 (die U-Bahn*en*) / das Flugzeug 비행기 (die Flugzeug*e*) / das Schiff 배 (die Schiff*e*)

► 비인칭 주어 *es*가 사용되어 '소요 시간'을 나타냄.
<주의> 동사는 sind, ist 모두 가능! 즉 Es sind / ist 5 Minute*n*.

11. Nach / Vor dem Unterricht mache ich immer eine Stunde Sport.

✺ **해석** 수업 후에/전에 나는 항상 1시간 동안 운동을 한다.

✺ **어휘** nach [3격 전치사] ~후에 ↔ vor ~전에 ▌der Unterricht 수업 (die Unterricht*e*) ▌machen [타동사] ...을 행하다 ▌der Sport 운동, 스포츠 (복수 없음!) → Sport machen 운동하다 ▌immer 항상 ▌die Stunde 시간 (die Stunde*n*)

☞ 빈칸에는 시간적 의미의 전치사 *nach* 혹은 *vor*가 올 수 있음.

<참고>
'시간' 의미의 전치사들:
① ... 후에
「nach + 일, 사건 (3격)」 : nach dem Essen 식사 후 / nach der Prüfung 시험 후
「in + 시간 단위 (3격)」 : in einer Stunde 한 시간 후 / in zwei Wochen 2 주일 후
② ... 전에
「vor + 일, 사건 혹은 시간 단위 (3격)」 : vor dem Essen 식사 전 / vor der Prüfung 시험 전 / vor einer Stunde 한 시간 전 / vor zwei Wochen 2 주일 전

► '시간' 명사의 4격 형은 시간 부사어임: eine Stunde 한 시간 동안

12. Ich bin jetzt beim Arzt. Ich rufe dich später an.

✺ **해석** 나는 지금 의사에게 와 있어. 나중에 네게 전화할게.

✺ **어휘** jetzt 지금 ▌bei [3격 전치사] → 「bei + 사람」 (위치) 누구에게서, 누구 집에서 : beim Arzt 의사에게서 (beim = bei dem) ▌「beim + 남성·중성」 ▌ der Arzt 의사 (die Ärzt*e*) ▌rufe ... *an* ⇒ *an*rufen [분리동사&타동사] ...에게 전화하다 ▌später 나중에

문장 1

☞ 동사 bin과 결합하여 "*의사에게* 있다"라는 내용이어야 하므로 전치사 bei가 옴.
여기서는 남성명사 Arzt와 결합하므로 *beim*이 빈칸에 올 정답임.

문장 2

► 분리동사 rufe ... *an*의 *4격* 목적어이므로 *4격* 형 *dich*가 사용됨.

13. Ist das die richtige Straße zum Museum?

✺ **해석** 이것이 박물관으로 가는 길 맞니?

✺ **어휘** richtig 올바른 ▌die Straße 거리 (die Straße*n*) ▌zu [3격 전치사] → 「zu + 기관」 (방향) ~로 : zum Museum 박물관으로 ▌das Museum 박물관 (die Muse*en*)

<참고> 형태가 *-um*인 명사는 *중성*이며 복수형은 -um이 *-en*으로 바뀜:
das Zentr*um* 중심 (die Zentr*en*) / das Gymnasi*um* 인문계 고등학교 (die Gymnasi*en*)

☞ 내용상 "박물관으로 가는 길"이어야 하므로 3격 전치사 zu가 와야 함.
여기서는 중성명사 Museum과 결합하므로 *zum*이 빈칸에 올 정답임.

► 「*die* richtig*e* Straße」:

- 명사 Straße는 *여성*이며, 동사 Ist의 *주격* 보어이므로 *여성 1격!!*
  따라서 *여성 1격* 정관사 *die*가 앞에 옴.
- 형용사 richtig 앞에 *여성*의 di*e*가 있음.
  → 따라서 di*e* richtig*e* ...
  (근거: 여성 1, 4격 di*e*, ein*e*, mein*e*, ihr*e*, unser*e*, eur*e*, kein*e*, dies*e* + 형용사 *-e*)

14. Mit so einem Wagen fahre ich sicher nicht.

✹ **해석** 그런 낡은 차는 절대 타지 않겠어요.

✹ **어휘** mit [타동사] → 「mit + 차량」 ~을 타고 ▌so 그렇게 ▌der Wagen 자동차 (die Wagen) ▌fahren (차로) 가다 ▌sicher 틀림없이, 확실히 (= bestimmt)

☞ 「fahren mit + 차량(3격)」 ...을 타고 가다
따라서 정답은 *Mit*임.

► 「so ein- + 명사」 그런 ... (영.「such a + 명사」)

► 「Mit so ein*em* Wagen」:
명사 Wagen은 *남성*이며, *3격* 전치사 Mit의 목적어이므로 *남성 3격!!*
따라서 *남성 3격* 어미 *-em*을 지닌 부정관사 ein*em*이 앞에 옴.

II. 문맥에 맞게 nicht 또는 kein-을 적으시오. (7과, 심화문제: 교재 40쪽)

1. Ist das deine Tasche? - Nein, das ist nicht meine Tasche.

✹ **해석** 이것이 너의 핸드백이니? - 아니, 그것은 나의 핸드백이 아니야.

✹ **어휘** die Tasche 핸드백, 작은 가방 (die Tasche*n*)

문장 1

► 「dein*e* Tasche」:
명사 Tasche는 *여성*이며, 동사 Ist의 *주격* 보어이므로 *여성 1격!!*
따라서 dein-은 *여성 1격* 부정관사 ein*e*처럼 어미 *-e*가 붙어 dein*e*임.

문장 2

☞ 여기서는 「kein- + 명사」 형식은 올 수 없음. 따라서 *nicht*를 사용해야 함.

<참고>

① *정관사*, *소유대명사*, *지시대명사* 등과 결합된 명사, 즉 *특정 대상*을 부정할 경우는 nicht를 사용함!

Das ist *nicht* die Tasche. 이것은 *그* 핸드백이 아니다.

Das ist *nicht* seine Tasche. 이것은 *그의* 핸드백이 아니다.

Das ist *nicht* diese Tasche. 그것은 *이* 핸드백이 아니다.

② 특정 대상이 아니라, *대상 그 자체*를 부정할 경우는 「kein- + 명사」 형식을 사용함!

Das ist *keine* Tasche. 이것은 핸드백이 아니다.

► 「meine Tasche」 :

명사 Tasche는 *여성*이며, 동사 ist의 *주격* 보어이므로 *여성 1격!!*

따라서 mein-은 *여성 1격* 부정관사 eine와 동일하게 어미변화 하여 meine임.

2. Ist er schon zu Hause? - Nein, er ist noch _nicht_ zu Hause.

✱ **해석** 그가 벌써 집에 있습니까? - 아니오, 그는 아직 집에 없어요.

✱ **어휘** schon 벌써, 이미 ▌zu Haus(e) 집에, 집에서 ▌noch 아직, 여전히

문장 1

► 여기서 동사 ist는 '있다, 존재하다'의 의미임. ('...이다' 아님!)

문장 2

☞ zu Hause는 명사가 아니므로 「kein- + 명사」 형식은 사용될 수 없음.

따라서 빈칸에는 *nicht*가 옴.

► 「noch nicht ...」, 「noch kein- ...」 아직 ... 않다

3. Sprechen Sie gut Deutsch? - Nein, ich spreche _nicht_ gut Deutsch.

✱ **해석** 당신은 독일어를 잘 하십니까? - 아니오, 저는 독일어를 잘 하지 못해요.

✱ **어휘** sprechen [타동사] ...을 말하다 ▌gut 좋은, (부사적) 잘 ▌Deutsch 독일어 (관사 없음!)

문장 1

► 형용사 gut은 부사적 용법 '잘, 좋게'를 뜻함.

문장 2

☞ gut은 명사가 아니므로 「kein- + 명사」 형식은 사용될 수 없음.

따라서 빈칸에는 *nicht*가 옴.

<주의> Ich spreche *kein* Deutsch. 나는 독일어를 못한다.

4. Haben Sie heute Abend eine Verabredung? - Nein, ich habe noch keine.

✺ **해석** 당신은 오늘 저녁 약속이 있습니까? - 아니오, 아직 없어요.

✺ **어휘** heute Abend 오늘 저녁 ▌die Verabredung (만날) 약속 (die Verabredung*en*) → eine Verabredung haben 약속이 있다 ▌noch 아직

문장 1

► 「*eine* Verabredung」 :
명사 Verabredung은 *여성*이며, 동사 Haben의 *4격* 목적어이므로 *여성 4격!!*
따라서 *여성 4격* 부정관사 *eine*가 앞에 옴.

문장 2

☞ 빈칸에는 「*kein-* + Verabredung」 형식이 와야 함.
(여기서 명사 Verabredung은 앞 문장에 이미 나와 반복되므로 생략이 가능함!)
즉, 「kein*e* (Verabredung)」 :
명사 Verabredung은 *여성*이며, 동사 habe의 *4격* 목적어이므로 *여성 4격!!*
따라서 kein-은 *여성 4격* 부정관사 ein*e*처럼 어미 *-e*가 붙어 kein*e*임.

5. Hat er ein Auto? - Nein, er hat kein Auto.

✺ **해석** 그는 자동차가 있니? - 아니, 그는 자동차를 가지고 있지 않아.

✺ **어휘** das Auto 차, 자동차 (die Auto*s*)

문장 1

► Auto는 *중성*이며 동사 Hat의 *4격* 목적어이므로 *중성 4격* 부정관사 *ein*이 앞에 옴.

문장 2

☞ 뒤에 오는 명사 Auto를 부정하는 *kein-*이 빈칸에 옴.
즉, 「*kein* Auto」 :
명사 Auto는 *중성*이며, 동사 hat의 *4격* 목적어이므로 *중성 4격!!*
따라서 kein-은 *중성 4격* 부정관사 ein_처럼 어미 없이 kein_임.

6. Hat das Zimmer einen Kühlschrank? - Nein, es hat leider keinen.

✺ **해석** 그 방은 냉장고가 있습니까? - 아니오, 유감스럽게도 없어요.

✺ **어휘** das Zimmer 방 (die Zimmer) ▌der Kühlschrank 냉장고 (die Kühlschränk*e*) → kühl 시원한 + der Schrank 장롱 (die Schränk*e*) ▌leider 유감스럽게도, 아쉽게도

문장 1

► 「*einen* Kühlschrank」 :
명사 Kühlschrank는 *남성*이며, 동사 Hat의 *4격* 목적어이므로 *남성 4격!!*
따라서 *남성 4격* 부정관사 *einen*이 앞에 옴.

문장 2

▸ 주어인 es는 앞 문장의 중성명사 das Zimmer를 받음.

☞ 빈칸에는 「*kein*- + Kühlschrank」 형식이 와야 함.

(여기서 명사 Kühlschrank는 앞 문장에 이미 나와 반복되므로 생략이 가능함!)

즉, 「kein*en* (Kühlschrank)」 :

명사 Kühlschrank는 *남성*이며, 동사 hat의 *4격* 목적어이므로 *남성 4격!!*

따라서 kein-은 *남성 4격* 부정관사 ein*en*처럼 어미 *-en*이 붙어 kein*en*임.

7. Er arbeitet __nicht__ schnell, aber gründlich.

✺ **해석** 그는 신속하게 일하지는 않지만, 철저히 일한다.

✺ **어휘** arbeiten 일하다 ▌schnell 빠른, (부사적) 빨리 ▌aber [접속사] 하지만 ▌gründlich 철저한, (부사적) 철저히

☞ 부사어 schnell을 부정하므로 kein-은 불가능하고 *nicht*가 정답임.

▸ 동사 arbei*t*en은 어간 끝이 -t이므로, 주어가 Er일 때 발음상 -e-가 첨가되어 arbeit*et*임.

▸ 여기서 형용사 schnell과 gründlich는 모두 부사적 용법임.

III. 괄호 안에 주어진 표현을 사용하여 물음에 답하시오. (7과, 심화문제: 교재 40쪽)

1. Was bringst du deinem Chef aus Deutschland mit? (eine Flasche Wein)

✺ **해석** 너는 너의 부장님께 무엇을 독일에서 가져다 줄 거니? (포도주 한 병)

✺ **어휘** was 무엇을? (4격 형) ▌bringst ... *mit* ⇒ *mit*bringen [분리동사&타동사] → 「bringen + 3격(사람) + 4격 ... *mit* 」 누구에게 ...을 가져오다 ▌der Chef 사장, 부장, 과장 (die Chef*s*) ▌aus Deutschland 독일로부터 → aus [3격 전치사] ~로부터 (영. out of) + Deutschland 독일 ▌die Flasche 병 (die Flasche*n*) ▌der Wein 포도주 (die Wein*e*)

▸ Was는 4격 형으로서 분리동사 bringst ... *mit*의 4격 목적어임.

▸ 「dein*em* Chef」 :

명사 Chef는 *남성*이며, 분리동사 bringst ... *mit*의 *3격* 목적어이므로 *남성 3격!!*

따라서 dein-은 *남성 3격* 어미 *-em*이 붙어 dein*em*임.

3격 어미: ***-em***(남성, 중성), ***-er***(여성), ***-en***(복수)

정답 Ich bringe meinem Chef eine Flasche Wein mit.

✺ **해석** 나는 내 부장님께 포도주 한 병을 가져다 줄 거야.

☞ 「mein*em* Chef」 :

명사 Chef는 *남성*이며, 분리동사 bringe ... *mit*의 *3격* 목적어이므로 *남성 3격!!*

따라서 mein-은 *남성 3격* 어미 *-em*이 붙어 mein*em*.

☞「*eine* Flasche Wein」:

명사 Flasche는 여성이며, 분리동사 bringe ... *mit*의 *4격* 목적어이므로 *여성 4격!!*

따라서 *여성 4격* 부정관사 *eine*가 앞에 옴.

<참고> 물질명사 Wein은 명사 Flasche('병')를 단위로 양을 헤아릴 수 있음:
eine Flasche Wein 한 병의 포도주 / zwei Flaschen Wein 두 병의 포도주

2. Was empfehlen Sie Ihren Gästen? (dieses Menü und ein Rotwein)

✱ **해석** 당신은 당신의 손님들께 무엇을 추천하시겠습니까? (이 요리와 붉은 포도주)

✱ **어휘** was 무엇을? (4격 형) ▌empfehlen [타동사] →「empfehlen + 3격(사람) + 4격」 누구에게 ...을 추천하다 ▌Gast 손님 (die Gäste) ▌dies- [지시대명사] 이 ... (정관사 어미변화!) ▌das Menü 요리 (die Menü*s*) ▌der Rotwein 적포도주 → rot 붉은 + der Wein 포도주 (die Wein*e*)

<참고> der Weißwein 백포도주 (die Weißwein*e*)

► Was는 4격 형으로서 동사 empfehlen의 4격 목적어임.

►「Ihr*en* Gäste*n*」:

- 명사 Gäst*e*는 *복수*이며, 동사 empfehlen의 *3격* 목적어이므로 *복수 3격!!*
  따라서 Ihr-는 *복수 3격* 어미 *-en*이 붙어 Ihr*en*임.
- *복수 3격* 명사는 형태가 *-n*임.
  여기서도 명사 Gäst*e*는 *복수 3격*이므로 어미 *-n*이 붙어 Gäste*n*이 됨.

정답 Ich empfehle meinen Gästen dieses Menü und einen Rotwein.

✱ **해석** 저는 제 손님들에게 이 요리와 붉은 포도주를 추천합니다.

☞「mein*en* Gäste*n*」:

- 명사 Gäst*e*는 *복수*이며 동사 empfehle의 *3격* 목적어이므로 *복수 3격!!*
  따라서 mein-은 *복수 3격* 어미 *-en*이 붙어 mein*en*임.
- *복수 3격* 명사는 어미 *-n*이 붙음.
  여기서도 명사 Gäst*e*는 *복수 3격*이므로 어미 *-n*이 붙어 Gäste*n*이 됨.

☞「dies*es* Menü und ein*en* Rotwein」:

- 명사 Menü는 *중성*이며, 동사 empfehle의 *4격* 목적어이므로 *중성 4격!!*
  따라서 지시대명사 dies-는 *중성 4격* 정관사 d*as*처럼 어미 *-es*가 붙어 dies*es*임.
- 명사 Rotwein은 *남성*이며, 역시 동사 empfehle의 *4격* 목적어이므로 *남성 4격!!*
  따라서 *남성 4격* 부정관사 ein*en*이 앞에 옴.

3. Wann kommen unsere Leute an? (in zwei Wochen)

✱ **해석** 우리 인원들은 어제 도착하지? (2 주일 후에)

✱ **어휘** wann 언제? (영. when?) ▌kommen ... *an* ⇒ *an*kommen [분리동사] 도착하다 ▌die Leute (항상 복수) 사람들 (영. people) ▌「in + 시간 단위(3격)」 ... 후에 ▌die Woche 주일 (die Woche*n*)

► 분리동사 *an*kommen의 분리전철 *an*-은 문장 맨 뒤에 위치함: kommen ... *an*.

► 「unser*e* Leute」 :

명사 Leute는 *복수*이며, 문장의 *주어*이므로 *복수 1격!!*

따라서 unser-는 *복수 1격 정관사* di*e*처럼 어미 *-e*가 붙어 unser*e*임.

소유대명사 unser- 등은 기본적으로 부정관사 ein- 어미변화 하지만,

복수의 경우는 정관사 d- 어미변화 함!

정답 Sie kommen in zwei Wochen an.

✺ **해석** 그들은 2 주 후에 도착해.

► 주어는 앞 문장의 복수명사 unsere Leute를 받아야 하므로 복수 인칭대명사 *sie*('그들은')임.

(문장 맨 앞이므로 대문자 표기!)

☞ 「in zwei Woche*n*」 2주 후에 :

- 수사 zwei와 결합하므로 *복수*명사 Woche*n*이 옴.
- 명사 Woche*n*은 *복수*이며, 전치사 in의 *3격* 목적어이므로 *복수 3격!!*

  복수 3격 명사는 형태가 -n이어야 함.

  여기서 Woche*n* 역시 *복수 3격*인데, 자체 형태가 이미 Woche*n*이므로

  추가로 *-n*을 붙이지는 않음. (즉, Wochen*n*아님!)

unit 03

마무리 문제

I. 괄호 안의 낱말을 사용하여 독일어로 옮기시오. (7과, 마무리문제: 교재 41쪽)

1. Claudia는 유감스럽게도 아직 집에 안 왔다. 하지만 한 시간 있으면 올 것이다.
(Claudia, leider, noch, nicht, zu Hause, sein)
(aber, in, nach Hause, Stunde, kommen)

✺ 어휘 leider 유감스럽게도 ▌noch 아직 ▌zu Haus(e) 집에, 집에서 ▌sein [자동사] 있다, 존재하다 ▌aber 그러나 ▌「in + 시간 단위(3격)」 ...후에 ▌nach Haus(e) 집으로 ▌die Stunde 시간 (die Stunde*n*) ▌kommen 오다

(정답) Claudia ist leider noch nicht zu Hause, aber sie kommt in einer Stunde nach Hause.

► 접속사 "하지만", 즉 aber에 의해 두 개의 문장이 연결됨.
► "아직 집에 안 왔다"는 "아직 집에 *있지 않다*"로 이해하여 독일어로 옮김.
따라서 「동사 sein + zu Hause」 ('집에 있다') 형식을 사용함.
► aber 뒤 문장의 경우, 우리말에서 생략된 주어 "그녀"는 앞의 Claudia를 받는 여성 인칭대명사 sie('그녀는')를 사용함.
► nach Hause kommen 집으로 오다
► "한 시간 있으면"은 "한 시간 후"이므로 「in + Stunde (3격)」 :
명사 Stunde는 *여성*이며, 전치사 in의 *3격* 목적어이므로 *여성 3격!!*
따라서 여성 3격 어미 *-er*를 지닌 부정관사 ein*er*가 앞에 옴.
즉, in ein*er* Stunde 한 시간 후

2. 나의 아버님께서는 15년 전부터 Bosch 회사에서 일하신다.
(Vater, fünfzehn, Jahr, mein-, seit, bei, arbeiten)

✺ 어휘 der Vater 아버지 (die Väter) ▌fünfzehn [수사] 15 ▌das Jahr 해, 년 (die Jahr*e*) ▌seit [3격 전치사] ~이래로 ▌bei [3격 전치사] → 「bei + 회사」 ...회사에서

(정답) Mein Vater arbeitet seit fünfzehn Jahren bei Bosch.

► 주어인 "나의 아버님"은 「mein Vater」 임:
명사 Vater는 *남성*이며, *주어*이므로 *남성 1격!!*
따라서 mein-은 *남성 1격* 부정관사 ein_처럼 어미 없이 mein_임.

► 주어 Mein Vater는 er에 해당함.
따라서 동사 arbei*t*en은 발음상 -e-가 첨가되어 arbeit*et*임.

► "15년 전부터"는 「seit fünfzehn Jahr*en*」 임:
- 수사 fünfzehn과 결합하므로 *복수*명사 Jahr*e*가 옴.
- 명사 Jahre는 *복수*이며, *3격* 전치사 seit의 목적어이므로 *복수 3격!!*
  복수 3격 명사는 형태가 *-n*이어야 함.
  따라서 여기서 Jahr*e*는 *복수 3격*이므로 어미 *-n*이 붙어 Jahr*en*이 됨.

► "Bosch 회사에서"는 bei Bosch (Bosch는 고유명사이므로 관사 없음!)

3. 너 컴퓨터 있니? - 아니, 아직 없어.

(du, Computer, haben) (nein, noch, kein-, haben)

✵ **어휘** der Computer 컴퓨터 (die Computer) ▌ haben [타동사] ...을 가지고 있다 ▌ noch 아직

정답 Hast du einen Computer? - Nein, ich habe noch keinen (Computer).

문장 1

► "너 컴퓨터 있니?"는 "너는 컴퓨터를 *가지고 있니?*"로 이해하여 독일어로 옮김.
따라서 동사 haben을 사용함.

► 주어는 "너", 즉 du이므로 동사는 hast임.

► 의문사 없는 의문문이므로 어순은 도치됨: Hast du ...?

► "컴퓨터를"은 동사 Hast의 *4격* 목적어가 됨.
즉, 「ein*en* Computer」 :
명사 Computer는 *남성*이며, 동사의 *4격* 목적어이므로 *남성 4격!!*
따라서 *남성 4격* 부정관사 ein*en*이 앞에 옴.

문장 2

► "아직 없어"는 "(나는) 아직 컴퓨터를 *가지고 있지 않아*"로 이해하여 독일어로 옮김.

► 주어가 "나는", 즉 ich이므로 동사 haben의 형태는 hab*e*임.

► 부정문이므로 kein-을 사용함.
즉, 「kein*en* Computer」 :
명사 Computer가 *남성*이며, 동사의 *4격* 목적어이므로 *남성 4격!!*
따라서 kein-은 *남성 4격* 부정관사 ein*en*처럼 어미 *-en*이 붙어 kein*en*임.

► keinen Computer에서 명사 Computer는 이미 앞 문장에 나와 반복되므로 생략이 가능함!
즉, Nein, ich habe noch *keinen* (*Computer*).

4. 너는 네 여자 동료에게 생일에 무엇을 선물하니? - 나는 내 여자 동료에게 꽃을 선물해.

(dein-, zum Geburtstag, Kollegin, was, schenken)

(mein-, Freundin, Blumen, schenken)

✺ **어휘** zu [3격 전치사] (목적, 이유) ~을 위해 : zum Geburtstag 생일을 위해 ▌die Kolleg*in* 여자 동료 (die Kollegin*nen*) ↔ der Kollege 동료, 남자 동료 (die Kollege*n*) ▌was 무엇을? (4격 형) ▌「schenken + 3격(사람) + 4격」 누구에게 ...을 선물하다 ▌die Blume 꽃 (die Blume*n*)

정답 Was schenkst du deiner Kollegin zum Geburtstag? - Ich schenke meiner Kollegin Blumen.

문장 1

► "무엇을"은 동사 schenkst의 4격 목적어임. 따라서 4격 형인 Was가 사용됨.

► "네 여자 동료에게"는 동사 schenkst의 3격 목적어임.

즉, 「dein*er* Kollegin」 :

명사 Kollegin은 *여성*이며, 동사 schenkst의 *3격* 목적어이므로 *여성 3격!!*

따라서 dein-은 *여성 3격* 어미 *-er*가 붙어 dein*er*임.

문장 2

► "내 여자 동료에게"는 동사 schenke의 3격 목적어임.

즉, 「mein*er* Kollegin」 :

명사 Kollegin은 *여성*이며, 동사 schenke의 *3격* 목적어이므로 *여성 3격!!*

따라서 mein-은 *여성 3격* 어미 *-er*가 붙어 mein*er*임.

► "꽃을"은 동사 schenkst의 4격 목적어임. 따라서 복수명사 Blume*n*이 사용됨.

(내용상 부정관사가 와야 하지만 복수명사는 부정관사가 없으므로 관사 없음!)

<주의> 만약 "... *그 꽃을* 선물해"였다면 특정 꽃들이므로 복수 4격 정관사 *die*와 결합:

Ich schenke meiner Kollegin *die* Blumen.

5. 그는 매일 자기 친구에게 긴 이메일을 쓴다.

(er, jeden Tag, Freund, sein-, ein-, lang, E-Mail, schreiben)

✺ **어휘** jeden Tag (4격의 시간 부사어) 매일 ▌der Freund (남자) 친구 (die Freund*e*) ▌lang 긴 ▌die E-Mail 전자우편 (die E-Mail*s*) ▌「schreiben + 3격(사람) + 4격」 누구에게 ...을 쓰다

<참고> 「jed- + *단수* 명사」 매, 모든 ... (jed-는 정관사 어미변화! 영. every)

정답 Jeden Tag schreibt er seinem Freund eine lange E-Mail.

► 시간 명사의 4격은 시간 부사어: jeden Tag 매일

여기서 명사 Tag은 *남성*이며, 시간 부사어로서 *4격*이므로 *남성 4격!!*

따라서 jed-는 *남성 4격* 정관사 d*en*처럼 어미 *-en*이 붙어 jed*en*임.

► "자기 친구에게"는 동사 schreibt의 3격 목적어임.

즉, 「sein*em* Freund」:

명사 Freund는 *남성*이며, 동사 schreibt의 *3격* 목적어이므로 *남성 3격!!*

따라서 sein-은 *남성 3격* 어미 *-em*이 붙어 sein*em*임.

► "긴 이메일을"은 동사 schreibt의 4격 목적어임.

즉, 「ein*e* lang*e* E-Mail」:

- 명사 E-Mail은 *여성*이며, 동사의 *4격* 목적어이므로 *여성 4격!!*
  따라서 *여성 4격* 부정관사 ein*e*가 앞에 옴.
- 형용사 lang 앞에 *여성*의 ein*e*가 있음.
  → 따라서 ein*e* lang*e* ...
  (근거: 여성 1, 4격 di*e*, ein*e*, mein*e*, ihr*e*, unser*e*, kein*e*, dies*e* + 형용사 *-e*)

II. 잘못된 부분(들)을 고쳐서 다시 적으시오. (7과, 마무리문제: 교재 41쪽)

1. Sie arbeitet schon in sieben Jahren[오류1] bei die[오류2] Siemens.

✻ **해석** 그녀는 벌써 7년 동안 Siemens 회사에서 일하고 있다.

✻ **어휘** arbeiten 일하다 ▌schon 이미, 벌써 ▌「in + 시간 단위(3격)」 ...후에 ▌sieben 7 ▌das Jahr 해, 년 (die Jahr*e*) ▌bei [3격 전치사] → 「bei + 회사」 ... 회사에서

<오류> 1

in sieben Jahren은 '7년 후'를 뜻하므로 문장 내용상 맞지 않음!

오히려 '7년 전부터'를 뜻해야 하므로 3격 전치사 seit가 사용되어 seit sieben Jahren이어야 옳음!

<오류> 2

Siemens는 회사명, 즉 고유명사이므로 관사 없이 사용되어야 옳음!

정답 Sie arbeitet schon *seit sieben Jahren bei Siemens.*

► 주어인 Sie는 여성 인칭대명사 sie('그녀는')임. (문장 맨 앞이므로 대문자 표기함!)

2. Ich gebe ein schön Bilderbuch[오류1] zu meiner Schwester[오류2].

✻ **해석** 나는 나의 여동생에게 예쁜 그림책 한 권을 준다.

✻ **어휘** 「geben + 3격(사람) + 4격」 누구에게 ...을 주다 ▌schön 예쁜 ▌das Bilderbuch 그림책 (die Bilderbüch*er*) → das Bild 그림 (die Bild*er*) + das Buch 책 (die Büch*er*) ▌zu [3격 전치사] → 「zu + 사람」 (방향) 누구에게로 ▌die Schwester 누이 (die Schwester*n*)

<오류> 1

형용사 schön은 뒤에 오는 명사 Bilderbuch를 수식하므로 형용사 어미변화 해야 옳음!

<오류> 2

zu meiner Schwester는 동사 gebe의 3격 목적어의 역할을 함.
따라서 전치사 zu 없이 3격 형 meiner Schwester가 와야 옳음!

<주의>

영어의 수여동사 give의 문장 형식과 혼동한 오류이다!
영어 문장 "I give a picture book *to* my sister."에서는
3격 목적어, 즉 간접목적어가 전치사 to와 결합하지만 독일어는 그렇지 않다.

정답 Ich gebe *meiner Schwester ein schönes Bilderbuch.*

► 「mein*er* Schwester」 :
명사 Schwester는 *여성*이며 동사 gebe의 *3격* 목적어이므로 *여성 3격!!*
따라서 mein-은 *여성 3격* 어미 *-er*가 붙어 mein*er*임

► 「*ein* schön*es* Bilderbuch」 :

- 명사 Bilderbuch는 *중성*이며, 동사 gebe의 *4격* 목적어이므로 *중성 4격!!*
  따라서 *중성 4격* 부정관사 *ein*이 앞에 옴.
- 형용사 schön 앞에 *중성*의 ein이 있음.
  → 따라서 *ein* schön*es* ...
  (근거: 중성 1, 4격 ein_ , mein_ , ihr_ , unser_ , euer_ , kein_ + 형용사 *-es*)

3. In drei Monat[오류1] kommt meine Familie. Ich zeige meine[오류2] Familie die Stadt.

✷ **해석** 3 개월 후에 나의 가족이 온다. 나는 내 가족에게 이 도시를 보여주겠다.

✷ **어휘** 「in + 시간 단위(3격)」 ...후에 ▌drei 3 ▌der Monat 달, 개월 (die Monat*e*) ▌kommen 오다 ▌die Familie 가족 (die Famili*en*) ▌ 「zeigen + 3격(사람) + 4격」 누구에게 ...을 보여주다 ▌die Stadt 시, 도시 (die Städt*e*)

<오류> 1

수사 drei와 결합하므로 명사 Monat의 복수형 Monat*e*가 와야 함.
즉 「in + drei Monat*e* (3격)」 형식이어야 하는데, Monat*e*는 *복수 3격*이므로 어미 *-n*이 붙어 Monat*en*이 되어야 옳음!

<오류> 2

소유대명사 mein*e*의 어미 *-e*는 오류임. (아래 설명!)

정답 In drei *Monaten* kommt meine Familie. Ich zeige *meiner* Familie die Stadt.

► 「mein*er* Familie」:

명사 Familie는 *여성*이며, 동사 zeige의 *3격*목적어이므로 *여성 3격!!*

따라서 mein-은 *여성 3격* 어미 *-er*가 붙어 mein*er*임.

4. Ich interessiere[오류1] in[오류2] die klassische Musik.

✻ **해석** 나는 클래식 음악에 흥미를 갖고 있다.

✻ **어휘** 「interessieren sich für + 4격」 [재귀동사] *4격*에 흥미 있다 ▌für [4격 전치사] ...을 위해 ▌klassisch 고전적인 ▌die Musik 음악 (복수 없음!)

<오류> 1

동사 interessieren은 여기서 재귀동사이다.
즉, 주어 Ich와 동일한 1인칭 재귀대명사 mich가 4격 목적어로 와야 한다.
따라서 Ich interessiere *mich* ...이어야 옳음!

<오류> 2

재귀동사 sich interessieren은 4격 전치사 für와 결합해야 옳음!

정답 Ich *interessiere mich für* die klassische Musik.

► 「für *die* klassisch*e* Musik」:

- 명사 Musik은 *여성*이며, *4격* 전치사 für의 목적어이므로 *여성 4격!!*
  따라서 *여성 4격* 정관사 *die*가 앞에 옴.
- 형용사 klassisch 앞에는 *여성*의 di*e*가 있음.
  → 따라서 für di*e* klassisch*e* ...
  (근거: 여성 1, 4격 di*e*, ein*e*, mein*e*, ihr*e*, unser*e*, kein*e*, dies*e* + 형용사 *-e*)

5. Ich gehe zusammen mit meinen[오류1] Freund zu unseren[오류2] Lehrerin.

✻ **해석** 나는 나의 친구와 함께 우리의 여선생님께 간다.

✻ **어휘** gehen 가다 ▌zusammen 함께 ▌mit [3격 전치사] ~와 함께 ▌der Freund 친구, 남자 친구 (die Freund*e*) ▌zu [3격 전치사] → 「zu + 사람」 (방향) 누구에게로 ▌die Lehrer*in* 여선생님 (die Lehrerin*nen*)

<오류> 1

소유대명사 mein*en*의 어미 형태는 오류임 (아래 설명!)

<오류> 2

소유대명사 unser*en*의 어미 형태는 오류임 (아래 설명!)

정답 Ich gehe zusammen mit *meinem* Freund zu *unserer* Lehrerin.

► 「mit mein*em* Freund」:

명사 Freund는 *남성*이며, *3격* 전치사 mit의 목적어이므로 *남성 3격!!*

따라서 mein-은 남성 3격 어미 *-em*이 붙어 mein*em*임.

► 「zu unser*er* Lerherin」 :

명사 Lehrerin은 *여성*이며, *3격* 전치사 zu의 목적어이므로 *여성 3격*!!

따라서 unser-는 *여성 3격* 어미 *-er*가 붙어 unser*er*임.

기타 정답

Ich gehe zusammen mit meinen *Freunden* zu unseren *Lehrerinnen.*

(나는 나의 친구들과 함께 우리의 여선생님들에게 간다.)

► 문제 예문에서 소유대명사 mein*en*과 unser*en*은 오히려 올바른 형태이고, 명사 Freund와 Lehrerin이 오류일 수 있다. 이를테면 여기에 단수가 아닌 복수명사 Freund*e*와 Lerherin*nen*이 와야 하는 경우이다.

① 「mit mein*en* Freund*en* 」 :

- 명사 Freund*e*는 *복수*이며, *3격* 전치사 mit의 목적어이므로 *복수 3격*!!
  따라서 mein-은 *복수 3격* 어미 *-en*이 붙어 mein*en*임.
- 명사 Freund*e*는 *복수 3격* 명사이므로 어미 *-n*이 붙어 Freund*en*임.

② 「zu unser*en* Lehrerin*nen* 」 :

- 명사 Lehrerin*nen*은 *복수*이며, *3격* 전치사 zu의 목적어이므로 *복수 3격*!!
  따라서 unser-는 *복수 3격* 어미 *-en*이 붙어 unser*en*임.
- 명사 Lehrerin*nen*은 *복수 3격*이므로 형태가 *-n*이어야 함.
  자체 형태 Lehrerin*nen*이 이미 *-n*이므로 추가로 어미 *-n*을 붙이지 않음.
  (즉, Lehrerin*nenn*은 틀림!)

6. Seit meinem[오류1] Ankunft in Deutschland schreibe ich meine Freunde[오류2] jeden Tag.

✺ **해석** 독일에 도착한 이후 나는 내 친구들에게 매일 편지 쓴다.

✺ **어휘** seit [3격 전치사] ~이래 ▌ die Ankunft 도착 ▌ 「schreiben + 3격(사람)」 누구에게 편지 쓰다 ▌ die Freund 친구 (die Freund*e*) ▌ jeden Tag (4격의 시간 부사어) 매일 (영. every day)

<오류> 1

소유대명사 mein*em*의 어미 형태는 오류임. (아래 설명!)

<오류> 2

mein*e* Freund*e*의 어미 형태는 오류임. (아래 설명!)

정답 Seit *meiner* Ankunft in Deutschland schreibe ich *meinen Freunden* jeden Tag.

► 「Seit mein*er* Ankunft」:

명사 Ankunft는 *여성*이며, *3격* 전치사 seit의 목적어이므로 *여성 3격!!*

따라서 mein-은 *여성 3격* 어미 *-er*가 붙어 mein*er*임.

► “Seit meiner Ankunft in Deutschland”를 직역하면 “나의 독일에의 도착 이후”로서, 이는 “내가 독일에 도착한 이후”로 풀어 해석할 수 있음.

► 「mein*en* Freund*en*」:

- 명사 Freund*e*가 *복수*이며, 동사 schreibe의 *3격* 목적어이므로 *복수 3격!!*
  따라서 mein-은 *복수 3격* 어미 *-en*이 붙어 mein*en*임.
- 여기서 Freund*e*는 *복수 3격* 명사이므로 어미 *-n*이 붙어 Freund*en*임.

► 시간 명사의 4격 형은 “시간 부사어”: jed*en* Tag 매일, 날마다

Lektion 8

인칭대명사 3격

형용사 어미변화 (2)

unit 01

기초문제

I. 올바른 인칭대명사는? (8과, 기초문제: 교재 44쪽)

1. Du hast keine Zeit für mich. Ich gehe ohne dich spazieren.

   ✺ **해석** 너는 나를 위한 시간이 없다. 나는 너 없이 산책한다.

   ✺ **어휘** haben [타동사] ...을 가지고 있다 ▌die Zeit 시간 (복수 없음!) ▌für [4격 전치사] ~을 위해 ▌「gehen ... 동사 원형」 ...하러 간다 : gehen ... spazieren 산책하다 ▌ohne [4격 전치사] ~없이

   문장 1

   ☞ 4격 전치사 für의 목적어이므로 ich의 4격 형 *mich*가 정답임.
   3격 형은 ***mir***임.

   ► 「keine Zeit」 :
   명사 Zeit는 *여성*이며, 동사 hast의 *4격* 목적어이므로 *여성 4격!!*
   따라서 kein-은 *여성 4격* 부정관사 eine처럼 어미변화 하여 keine임.

   문장 2

   ☞ 4격 전치사 ohne와 결합하므로 du의 4격 형 *dich*가 정답임.
   3격 형은 ***dir***임.

2. Wohnt Herr Breuer bei Ihnen? - Ja, er wohnt bei mir.

   ✺ **해석** 브로이어씨가 당신 집에서 거주하시나요? - 예, 그는 내 집에서 살아요.

   ✺ **어휘** wohnen 거주하다, 살다 ▌「3격 전치사 bei + 사람」 (위치) 누구에게서, 누구 집에서

   문장 1

   ☞ 3격 전치사 bei의 목적어이므로 Sie('당신은')의 3격 형 *Ihnen*이 정답임.
   4격 형은 ***Sie***임.

   문장 2

   ☞ 3격 전치사 bei의 목적어이므로 ich의 3격 형 *mir*가 정답임.
   4격 형은 ***mich***임.

3. Kommst du morgen mit ihnen zu mir?

   ✺ **해석** 너는 내일 그들과 함께 나에게 오니?

   ✺ **어휘** kommen 오다 ▌morgen 내일 ▌mit [3격 전치사] ~와 함께 ▌「3격 전치사 zu + 사람」 (방향) 누구에게로

문장 1

☞ 3격 전치사 mit와 결합하므로 sie('그들은')의 3격 형 *ihnen*이 정답임.
4격 형은 ***sie***임.

☞ 3격 전치사 zu와 결합하므로 ich의 3격 형 *mir*가 정답임.
4격 형은 ***mich***임.

4. Mein Freund ist in Deutschland. Ich schicke ihm ein Päckchen.

✻ **해석** 내 친구는 독일에 있다. 나는 그에게 소포 하나를 보낸다.

✻ **어휘** der Freund 남자 친구 (die Freund*e*) ▌「schicken + 3격(사람) + 4격」 누구에게 ...을 보내다 ▌das Päck*chen* [축소명사] 소포 (die Päckchen)

문장 1

► 「*Mein* Freund」:
명사 Freund는 *남성*이며, 이 문장의 *주어*이므로 *남성 1격!!*
따라서 Mein-은 *남성 1격* 부정관사 ein_과 동일하게 어미 없이 Mein_임.

문장 2

☞ 동사 schicke의 3격 목적어이므로 er의 3격 형 *ihm*이 정답임.
4격 형은 ***ihn***임.

► 축소명사 Päckchen은 *중성*이며 동사 schicke의 *4격* 목적어이므로 *중성 4격!!*
따라서 *중성 4격* 부정관사 *ein*이 앞에 옴.

5. Der Lehrer fragt dich, nicht mich.

✻ **해석** 그 선생님은 너에게 질문하는 것이지 나에게 질문하는 것이 아니다.

✻ **어휘** der Lehrer 선생님, 남자 선생님 (die Lehrer) ▌「fragen + 4격(사람)」 *4격*에게 질문하다 (4격 요구 동사!)

문장 1

☞ 동사 fragt는 '...*에게* 질문하다'이지만 4격 목적어를 갖는 4격 요구 동사임.
따라서 fragt의 4격 목적어이므로 du의 4격 형 *dich*가 정답임.
3격 형은 ***dir***임.

☞ 역시 동사 fragt의 4격 목적어이므로 ich의 4격 형 *mich*가 정답임.
3격 형은 ***mir***임.

6. Sie ist jetzt nicht da. Vielleicht rufe ich sie später noch mal an.

✻ **해석** 그녀는 지금 없어요. 아마도 나중에 다시 한번 그녀에게 전화해야 할 것 같아요.

✻ **어휘** 「동사 sein + da」 있다, 출석하다 ▌jetzt 지금 ▌vielleicht 아마도 ▌rufe ... *an* ⇒ *an*rufen [분리동사&타동사] → 「rufen + 4격 ... *an*」 *4격*에게 전화하다 (4격 요구 동사!) ▌später 나중에 ▌noch 아직 + einmal 한번 → noch einmal 다시 한번

문장 2

☞ 분리동사 rufe ... *an*은 '...*에게* 전화하다'이지만 4격 목적어를 갖는 4격 요구 동사임.
따라서 rufe ... *an*의 4격 목적어이므로 sie('그녀는')의 4격 형 *sie*가 정답임.
3격 형은 ***ihr***임.

7. Herr Berger, ich stelle Ihnen meinen Kollegen vor.

✸ **해석** 베르거씨, 당신에게 저의 동료를 소개하겠어요.

✸ **어휘** stelle ... *vor* ⇒ *vor*stellen [분리동사&타동사] : 「stellen + 3격 + 4격 ... *vor*」 *3격*에게 *4격*을 소개하다 ▌der Kollege 동료 (die Kollege*n*)

☞ 분리동사 stelle ... *vor*의 3격 목적어이므로 Sie('당신은')의 3격 형 *Ihnen*이 정답임.
4격 형은 ***Sie***임.

► 「mein*en* Kolleg*en*」 :

- 명사 Kollege가 *남성*이며, 분리동사 stelle ... *vor*의 *4격* 목적어이므로 *남성 4격!!*
따라서 mein-은 *남성 4격* 부정관사 ein*en*과 동일한 어미변화 하여 mein*en*임.
- 형태가 *-e*인 남성명사는 단수에서 주어 1격 이외에는 모두 어미 *-n*이 붙음!
Kolleg*e* 역시 형태가 -e인 남성명사인데,
여기서 단수 1격이 아닌 *단수 4격*이므로 어미 *-n*이 붙어 Kollege*n*임.

8. Wir schenken ihr Blumen zum Geburtstag.

✸ **해석** 우리는 그녀에게 생일에 꽃을 선물한다.

✸ **어휘** 「schenken + 3격(사람) + 4격」 누구에게 ...을 선물하다 ▌die Blume 꽃 (die Blume*n*) ▌zu [3격 전치사] (목적, 이유) ~을 위해 : zum Geburtstag 생일에 ▌der Geburtstag 생일 (die Geburtstag*e*)

☞ 동사 schenken의 3격 목적어이므로 sie('그녀는')의 3격 형 *ihr*가 정답임.
4격 형은 ***sie***임.

► 명사 Blume*n*은 복수이며 동사 schenken의 4격 목적어임.
(복수는 부정관사가 없으므로 관사 없이 사용됨!)

9. Leihst du mir bitte 10 Euro? - Kein Problem!

✸ **해석** 나에게 10 유로를 빌려 줄래? - 문제없어!

✸ **어휘** 「leihen + 3격(사람) + 4격」 누구에게 ...을 빌려주다 ▌bitte [부사어] 정중한 표현에 사용. ▌zehn 10 ▌Euro (화폐 단위) 유로 ▌das Problem 문제 (die Problem*e*)

문장 1

☞ 동사 leihst의 3격 목적어이므로 ich의 3격 형 *mir*가 정답임.
4격 형은 ***mich***임.

► 10 Euro는 동사 leihst의 4격 목적어임.

► 이 문장은 비록 의문문 형식을 취하고 있지만, 내용상 "돈 빌려 줄 것"을 간접적으로 부탁, 혹은 요구하는 명령문에 가깝다.
따라서 명령문의 경우와 마찬가지로 정중한 요구를 위해 부사어 bitte가 사용됨.

문장 2

► 구어체의 축약된 문장임: (Das ist) Kein Problem!
"그것은 문제가 아니다", 즉 "그것은 어렵지 않다"로 해석됨.

► 「*Kein* Problem」:
명사 Problem은 *중성*이며, 동사 ist의 *주격* 보어이므로 *중성 1격!!*
따라서 Kein-은 *중성 1격* 부정관사 ein_과 동일하게 어미 없이 Kein_임.

10. Wie schmeckt dir das Essen? - Das schmeckt mir gut!

✻ **해석** 그 식사가 너에게는 맛이 어떠니? - 그것은 나에게 아주 맛있어.

✻ **어휘** wie 어떻게? (영. how?) ▌「주어(음식) + schmecken + 3격(사람)」 (음식) ...이 누구에게 맛있다 ▌ das Essen 식사 (die Essen) ← essen [타동사] ...을 먹다 ▌ gut 좋은, (부사적) 잘 ▌ das [지시대명사] 그것

<참고> das는 앞에 나온 명사는 물론이고, 앞 문장 일부나 전체 등 모든 것을 받을 수 있음!

문장 1

☞ 동사 schmeckt의 3격 목적어이므로 du의 3격 형 *dir*가 정답임.
4격 형은 ***dich***임.

► 어순: 대명사는 다른 요소보다 앞에 위치해야 함!
따라서 3격 목적어인 dir는 인칭*대명사*이므로 일반 명사인 주어 das Essen보다 앞에 위치함.

문장 2

☞ 여기서도 동사 schmeckt의 3격 목적어이므로 ich의 3격 형 *mir*가 정답.
4격 형은 ***mich***임.

► 주어인 Das는 여기서 앞 문장의 das Essen을 받음.

11. Ich wünsche dir ein frohes neues Jahr!

✻ **해석** 나는 너에게 즐거운 새해를 기원해!

✻ **어휘** 「wünschen + 3격(사람) + 4격」 누구에게 ...을 기원하다, 소원하다 ▌ froh 즐거운 ▌ neu 새, 새로운 ▌ das Jahr 해, 년 (die Jahr*e*)

☞ 동사 wünsche의 3격 목적어이므로 du의 3격 형 *dir*가 정답임.
4격 형은 ***dich***임.

► 「*ein* froh*es* neu*es* Jahr」:

- 명사 Jahr는 *중성*이며, 동사 wünsche의 *4격* 목적어이므로 *중성 4격!!*
  따라서 *중성 4격* 부정관사 *ein*이 앞에 옴.

- 형용사 froh와 neu 앞에 *중성 4격*의 *ein_*이 있음.
  → 따라서 *ein* froh*es* neu*es* ...
  (근거: 중성 1, 4격 ein_ , mein_ , ihr_ , unser_ , euer_ , kein_ + 형용사 *-es*)

12. Guten Tag, wie geht es __Ihnen__? - Danke, gut! Und __Ihnen__?

✹ **해석** 안녕하세요, 어떻게 지내세요? - 고마워요, 잘 지냅니다! 그러면 당신은요?

※ 안부 인사를 서로 주고받는 전형적인 대화이다. "어떻게 지내냐?"는 안부 인사 겸 질문에 대해 우선 "고마워요"라고 감사를 표한 뒤, "잘 지냅니다!"라고 자신의 안부를 설명한다. 이어서 이번에는 자기 편에서 "그러면 당신은요?"라고 상대방의 안부를 묻게 된다.

✹ **어휘** gut 좋은 + der Tag 날, 낮 → Guten Tag! 안녕하세요? (낮 인사) ▌wie 어떻게? ▌Danke! 고맙습니다! (← danken 감사하다) ▌gut (부사적) 잘, 좋게 ▌「Wie geht es + 3격?」 어떻게 지내세요? -「Es geht + 3격(사람) + gut」 누구는 잘 지내다

문장 1

☞ 비인칭 주어 es가 사용된 문장 형식「Wie geht es + 3격?」의 3격 목적어이므로
Sie('당신은')의 3격 형 *Ihnen*이 정답임.
4격 형은 ***Sie***임.

► Wie geht es Ihnen?은 구어체에서 보통 Wie geht's Ihnen? 혹은 Wie geht's?로 축약됨.

문장 2

► 이 문장은 축약된 형태임: Danke, (es geht mir) gut!

문장 3

☞ 여기서도「Wie geht es + 3격?」의 3격 목적어이므로
Sie('당신은')의 3격 형 *Ihnen*이 정답임.
4격 형은 ***Sie***임.

► 이 문장도 축약된 형태임: Und (wie geht es) Ihnen?

13. Ich gehe oft schwimmen. Das ist gesund und macht __mir__ Spaß.

✹ **해석** 나는 자주 수영하러 간다. 그것은 건강에 좋으며 나에게 재미를 준다.

✹ **어휘** 「gehen ... 동사 원형」 ...하러 가다 : gehen ... schwimmen 수영하러 가다 ▌oft 자주 ▌das [지시대명사] 그것 ▌gesund 건강에 좋은 (↔ *un*gesund 건강에 좋지 않은) ▌der Spaß 재미, 즐거움 (die Sp*ä*ß*e*) : 「주어 + machen + 3격(사람) + Spaß」 ...은 누구에게 재미있다

문장 2

☞ 문장 형식「주어 + machen + 3격 + Spaß」의 3격 목적어이므로
ich의 3격 형 *mir*가 정답임.
4격 형은 ***mich***임.

► 주어인 지시대명사 Das는 앞 문장 내용의 일부, 즉 "수영하는 것"을 받음.

14. Das passst sehr gut zu Ihnen. Das ist genau das Richtige für Sie.

✷ **해석** 그것은 당신에게 아주 잘 맞아요. 그것은 정확히 당신을 위한 것이에요.

✷ **어휘** das [지시대명사] 그것 ▌ 「passen zu + 3격(사람)」 누구에게 맞는다, 적합하다 ▌ gut (부사적) 잘 ▌ genau 정확한, (부사적) 정확히 ▌ richtig 올바른, 맞는 ▌ für [4격 전치사] ~을 위해

문장 1

☞ 3격 전치사 zu의 목적어이므로 Sie('당신은')의 3격 형 *Ihnen*이 정답임.
4격 형은 ***Sie***임.

문장 2

☞ 4격 전치사 für의 목적어이므로 Sie('당신은')의 4격 형 *Sie*가 정답임.
3격 형은 ***Ihnen***임.

► das Richtige는 형용사 richtig를 명사화한 것으로서 '올바른 것'으로 해석됨.
(여기서는 동사 ist의 주격 보어임.)

<참고>

형용사의 명사화: 형용사를 *대문자* 표기하고 *형용사 어미변화*하면 명사가 된다!

「*das R*ichtig*e*」:

- 앞 글자를 대문자 표기하여 das Richtige임
- 중성명사화하며, 동사 ist의 주격 보어이므로 *중성 1격!!*
  따라서 중성 1격 정관사 *das*와 결합하여 das Richtige임.
  (*중성*명사화 할 경우 추상적 대상을 뜻함. → 따라서 여기서는 '올바른 것'을 뜻함.)
- 형용사 Richtig 앞에 중성 1격 정관사 *das*가 있음.
  → 따라서 *das* Richtig*e*
  (근거: 중성 1, 4격 d*as*, dies*es* + 형용사 *-e*)

II. 밑줄 친 곳에 알맞은 어미는? (8과, 기초문제: 교재 44쪽)

1. Ich gehe zusammen mit mein*en* beid*en* Freund*en* durch unser*en* schön*en* Park.

✷ **해석** 나는 나의 두 친구들과 함께 우리의 멋진 공원을 가로질러 간다.

✷ **어휘** gehen 가다, 걸어가다 ▌ zusammen 함께 ▌ mit [3격 전치사] ~와 함께 ▌ beid(e) 둘의 (영. both) ▌ der Freund 친구 (die Freund*e*) ▌ durch [4격 전치사] ~을 가로질러 (영. through) ▌ schön 아름다운 ▌ der Park 공원 (die Park*s*)

☞「mit mein*en* beid*en* Freund*en*」:

- 형용사 beid-('둘의')와 결합하므로 명사는 복수형 Freunde가 와야 함.
- 명사 Freunde는 *복수*이며, *3격* 전치사 mit의 목적어이므로 *복수 3격!!*
  따라서 mein-은 *복수 3격* 어미 *-en*이 붙어 mein*en*임.
- 형용사 beid- 앞에는 *복수 3격* 어미 *-en*을 지닌 mein*en*이 있음.
  → 따라서 mein*en* beid*en* ...
  (근거: *3격* 어미 *-em*(남·중성), *-er*(여성), *-en*(복수) 뒤에 오는 형용사는 모두 *-en*임!)
- 명사 Freunde는 *복수 3격*이므로 어미 *-n*이 붙어 Freunde*n*임.

☞「durch unser*en* schön*en* Park」:

- 명사 Park는 *남성*이며, *4격* 전치사 durch의 목적어이므로 *남성 4격!!*
  따라서 unser-는 남성 4격 부정관사 ein*en*처럼 어미변화 하여 unser*en*임.
- 형용사 schön 앞에는 ein*en*에 일치하는 unser*en*이 있음.
  → 따라서 durch unser*en* schön*en* ...
  (근거: 남성 4격 d*en*, ein*en*, mein*en*, ihr*en*, unser*en*, kein*en*, dies*en* + 형용사 *-en*)

2. Meine_ Mutter erzählt mir jeden Abend ein__ schönes_ Märchen.

✺ **해석** 나의 어머니는 나에게 매일 저녁 아름다운 동화 하나를 이야기해준다.

✺ **어휘** die Mutter 어머니 (die Mütter) ▌「erzählen + 3격(사람) + 4격」 누구에게 ...을 이야기하다 ▌jeden Abend 매일 저녁 (4격의 시간 부사어!) → jed- 매 ..., 모든 ... (정관사 어미변화!) + der Abend 저녁 ▌schön 아름다운 ▌das Märchen 동화 (die Märchen)

☞「Mein*e* Mutter」:
명사 Mutter는 *여성*이며, 이 문장의 *주어*이므로 *여성 1격!!*
따라서 Mein-은 *여성 1격* 부정관사 ein*e*처럼 어미변화 하여 Mein*e*임.

► ich의 3격 형 mir는 동사 erzählt의 3격 목적어임.
4격 형은 ***mich***임.

► 4격의 시간 부사어「jed*en* Abend」'매일 저녁에':
명사 Abend는 *남성*이며, 시간 부사어로서 *4격이므로 남성 4격!!*
따라서 jed-는 *남성 4격* 정관사 d*en*과 동일한 어미변화 하여 jed*en*임.

☞「*ein* schön*es* Märchen」:

- 명사 Märchen은 *중성*이며, 동사 erzählt의 *4격* 목적어이므로 *중성 4격!!*
  따라서 *중성 4격* 부정관사 *ein*이 앞에 옴.
- 형용사 schön 앞에 *중성 4격*의 ein이 있음.
  → 따라서 *ein* schön*es* ...
  (근거: 중성 1, 4격 ein_ , mein_ , ihr_ , unser_ , euer_ , kein_ + 형용사 *-es*)

3. Ich schenke meinem_ kleinen_ Bruder ein__ interessantes_ Buch.

✺ **해석** 나는 나의 작은 남동생에게 흥미로운 책 한 권을 선물한다.

✱ **어휘** 「schenken + 3격(사람) + 4격」 누구에게 ...을 선물하다 ▌klein 작은 ▌der Bruder 남자 형제 (die Br*ü*der) ▌interessant 흥미로운 ▌das Buch 책 (die B*ü*ch*er*)

☞ 「mein*em* klein*en* Bruder」 :

- 명사 Bruder는 *남성*이며, 동사 schenke의 *3격* 목적어이므로 *남성 3격!!*
  따라서 mein-은 *남성 3격* 어미 *-em*이 붙어 mein*em*임.
- 형용사 klein 앞에 *남성 3격* 어미 *-em*을 지닌 mein*em*이 있음.
  → mein*em* klein*en* ...
  (근거: *3격* 어미 *-em*(남 · 중성), *-er*(여성), *-en*(복수) 뒤에 오는 형용사는 모두 *-en*!)

☞ 「*ein* interessant*es* Buch」 :

- 명사 Buch는 *중성*이며 동사 schenke의 *4격* 목적어이므로 *중성 4격!!*
  따라서 *중성 4격* 부정관사 *ein*이 앞에 옴.
- 형용사 interssant 앞에 *중성 4격*의 *ein*이 있음.
  → 따라서 *ein* interessant*es* ...
  (근거: 중성 1, 4격 ein_ , mein_ , ihr_ , unser_ , euer_ , kein_ + 형용사 *-es*)

4. Was suchen Sie? - Ich brauche ein<u>en</u> Anzug mit ein<u>er</u> elegant<u>en</u> Jacke.

✱ **해석** 무엇을 찾으세요? - 저는 우아한 재킷이 딸린 양복 한 벌이 필요해요.

✱ **어휘** was 무엇을? (4격 형) ▌suchen [타동사] ...을 찾다, 구하다 ▌brauchen [타동사] ...을 필요로 하다 ▌der Anzug 양복 (die Anz*ü*g*e*) ▌mit [3격 전치사] ~을 가진 ▌elegant 우아한 ▌die Jacke 재킷 (die Jacke*n*)

문장 1

► 의문사 Was('무엇을?')는 4격 형으로서 동사 suchen의 4격 목적어임.

문장 2

☞ 「*einen* Anzug」 :

명사 Anzug은 *남성*이며 동사 brauche의 *4격* 목적어이므로 *남성 4격!!*
따라서 *남성 4격* 부정관사 *einen*이 앞에 옴.

☞ 「mit ein*er* elegant*en* Jacke」 :

- 명사 Jacke는 *여성*이며, *3격* 전치사 mit의 목적어이므로 *여성 3격!!*
  따라서 *여성 3격* 어미 *-er*를 지닌 부정관사 ein*er*가 앞에 옴.
- 형용사 elegant 앞에 여성 3격 어미 *-er*를 지닌 ein*er*가 있음.
  → 따라서 mit ein*er* elegant*en* ...
  (근거: *3격* 어미 *-em*(남 · 중성), *-er*(여성), *-en*(복수) 뒤에 오는 형용사는 모두 *-en*!)

5. Ich brauche ein<u>en</u> gut<u>en</u> Kugelschreiber. - Hier ist ein__ gut<u>er</u> Kuli.

✱ **해석** 저는 좋은 볼펜 한 자루가 필요해요. - 여기 좋은 볼펜 하나가 있어요.

✱ **어휘** brauchen [타동사] ...을 필요로 하다 (영. need) ▌gut 좋은 ▌der Kugelschreiber 볼펜 (die Kugelschreiber) = der Kuli (구어체) (die Kuli*s*) ▌「Hier ist + *단수*명사」 여기 ...이 있다

<참고> der Kugelschreiber → die Kugel 구, 공 (Kugel*n*) + der Schreiber (구어체) 필기도구 (die Schreiber)

문장 1

☞「ein*en* gut*en* Kugelschreiber」:

- 명사 Kugelschreiber는 *남성*이며, 동사 brauche의 *4격* 목적어이므로 *남성 4격!!*
  따라서 *남성 4격* 부정관사 ein*en*이 앞에 옴.
- 형용사 gut 앞에 *남성 4격*의 ein*en*이 있음.
  → 따라서 ein*en* gut*en* ...
  (근거: 남성 4격 d*en*, ein*en*, mein*en*, ihr*en*, unser*en*, kein*en*, dies*en* + 형용사 -*en*)

문장 2

☞「*ein* gut*er* Kuli」:

- 명사 Kuli는 *남성*이며, 동사 ist의 *주격* 보어이므로 *남성 1격!!*
  따라서 *남성 1격* 부정관사 *ein*이 앞에 옴.
- 형용사 gut 앞에 남성 1격의 *ein*이 있음.
  → 따라서 *ein* gut*er* ...
  (근거: 남성 1격 ein_ , mein_ , ihr_ , unser_ , euer_ , kein_ + 형용사 -*er*)

6. Sie schreibt ihrem_ alten_ Freund eine_ lange_ E-Mail.

✺ **해석** 그녀는 그녀의 오랜 남자 친구에게 긴 이메일을 하나 쓴다.

✺ **어휘**「schreiben + 3격(사람) + 4격」누구에게 ...을 쓰다, 써 보내다 ▌alt 오랜 ▌der Freund 남자 친구 (die Freund*e*) ▌lang 긴 ▌die E-Mail 이메일 (die E-Mail*s*)

☞「ihr*em* alt*en* Freund」:

- 명사 Freund는 *남성*이며, 동사 schreibt의 *3격* 목적어이므로 *남성 3격!!*
  따라서 ihr-('그녀의')는 *남성 3격* 어미 -*em*이 붙어 ihr*em*임.
- 형용사 alt 앞에 *남성 3격* 어미 -*em*을 지닌 ihr*em*이 있음.
  → 따라서 ihr*em* alt*en* ...
  (근거: *3격* 어미 -*em*(남 · 중성), -*er*(여성), -*en*(복수) 뒤에 오는 형용사는 모두 -*en*임!)

☞「ein*e* lang*e* E-Mail」:

- 명사 E-Mail은 *여성*이며, 동사 schreibt의 *4격* 목적어이므로 *여성 4격!!*
  따라서 *여성 4격* 부정관사 ein*e*가 앞에 옴.
- 형용사 lang 앞에 *여성 4격*의 ein*e*가 있음.
  → 따라서 ein*e* lang*e* ...
  (근거: 여성 1, 4격 di*e*, ein*e*, mein*e*, ihr*e*, unser*e*, eur*e*, kein*e*, dies*e* + 형용사 -*e*)

7. Bei diesem_ schlechten_ Wetter bleiben wir lieber zu Hause.

✺ **해석** 이 나쁜 날씨에는 차라리 집에 머무르는 것이 더 낫다.

✱ **어휘** dies- [지시대명사] 이 ... (정관사 어미변화!) ▌schlecht 나쁜 ▌das Wetter 날씨 ▌bleiben 머무르다 ▌lieber 오히려 ...하고 싶다 (부사어 gern의 비교급!) ▌zu Haus(e) 집에서

☞ 「Bei dies*em* schlecht*en* Wetter」:

- 명사 Wetter는 *중성*이며, *3격* 전치사 Bei의 목적어이므로 *중성 3격!!*
  따라서 지시대명사 dies-는 *중성 3격* 어미 *-em*이 붙어 dies*em*임.
- 형용사 schlecht 앞에 *중성 3격* 어미 *-em*을 지닌 dies*em*이 있음.
  → 따라서 Bei dies*em* schlecht*en* ...
  (근거: *3격* 어미 *-em*(남・중성), *-er*(여성), *-en*(복수) 뒤에 오는 형용사는 모두 *-en*임!)

► 부사어 lieber가 있을 경우 "오히려 ...하는 것이 더 낫다" 혹은 "오히려 ...하는 것을 더 좋아하다"로 해석함.

8. Geben Sie mir bitte d<u>en</u> rot<u>en</u> Bleistift! - Hier bitte!

✱ **해석** 저에게 그 붉은 연필을 주세요. - 여기 받으세요.

✱ **어휘** 「geben + 3격(사람) + 4격」 누구에게 ...을 주다 ▌rot 붉은색의 ▌der Bleistift 연필 (die Bleistift*e*) ▌hier 여기에

<참고> der Bleistift → das Blei 흑연 + der Stift 필기구 (die Stift*e*)

문장 1

► Sie-명령문 「동사 원형 + Sie ...!」 ... 하세요 : Geb*en* Sie ...!

► ich의 3격 형인 mir는 동사 Geben의 3격 목적어임.
4격 형은 ***mich***임.

☞ 「d*en* rot*en* Bleistift」:

- 명사 Bleistift는 *남성*이며, 동사 Geben의 *4격* 목적어이므로 *남성 4격!!*
  따라서 *남성 4격* 정관사 d*en*이 앞에 옴.
- 형용사 rot 앞에 *남성 4격*의 d*en*이 있음.
  → 따라서 d*en* rot*en* ...
  (근거: 남성 4격 d*en*, ein*en*, mein*en*, ihr*en*, unser*en*, kein*en*, dies*en* + 형용사 *-en*)

9. Ich zeige mein<u>em</u> neu<u>en</u> Kollegen unser<u>__</u> gemeinsam<u>es</u> Zimmer.

✱ **해석** 나는 나의 새 동료에게 우리가 공동으로 사용할 방을 보여준다.

✱ **어휘** 「zeigen + 3격(사람) + 4격」 누구에게 ...을 보여주다 ▌neu 새, 새로운 ▌der Kollege 동료 (die Kolleg*en*) ▌gemeinsam 공동의 ▌das Zimmer 방 (die Zimmer)

☞ 「mein*em* neu*en* Kolleg*en* 」:

- 명사 Kollege는 *남성*이며, 동사 zeige의 *3격* 목적어이므로 *남성 3격!!*
  따라서 mein-은 *남성 3격* 어미 *-em*이 붙어 mein*em*임.

- 형용사 neu 앞에 *남성 3격* 어미 -*em*을 지닌 mein*em*이 있음.
  → 따라서 mein*em* neu*en* ...
  (근거: *3격* 어미 -*em*(남 · 중성), -*er*(여성), -*en*(복수) 뒤에 오는 형용사는 모두 -*en*임!)
- 형태가 -*e*인 *남성*명사는 단수에서 주어 1격이 아닌 나머지 경우 어미 -*n*이 붙음.
  명사 Kollege 역시 형태가 -*e*인 *남성*명사임.
  따라서 주어 1격이 아닌 *단수 4격*이므로 어미 -*n*이 붙어 Kollege*n*이 됨.

☞「*unser* gemeinsam*es* Zimmer」:

- 명사 Zimmer는 *중성*이며, 동사 zeige의 *4격* 목적어이므로 *중성 4격!!*
  따라서 unser-는 *중성 4격* 부정관사 ein_과 동일하게 어미 없이 unser_임.
- 형용사 gemeinsam 앞에 *중성 4격*의 ein_에 일치하는 unser_가 있음.
  → 따라서 unser gemeinsam*es* ...
  (근거: 중성 1, 4격 ein_ , mein_ , ihr_ , unser_ , euer_ , kein_ + 형용사 -*es*)

기타 정답

Ich zeige mein*en* neu*en* Kollegen unser*e* gemeinsam*en* Zimmer.
(나는 나의 새 동료들에게 우리가 공동으로 사용할 방들을 보여준다.)

► 문제 예문에서 명사 Kollegen과 Zimmer는 복수형도 될 수 있다.

① 명사 Kollegen이 *복수*일 경우:

「mein*en* neu*en* Kolleg*en* (복수)」:

- Kolleg*en*이 *복수*이며, 동사 zeige의 *3격* 목적어이므로 *복수 3격!!*
  따라서 mein-은 *복수 3격* 어미 -*en*이 붙어 mein*en*임.
- 형용사 neu 앞에 *복수 3격* 어미 -*en*을 지닌 mein*en*이 있음.
  → 따라서 mein*en* neu*en* ...
  (근거: *3격* 어미 -*em*(남 · 중성), -*er*(여성), -*en*(복수) 뒤에 오는 형용사는 모두 -*en*!)
- 명사의 *복수 3격*은 형태가 -*n*이어야 함.
  여기서 Kolleg*en* 역시 *복수 3격*인데, Kollege*n* 자체가 이미 -*n* 형태이므로
  추가로 -*n*을 붙이지는 않음. (즉, Kollege*nn*은 틀림!)

② 명사 Zimmer가 *복수*일 경우:

「unser*e* gemeinsam*en* Zimmer (복수)」:

- 명사 Zimmer는 *복수*이며, 동사 zeige의 *4격* 목적어이므로 *복수 4격!!*
  따라서 unser-는 *복수 4격 정관사* die처럼 어미 -*e*가 붙어 unser*e*임.
  소유대명사 unser-는 기본적으로 ***부정관사 ein-*** 어미변화 하지만,
  여기처럼 복수일 경우는 ***정관사 d-*** 어미변화 함!
- 형용사 neu 앞에 *복수 4격*의 di*e*에 일치하는 unser*e*가 있음.
  → 따라서 unser*e* gemeinsam*en* ...
  (근거: 복수 1, 4격 di*e*, mein*e*, ihr*e*, unser*e*, eur*e*, kein*e*, dies*e* + 형용사 -*en*)

10. Wo wohnt er jetzt? - Er wohnt bei sein*em* französisch*en* Freund.

✺ **해석** 그가 지금 어디에 거주하니? - 그는 자신의 프랑스 친구 집에 살고 있어.

✸ **어휘** wo 어디에? ▌wohnen 거주하다, 살다 ▌jetzt 지금 ▌「3격 전치사 bei + 사람」 (위치) 누구에게서, 누구 집에서 ▌französisch 프랑스의, 프랑스인의 ▌der Freund 친구 (die Freund*e*)

문장 2

☞ 「bei sein*em* französisch*en* Freund」:

- 명사 Freund는 *남성*이며, *3격* 전치사 bei의 목적어이므로 *남성 3격!!*
  따라서 sein-은 *남성 3격* 어미 *-em*이 붙어 sein*em*임.
- 형용사 französisch 앞에 *남성 3격* 어미 *-em*을 지닌 sein*em*이 있음.
  → 따라서 sein*em* französisch*en* ...
  (근거: *3격* 어미 *-em*(남 · 중성), *-er*(여성), *-en*(복수) 뒤에 오는 형용사는 모두 *-en*임!)

11. Was halten Sie von Ihr*em* neu*en* Mitarbeiter? - Ich halte ihn für tüchtig.

✸ **해석** 당신은 당신의 새 동료를 어떻게 생각하십니까? - 저는 그가 유능하다고 생각해요.

✸ **어휘** was 무엇을? ▌neu 새로운 ▌der Mitarbeiter 동료 (die Mitarbeiter) ▌tüchtig 유능한 ▌ 「Was halten Sie von + 3격?」 (의견 문의) *3격*에 대해 어떻게 생각하나? ▌「halten + 4격 + für + 형용사」 (의견 표현) *4격*을 ...하다고 생각하다 (영. consider ... to be + 형용사)

문장 1

☞ 「von Ihr*em* neu*en* Mitarbeiter」:

- 명사 Freund는 *남성*이며, *3격* 전치사 bei의 목적어이므로 *남성 3격!!*
  따라서 Ihr-는 *남성 3격* 어미 *-em*이 붙어 Ihr*em*임.
- 형용사 neu 앞에 *남성 3격* 어미 *-em*을 지닌 Ihr*em*이 있음.
  → 따라서 von Ihr*em* neu*en* ...
  (근거: *3격* 어미 *-em*(남 · 중성), *-er*(여성), *-en*(복수) 뒤에 오는 형용사는 모두 *-en*!)

문장 2

► er의 4격 형인 ihn은 앞 문장의 남성명사 Mitarbeiter를 받으며, 동사 halte의 4격 목적어임.
3격 형은 ***ihm***임.

12. Ich glaube, der Chef ist mit dein*er* Arbeit ganz zufrieden.

✸ **해석** 나는 사장님이 너의 일에 아주 만족하시고 있다고 생각해.

✸ **어휘** glauben ...라고 믿다, 생각하다 ▌der Chef 사장, 부장, 과장 (die Chef*s*) ▌die Arbeit 일, 작업 (die Arbeit*en*) ▌ganz 아주 ▌zufrieden [형용사] 만족한 → 「sein(동사) + mit + 3격 + zufrieden」 *3격*에 만족하다

☞ 「mit dein*er* Arbeit」:
명사 Arbeit는 *여성*이며, *3격* 전치사 mit의 목적어이므로 *여성 3격!!*
따라서 dein-은 *여성 3격* 어미 *-er*가 붙어 dein*er*임.

13. Er wohnt nicht weit von sein*em* streng*en* Lehrer.

✸ **해석** 그는 그의 엄격한 선생님으로부터 멀지 않은 곳에 거주한다.

✹ **어휘** wohnen 살다, 거주하다 ▌weit 거리가 먼, (부사적) 멀리 : 「weit von + 3격」 ...로부터 먼, 멀리 ▌streng 엄격한 ▌der Lehrer 선생님 (die Lehrer)

☞ 「von sein*em* streng*en* Lehrer」 :

- 명사 Lehrer는 *남성*이며, *3격* 전치사 von의 목적어이므로 *남성 3격!!*
  따라서 sein-은 *남성 3격* 어미 *-em*이 붙어 sein*em*임.
- 형용사 streng 앞에 *남성 3격* 어미 *-em*을 지닌 sein*em*이 있음.
  → 따라서 von sein*em* streng*en* ...
  (근거: *3격* 어미 *-em*(남 · 중성), *-er*(여성), *-en*(복수) 뒤에 오는 형용사는 모두 *-en*임!)

14. Wir bieten unser*en* alt*en* Kunde*n* an: ein*en* blau*en* , ein*en* braun*en* und ein*en* schwarz*en* Wintermantel.

✹ **해석** 우리는 우리의 오랜 고객들에게 제공합니다: 청색과 갈색, 그리고 검정색 겨울 외투.

✹ **어휘** bieten ... *an* ⇒ *an*bieten [분리동사&타동사] → 「bieten + 3격(사람) + 4격 ... *an*」 누구에게 ...을 제공하다 ▌alt 오랜 ▌der Kunde 고객 (die Kunde*n*) ▌blau 청색의 ▌braun 갈색의 ▌schwarz 검정색의 ▌der Wintermantel 겨울 외투 (die Wintermäntel)
→ der Winter 겨울 + der Mantel 외투, 코트 (die Mäntel)

☞ 「unser*en* alt*en* Kunde*n*」 :

- 내용상 '고객*들*'이므로 명사 Kunde의 복수형 Kunde*n*이 와야 함.
- 명사 Kunde*n*은 *복수*이며, 분리동사 bieten ... *an*의 *3격* 목적어이므로 *복수 3격!!*
  따라서 unser-는 *복수 3격* 어미 *-en*이 붙어 unser*en*임.
- 형용사 alt 앞에 *복수 3격* 어미 *-en*을 지닌 unser*en*이 있음.
  → 따라서 unser*en* alt*en* ...
  (근거: *3격* 어미 *-em*(남 · 중성), *-er*(여성), *-en*(복수) 뒤에 오는 형용사는 모두 *-en*임!)
- 명사 Kollege*n*은 *복수 3격*이므로 형태가 *-n*이어야 함.
  그런데 복수형 Kollege*n* 자체가 이미 *-n* 형태이므로 추가로 어미 *-n*을 붙이지 않음.
  (즉, Kollege*nn*은 틀림!)

☞ 콜론(:) 뒤 부분은 동사 bieten ... *an*의 4격 목적어임.
축약된 경우로서 원래의 형태는:
ein*en* blau*en* (Wintermantel), ein*en* braun*en* (Wintermantel) und ein*en* schwarz*en* Wintermantel.
「ein*en* blau*en* (Wintermantel)」 :

- 생략된 Wintermantel은 *남성*이며, 동사 bieten ... *an*의 *4격* 목적어이므로 *남성 4격!!*
  따라서 *남성 4격* 부정관사 ein*en*이 앞에 옴.
- 형용사 blau 앞에 *남성 4격* ein*en*이 있음.
  → 따라서 ein*en* blau*en* ...
  (근거: 남성 4격 d*en*, ein*en*, mein*en*, ihr*en*, unser*en*, kein*en*, dies*en* + 형용사 *-en*)

이와 동일한 어미변화 방식이 나머지에도 적용됨!

기타 정답

Wir bieten unser<u>em</u> alt<u>en</u> Kunde<u>n</u> an: einen blauen, einen braunen und einen schwarzen Wintermantel.

(우리는 우리의 오랜 *고객에게* 제공합니다: 청색과 갈색, 그리고 검정색 겨울 외투.)

► 내용상 "고객들에게"가 아니라 "고객에게", 즉 명사 Kunde가 복수형이 아니라 단수형도 될 수 있다.

「unser*em* alt*en* Kunde*n*」:

- 명사 Kunde는 *남성*이며, 분리동사 bieten ... *an*의 *3격* 목적어이므로 *남성 3격!!*
  따라서 unser-는 *남성 3격* 어미 *-em*이 붙어 unser*em*임.
- 형용사 alt 앞에 *남성 3격* 어미 *-em*을 지닌 unser*em*이 있음.
  → 따라서 unser*em* alt*en* ...
  (근거: *3격* 어미 *-em*(남 · 중성), *-er*(여성), *-en*(복수) 뒤에 오는 형용사는 모두 *-en*임!)
- 형태가 *-e*인 *남성*명사는 단수에서 주어 1격이 아닌 나머지 모두 어미 *-n*이 붙음.
  명사 Kolleg*e* 역시 형태가 -e인 *남성*명사임. → 여기서는 *단수 3격*으로서 주어 1격이 아니므로 어미 *-n*이 붙어 Kollege*n*임.

15. Der Kaufmann steigt in Frankfurt aus und geht zu sein<u>em</u> treu<u>en</u> Freund.

✺ **해석** 그 상인은 프랑크푸르트에서 하차하여 자신의 신의있는 친구에게 간다.

✺ **어휘** der Kaufmann 상인, 사업가 (die Kaufleute) ▌steigt ... *aus* ⇒ *aus*steigen [분리동사] 하차하다, 차에서 내리다 (↔ *ein*steigen [분리동사] 승차하다, 차에 타다) ▌gehen 가다 ▌「3격 전치사 zu + 사람」(방향) 누구에게로 ▌treu 신의를 지키는, 충직한 ▌der Freund 친구 (die Freund*e*)

☞「zu sein*em* treu*en* Freund」:

- 명사 Freund는 *남성*이며, *3격* 전치사 zu의 목적어이므로 *남성 3격!!*
  따라서 sein-은 *남성 3격* 어미 *-em*이 붙어 sein*em*임.
- 형용사 treu 앞에 *남성 3격* 어미 *-em*을 지닌 sein*em*이 있음.
  → 따라서 zu sein*em* treu*en* ...
  (근거: *3격* 어미 *-em*(남 · 중성), *-er*(여성), *-en*(복수) 뒤에 오는 형용사는 모두 *-en*임!)

16. Ist Herr Kuhn ein Verwandt<u>er</u> von Ihnen? - Ja, er ist mein__ Onkel.

✺ **해석** 쿤씨가 당신의 친척이신가요? - 예, 그는 저의 삼촌이에요.

✺ **어휘** verwandt [형용사] 친척인 → Verwandt- [명사] 친척 (형용사 어미변화!) ▌von [3격 전치사] ...의 (영. of) ▌der Onkel 삼촌 (die Onkel)

문장 1

☞ 명사 Verwandt-는 형용사가 명사화된 것임. 따라서 명사이지만 형용사 어미변화함!
여기서는 *남성*명사화 함으로써 '*남자* 친척'을 뜻함.

「*ein* Verwandt*er*」:

- 명사화 되므로 앞 글자는 *대문자* 표기함: ein Verwandter
- *남성*명사화 함으로써 *남성*이며, 동사 Ist의 *주격* 보어이므로 *남성 1격!!*
  따라서 *남성 1격* 부정관사 *ein*이 앞에 옴: *ein* Verwandter
- 형용사 Verwandt- 앞에 *남성 1격*의 *ein*이 있음.
  → 따라서 *ein* Verwandt*er*
  (근거: 남성 1격 ein_ , mein_ , ihr_ , unser_ , euer_ , kein_ + 형용사 *-er*)

► 3격 전치사 von의 목적어이므로 Sie('당신은')의 3격 형 *Ihnen*이 사용됨.
4격 형은 ***Sie***임.

문장 2

☞「*mein* Onkel」:
명사 Onkel이 *남성*이며, 동사 ist의 *주격* 보어이므로 *남성 1격!!*
따라서 mein-은 *남성 1격* 부정관사 ein_처럼 어미 없이 mein_임.

unit 02
심화문제

Ⅰ. 밑줄 친 곳에 알맞은 전치사는? (8과, 심화문제: 교재 46쪽)

1. Ich danke Ihnen <u>für</u> die Einladung!

 ✵ **해석** 초대해주신 것에 대해 당신에게 감사드립니다!

 ✵ **어휘** 「danken + 3격(사람) + für + 4격」 누구에게 ...에 대해 감사하다 ▌die Einladung 초대 (die Einladung*en*) ← *ein*laden [분리동사&타동사] ...을 초대하다

 ► 동사 danke의 3격 목적어이므로 Sie('당신')의 3격 형 Ihnen이 사용됨.
 4격 형은 ***Sie***임.

 ☞ 동사 danke와 결합하므로 4격 전치사 *für*가 빈칸에 옴.

2. Was ist denn los <u>mit</u> dir? Bist du krank?

 ✵ **해석** 네게 무슨 일 있니? 너 어디 아프니?

 ✵ **어휘** 「Was ist los mit + 3격(사람)?」 누구에게 무슨 일이 있습니까? ▌denn [부사어] 의문문에서 질문이 자연스런 느낌을 주도록 함. (우리말 해석 필요 없음!) ▌krank 아픈

 문장 1

 ☞ Was ist denn los ...?와 결합하므로 3격 전치사 *mit*이 빈칸에 옴.

 ► 3격 전치사 mit의 목적어이므로 du의 3격 형 dir가 사용됨.
 4격 형은 ***dich***임.

3. Ich gratuliere dir <u>zum</u> Geburtstag. - Danke schön!

 ✵ **해석** 네 생일을 축하해. - 매우 고마워!

 ✵ **어휘** 「gratulieren + 3격(사람) + zu + 3격」 누구에게 ...에 대해 축하하다 ▌der Geburtstag 생일 (die Geburtstag*e*) ▌Danke schön! 매우 고맙습니다!

 <참고> schön [부사어] 매우

 문장 1

 ► 동사 gratuliere의 3격 목적어이므로 du의 3격 형 dir가 사용됨.
 4격 형은 ***dich***임.

 ☞ 동사 gratuliere와 결합하므로 3격 전치사 *zu*가 와야 함.
 여기서는 뒤에 남성명사 Geburtstag이 오므로 *zum*이 정답.

문장 2

► Danke *schön*! = Danke *sehr*!

4. Mit wem redest du denn so? - Mit meinem Kollegen.

✺ **해석** 너는 누구와 그렇게 이야기하니? - 내 동료와.

✺ **어휘** 「reden mit + 3격(사람)」 누구와 이야기하다 ▌denn [부사어] 의문문에서 질문이 자연스런 느낌을 주도록 함. (우리말 해석 필요 없음!) ▌so 그렇게 ▌der Kollege 동료 (die Kollege*n*)

문장 1

☞ 동사 redest와 결합하므로 3격 전치사 *Mit*가 빈칸에 옴.

► 3격 전치사 Mit의 목적어이므로 의문사 wer의 3격 형 wem이 사용됨.
4격 형은 ***wen***임.

► 동사 re*d*en은 어간 끝이 -d이므로 주어가 du일 경우 발음상 -e-가 첨가되어 red*e*st임. (즉, red*st*아님!)

문장 2

☞ 축약된 문장임. 완전한 형태는 (Ich rede) Mit meinem Kollegen.
따라서 동사 rede와 결합하므로 역시 3격 전치사 *Mit*가 와야 함.

► 「Mit mein*em* Kolleg*en*」:

- 명사 Kollege는 *남성*이며, *3격* 전치사 mit의 목적어이므로 *남성 3격!!*
따라서 mein-은 *남성 3격* 어미 *-em*이 붙어 mein*em*임.
- 명사 Kolleg*e*는 형태가 *-e*인 *남성*명사로서, 단수 1격이 아닌 *단수 3격*이므로 어미 *-n*이 붙어 Kollege*n*임.

II. 밑줄 친 곳에 알맞은 어미는? (8과, 심화문제: 교재 46쪽)

1. Dies*es* schön*e* Haus gehört ein*er* freundlich*en* alt*en* Dame.

✺ **해석** 이 멋진 집은 한 친절한 노부인 소유이다.

✺ **어휘** schön 멋진, 아름다운 ▌das Haus 집, 단독주택 (die Häus*er*) ▌「gehören + 3격(사람)」 누구에게 속하다, 누구의 소유이다 ▌freundlich 친절한 ▌alt 늙은 ▌die Dame 부인, 숙녀 (die Dame*n*)

☞ 「Dies*es* schön*e* Haus」:

- 명사 Haus는 *중성*이며, 문장의 *주어*이므로 *중성 1격!!*
따라서 Dies-는 *중성 1격* 정관사 d*as*처럼 어미변화 하여 Dies*es*임.
- 형용사 schön 앞에 *중성*의 d*as*에 일치하는 Dies*es*가 있음.
→ 따라서 Dies*es* schön*e* ...
(근거: 중성 1, 4격 d*as*, dies*es* + 형용사 *-e*)

☞ 「ein*er* freundlich*en* alt*en* Dame」:

- 명사 Dame는 *여성*이며 동사 gehört의 *3격* 목적어이므로 *여성 3격!!*
  따라서 *여성 3격* 어미 *-er*를 지닌 부정관사 ein*er*가 앞에 옴.
- 형용사 freundlich와 alt 앞에 *여성 3격* 어미 *-er*를 지닌 ein*er*가 있음.
  → 따라서 ein*er* freundlich*en* alt*en* ...
  (근거: *3격* 어미 *-em*(남 · 중성), *-er*(여성), *-en*(복수) 뒤에 오는 형용사는 모두 *-en*임!)

2. Warum suchst du dir kein*e* neu*e* Stelle?

✺ **해석** 왜 너는 새 일자리를 찾지 않니?

✺ **어휘** warum 왜? ▌「suchen sich³ + 4격」 [재귀동사] *4격*을 찾다, 구하다 ▌neu 새로운 ▌die Stelle 일자리, 직위 (die Stelle*n*)

► 동사 suchst의 3격 목적어이므로 du의 3격 형 dir가 사용됨.
여기서 dir는 주어인 du와 동일한 단수 2인칭이므로 재귀대명사, 즉 3격 재귀대명사임!
주어가 du일 때 4격 재귀대명사는 ***dich***임.

☞ 「kein*e* neu*e* Stelle」:

- 명사 Stelle는 *여성*이며 동사 suchst의 *4격* 목적어이므로 *여성 4격!!*
  따라서 kein-은 *여성 4격* 부정관사 ein*e*처럼 어미변화 하여 kein*e*임.
- 형용사 neu 앞에 *여성 4격* ein*e*와 동일한 kein*e*가 있음.
  → 따라서 kein*e* neu*e* ...
  (근거: 여성 1, 4격 di*e*, ein*e*, mein*e*, ihr*e*, unser*e*, eur*e*, kein*e*, dies*e* + 형용사 *-e*)

3. Alt*e* Leute gehen gerne spazieren.

✺ **해석** 나이 든 사람들은 즐겨 산책한다. (혹은: 나이 든 사람들은 산책하기를 좋아한다.)

✺ **어휘** alt 늙은 ▌die Leute 사람들 (단수 없음! 영. people) ▌gehen ... spazieren 산책하다 ▌gern(e) 즐겨, 기꺼이

☞ 「(*관사 없이*) 형용사 + 명사」일 경우 형용사는 *정관사* 어미변화 함!
이 문장에서도 형용사 Alt는 앞에 관사가 없으므로 정관사 어미변화 함:
「Alt*e* Leute」:
명사 Leute는 *복수*이며, 이 문장의 *주어*이므로 *복수 1격!!*
따라서 형용사 Alt는 *복수 1격* 정관사 di*e*처럼 어미변화 하여 Alt*e*임.

4. Ich helfe mein*em* nett*en* Nachbarn immer gern.

✺ **해석** 나는 나의 친절한 이웃을 늘 기꺼이 도와준다.

✺ **어휘** 「helfen + 3격(사람)」 누구를 돕다 (3격 요구 동사!) ▌nett 친절한 ▌der Nachbar 이웃 사람, 이웃 남자 (die Nachbar*n*) ↔ die Nachbar*in* 이웃 여자 ▌immer 항상 ▌gern(e) 기꺼이, 즐겨

☞ 「mein*em* nett*en* Nachbar*n*」:

- 명사 Nachbar는 *남성*이며 동사 helfe의 *3격* 목적어이므로 *남성 3격!!*
  따라서 mein-은 *남성 3격* 어미 *-em*이 붙어 mein*em*임.
- 형용사 nett 앞에 *남성 3격* 어미 *-em*을 지닌 mein*em*이 있음.
  → 따라서 mein*em* nett*en* ...
  (근거: *3격* 어미 *-em*(남 · 중성), *-er*(여성), *-en*(복수) 뒤에 오는 형용사는 모두 *-en*!)
- 명사 Nachbar는 단수에서 주어 1격 이외의 모든 경우 어미 *-n*이 붙는 불규칙명사.
  여기서도 주어가 아닌 *단수 3격*이므로 어미 *-n*이 붙어 Nachbar*n*임

기타 정답

Ich helfe mein*en* nett*en* Nachbarn immer gern.
(나는 나의 친절한 이웃들을 늘 기꺼이 도와준다.)

► 예문에서 명사 Nachbar*n*은 복수형도 될 수 있다.
「mein*en* nett*en* Nachbar*n* (복수)」:

- 명사 Nachbar*n*은 *복수*이며 동사 helfe의 *3격* 목적어이므로 *복수 3격!!*
  따라서 mein-은 *복수 3격* 어미 *-en*이 붙어 mein*en*임.
- 형용사 nett 앞에 *복수 3격* 어미 *-en*을 지닌 mein*en*이 있음.
  → 따라서 mein*en* nett*en* ...
  (근거: *3격* 어미 *-em*(남 · 중성), *-er*(여성), *-en*(복수) 뒤에 오는 형용사는 모두 *-en*임!)
- 명사 Nachbar*n*은 *복수 3격*이므로 형태가 *-n*이어야 함.
  여기서 Nachbar*n* 역시 *복수 3격*인데, 이미 형태가 *-n*이므로 추가로 *-n*을 붙이지는 않음.
  (즉, Nachbarn*n*은 틀림!)

5. Diese Maschine ist mir nicht gut genug! - Wir haben leider kein*e* besser*e*.

✺ **해석** 나에게 이 기계는 성능이 충분히 좋지 않아요. - 우리는 유감스럽게도 더 좋은 것이 없어요.

✺ **어휘** die Maschine 기계, 기구 (die Maschine*n*) ▌ 「동사 sein + 3격(사람) + 형용사」 누구에게 ...이다 ▌ genug [부사어] (형용사 뒤에 위치!) 충분히 ...한 (영. enough) : gut genug 충분히 좋은 ▌ gut 좋은 ▌ leider 유감스럽게도 ▌ besser *더* 좋은 (형용사 gut의 비교급!)

문장 1

► 「Dies*e* Maschine」:
명사 Maschine는 *여성*이며, 이 문장의 *주어*이므로 *여성 1격!!*
따라서 지시대명사 Dies-는 *여성 1격* 정관사 di*e*처럼 어미변화 하여 Dies*e*임.

► 동사 ist의 3격 목적어이므로 ich의 3격 형 mir가 옴.
4격 형은 ***mich***임.

<참고> 3격 형 대신 「전치사 *für* + 4격」 형식도 가능함!
Diese Maschine ist *für mich* nicht gut genug!

문장 2

☞ 명사 Machine가 축약된 문장임: Wir haben leider keine bessere (Machine).

「keine bessere (Machine)」:

- 생략된 명사 Maschine는 *여성*이며, 동사 haben의 *4격* 목적어이므로 *여성 4격!!*
  따라서 kein-은 *여성 4격* 부정관사 eine처럼 어미변화 하여 keine임.
- 형용사 besser 앞에 *여성 4격* eine에 일치하는 keine가 있음.
  → 따라서 keine bessere ...
  (근거: 여성 1, 4격 die, eine, meine, ihre, unsere, eure, keine, diese + 형용사 *-e*)

기타 정답

Diese Maschine ist mir nicht gut genug! - Wir haben leider keine besseren .

(나에게 이 기계는 성능이 충분히 좋지 않아요. - 우리는 유감스럽게도 더 좋은 것들이 없어요.)

► 문장 맨 뒤의 축약된 명사가 복수형 Maschine*n*일 경우도 가능함!

「keine besser*en* (Machine*n*)」:

- 명사 Maschine*n*은 *복수*이며, 동사 haben의 *4격* 목적어이므로 *복수 4격!!*
  따라서 kein-은 *복수 4격* 정관사 die처럼 어미변화 하여 keine임.
- 형용사 besser 앞에 *복수 4격* die에 일치하는 keine가 있음.
  → 따라서 keine besser*en* ...
  (근거: 복수 1, 4격 die, meine, ihre, unsere, eure, keine, diese + 형용사 *-en*)

6. Ich suche für meine kleine Tochter eine Puppe mit langen Haaren

✵ **해석** 저는 제 어린 딸을 위해 긴 머리를 가진 인형 하나를 찾고 있어요.

✵ **어휘** suchen [타동사] ...을 찾다, 구하다 ▌für [4격 전치사] ~을 위해 ▌klein 작은 ▌die Tochter 딸 (die Töchter) ▌die Puppe 인형 (die Puppe*n*) ▌mit [3격 전치사] ~을 가진 ▌lang 긴 ▌das Haar 머리카락 (die Haar*e*)

☞ 「für meine kleine Tochter」:

- 명사 Tochter는 *여성*이며, *4격* 전치사 für의 목적어이므로 *여성 4격!!*
  따라서 mein-은 *여성 4격* 부정관사 eine처럼 어미변화 하여 meine임.
- 형용사 klein 앞에 *여성 4격* eine에 일치하는 meine가 있음.
  → 따라서 für meine kleine ...
  (근거: 여성 1, 4격 die, eine, meine, ihre, unsere, eure, keine, diese + 형용사 *-e*)

► eine Puppe는 동사 suche의 4격 목적어임.

☞ 「mit (*관사 없이*) lang*en* Haar*en*」:

- 명사 Haar는 '머리카락 한 개'를 뜻함.
  따라서 보통 "머리카락"을 말할 경우 복수형 Haare가 사용됨.
- 형용사 lang은 앞에 관사가 없으므로 정관사 어미변화 함:
  명사 Haare는 *복수*이며, *3격* 전치사 mit의 목적어이므로 *복수 3격!!*
  따라서 lang은 *복수 3격* 정관사 den처럼 어미변화 하여 lang*en*임.
- *복수 3격* 명사는 형태가 *-n*임!
  따라서 명사 Haare는 여기서 *복수 3격*이므로 어미 *-n*이 붙어 Haare*n*임.

7. Wir brauchen nicht nur eine_ Wohnung, sondern auch neue_ Möbel.

✺ **해석** 우리는 집만 필요한 것이 아니라 새 가구들도 필요하다.

✺ **어휘** brauchen [타동사] ...을 필요로 하다 ▌「nicht nur A, sondern auch B」 A뿐만 아니라 B 역시 (영. not only A but also B) ▌ die Wohnung 집, 아파트 (die Wohnung*en*) ▌ neu 새, 새로운 ▌ das Möbel 가구 (die Möbel) (주로 복수!)

☞ 「ein*e* Wohnung」 :

명사 Wohnung은 *여성*이며, 동사 brauchen의 *4격 목적어*이므로 *여성 4격!!*

따라서 *여성 4격* 부정관사 ein*e*가 앞에 옴.

☞ 「(*관사 없이*) neu*e* Wohnung」 :

명사 Möbel은 *복수*이며, 동사 brauchen의 *4격* 목적어이므로 *복수 4격!!*

형용사 neu는 앞에 관사가 없으므로 정관사 어미변화 함.

따라서 neu는 *복수 4격* 정관사 di*e*처럼 어미변화 하여 neu*e*임.

8. Welche_ Frau meinst du? - Ich meine die_ große_ blonde_ Frau da.

✺ **해석** 어떤 여자를 말하는 거니? - 저기 있는 저 키가 큰 금발 여자 말이야.

✺ **어휘** welch- 어떤, 어느 쪽? (정관사 어미변화! 영. which) ▌ die Frau 여자, 부인 (die Frau*en*) ▌ meinen [타동사] ...을 의도하다 (영. mean) ▌ groß 키 큰 ▌ blond(e) 금발의 ▌ da 저기

문장 1

☞ 의문사 welch-는 정관사 어미변화 함!

「Welch*e* Frau」 :

명사 Frau는 *여성*이며, 동사 meinst의 *4격* 목적어이므로 *여성 4격!!*

따라서 Welch-는 *여성 4격* 정관사 di*e*처럼 어미 *-e*가 붙어 Welch*e*임.

문장 2

☞ 「d*ie* groß*e* blond*e* Frau」 :

- 명사 Frau는 *여성*이며, 동사 meine의 *4격* 목적어이므로 *여성 4격!!*
  따라서 *여성 4격* 정관사 *die*가 앞에 옴.
- 두 형용사 groß, blond 앞에 *여성 4격*의 *die*가 있음.
  → 따라서 di*e* groß*e* blond*e* ...
  (근거: 여성 1, 4격 di*e*, ein*e*, mein*e*, ihr*e*, unser*e*, eur*e*, kein*e*, dies*e* + 형용사 *-e*)

III. 밑줄 친 곳에 알맞은 대명사는? 이 가운데 재귀대명사는? (8과, 심화문제: 교재 46쪽)

1. Frau Schnitzler, macht __Ihnen__ die Arbeit als Sekretärin Spaß?

   ✺ **해석** 슈니츨러 부인, 여비서로서 일하는 것이 당신에게 재미있습니까?

   ✺ **어휘** 「주어 + machen + 3격(사람) + Spaß」 ...은 누구에게 재미있다 ▌die Arbeit 일, 작업 (die Arbeit*en*) ▌als ...로서 (영. as) ▌die Sekretär*in* 여비서 (die Sekretärin*nen*) ↔ der Sekretär 비서, 남자 비서 (die Sekretär)

   ☞ • 동사 macht의 3격 목적어이므로 3격 형이 와야 함.
   정중한 호칭 Frau ...('...부인')을 사용하는 관계이므로 Sie('당신')의 3격 형 *Ihnen*이 정답임.
   4격 형은 ***Sie***임.

   • Ihnen은 형태적으로 재귀대명사가 될 수 없음. 즉, 일반 *인칭대명사*임.

   ► 어순: 대명사는 다른 요소보다 앞에 위치해야 함!
   여기서 Ihnen은 3격 인칭*대명사*이므로 일반 명사인 주어 die Arbeit보다 앞에 위치함.

2. Hallo, Jan! Wie geht es __dir__? - Danke, es geht __mir__ gut. Und __dir__?

   ✺ **해석** 안녕, 얀! 너 어떻게 지내니? - 고마워, 나는 잘 지내. 그러면 너는?

   ✺ **어휘** hallo (구어체 인사말) 안녕 ▌「Wie geht es + 3격?」 어떻게 지내세요? - 「Es geht + 3격(사람) + gut」 누구는 잘 지내다

   문장 1

   ► 구어체 인사말 Hallo는 보통 친구 사이처럼 친밀한 관계에서 사용됨.

   문장 2

   ☞ • Wie geht es ...?와 결합하므로 3격 형이 와야 함.
   친밀하게 이름을 부르는 관계이므로 du의 3격 형 *dir*가 정답임.
   4격 형은 ***dich***임.

   • 여기서 dir(= 단수 2인칭)는 주어인 es(= 단수 3인칭)와 인칭이 다름!
   따라서 재귀대명사가 아닌 일반 *인칭대명사*임.

   ► 이 문장은 구어체에서 보통 Wie geht's dir? 혹은 Wie geht's?로 축약됨.

   문장 3

   ☞ • ... es geht ...와 결합하므로 ich의 3격 형 *mir*가 와야 함.
   4격 형은 ***mich***임.

   • 여기서도 mir(= 단수 1인칭)는 주어인 es(= 단수 3인칭)와 인칭이 다름!
   따라서 재귀대명사가 아니라 일반 *인칭대명사*임.

   ► 이 문장은 구어체에서 Danke, gut!으로 축약될 수 있음.

   문장 4

   ► 이 문장은 축약된 문장임. 원래 형태는: Und (wie geht es) dir?

   ☞ • 생략된 wie geht es ...와 결합하므로 역시 3격 형 *dir*가 와야 함.

   • dir(= 단수 2인칭)는 생략된 주어 es(= 단수 3인칭)와 인칭이 다르므로 일반 *인칭대명사*임.

3. Vielen Dank, Herr Müller! Das ist sehr nett von Ihnen.

✷ **해석** 대단히 감사합니다, 뮐러씨! 당신 매우 친절하시군요.

✷ **어휘** Vielen Dank! 매우 고맙습니다! → viel 많은 + der Dank 고마움 ▌das [지시대명사] 그것 ▌sehr 매우 ▌nett 친절한 ▌「Das ist nett von + 3격(사람)」 그 점에서 누구는 친절하시군요. (영. 「It is kind of + 사람」)

문장 1

► Vielen Dank! = Schönen Dank! = Danke sehr! = Danke schön!

문장 2

☞ • 3격 전치사 von의 목적어이므로 3격 형이 와야 함.
정중한 호칭 Herr ...('...씨')를 사용하는 관계이므로 Sie('당신')의 3격 형 *Ihnen*이 정답.
4격 형은 ***Sie***임.

• Ihnen은 형태적으로 재귀대명사가 될 수 없음. 즉, 일반 *인칭대명사*임.

4. Wir schreiben Ihnen heute. Bitte, antworten Sie uns bald!

✷ **해석** 우리는 당신에게 오늘 편지 보냅니다. 부탁컨대, 우리에게 곧 답장해 주세요.

✷ **어휘** 「schreiben + 3격(사람)」 누구에게 편지 쓰다 ▌heute 오늘 ▌「antworten + 3격(사람)」 누구에게 대답하다, 답장하다 ▌bald 곧

문장 1

► 동사 schreiben의 3격 목적어이므로 Sie('당신')의 3격 형 Ihnen이 사용됨.

문장 2

► Sie-명령문 「동사 원형 + Sie ...!」 ... 하세요 : ..., antwort*en Sie* ...!

☞ • 동사 antworten의 3격 목적어이므로 3격 형이 와야 함.
내용상 "우리에게"이므로 wir의 3격 형 *uns*가 정답임.
4격 형도 ***uns***임.

• 여기서 uns(= 복수 1인칭)는 주어인 Sie(= 단수 2인칭)와 인칭이 다름!
따라서 재귀대명사가 아닌 일반 *인칭대명사*임.

<주의> Sie-명령문의 주어는 Sie('당신'), du-명령문의 주어는 du('너는')이다!

5. Monika kocht nicht gern. Das Kochen ist ihr zu anstrengend.

✷ **해석** 모니카는 요리하는 것을 좋아하지 않는다. 요리하는 것은 그녀에게 너무 힘들다.

✷ **어휘** kochen 요리하다 ▌gern 즐겨, 기꺼이 ▌das Kochen 요리하기 (동사 kochen의 명사화!) ▌「동사 sein + 3격(사람) + 형용사」 누구에게 ...하다 ▌anstrengend 힘든 (현재분사 형용사!) ▌「zu + 형용사」 너무 ...한 (영. 「too + 형용사」) : zu anstrengend 너무 힘든

문장 2

☞ • 동사 ist와 결합하는 3격 형이 와야 함.
내용상 앞 문장의 Monika를 받으므로 여성 sie('그녀')의 3격 형 *ihr*가 정답.
4격 형은 ***sie***임.

<참고> 여기서 동사 ist와 결합하는 3격 형 ihr는 「für + 4격」, 즉 für sie로 대체 가능함:
Das Kochen ist *für sie* zu anstrengend.

• ihr는 형태적으로 재귀대명사가 될 수 없음. 즉, 일반 *인칭대명사*임.

► 주어인 Das Kochen은 동사 kochen을 명사화한 것임!

<참고> 동사의 명사화: 동사의 앞 글자를 *대문자* 표기하면 *중성*명사임 ('...하는 것, ...하기'):
동사 lügen '거짓말하다' → das *L*ügen '거짓말하는 것, 거짓말'
동사 lesen '읽다' → das *L*esen '읽기, 독서'

6. Dieses alte Kleid passst __mir__ nicht mehr. Es ist zu eng. Ich brauche ein neues.

✺ **해석** 이 낡은 원피스는 더 이상 나에게 맞지 않아. 그것은 너무 작아. 나는 새 것 하나가 필요해.

✺ **어휘** alt 낡은 ▌das Kleid 원피스, 드레스 (die Kleid*er*) ▌「passen + 3격(사람)」 (의복 등이) 누구에게 어울리다, 맞다 ▌... nicht mehr 더 이상 ... 않다 ▌eng (옷이) 끼이는 ▌「zu + 형용사」 너무 ...한 : zu eng 너무 작아 끼이는 ▌brauchen [타동사] ...을 필요로 하다 ▌neu 새, 새로운

문장 1

► 「Dies*es* alt*e* Kleid」 :

• 명사 Kleid는 *중성*이며, 문장의 *주어*이므로 *중성 1격!!*
따라서 지시대명사 Dies-는 *중성 1격* 정관사 d*as*처럼 어미변화 하여 Dies*es*임.

• 형용사 alt 앞에 d*as*에 일치하는 Dies*es*가 있음.
→ 따라서 Dies*es* alt*e* ...
(근거: 중성 1, 4격 d*as*, dies*es* + 형용사 *-e*)

☞ • 동사 passen의 3격 목적어이므로 3격 형이 와야 함.
내용상 "나에게"이므로 ich의 3격 형 *mir*가 정답임.
4격 형은 ***mich***임.

• 여기서 mir(= 단수 1인칭)는 주어인 Diese alte Kleid(= 단수 3인칭)와 인칭이 다름!
따라서 재귀대명사가 아닌 일반 *인칭대명사*임.

문장 2

► 주어 Es는 앞 문장의 중성명사 Dieses alte Kleid를 받음.

문장 3

► 이 문장은 명사 Kleid가 생략된 형태임: Ich brauche ein neues (Kleid).
「*ein* neu*es* (Kleid)」 :

- 생략된 명사 Kleid는 *중성*이며, 동사 brauche의 *4격*목적어이므로 *중성 4격*!!
  따라서 *중성 4격* 부정관사 *ein*이 앞에 옴.
- 형용사 neu 앞에 *중성 4격*의 *ein*이 있음.
  → 따라서 *ein* neu*es* ...
  (근거: 중성 1, 4격 ein_ , mein_ , ihr_ , unser_ , euer_ , kein_ + 형용사 *-es*)

7. Ich wünsche dir ein frohes neues Jahr!

✺ **해석** 나는 너에게 즐거운 새해를 기원해!

※ 전형적인 새해 인사 표현임. 우리말의 "새해 복 많이 받으세요!"에 해당함.
(일상의 구어체에서는 "Frohes neues Jahr!"로 축약된 형태가 사용됨.)

✺ **어휘**「wünschen + 3격(사람) + 4격」 누구에게 ...을 기원하다, 소원하다 ▌froh 즐거운, 기쁜 ▌neu 새, 새로운 ▌das Jahr 해, 년 (die Jahr*e*)

☞ • 동사 wünsche의 3격 목적어이므로 3격 형이 와야 함.
내용상 "너에게"이므로 du의 3격 형 *dir*가 정답임.
4격 형은 ***dich***임.

• 여기서 dir(= 단수 2인칭)는 주어인 Ich(= 단수 1인칭)와 인칭이 다름!
따라서 재귀대명사가 아닌 일반 *인칭대명사*임.

►「*ein* froh*es* neu*es* Jahr」:

- 명사 Jahr는 *중성*이며, 동사 wünsche의 *4격*목적어이므로 *중성 4격*!!
  따라서 *중성 4격* 부정관사 *ein*이 앞에 옴.
- 형용사 froh와 neu 앞에는 *중성 4격*의 *ein*이 있음.
  → 따라서 *ein* froh*es* neu*es* ...
  (근거: 중성 1, 4격 ein_ , mein_ , ihr_ , unser_ , euer_ , kein_ + 형용사 *-es*)

기타 정답 1

Ich wünsche Ihnen ein frohes neues Jahr!
(저는 *당신(들)에게* 즐거운 새해를 기원합니다!)

► 내용상 Sie('당신, 당신들')의 3격 형 *Ihnen*도 가능함!
Ihnen은 형태적으로 재귀대명사가 될 수 없음. 즉, 일반 *인칭대명사*임.

기타 정답 2

Ich wünsche euch ein frohes neues Jahr!
(나는 *너희에게* 즐거운 새해를 기원해!)

► 내용상 ihr('너희')의 3격 형 *euch*도 가능함!
이 경우 euch(= 복수 2인칭)는 주어인 Ich(= 단수 1인칭)와 인칭이 다름!
따라서 재귀대명사가 아닌 일반 *인칭대명사*임.

8. Mit __wem__ kommst du morgen zu uns? Mit Katharina? - Ja, ich komme mit __ihr__ zu __euch__.

✷ **해석** 너는 내일 누구와 함께 우리에게 오니? 카타리나와 함께 (오니)? - 응, 나는 그녀와 함께 너희에게 가.

✷ **어휘** mit [3격 전치사] ~와 함께 ▌ wem 누구에게? (의문사 wer의 3격 형!) ▌ kommen 오다 ▌ morgen 내일 ▌ 「3격 전치사 zu + 사람」 (방향) 누구에게로

문장 1

☞ • 3격 전치사 Mit의 목적어이므로 3격 형이 와야 함.
내용상 "누구와 함께"이므로 사람을 묻는 의문대명사 wer의 3격 형 *wem*이 정답임.
4격 형은 ***wen***임.

• wem은 *의문대명사*임.

► 3격 전치사 zu의 목적어이므로 wir의 3격 형 uns가 옴.

문장 2

► 축약된 문장임. 본래의 형태는: (Kommst du) Mit Katharina?

문장 3

☞ • 3격 전치사 mit의 목적어이므로 3격 형이 와야 함.
내용상 앞 문장의 Katharina를 받으므로 여성 sie('그녀')의 3격 형 *ihr*가 정답임.
4격 형은 ***sie***임.

• ihr는 형태적으로 재귀대명사가 될 수 없음. 즉, 일반 *인칭대명사*임.

☞ • 3격 전치사 zu의 목적어이므로 3격 형이 와야 함.
내용상 "너희에게로"이므로 ihr('너희는')의 3격 형인 *euch*가 정답임.
4격 형도 ***euch***임.

• 여기서 euch(= 복수 2인칭)는 주어인 ich(= 단수 1인칭)와 인칭이 다름!
따라서 재귀대명사가 아닌 일반 *인칭대명사*임.

unit 03 마무리 문제

I. 괄호 안의 낱말을 사용하여 독일어로 옮기시오. (8과, 마무리문제: 교재 47쪽)

1. 이 이메일은 누구에게서 온 것이지? - 모르겠는데.

(dies-, E-Mail, wem, von, sein) (Ahnung, kein-, haben)

✹ 어휘 dies- [지시대명사] 이 ... (정관사 어미변화!) ▌die E-Mail 이메일 (die E-Mail*s*) ▌wem 누구에게? (wer의 3격 형) ▌von [3격 전치사] ~로부터 ▌die Ahnung 예견, 예감 (die Ahnung*en*) → 「haben keine Ahnung (von + 3격)」 (*3격*에 관해) 모르다

정답 Von wem ist diese E-Mail? - Ich habe keine Ahnung.

문장 1

► "누구에게서"는 "누구로부터"를 뜻함.

즉, 「전치사 von + 의문사 wer」 :

3격 전치사 von의 목적어이므로 wer의 3격 형 wem이 사용됨: Von wem ...?

4격 형은 ***wen***임.

► 우리말 "이 이메일은"이 주어에 해당함.

「dies*e* E-Mail」 :

명사 E-Mail은 *여성*이며, *주어*이므로 *여성 1격!!*

따라서 지시대명사 dies-는 *여성 1격* 정관사 di*e*처럼 어미변화 하여 dies*e*임.

문장 2

► 「kein*e* Ahnung」 :

명사 Ahnung은 *여성*이며, 동사 habe의 *4격* 목적어이므로 *여성 4격!!*

따라서 kein-은 *여성 4격* ein*e*처럼 어미변화 하여 kein*e*임.

► 일상의 구어체에서는 축약형 "Keine Ahnung!"도 자주 사용됨.

2. 어느 가방이 당신의 것입니까? - 여기 이 검은 것입니다.

(welch-, Koffer, Sie, gehören) (hier, dies-, schwarz)

✹ 어휘 welch- [의문사] 어떤 ...?, 어느 쪽 ...? (정관사 어미변화! 영. which) ▌der Koffer (여행용) 트렁크 (die Koffer) ▌「gehören + 3격(사람)」 누구에게 속하다, 누구의 소유이다 ▌hier 여기 ▌dies- [지시대명사] 이 ... (정관사 어미변화!) ▌schwarz 검정색의

정답 Welcher Koffer gehört Ihnen? - Dieser schwarze hier.

문장 1

► 우리말 "어느 가방이"가 주어에 해당함.

「Welch*er* Koffer」 :

명사 Koffer는 *남성*이며, *주어*이므로 *남성 1격!!*

따라서 Welch-는 *남성 1격* 정관사 d*er*처럼 어미변화 하여 Welch*er*임.

► 주어 Welcher Koffer는 er에 해당하므로 동사 형태는 gehör*t*.

► 동사 gehört의 3격 목적어이므로 Sie('당신')의 3격 형 Ihnen이 사용됨.

4격 형은 ***Sie***임.

문장 2

► 우리말 "이 검은 것"이 주어에 해당함.

「Dies*er* schwarz*e* (Koffer)」 :

- 생략된 명사 Koffer는 *남성*이며, *주어*이므로 *남성 1격!!*

  따라서 지시대명사 Dies-는 *남성 1격* 정관사 d*er*처럼 어미변화 하여 Dies*er*임.

- 형용사 schwarz 앞에 *남성 1격* d*er*에 일치하는 Dies*er*가 있음.

  → 따라서 Dies*er* schwarz*e* ...

  (근거: 남성 1격 d*er*, dies*er* + 형용사 *-e*)

► 이 문장은 축약된 형태임: (Mir gehört) Dieser schwarze hier의 축약형.

<주의> 동사 gehört의 3격 목적어 Mir가 문장 앞에 나오므로 뒤의 어순이 도치됨.

3. 이 낡은 원피스가 아직 네게 맞니? - 아니, 그것이 너무 몸에 째여. 나는 새 것이 필요해.

(dies-, alt, Kleid, noch, du, passen) (nein, es, zu, eng, sein, ich, neu, brauchen)

✺ **어휘** dies- [지시대명사] 이 ... (정관사 어미변화! 영. this ...) ▌alt 구식의, 낡은 ▌das Kleid 드레스, 원피스 (die Kleid*er*) ▌noch 아직 ▌「passen + 3격(사람)」 (의복 등이) 누구에게 어울리다, 맞다 ▌「zu + 형용사」 너무 ...한 : zu eng 너무 째이는 ▌eng 좁은, (옷이) 몸에 째이는 ▌neu 새, 새로운 ▌brauchen [타동사] ...을 필요로 하다

정답 Passt dir dieses alte Kleid noch? - Nein, es ist zu eng. Ich brauche ein neues.

문장 1

► 우리말 "이 낡은 원피스가"가 주어에 해당함.

「dies*es* alt*e* Kleid」 :

- 명사 Kleid는 *중성*이며, *주어*이므로 *중성 1격!!*

  따라서 지시대명사 dies-는 *중성 1격* d*as*와 동일하게 어미변화 하여 dies*es*임.

- 형용사 alt 앞에 *중성 1격* d*as*에 일치하는 dies*es*가 있음.

  → 따라서 dies*es* alt*e* ...

  (근거: 중성 1, 4격 d*as*, dies*es* + 형용사 *-e*)

► "네게"는 동사 Passt의 3격 목적어 → du의 3격 형 *dir*임.
4격 형은 ***dich***임.

► 동사 Passt의 3격 목적어 dir는 인칭*대명사*이므로 일반 명사인 주어 dieses alte Kleid보다 앞에 위치함: Passt *dir* dieses alte Kleid ...?

문장 2

► 우리말 "그것은"이 주어에 해당함 → 앞 문장의 중성명사 dieses alte Kleid를 받는 es임!.

► 동사 ist의 3격 목적어 mir가 옴:

Es ist *mir* (혹은 *für mich*) zu eng. 그것은 *나에게* 너무 끼여.

문장 3

► "새 것"은 동사 brauche의 4격 목적어임.

「*ein* neu*es* (Kleid)」:

- 생략된 명사 Kleid는 *중성*이며, 동사의 *4격* 목적어이므로 *중성 4격*!!
  따라서 *중성 4격* 부정관사 *ein*이 앞에 옴.
- 형용사 neu 앞에 *중성 4격* 부정관사 *ein*이 있음.
  → 따라서 *ein* neu*es* ...
  (근거: 중성 1, 4격 ein_ , mein_ , ihr_ , unser_ , euer_ , kein_ + 형용사 *-es*)

4. 나는 나의 할아버지에게 자동차로 가지 않고 걸어서 간다.

(ich, sondern, zu, mein-, nicht, zu Fuß, mit, Auto, Großvater, gehen, fahren)

✹ **어휘** 「nicht A, sondern B」 A가 아니라 B이다 (영. not A but B) ▌「3격 전치사 zu + 사람」(방향) 누구에게로 ▌zu Fuß 걸어서 ← der Fuß 발 (die Füß*e*) ▌「3격 전치사 mit + 차량」 ...을 타고 ▌das Auto 차, 자동차 (die Auto*s*) ▌der Großvater 할아버지 (die Großväter) ▌gehen 가다, 걸어가다 ▌fahren (차 타고) 가다

정답 Ich fahre zu meinem Großvater nicht mit dem Auto, sondern ich gehe zu Fuß.

► "나의 할아버지에게"는 '방향'을 나타내는 「zu + 사람」 형식으로 표현함.

「zu mein*em* Großvater」:

명사 Großvater는 *남성*이며, *3격* 전치사 zu의 목적어이므로 *남성 3격*!!

따라서 mein-은 *남성 3격* 어미 *-em*이 붙어 mein*em*임.

► "자동차로", 즉 "차를 타고"는 「mit + 차량」 형식으로 표현함.

「mit d*em* Auto」:

명사 Auto는 *중성*이며, *3격* 전치사 mit의 목적어이므로 *중성 3격*!!

따라서 *중성 3격* 어미 *-em*을 지니는 정관사 d*em*이 앞에 옴.

5. 그는 사랑하는 자기 아내에게 붉은 장미 열 송이를 사준다.

(er, Rose, Frau, lieb-, sein-, rot, zehn, kaufen)

✺ **어휘** die Rose 장미 (die Rose*n*) ▌die Frau 부인, 아내 (die Frau*en*) ▌lieb- [형용사] 사랑하는 ... (형용사 lieb-은 명사를 수식하는 용법뿐임!) ▌rot 붉은 색의 ▌zehn 10, 열 ▌「kaufen + 3격(사람) + 4격」 누구에게 ...을 사주다

정답 Er kauft seiner lieben Frau zehn rote Rosen.

► "사랑하는 자기 아내에게"는 동사 kauft의 3격 목적어임

「sein*er* lieb*en* Frau」:

- 명사 Frau는 *여성*이며, 동사의 *3격* 목적어이므로 *여성 3격!!*
  따라서 sein-은 *여성 3격* 어미 *-er*가 붙어 sein*er*임.
- 형용사 lieb- 앞에는 *여성 3격* 어미 *-er*를 지닌 sein*er*가 있음.
  → 따라서 sein*er* lieb*en* ...
  (근거: *3격* 어미 *-em*(남・중성), *-er*(여성), *-en*(복수) 뒤에 오는 형용사는 모두 *-en*임!)

► "붉은 장미 열 송이를"은 동사 kauft의 4격 목적어임.

「zehn rot*e* Rose*n*」:

- 수사 zehn과 결합하므로 명사 Rose는 복수형 Rose*n*임.
- 형용사 rot 앞에 *관사가 없으므로* 정관사 어미변화:
  명사 Rose*n*은 *복수*이며 동사의 *4격* 목적어이므로 *복수 4격!!*
  따라서 형용사 rot은 *복수 4격* 정관사 di*e*처럼 어미변화 하여 rot*e*임.

II. 잘못된 부분(들)을 고쳐서 다시 적으시오. (8과, 마무리문제: 교재 47쪽)

1. Fragen Sie ihm[오류1] bitte! Er ist der neuen[오류2] Chef.

✺ **해석** 그에게 물어보세요. 그가 새 부장님이셔요.

✺ **어휘** 「fragen + 4격(사람)」 누구에게 질문하다 (4격 요구 동사!) ▌bitte [부사어] 명령문에서 정중한 부탁을 표현함. ▌neu 새, 새로운 ▌der Chef 사장, 부장, 과장 (die Chef*s*)

<오류> 1

동사 Fragen은 '...*에게* 질문하다'이지만 3격이 아닌 4격 목적어를 지니는 "4격 요구 동사"임.
따라서 목적어로서 er의 3격 형 ihm이 아닌 4격 형 *ihn*이 와야 옳음!

<오류> 2

형용사 neu*en*의 어미변화 방식은 오류임. (아래 설명!)

정답 Fragen Sie *ihn* bitte! Er ist der *neue* Chef.

문장 1

► 어순: 동사 Fragen의 4격 목적어 ihn은 인칭*대명사*이므로 부사어 bitte보다 앞에 위치!

문장 2

► 「d*er* neu*e* Chef」 :

- 명사 Chef는 *남성*이며, 동사 ist의 *주격* 보어이므로 *남성 1격*!!
  따라서 *남성 1격* 정관사 d*er*가 앞에 옴.
- 형용사 neu 앞에 *남성 1격* 정관사 d*er*가 있음.
  → 따라서 d*er* neu*e* ...
  (근거: 남성 1격 d*er*, dies*er* + 형용사 *-e*)

2. Das ist nicht ein[오류1] Bleistift, aber[오류2] ein Kugelschreiber.

✺ **해석** 그것은 연필이 아니라 볼펜이다.

✺ **어휘** der Bleistift 연필 (die Bleistift*e*) ▌「nicht A, sondern B」, 「kein A, sondern B」 A가 아니라 B이다 ▌der Kugelschreiber 볼펜 (die Kugelschreiber) = der Kuli (구어체) (die Kuli*s*)

<오류> 1

「정관사 + 명사」를 부정할 때는 nicht, 「부정관사 + 명사」를 부정할 때는 kein-을 사용함!
따라서 여기서는 kein-을 사용해야 옳음!

<오류> 2

"A가 아니라 B이다"는 「nicht A, sondern B」 이다. 따라서 aber가 아니라 sondern이어야 옳음!
(영어의 「not A, *but* B」 형식과 혼동한 오류임!)

정답 Das ist *kein* Bleistift, *sondern* ein Kugelschreiber.

► 「*kein* Bleistift 」 :
명사 Bleistift는 *남성*이며, 동사 ist의 *주격* 보어이므로 *남성 1격*!!
따라서 kein-은 *남성 1격* ein_처럼 어미 없이 kein_임.

3. Ich rufe keine[오류1] Frau Dr. Stein an, sondern Herr[오류2] Dr. Peters.

✺ **해석** 나는 Stein (여)박사님이 아니라 Peters 박사님께 전화한다.

✺ **어휘** rufe ... *an* ⇒*an*rufen [분리동사&타동사] : 「rufen + 4격(사람) ... *an*」 누구에게 전화하다 (4격 요구 동사!) ▌Dr. ... (호칭) ... 박사 (Dr. = Doktor) ▌Herr Dr. ... (남자 호칭) ... 박사님 ▌Frau Dr. ... (여자 호칭) ... 박사님 ▌「nicht A, sondern B」, 「kein A, sondern B」 A가 아니라 B이다

<오류> 1

Frau Dr. Stein은 지정된 인물이므로 「정관사 + 명사」 에 해당함!
따라서 이를 부정하기 위해서는 nicht를 사용해야 옳음!

<오류> 2

불규칙명사 Herr는 단수에서 주어 1격 이외에는 모두 어미 -n이 붙어 Herr*n*임.
여기서도 Herr ...는 분리동사 rufe ... an의 4격 목적어이므로, 즉 주어가 아닌 단수 4격이므로 Herr*n* ...이어야 옳음!

정답 Ich rufe *nicht* Frau Dr. Stein an, sondern *Herrn* Dr. Peters.

4. Die Leute sind sehr nett. Sie helfen mich[오류] immer gerne.

✻ **해석** 그 사람들은 매우 친절하다. 그들은 나를 언제나 기꺼이 돕는다.

✻ **어휘** die Leute 사람들 (항상 복수!) ▌sehr 매우 ▌nett 친절한 ▌「helfen + 3격(사람)」 누구를 돕다 (3격 요구 동사!) ▌immer 항상 ▌gern(e) 기꺼이, 즐겨

<오류>

동사 helfen은 '...*를* 돕다'이지만 4격이 아닌 3격 목적어를 지니는 "3격 요구 동사"임.
따라서 목적어는 4격 형 mich가 아니라 3격 형 *mir*이어야 옳음!

정답 Die Leute sind sehr nett. Sie helfen *mir* immer gerne.

5. Peter und Susi reden jetzt mit dem neuem[오류] Professor.

✻ **해석** Peter와 Susi는 지금 새로 부임하신 교수님과 이야기하고 있다.

✻ **어휘** 「reden mit + 3격(사람) + über + 4격」 누구와 ...에 관해 이야기하다 ▌jetzt 지금 ▌mit [3격 전치사] ~와 함께 ▌neu 새, 새로운 ▌der Professor 대학 교수 (die Professor*en*)

<오류>

형용사 neu*em*의 어미변화 방식은 오류임. (아래 설명!)

정답 Peter und Susi reden jetzt mit dem *neuen* Professor.

► 「mit d*em* neu*en* Professor」 :

- 명사 Professor는 *남성*이며, *3격* 전치사 mit의 목적어이므로 *남성 3격!!*
  따라서 *남성 3격* 어미 *-em*을 지닌 정관사 d*em*이 앞에 옴.
- 형용사 neu 앞에 남성 3격 어미 *-em*을 지닌 d*em*이 있음.
  → 따라서 mit d*em* neu*en* ...
  (근거: *3격* 어미 *-em*(남·중성), *-er*(여성), *-en*(복수) 뒤에 오는 형용사는 모두 *-en*임!)

6. Er ist mein gut[오류1] Freund und ich bin sein gut[오류2] Freund. Wir sind gut[오류3] Freunde.

✻ **해석** 그는 나의 좋은 친구이고, 나는 그의 좋은 친구이다. 우리는 좋은 친구들이다.

✻ **어휘** gut 좋은 ▌der Freund 친구 (die Freund*e*)

<오류> 1, 2, 3

형용사 gut은 뒤에 오는 명사를 수식하므로 어미변화 해야 옳음! (아래 설명!)

정답 Er ist mein *guter* Freund und ich bin sein *guter* Freund. Wir sind *gute* Freunde.

문장 1

► 「*mein* gut*er* Freund」 :

- 명사 Freund는 *남성*이며, 동사 ist의 *주격* 보어이므로 *남성 1격!!*
  따라서 mein-은 *남성 1격* 부정관사 ein_과 동일하게 어미 없이 mein_임.
- 형용사 gut 앞에 *남성 1격* ein_과 동일한 mein_이 있음.
  → 따라서 *mein* gut*er* ...
  (근거: 남성 1격 ein_ , mein_ , ihr_ , unser_ , euer_ , kein_ + 형용사 *-er*)

► 「*sein* gut*er* Freund」 :

- 명사 Freund는 *남성*이며, 동사 bin의 *주격* 보어이므로 *남성 1격!!*
  따라서 sein-은 *남성 1격* 부정관사 ein_과 동일하게 어미 없이 sein_임.
- 형용사 gut 앞에 *남성 1격* ein_에 일치하는 sein_이 있음.
  → 따라서 *sein* gut*er* ...
  (근거: 남성 1격 ein_ , mein_ , sein_ , ihr_ , unser_ , kein_ + 형용사 *-er*)

문장 2

► 「(*관사 없이*) gut*e* Freund*e*」 :

- 주어 Wir('우리')는 복수이므로 주격 보어 역시 복수이어야 함.
  따라서 복수명사 Freund*e*가 옴.
- 형용사 gut은 앞에 관사가 없으므로 정관사 어미변화 함:
  명사 Freund*e*는 *복수*이며, 동사 sind의 *주격* 보어이므로 *복수 1격!!*
  따라서 gut은 *복수 1격* 정관사 di*e*와 동일하게 어미 *-e*가 붙어 gut*e*임.

7. Was wünscht du dich[오류1] zum Geburtstag? - Ich wünsche mich[오류2] einen guten Computer.

✹ **해석** 너는 생일에 무엇을 원하니? - 나는 좋은 컴퓨터 한 대를 원해.

✹ **어휘** was 무엇을? (4격 형) ▌ 「wünschen sich[3] + 4격」 [재귀동사] ...을 (갖기를) 원하다 ▌ zum Geburtstag 생일에, 생일을 위해 ▌ gut 좋은 ▌ der Computer 컴퓨터 (die Computer)

<오류> 1

동사 wünscht와 결합하는 3격 재귀대명사가 와야 함.

주어가 du이므로 3격 재귀대명사는 동일한 2인칭의 *dir*가 옳음!

주어가 du일 때 4격 재귀대명사는 *dich*임.

<오류> 2

동사 wünsche와 결합하는 3격 재귀대명사가 와야 함.

주어가 ich이므로 3격 재귀대명사는 동일한 1인칭의 *mir*가 옳음!

주어가 ich일 때 4격 재귀대명사는 *mich*임.

정답 Was wünscht du *dir* zum Geburtstag? - Ich wünsche *mir* einen guten Computer.

문장 1

► 일반 동사 「wünschen + 3격(사람) + 4격」 누구에게 ...을 소원하다

→ 재귀동사 「wünschen sich³ + 4격」 '*나 자신*에게 ...을 소원하다', 즉 '...을 (갖기) 원하다'

Ich wünsche *dir* ein schönes Weihnachtsfest! (여기서 *dir*는 인칭대명사!)

나는 너에게 좋은 성탄절을 기원해!

Ich wünsche *mir* ein schönes Weihnachtsfest! (여기서 *mir*는 재귀대명사!)

나는 (나 자신에게) 좋은 성탄절을 기원해! 즉: 나는 (내가) 좋은 성탄절 지내기를 기원해!

► 동사 wün*sch*en은 어간 끝이 -sch이므로 주어가 du일 때 동사 어미는 -st가 아니라 -t임.

따라서 Was wünsch*t* du ...? (즉 wünsch*st* 아님!)

문장 2

► 「ein*en* gut*en* Computer」 :

- 명사 Computer는 *남성*이며 동사 wünsche의 *4격* 목적어이므로 *남성 4격!!*
  따라서 *남성 4격* 부정관사 ein*en*이 앞에 옴.
- 형용사 gut 앞에 *남성 4격* ein*en*이 있음.
  → 따라서 ein*en* gut*en* ...
  (참고: 남성 4격 d*en*, ein*en*, mein*en*, ihr*en*, unser*en*, kein*en*, dies*en* + 형용사 *-en*)

Lektion 9

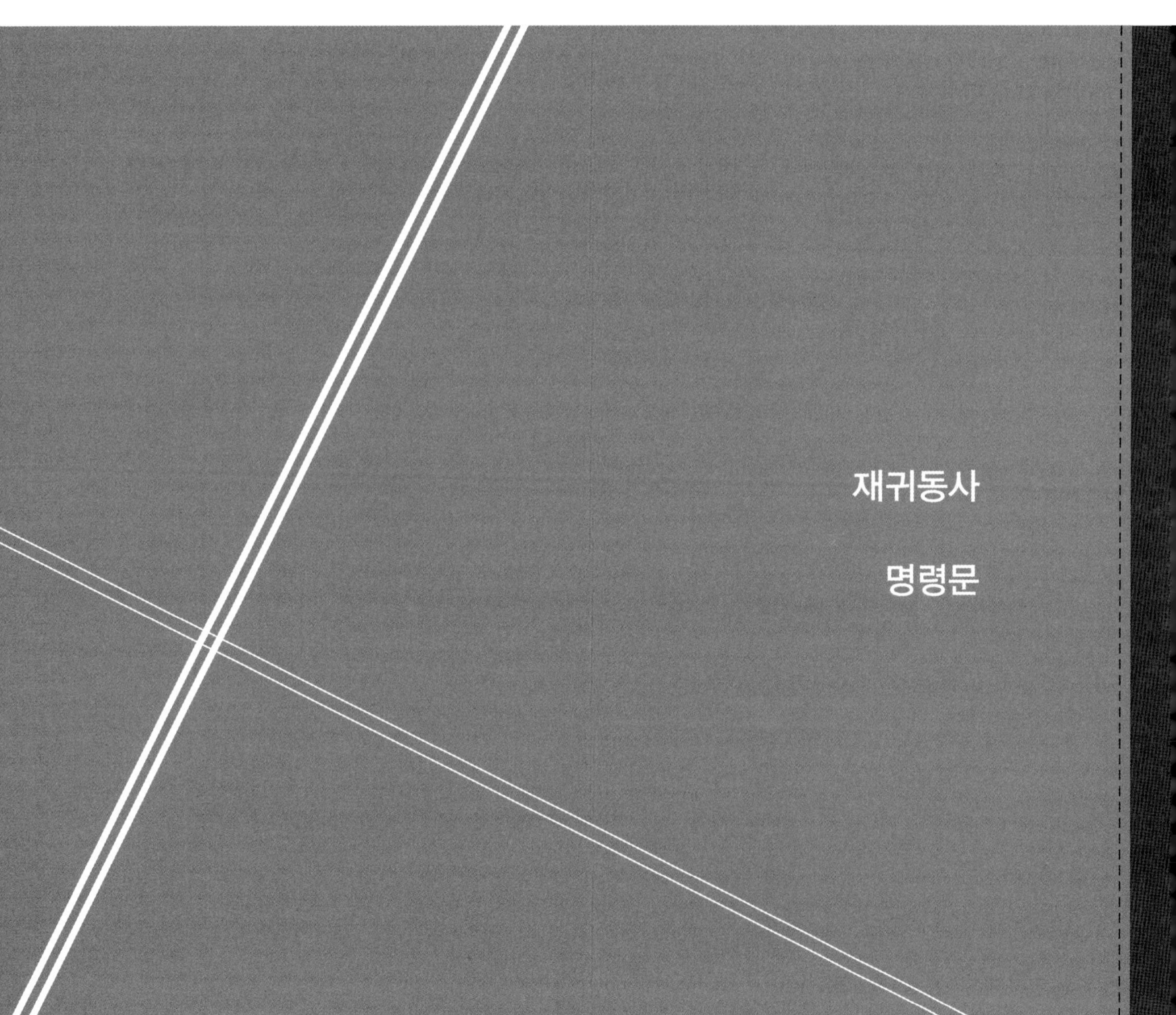

unit 01

기초문제

I. 밑줄 친 곳에 알맞은 재귀대명사는? (9과, 기초문제: 교재 50쪽)

1. Ich suche mir einen Job für die Ferien. Helfen Sie mir bitte!

❋ **해석** 나는 방학 동안의 일자리를 찾고 있어요. 저를 도와 주세요.

❋ **어휘** 「suchen sich^3 + 4격」 [3격 재귀동사] (자기 자신이 필요한) ...을 찾다, 구하다 ▌der Job (방학 등 짧은 기간의) 일자리, 직업 (die Jobs) ▌für [4격 전치사] ~을 위한 ▌die Ferien (항상 복수) 방학, 휴가 ▌「helfen + 3격(사람)」 누구를 돕다 (3격 요구 동사!) ▌bitte 정중한 표현에 사용되는 부사어

문장 1

☞ suche는 3격 재귀동사임! 즉 동사의 3격 목적어로서 3격 재귀대명사가 와야 함.
따라서 빈칸에는 주어가 Ich일 때의 3격 재귀대명사 *mir*가 옴.
<주의> 주어가 ich일 경우 → 3격 재귀대명사는 *mir*, 4격 재귀대명사는 *mich*임.
<참고> 일반 동사 「suchen + 4격」 (분실된 혹은 숨겨진) ...을 찾다 (영. look for; search for)

문장 2

► Sie-명령문 형식 「동사 원형 + Sie ...!」 ...하세요 : Helf*en* Sie ...!
► 3격 요구 동사 helfen의 목적어이므로 3격 형 mir가 사용됨.

2. Vor dem Essen waschen wir uns die Hände.

❋ **해석** 식사 전에 우리는 손을 씻는다.

❋ **어휘** 「전치사 vor + 3격」 (시간) ... 전에 ▌das Essen 식사 (die Essen) ▌「waschen sich^3 + 4격(신체 일부)」 [3격 재귀동사] (자신 몸의) ...을 씻다 ▌die Hand 손 (die Händ*e*)

☞ waschen은 3격 재귀동사임! 즉 동사의 3격 목적어로서 3격 재귀대명사가 와야 함.
따라서 빈칸에는 주어가 wir일 때의 3격 재귀대명사 *uns*가 옴.
<주의> 주어가 wir일 경우 → 3격 및 4격 재귀대명사 모두 *uns*임.
<참고>
일반 동사 「waschen + 3격(사람) + 4격」 누구에게 ...을 씻겨주다
⇒ 3격 재귀동사 「waschen sich^3 + 4격」 '*자신*에게 ...을 씻겨주다', 즉 '(자신의) ...을 씻다
일반 동사 「waschen + 4격」 ...을 씻다
⇒ 4격 재귀동사 「waschen sich^4」 '*자신*을 씻다', 즉 '몸을 씻다, 목욕하다'

3. Mein kleiner Junge wünscht __sich__ ein Fahrrad zu Weihnachten.

✺ **해석** 나의 작은 아들은 크리스마스에 자전거 한 대 갖기를 원한다.

✺ **어휘** klein 작은 ▌ der Junge 소년, 아들 (die Junge*n*) ▌「wünschen sich³ + 4격」 [3격 재귀동사] (자기 자신에게) ...을 소원하다 ▌ das Fahrrad 자전거 (die Fahrr*ä*d*er*) ← das Rad 바퀴 (die R*ä*d*er*) ▌ zu Weihnachten 크리스마스에, 크리스마스를 위해

► 「*Mein* klein*er* Junge」:

• 명사 Junge는 *남성*이며, 이 문장의 *주어*이므로 *남성 1격!!*
따라서 Mein-은 *남성 1격* 부정관사 ein_과 동일하게 어미 없이 Mein_임.

• 형용사 klein 앞에 *남성 1격* ein_에 일치하는 Mein_이 있음.
→ 따라서 *Mein* klein*er* ...
(근거: 남성 1격 ein_ , mein_ , ihr_ , unser_ , euer_ , kein_ + 형용사 *-er*)

☞ wünscht는 3격 재귀동사임! 즉 동사의 3격 목적어로서 3격 재귀대명사가 와야 함.
따라서 빈칸에는 주어가 Mein kleiner Junge, 즉 er일 때의 3격 재귀대명사 *sich*가 옴.
<주의> 주어가 er일 경우 → 3격 및 4격 재귀대명사 모두 *sich*임.
<참고>
일반 동사「wünschen + 4격」...을 소원하다
일반 동사「wünschen + 3격(사람) + 4격」누구에게 ...을 기원하다
⇒ 3격 재귀동사「wünschen sich³ + 4격」
'*자신*에게 ...을 기원하다', 즉 '(자기 자신이) ... 갖기를 원하다'

4. Machen Sie __sich__ keine Sorgen um Ihre Tochter.

✺ **해석** 당신의 딸에 대해 걱정하시지 마세요.

✺ **어휘** die Sorge 근심, 걱정 (die Sorge*n*) (보통 복수!) →「Sorge*n* um + 4격」...에 대한 걱정 ▌「machen sich³ Sorgen um + 4격」[3격 재귀동사] ...에 대해 걱정하다 ▌ um [4격 전치사] ~주위에 (영. around) ▌ die Tochter 딸 (die T*ö*chter)

► Sie-명령문「동사 원형 + Sie ...!」... 하세요 : Mach*en* Sie ...
<주의> 명령문은 보통 느낌표(*!*)가 사용되지만 마침표(.)도 사용될 수 있음.

☞ Machen은 3격 재귀동사임! 즉, 동사의 3격 목적어로서 3격 재귀대명사가 와야 함.
따라서 빈칸에는 주어가 Sie('당신')일 때의 3격 재귀대명사 *sich*가 옴.
<주의 1> Sie-명령문의 주어는 Sie이며, du-명령문의 주어는 du임.
<주의 2> 주어가 Sie('당신은')일 때 → 3격 및 4격 재귀대명사 모두 *sich*임. (대문자 표기 아님!)
<참고>
일반 동사「machen + 3격 + Sorgen」누구에게 걱정을 끼치다:
z.B. Das Examen macht mir große Sorgen. 졸업시험은 나에게 큰 걱정이다.
⇒ 3격 재귀동사「machen sich³ Sorgen um + 4격」
'*자신*에게 걱정을 끼치다', 즉 '...을 걱정하다'

5. Ich kaufe mir ein Buch und er kauft sich eine Zeitschrift.

✷ **해석** 나는 책 한 권을 구입하고, 그는 잡지 한 권을 구입한다.

✷ **어휘** 「kaufen sich³ + 4격」 [3격 재귀동사] (자신이 갖기 위해) ...을 구입하다 ▌das Buch 책 (die Büch*er*) ▌die Zeitschrift 정기 간행물, 잡지 (die Zeitschrift*en*) → das Magazin (최신 뉴스, 사진들이 담긴) 잡지 (die Magzin*e*)

☞ 동사 kaufen은 3격 재귀동사임! 즉 동사의 3격 목적어로서 3격 재귀대명사가 와야 함.

- 첫째 빈칸: 주어가 Ich일 때의 3격 재귀대명사 *mir*가 옴.

  <주의> 주어가 ich일 때 → 3격 재귀대명사는 *mir*, 4격 재귀대명사는 *mich*임.

- 둘째 빈칸: 주어가 er일 때의 3격 재귀대명사 *sich*가 옴.

  <주의> 주어가 er일 때 → 3격 및 4격 재귀대명사 모두 *sich*임.

  <참고>

  일반 동사 「kaufen + 4격」 ...을 사다, 구입하다

  일반 동사 「kaufen + 3격(사람) + 4격」 누구에게 ...을 사주다

  ⇒ 3격 재귀동사: 「kaufen sich³ + 4격」

  '*자신*에게 ...을 사주다', 즉 '(자신이 갖기 위해) ...을 사다, 구입하다'

II. 밑줄 친 곳에 알맞은 재귀대명사는? (9과, 기초문제: 교재 50쪽)

1. Wir interessieren uns für klassische Musik.

✷ **해석** 우리는 고전 음악에 대해 흥미를 갖고 있다.

✷ **어휘** 「interssieren sich⁴ für + 4격」 [4격 재귀동사] ...에 대해 흥미를 갖다 ▌für [4격 전치사] ~을 위해 ▌klassisch 고전적인, 고전의 ▌die Musik 음악 (die Musik*en*)

<참고> 「das Interesse an + 3격」 ...에 대한 흥미, 관심

☞ interessieren은 4격 재귀동사임! 즉 동사의 4격 목적어로서 4격 재귀대명사가 와야 함. 따라서 빈칸에는 주어가 Wir일 때의 4격 재귀대명사 *uns*가 옴.

<주의> 주어가 wir일 때 → 3격 및 4격 재귀대명사 모두 *uns*임.

<참고>

일반 동사 「주어 + interessieren + 4격」 *주어는* 4격이 흥미 갖게 만들다

Das interessiert mich. 그것은 내가 흥미 갖게 만든다. (그것은 내게 흥미를 준다.)

⇒ 4격 재귀동사: 「interssieren sich⁴ für + 4격」

'*자신*이 흥미 갖게 만들다', 즉 '...에 대해 흥미 갖다'

► 「für klassisch*e* Musik」:
명사 Musik은 *여성*이며, *4격* 전치사 für의 목적어이므로 *여성 4격!!*
형용사 klassisch는 앞에 관사가 없으므로 *정관사* 어미변화 함!
따라서 klassisch는 *여성 4격* 정관사 di*e*처럼 어미변화 하여 klassisch*e*임.

2. Ich ärgere __mich__ über diesen dummen Fehler.

✺ **해석** 나는 이 어리석은 실수에 대해 화가 난다.

✺ **어휘** 「ärgern sich[4] über + 4격」 [4격 재귀동사] ...에 대해 화나다 ▌ 「über + 4격」 ...에 대하여 ▌ dies- [지시대명사] 이 ... (정관사 어미변화!) ▌ dumm 어리석은 ▌ der Fehler 실수 (die Fehler)

<참고> 「der Ärger über + 4격」 ...에 대한 화, 분노 (복수 없음!)

☞ ärgere는 4격 재귀동사임! 즉 동사의 4격 목적어로서 4격 재귀대명사가 와야 함.
따라서 빈칸에는 주어가 Ich일 때의 4격 재귀대명사 *mich*가 옴.
<주의> 주어가 ich일 때 → 3격 재귀대명사는 *mir*, 4격 재귀대명사는 *mich*임.
<참고>
일반 동사 「주어 + ärgern + 4격」 *주어는 4격*이 화나도록 하다
Das ärgert mich. 그것은 나를 화나게 만든다.
⇒ 4격 재귀동사: 「ärgern sich[4] über + 4격」 '*자신*이 화나도록 하다', 즉 '...에 대해 화나다'

► 「über dies*en* dumm*en* Fehler」:
- 명사 Fehler는 *남성*이며, 전치사 über의 *4격* 목적어이므로 *남성 4격!!*
  따라서 dies-는 *남성 4격* 정관사 d*en*처럼 어미변화 하여 dies*en*임.
- 형용사 dumm 앞에 *남성 4격* d*en*에 일치하는 dies*en*이 있음.
  → 따라서 über dies*en* dumm*en* ...
  (근거: 남성 4격 d*en*, ein*en*, mein*en*, ihr*en*, unser*en*, kein*en*, dies*en* + 형용사 *-en*)

3. Erinnerst du __dich__ noch an unseren früheren Kollegen Herrn Müller?

✺ **해석** 너는 우리의 예전 동료인 뮐러 씨를 아직 기억하니?

✺ **어휘** 「erinnern sich[4] an + 4격」 [4격 재귀동사] ...에 대해 기억하다 ▌ noch 아직, 여전히 ▌ früher 과거의, 예전의 ▌ der Kollege 동료 (die Kolleg*en*)

<참고> 「die Erinnerung an + 4격」 ...에 대한 기억 (die Erinnerung*en*)

☞ erinnerst는 4격 재귀동사임! 즉 동사의 4격 목적어로서 4격 재귀대명사가 와야 함.
따라서 빈칸에는 주어가 du일 때의 4격 재귀대명사 *dich*가 옴.
<주의> 주어가 du일 경우 → 3격 재귀대명사는 *dir*, 4격 재귀대명사는 *dich*임.
<참고>
일반 동사 「주어 + erinnern + 4격 + an + 4격」 *주어는 4격*이 ...에 대해 기억하도록 하다:
z.B. Das erinnert mich an meinen Vater. 그것은 나에게 아버지가 생각나도록 한다.
⇒ 4격 재귀동사: 「erinnern sich[4] an + 4격」
'*자신*이 기억하도록 하다', 즉 '...에 대해 기억하다'

► 「an unser*en* früher*en* Kolleg*en*」:

- 명사 Kollege는 *남성*이며, 전치사 an의 *4격* 목적어이므로 *남성 4격!!*
  따라서 unser-는 *남성 4격* 부정관사 ein*en*처럼 어미변화 하여 unser*en*임.
- 형용사 früher 앞에 *남성 4격* ein*en*에 일치하는 unser*en*이 있음.
  → 따라서 unser*en* früher*en* ...
  (근거: 남성 4격 d*en*, ein*en*, mein*en*, ihr*en*, unser*en*, kein*en*, dies*en* + 형용사 *-en*)
- 형태가 *-e*인 *남성*명사는 단수에서 주어 1격 이외의 나머지 모두 어미 *-n*이 붙음!
  명사 Kolleg*e*는 형태가 *-e*인 *남성*명사임. 여기서 주어가 아닌 *단수 4격*이므로 어미 *-n*이 붙어 Kollge*n*임.

► Herr*n* Müller는 바로 앞의 unseren früheren Kollegen과 동격!
따라서 동일한 *단수 4격*이므로 Herr*n*이 됨.

4. Worüber freuen Sie __sich__? - Ich freue __mich__ über die Einladung.

✸ **해석** 당신은 무엇에 대해 기뻐하십니까? - 저는 초대받은 것에 대해 기뻐하고 있어요.

✸ **어휘** über [전치사] ...에 대해 + was [의문사] 무엇? → worüber [의문사] 무엇에 대해? ▌「freuen sich[4] über + 4격」 [4격 재귀동사] ...에 대해 기뻐하다 ▌「über + 4격」 ...에 대해 ▌die Einladung 초대 (die Einladung*en*)

<참고> 「die Freude an + 3격」 ...에 대한 기쁨

문장 1

☞ 동사 freuen은 4격 재귀동사임! 즉 동사의 4격 목적어로서 4격 재귀대명사가 와야 함.
따라서 빈칸에는 주어가 Sie('당신')일 때의 4격 재귀대명사 *sich*가 옴.

<주의> 주어가 Sie('당신')일 때 → 3격 및 4격 재귀대명사 모두 *sich*임. (대문자 표기 아님!)

<참고>
일반 동사 「주어 + freuen + 4격」 *주어는 4격*을 기쁘게 만들다:
z.B. Das freut mich sehr. 그것은 나를 매우 기쁘게 만든다.
⇒ 4격 재귀동사: 「freuen sich[4] über + 4격」
'*자신*을 기쁘게 만들다', 즉 '...에 대해 기뻐하다'

문장 2

☞ 여기서는 주어가 Ich이므로 4격 재귀대명사 *mich*가 빈칸에 옴.

<주의> 주어가 ich일 때 → 3격 재귀대명사는 *mir*, 4격 재귀대명사는 *mich*임.

5. Wer kümmert __sich__ um die Kinder? - Ich kümmere __mich__ um sie.

✸ **해석** 누가 그 아이들을 돌보나요? - 제가 그들을 돌봐요.

✸ **어휘** 「kümmern sich[4] um + 4격」 [4격 재귀동사] ...을 돌보다 ▌um [4격 전치사] ~주위에 ▌das Kind 아이 (die Kind*er*)

<참고> 「der Kummer über + 4격」 ...에 대한 걱정, 염려

문장 1

☞ kümmert는 4격 재귀동사임! 즉 동사의 4격 목적어로서 4격 재귀대명사가 와야 함. 따라서 빈칸에는 주어가 Wer일 때의 4격 재귀대명사 *sich*가 옴.

<주의> 주어인 의문사 Wer('누가')는 남성 인칭대명사 er에 해당함.
따라서 3격 및 4격 재귀대명사 모두 sich임!

<참고>
일반 동사: 「주어 + kümmern + 4격」 *주어는 4격*이 염려하도록 만들다:
z.B. Das kümmert mich nicht. 그것은 내게 염려되지 않는다.
⇒ 4격 재귀동사: 「kümmern sich[4] um + 4격」
'*자신*이 염려하도록 만들', 즉 '...에 대해 염려하다, ...을 돌보다'

문장 2

☞ 여기서는 주어가 Ich이므로 4격 재귀대명사 *mich*가 빈칸에 옴.

<주의> 주어가 ich일 때 → 3격 재귀대명사는 *mir*, 4격 재귀대명사는 *mich*임.

▸ sie는 4격 전치사 um의 목적어로서 복수 인칭대명사 sie('그들')의 4격 형임!
3격 형은 ***ihnen***임.

(여기서 sie는 앞 문장의 복수명사 Kinder를 받음.)

III. 주어진 동사의 du-명령형은? (9과, 기초문제: 교재 50쪽)

1. kommen : Komm bitte mal!

✹ **해석** 한번 와 봐라.

✹ **어휘** kommen 오다 ▌mal 혹은 bitte mal [부사어] 명령문에서 정중한 요구를 표현함. (우리말로 "한번 ...해 봐"에 해당함!)

☞ du-명령문 형식 「동사 어간 ...!」 ...해라 : komm*en* → *Komm* ...!

2. antworten : Bitte antworte mir auf meine Frage!

✹ **해석** 내 질문에 대답해라.

✹ **어휘** 「antworten + 3격(사람) + auf + 4격」 누구에게 ...에 대해 대답하다 ▌bitte [부사어] 명령문에서 정중한 요구를 표현함. ▌die Frage 질문 (die Frage*n*)

☞ antwor*ten*처럼 어간 끝이 -t일 때 du-명령문은 발음상 *-e*를 첨가하여 「동사 어간 *-e* ...!」 : antwort*en* →... *antworte* ...! (즉, antwort ...! 아님!)

<참고> re*d*en처럼 어간 끝이 -d인 경우도 du-명령문은 「동사 어간 *-e* ...!」 :
Red*e* nicht so viel! 그렇게 많이 말하지 마라.

► 동사 antworte의 3격 목적어이므로 ich의 3격 형 mir가 사용됨.
4격 형은 ***mich***임.

3. schreiben : Schreib doch deinen Eltern eine Karte!

✵ **해석** (그러지 말고) 네 부모님께 엽서를 보내라!

✵ **어휘** 「schreiben + 3격(사람) + 4격」 누구에게 ...을 써 보내다 ▌doch [부사어] 명령문에서 요구 내용을 강조함. ("그러지 말고" 등으로 해석!) ▌die Eltern (항상 복수) 부모님 ▌die Karte 카드, 엽서 (die Karte*n*)

☞ du-명령문 형식「동사 어간 ...!」: schreib*en* → *Schreib* ...!

► 「dein*en* Eltern」:
명사 Eltern은 *복수*이며, 동사 Schreib의 *3격* 목적어이므로 *복수 3격!!*
따라서 소유대명사 dein-은 *복수 3격* 어미 *-en*이 붙어 dein*en*임.

► eine Karte는 동사 Schreib의 4격 목적어임.

4. fragen : Frag mich ruhig. Ich erkläre es dir.

✵ **해석** 가만히 나에게 물어 봐. 너에게 그것을 설명해 줄 게.

✵ **어휘** 「fragen + 4격(사람)」 누구에게 묻다, 질문하다 (4격 요구 동사!) ▌ruhig 조용한, (부사적) 조용히 → die Ruhe 조용함, 정숙 ▌「erklären + 3격(사람) + 4격」 누구에게 ...을 설명하다 → die Erklärung 설명 (die Erklärung*en*)

문장 1

☞ du-명령문 형식「동사 어간 ...!」: frag*en* → *Frag* ...!

► 동사 Frag의 4격 목적어이므로 ich의 4격 형 mich가 사용됨.
3격 형은 ***mir***임.

► 어순 규칙: 대명사는 다른 낱말 앞에 위치함!
따라서 인칭*대명사* mich는 부사어 ruhig 앞에 옴. (즉, Frag *ruhig mich*! 틀림!)

문장 2

► 동사 erkläre의 4격 목적어이므로 중성 인칭대명사 es('그것')의 4격 형 es가 사용됨.
3격 형은 ***ihm***임.

동사 erkläre의 3격 목적어이므로 du의 3격 형 dir가 사용됨.
4격 형은 ***dich***임.

► 어순 규칙: 대명사들이 함께 올 경우「1격 > 4격 > 3격」 순서임!
따라서 같은 인칭*대명사*들이므로 *4격* 형 es는 *3격* 형 dir보다 앞에 위치함!
(즉, Ich erkläre *dir es*는 틀림!)

5. machen : Mach jetzt deine Hausaufgaben!

✻ **해석** 지금 너의 학교 숙제를 해라.

✻ **어휘** machen [타동사] ...을 하다, 행하다 ▌jetzt 지금 ▌das Hausaufgabe 학교 숙제 (die Hausaufgabe*n*) → das Haus 집 (die Häus*er*) + die Aufgabe 과제, 임무 (die Aufgabe*n*) : Hausaufgabe*n* machen 학교 숙제 하다

☞ du-명령문 형식「동사 어간 ...!」: machen → *Mach* ...!

►「dein*e* Hausaufgabe*n*」:
명사 Hausaufgabe*n*은 *복수*이며, 동사 Mach의 *4격* 목적어이므로 *복수 4격!!*
따라서 dein-은 *복수 4격* 정관사 di*e*처럼 어미변화 하여 dein*e*임.

6. warten : Heidi, warte auf mich. Ich komme gleich.

✻ **해석** 하이디야, 나를 기다려. 내가 곧 갈게.

✻ **어휘**「warten auf + 4격」...을 기다리다 ▌kommen 오다 ▌gleich 곧, 금방

문장 1

☞ war*t*en은 어간 끝이 -t이므로 du-명령문 형식은「동사 어간 *-e*」:
warten → *warte* ...! (즉, wart ...! 아님!)

► 동사 warten과 함께 오는 전치사 auf와 결합하므로 ich의 4격 형 mich가 옴.
3격 형은 ***mir***임.

7. kommen / *mit*bringen : Komm doch heute Abend! Bring auch deine Freunde mit !

✻ **해석** (그러지 말고) 오늘 저녁에 와라. 네 친구들도 함께 데려 와라.

✻ **어휘** kommen 오다 ▌doch [부사어] 명령문에서 요구 내용을 강조함. ("그러지 말고" 등으로 해석함!) ▌heute Abend 오늘 저녁 ▌Bring ... mit ⇒ *mit*bringen [분리동사&타동사] 누구를 함께 데려오다, 무엇을 지참해 가져오다 ▌der Freund 친구 (die Freund*e*)

문장 1

☞ du-명령문 형식「동사 어간 ...!」: kommen → *Komm* ...!

문장 2

☞ du-명령문 형식「동사 어간 ...!」: 분리동사 bringen ... *mit* → *Bring* ... *mit*!

►「dein*e* Freund*e*」:
명사 Freund*e*는 *복수*이며, 분리동사 Bring ... *mit*의 *4격* 목적어이므로 *복수 4격!!*
따라서 dein-은 *복수 4격* 정관사 di*e*처럼 어미변화 하여 dein*e*임.

IV. 주어진 동사의 Sie-명령형은? (9과, 기초문제: 교재 50쪽)

1. geben : Geben Sie doch Ihren Kindern etwas Taschengeld!

✹ **해석** (그러지 말고) 당신의 아이들에게 약간의 용돈을 주세요.

✹ **어휘** 「geben + 3격(사람) + 4격」 누구에게 ...을 주다 ▌doch [부사어] 명령문에서 요구 내용을 강조함. ("그러지 말고" 등으로 해석!) ▌das Kind 아이 (die Kind*er*) ▌etwas [부사어] 약간, 조금 (= ein bisschen, ein wenig) ▌das Taschengeld 용돈 (복수 없음!) → die Tasche [1] 호주머니; [2] 작은 가방 (die Tasche*n*) + das Geld 돈

☞ Sie-명령문 형식 「동사 원형 + Sie ...!」 : geben → Geb*en* Sie ...!

► 「Ihr*en* Kinder*n*」 :

- 명사 Kind*er*는 *복수*이며, 동사 Geben의 *3격* 목적어이므로 *복수 3격!!*
  따라서 Ihr-('당신의')는 *복수 3격* 어미 *-en*이 붙어 Ihr*en*임.
- *복수 3격* 명사는 형태가 *-n*이어야 함!
  여기서도 Kinder는 *복수 3격*이므로 어미 *-n*이 붙어 Kinder*n*임.

2. *aus*steigen : Entschuldigen Sie, wie komme ich zum Kunstmuseum? - Da nehmen Sie am besten die U-Bahn, Linie 5. Steigen Sie am Neumarkt aus !

✹ **해석** 죄송하지만, 예술박물관으로 어떻게 가나요? - 가장 좋은 방법으로서 지하철 5호선을 타세요. 노이마르크트에서 내리세요.

✹ **어휘** Steigen ... *aus* ⇒ *aus*steigen [분리동사] 차에서 내리다, 하차하다 ▌entschuldigen [타동사] ...을 용서하다 ▌「3격 전치사 zu + 기관, 건물」 (방향) ...로 : zum Kunstmuseum 예술박물관으로 ▌das Kunstmuseum 예술박물관 (die Kunstmuse*en*) → die Kunst 예술, 미술 (die Künst*e*) + das Museum 박물관 (die Muse*en*) ▌nehmen [타동사] (차량) ...을 타다 ▌best 가장 좋은, 최선의 (gut의 최상급!) : am besten 가장 좋게, 최선으로 ▌die U-Bahn 지하철 (die U-Bahn*en*) ▌die Linie 선, 줄 (die Lini*en*) ▌Neumarkt (지역명) 노이마르크트

문장 1

► Entschuldigen Sie, ... '죄송하지만, ...' (Sie-명령문 형식임! 정중하게 말을 걸 때 사용함.)
<참고> 명사형을 사용하여 Entschuldigung, ... 도 가능함.

문장 2

► 여기서 부사어 da('그곳')는 앞 문장 내용을 가리킴.
따라서 앞 문장 내용을 받아 "그런 점에서, 그 점과 관련하여" 등으로 해석됨.

► 「am + 최상급 -en」 가장 ...한, (부사적) 가장 ...하게 : *am* best*en* 가장 좋게, 최선으로

문장 3

☞ Sie-명령문 형식「동사 원형 + Sie ...!」: 분리동사 steigen ... *aus* → *Steigen Sie* ... *aus*!

3. *ein*steigen : Steigen Sie sofort ein ! Wir fahren gleich los.

✺ **해석** 즉시 올라타세요. 우리는 곧 출발합니다.

✺ **어휘** Steigen ... *ein* ⇒ *ein*steigen [분리동사] 차에 타다, 승차하다 ▌sofort 곧, 즉시 ▌fahren ... *los* ⇒ *los*fahren [분리동사] (차 타고) 출발하다

문장 1

☞ Sie-명령문 형식「동사 원형 + Sie ...!」: 분리동사 steigen ... *ein* → Steig*en Sie* ... *ein*!

<참고> *ein*steigen 승차하다, *aus*steigen 하차하다, *um*steigen 환승하다

문장 2

▸ 분리전철 *los*- + '장소 이동' 동사 → '출발하다, 떠나다' :
*los*fahren (차 타고) 출발하다, *los*gehen (걸어서) 출발하다, *los*fliegen (비행기로) 출발하다

4. grüßen : Grüßen Sie bitte Herrn Meyer von mir!

✺ **해석** Meyer씨에게 제 안부인사 전해 주세요.

✺ **어휘**「grüßen + 4격(사람)」 누구에게 인사하다 (4격 요구 동사!) ▌von [3격 전치사] ~로부터

☞ Sie-명령문 형식「동사 원형 + Sie ...!」: grüßen → Grüß*en Sie* ...!

▸ 동사 Grüßen의 4격 목적어는 Herr*n* Meyer임:
여기서 명사 Herr는 주어가 아닌 *단수 4격*이므로 Herr*n*임.
<주의> Herr는 단수에서 주어 1격이 아닌 나머지 모두가 어미 *-n*이 붙어 Herr*n*임!

▸ 3격 전치사 von의 목적어이므로 ich의 3격 형 mir가 사용됨.
4격 형은 ***mich***임.

▸「Grüßen Sie + 4격(사람) + von mir!」
'저로부터 누구에게 인사 하세요', 즉 '누구에게 저의 안부인사 전해 주세요!'

5. helfen : Helfen Sie mir doch bitte!

✺ **해석** (그러지 말고) 저를 도와주세요.

✺ **어휘**「helfen + 3격(사람)」 누구를 돕다 (3격 요구 동사!) ▌doch [부사어] 명령문에서 요구 내용을 강조함. ("그러지 말고" 등으로 해석 가능!) ▌bitte [부사어] 명령문에서 정중한 요구를 표현함.

☞ Sie-명령문 형식「동사 원형 + Sie ...!」: helfen → Helf*en Sie* ...!

▸ 동사 Helfen의 3격 목적어이므로 ich의 3격 형 mir가 사용됨.
4격 형은 ***mich***임.

6. fahren : Sind Sie verrückt? __Fahren Sie__ doch in der Stadt nicht so schnell!

✷ **해석** 당신 미쳤어요? 시내에서 그렇게 빨리 운전하지 마세요.

✷ **어휘** verrückt 미친 ▌ fahren 운전하다 ▌ die Stadt 시, 시내 (die Städt*e*) ▌「전치사 in + 3격」 (위치, 소재) ... 안에서 : in der Stadt 시내에서 ▌ so 그렇게 ▌ schnell 빠른, (부사적) 빨리 ↔ langsam 느린, 느리게

문장 2

☞ Sie-명령문 형식「동사 원형 + Sie ...!」: fahren → Fahr*en Sie* ...!

► 「in d*er* Stadt」:

명사 Stadt는 *여성*이며, 전치사 in의 *3격* 목적어이므로 *여성 3격!!*

따라서 *여성 3격* 어미 *-er*를 지닌 정관사 d*er*가 앞에 옴: in *der* Stadt 시내에서

unit 02
심화 문제

I. 알맞은 재귀대명사는? 그리고 "서로"로 해석되는 경우는? (9과, 심화문제: 교재 52쪽)

1. Das nächste Mal treffen wir uns aber bei mir.

✵ **해석** 우리 다음번에는 저의 집에서 만나지요.

✵ **어휘** nächst 다음의 + das Mal 기회, 차례, 번 (die Mal*e*) → das nächste Mal 다음번에 (= nächstes Mal) (영. next time) ▌treffen [타동사] ...을 만나다 ▌aber [부사어] 간절한 요구 및 소원을 간접적으로 표현함. ("제발" 등으로 해석 가능!) ▌「3격 전치사 bei + 사람」 (위치) 누구에게서, 누구 집에서

► 4격의 시간 부사어「*Das* nächst*e* Mal」:

• 명사 Mal은 *중성*이며, 시간 부사어로서 *4격*이므로 *중성 4격!!* 따라서 *중성 4격* 정관사 *Das*가 앞에 옴.

• 형용사 nächst 앞에 *중성 4격* 정관사 *Das*가 있음.
→ 따라서 *Das* nächst*e* ...
(근거: 중성 1, 4격 d*as*, dies*es* + 형용사 *-e*)

☞ • 동사 treffen의 4격 목적어로서 4격 재귀대명사가 옴. 주어가 wir이므로 4격 재귀대명사는 *uns*임.

• 일반 동사 treffen의 4격 목적어로서 *우연히* 재귀대명사 uns('우리 자신')가 온 경우임. 따라서 "우리가 *우리 자신을* 만나다", 즉 "우리가 *서로(를)* 만나다"로 해석됨.

► 3격 전치사 bei의 목적어이므로 ich의 3격 형 mir가 사용됨.
4격 형은 ***mich***임.

2. Herr Ober, die Suppe ist kalt! - Tut mir Leid, ich kümmere mich sofort darum.

✵ **해석** 여보세요, 수프가 식었네요! - 죄송합니다, 제가 곧바로 그것을 처리하겠습니다.

✵ **어휘** der Ober (구어체) 식당 종업원 (die Ober) = der Kellner (die Kellner): Herr Ober! (식당 종업원을 부르는 호칭) ▌die Suppe 수프 (die Suppe*n*) ▌kalt 차가운 ▌Tut mir Leid! 죄송합니다, 유감이군요! (영. I am sorry!) ▌「kümmern sich⁴ um + 4격」 [4격 재귀동사] ...을 돌보다, ...에 신경 쓰다 ▌sofort 곧, 즉시

문장 2

☞ • kümmere는 4격 재귀동사임! 즉, 4격 목적어로서 *반드시* 4격 재귀대명사가 와야 함. 따라서 주어가 ich일 때의 4격 재귀대명사 *mich*가 빈칸에 옴.
주어가 ich일 때 3격 재귀대명사는 ***mir***임.

- 여기서 4격 재귀대명사 mich는 재귀동사 kümmern와 관용적으로 결합된 것임.
  따라서 "서로"로 해석되지 않음.

► 전치사 + 지시대명사 das → "da(*r*) + 전치사" 형태: dafür, damit, dazu, ...
(단, 전치사가 모음으로 시작하면 발음상 -r-를 첨가: da*r*auf, da*r*an, da*r*in ...)
예문의 da*r*um → 전치사 um + 지시대명사 das
4격 재귀동사 형식「kümmern sich[4] ***um*** ...」안의 전치사 ***um***임!

(여기서 das('그것')는 앞 문장 내용 전체 "수프가 식은 것"을 받음!)

<주의>
"da(r) + 전치사" 형태는 이 문장처럼 '사물'을 받을 경우에만 사용됨.
(즉, '사람'을 받을 경우에는 사용될 수 없음!)
Wer kümmert sich um den Gast? - Ich kümmere mich um *ihn*. (즉, darum은 틀림!)
누가 그 손님을 돌보나? - 내가 그를 돌볼 게.

3. Paul kommt mit seinem Studium nicht gut voran. Er ist mit __sich__ nicht zufrieden.

✺ **해석** Paul은 자신의 학업을 잘 진척시키고 있다. 그는 자기 자신에 만족한다.

✺ **어휘** kommt ... *voran* ⇒ *voran*kommen [분리동사] (목표를 향해) 나아가다, 전진하다 ▌mit [3격 전치사] ~을 가지고, ~와 함께 (영. with) ▌das Studium 학업, 연구 (die Studi*en*) ▌gut (부사적) 잘, 좋게 ▌「sein(동사) + mit + 3격 + zufrieden」...에 만족하다 (영. be satisfied with)

문장 1

► 「mit sein*em* Studium」:
명사 Studium은 *중성*이며, *3격* 전치사 mit의 목적어이므로 *중성 3격!!*
따라서 sein-은 *중성 3격* 어미 *-em*이 붙어 sein*em*임.

문장 2

☞ • 3격 전치사 mit의 목적어이므로 3격 재귀대명사가 와야 함.
따라서 주어가 Er일 때의 3격 재귀대명사 *sich*가 빈칸에 옴.
주어가 er일 때 3격 및 4격 재귀대명사 모두 ***sich***임.

• 여기서는 전치사 mit의 목적어로서 *우연히* 재귀대명사가 온 경우임.
주어인 Er가 단수이므로 재귀대명사 sich는 "서로"로 해석될 수 없음.

4. Ich kenne ihn schon lange. Wir verstehen __uns__ sehr gut. Er ist wirklich ein guter Freund von mir!

✺ **해석** 나는 그를 벌써 오랫동안 알고 지내. 우리는 서로를 매우 잘 이해 해. 그는 정말로 나의 좋은 친구야.

✺ **어휘** kennen [타동사] 누구를 알다 ▌schon 벌써 ▌lange 오랫동안 ▌verstehen [타동사] ...을 이해하다 ▌sehr 매우 ▌gut 좋은, (부사적) 잘, 좋게 ▌wirklich 현실의, (부사적) 정말로 ▌der Freund 친구 (die Freund*e*) ▌von [3격 전치사] ~의 (영. of)

문장 1

► 동사 kenne의 4격 목적어이므로 er의 4격 형 ihn이 사용됨.
3격 형은 ***ihm***임.

문장 2

☞ • 동사 verstehen의 4격 목적어로서 4격 재귀대명사가 옴.
주어가 wir('우리')이므로 4격 재귀대명사는 *uns*임.
주어가 wir일 때 3격 및 4격 재귀대명사 모두 ***uns***임.

• 일반 동사 verstehen의 4격 목적어로서 *우연히* 재귀대명사 uns('우리 자신')가 온 경우임.
따라서 "우리가 *우리 자신을* 이해하다", 즉 "우리가 *서로(를)* 이해하다"로 해석됨.

문장 3

► 「*ein* gut*er* Freund」:

• 명사 Freund는 *남성*이며, 동사 ist의 *주격* 보어이므로 *남성 1격!!*
따라서 *남성 1격* 부정관사 *ein*이 앞에 옴.

• 형용사 gut 앞에 *남성 1격 ein*이 있음.
→ 따라서 *ein* gut*er* ...
(근거: 남성 1격 ein_ , mein_ , ihr_ , unser_ , euer_ , kein_ + 형용사 *-er*)

► 3격 전치사 von의 목적어이므로 ich의 3격 형 mir가 사용됨.
4격 형은 ***mich***임.

5. Freuen Sie __sich__ auf die Ferien? - Natürlich freue ich __mich__ darauf.

✷ **해석** 당신은 (다가 올) 휴가에 대해 즐거워하고 계십니까? - 당연히 저는 그것에 대해 기뻐하고 있어요.

✷ **어휘** 「freuen sich[4] auf + 4격」 [4격 재귀동사] (미래의) ...에 대하여 기뻐하다 ▌die Ferien (항상 복수) 휴가, 방학 ▌natürlich 자연의, (부사적) 당연히

<참고> 「freuen sich[4] *über* + 4격」 [4격 재귀동사] (현재, 과거의) ...에 대하여 기뻐하다

문장 1

☞ • 동사 Freue는 4격 재귀동사임! 즉 4격 목적어로서 *반드시* 4격 재귀대명사가 와야 함.
따라서 주어가 Sie('당신은')일 때의 4격 재귀대명사 *sich*가 빈칸에 옴.
주어가 Sie('당신은')일 때 3격 및 4격 재귀대명사 모두 ***sich***임. (대문자 표기 아님!)

• 여기서 4격 재귀대명사 sich는 재귀동사 Freue와 관용적으로 결합된 것임.
따라서 "서로"로 해석되지 않음.

문장 2

☞ • 주어가 ich일 때의 4격 재귀대명사 *mich*가 빈칸에 옴.
주어가 ich일 때 3격 재귀대명사는 ***mir***임.

• 여기서도 4격 재귀대명사 mich는 "서로"로 해석되지 않음.

► da*r*auf '그것에 대해' → 전치사 auf '...에 대해' + 지시대명사 das '그것'
4격 재귀동사 형식「freuen sich[4] *auf* ...」 안의 전치사 *auf*임!

(여기서 지시대명사 das는 앞 문장의 Ferien을 받음!)

6. Er liebt sie und sie liebt ihn. Sie lieben __sich__.

✺ **해석** 그는 그녀를 사랑하고, 그녀는 그를 사랑한다. 그들은 서로를 사랑한다.

✺ **어휘** lieben [타동사] ...을 사랑하다

문장 1

► 접속사 und에 의해 두 개의 문장이 연결됨.
앞 문장 : 동사 liebt의 4격 목적어이므로 여성 sie의 4격 형 sie('그녀를')가 사용됨.
3격 형은 *ihr*임.

뒤 문장 : 남성 er의 4격 형 ihn('그를')이 사용됨.
3격 형은 *ihm*임.

문장 2

☞ • 동사 lieben의 4격 목적어로서 4격 재귀대명사가 옴.
주어가 복수의 sie('그들')이므로 4격 재귀대명사는 *sich*임.
주어가 sie('그들')일 때 3격 및 4격 재귀대명사 모두 *sich*임.

• 일반 동사 lieben의 4격 목적어로서 *우연히* 4격 재귀대명사 sich('우리 자신')가 온 경우임.
따라서 "그들은 *그들 자신을* 사랑하다", 즉 "그들은 *서로(를)* 사랑하다"로 해석됨.

7. Was fehlt Ihnen denn? - Ich fühle __mich__ nicht wohl.

✺ **해석** 어디가 아프신가요? - 저는 몸 상태가 좋지 않아요.

✺ **어휘** was 무엇이? (1격 형) ▌「Was fehlt + 3격(사람)?」 누구에게 어디가 아픈가? ▌ denn [부사어] 의문문에서 자연스런 질문을 유도함. (우리말 해석 필요 없음!) ▌「fühlen sich[4] wohl (schlecht)」 [4격 재귀동사] 컨디션이 좋다 (나쁘다) ▌ wohl 몸 상태가 좋은 (영. well)

문장 1

► 동사 fehlt의 3격 목적어이므로 Sie('당신')의 3격 형 Ihnen이 사용됨.
4격 형은 *Sie*임.

문장 2

☞ • 동사 fühle는 4격 재귀동사임! 즉 4격 목적어로서 *반드시* 4격 재귀대명사가 와야 함.
따라서 주어가 Ich일 때의 4격 재귀대명사 *mich*가 빈칸에 옴.
주어가 ich일 때 3격 재귀대명사는 *mir*임.

• 여기서 4격 재귀대명사 mich는 재귀동사 fühle와 관용적으로 결합되는 것임.
따라서 "서로"로 해석되지 않음.

8. Er ist sehr nett; ich unterhalte __mich__ gern mit ihm.

✺ **해석** 그는 매우 친절하고, (그래서) 나는 그와 이야기 나누기를 좋아한다.

✵ 어휘 sehr 매우 ▌nett 친절한 ▌「unterhalten sich⁴ mit + 3격(사람) (über + 4격)」 [4격 재귀동사] 누구와 (...에 대해) 담소하다 ▌gern(e) 즐겨, 기꺼이 ▌mit [3격 전치사] ~와 함께

► 세미콜론 (;) 뒤 문장은 앞 문장과 일정한 의미관계를 이룸. (뒤 문장 첫 글자는 *소문자*!) 여기서 뒤 문장은 앞 문장의 귀결 혹은 결과임! 즉, 두 문장은 "그래서" 등으로 연결됨!

☞ • 동사 unterhalte는 4격 재귀동사임! 즉 4격 목적어로서 *반드시* 4격 재귀대명사가 와야 함. 따라서 주어가 ich일 때의 4격 재귀대명사 *mich*가 빈칸에 옴.
주어가 ich일 때 3격 재귀대명사는 ***mir***임.

• 여기서 4격 재귀대명사 mich는 재귀동사 unterhalte와 관용적으로 결합되는 것임. 따라서 "서로"로 해석되지 않음.

► 3격 전치사 mit의 목적어이므로 er의 3격 형 ihm이 사용됨.
4격 형은 ***ihn***임.

(여기서 ihm은 문장 맨 앞의 주어 Er를 받음.)

9. Ich gewöhne <u>mich</u> langsam an das Leben in Deutschland. - Ja, du gewöhnst <u>dich</u> langsam daran.

✵ 해석 나는 점차 독일 생활에 익숙해진다. - 맞아, 너는 점차 그것에 익숙해지고 있어.

✵ 어휘 「gewöhnen sich⁴ an + 4격」 [4격 재귀동사] ...에 익숙해지다 → die Gewohnheit 습관 (die Gewohnheit*en*) ▌langsam 느린, (부사적) 느리게, 천천히 ▌das Leben 생활, 삶 (die Leben) (주로 단수!) ▌전치사 an + 지시대명사 das → da*r*an (즉, an das 아님!)

문장 1

☞ • 동사 gewöhne는 4격 재귀동사임! 즉 4격 목적어로서 *반드시* 4격 재귀대명사가 와야 함. 따라서 주어가 ich일 때의 4격 재귀대명사 *mich*가 빈칸에 옴.
주어가 ich일 때 3격 재귀대명사는 ***mir***임.

• 여기서 4격 재귀대명사 mich는 재귀동사 gewöhnen과 관용적으로 결합된 것임. 따라서 "서로"로 해석되지 않음.

문장 2

☞ • 여기서는 주어가 du일 때의 4격 재귀대명사 *dich*가 빈칸에 옴.
주어가 du일 때 3격 재귀대명사는 ***dir***임.

• 여기서도 4격 재귀대명사 dich는 "서로"로 해석되지 않음.

► da*r*an '그것에' → 전치사 an '...에' + 지시대명사 das '그것'
4격 재귀동사 형식 「gewöhnen sich⁴ ***an*** ...」 안의 전치사 ***an***임!

(여기서 das는 앞 문장의 das Leben in Deutschland, 즉 "독일 생활"을 받음!)

II. 알맞은 명령형은? (9과, 심화문제: 교재 52쪽)

1. sein : Du, die Kinder schlafen! __Sei__ bitte leise!

✹ **해석** 얘야, 아이들이 자고 있어! 좀 조용히 해.

✹ **어휘** das Kind 아이 (die Kind*er*) ▌schlafen 잠자다 ▌bitte [부사어] 명령문에서 공손한 요구를 표현함. ▌leise 소리가 작은 (↔ laut 소리가 큰)

문장 2

☞ 호칭으로서 Du('너')를 사용하는 점에서 du-명령문이어야 함.
따라서 du-명령문 형식「동사 어간 ...!」...해라 : sei*n* → *Sei* ...!

► leise는 동사 Sei의 형용사 보어임.

2. *ein*steigen : __Steig ein__! Ich bringe dich nach Hause.

✹ **해석** 차에 타라. 내가 너를 집에 데려다 줄 게.

✹ **어휘** Steig *ein* ⇒ *ein*steigen [분리동사] 승차하다 ▌bringen [타동사] 누구를 데려가다 ▌nach Haus(e) (방향) 집으로

문장 1

☞ 뒤 문장에서 du의 4격 형 dich가 사용된 점에서 du-명령문이어야 함.
따라서 du-명령문 형식「동사 어간 ...!」: 분리동사 steig*en* ... *ein* → *Steig ein*!

문장 2

► 동사 bringe의 4격 목적어이므로 du의 4격 형 dich가 사용됨.
3격 형은 ***dir***임.

3. sein : Bitte, __seien Sie__ so nett und holen Sie mir die Papiere aus meinem Wagen.

✹ **해석** 저기, 죄송하지만 제 차에서 서류 좀 갖다 주실 수 있나요?

✹ **어휘** so 그렇게 ▌nett 친절한 ▌「holen + 3격(사람) + 4격」 누구에게 ...을 가져오다 ▌die Papier*e* (항상 복수) 문서, 서류 ← das Papier 종이 (복수 없음!) ▌aus [3격 전치사] ~으로부터 ▌der Wagen 자동차 (die Wagen)

► 문장 앞의 Bitte, ... 는 정중하게 말을 걸 때 사용.

☞ 접속사 und 뒤 문장에서 Sie-명령문 ... holen Sie ...가 사용된 점을 고려할 때, 빈칸에는 Sie-명령문이 와야 함.
따라서 Sie-명령문 형식「동사 원형 + Sie ...!」: 동사 sein → ... *seien Sie* ...!

<주의 1> 동사 sein의 명령문 형식에 주의할 것!
du-명령문: Sei ...! / Sie-명령문: Seien Sie ...! (불규칙적임! 즉, Sein Sie ...! 아님!)

<주의 2>「Seien Sie so nett und 동사 원형 + Sie ...!」은 극도로 공손한 명령문 표현임.

► 동사 holen의 3격 목적어이므로 ich의 3격 형 mir가 사용됨.
4격 형은 ***mich***임.

► 「aus mein*em* Wagen」 :
명사 Wagen은 *남성*이며, *3격* 전치사 aus의 목적어이므로 *남성 3격*!!
따라서 mein-은 *남성 3격* 어미 *-em*이 붙어 mein*em*임.

4. *vor*stellen : Stellen Sie sich mal vor , Sie heiraten einen Ausländer!

✺ **해석** 한번 상상해 보세요, 당신이 외국인과 결혼한다고.

✺ **어휘** Stellen ... *vor* ⇒ *vor*stellen [분리동사&타동사] : 「stellen sich³ + 4격 ... vor」 [3격 재귀동사] ...을 상상하다 ▌mal [부사어] 명령문에서 공손한 요구를 표현함. ("한번"으로 해석 가능!) ▌「heiraten + 4격(사람)」 누구와 결혼하다 (4격 요구 동사!) ← die Heirat 결혼 ▌der Ausländer 외국인 (die Ausländer) ← das Ausland 외국 (복수 없음!)

☞ 첫째로, 분리동사 Stellen ... *vor*의 3격 재귀대명사가 sich인 점,
둘째로, 콤마 뒤 문장에서 Sie('당신')가 사용된 점을 고려할 때,
빈칸에는 Sie-명령문이 와야 함!
따라서 Sie-명령문 형식「동사 원형 + Sie ...!」... 하세요 :
분리동사 stellen ... *vor* → *Stellen Sie* ... *vor*!

► Sie-명령문의 주어는 Sie('당신은')임.
따라서 Sie('당신은')가 주어이므로 4격 재귀대명사는 sich임.
주어가 Sie('당신은')일 때 3격 및 4격 재귀대명사 모두 ***sich***임. (대문자 표기된 Sich 아님!)

► 콤마 뒤 문장 Sie heiraten ... 전체는 분리동사 Stellen ... *vor*의 4격 목적어임.

III. 괄호 안에 주어진 명사의 알맞은 형태는? (9과, 심화문제: 교재 52쪽)

1. Sei bitte nett zu deinem neuen Kolleg*en* .

✺ **해석** 너의 새 동료에게 친절해라.

✺ **어휘** bitte [부사어] 공손한 명령문에 사용됨. ▌nett 친절한 ▌zu [3격 전치사] ~에게 (영. to) ▌neu 새, 새로운 ▌der Kollege 동료 (die Kollege*n*)

► 동사 sein의 du-명령문은 Sei ...!

☞ 명사 Kollege는 단수에서 주어 1격 이외에는 나머지 모두가 복수형처럼 어미 -n이 붙음.
여기서도 Kollege는 3격 전치사 zu와 결합하여 *단수 3격*이므로 Kollege*n*이 됨.

<참고>
형태가 *-e*인 *남성*명사:
첫째, 복수형이 *-n*이다.
둘째, 단수의 경우, 주어 1격 이외의 나머지 모두 복수형처럼 *-n*이다.
z.B. der Kolleg*e* 동료 (die Kollege*n*) / der Kund*e* 고객 (die Kunde*n*) / der Jung*e* 소년 (die Junge*n*)

► 「zu dein*em* neu*en* Kollege*n*」:
- 명사 Kolleg*en*는 *남성*이며, *3격* 전치사 zu의 목적어이므로 *남성 3격!!*
따라서 dein-은 *남성 3격* 어미 *-em*이 붙어 dein*em*임.
- 형용사 neu 앞에 *남성 3격* 어미 *-em*을 지닌 dein*em*이 있음.
→ 따라서 zu dein*em* neu*en* ...
(근거: 3격 어미 *-em*(남·중성), *-er*(여성), *-en*(복수)의 뒤에 오는 형용사는 모두 *-en*임!)

2. Ich halte Markus für einen fleißigen Studenten.

✹ **해석** 나는 Markus가 부지런한 대학생이라고 생각한다.

✹ **어휘** 「halten + 4격 + für + 4격」 ...이 ...라고 생각하다, 여기다 (영. consider ... as ...) ▌
fleißig 부지런한 ▌ der Studenten 대학생 (die Student*en*)

► Markus는 동사 halte의 4격 목적어임.

☞ 명사 Student는 단수에서 주어 1격 이외의 나머지 모두가 복수형처럼 어미 *-en*이 붙음!
여기서도 Student는 4격 전치사 für의 목적어로서 *단수 4격*이므로 Student*en*이 됨.

<참고 1>
복수형이 *-en*인 *남성*명사: 단수에서 주어 1격 이외의 나머지 모두가 복수형처럼 *-en*임.
der Student 대학생 (die Student*en*) / der Mensch 인간 (die Mensch*en*) / der Polizist 경찰관 (die Polizist*en*) / der Journalist 언론인 (die Journalist*en*)

<참고 2>
복수형이 *-n* 혹은 *-en*인 명사를 "약변화 명사"라고 함!
*남성*의 약변화 명사는 단수에서 주어 1격 이외의 나머지 2, 3, 4격이 모두 복수형처럼 *-n* 혹은 *-en*임. (여성명사는 해당 안 됨!)

► 「für ein*en* fleißig*en* Student*en*」:
- 명사 Student*en*은 *남성*이며, *4격* 전치사 für의 목적어이므로 *남성 4격!!*
따라서 *남성 4격* 부정관사 ein*en*이 앞에 옴.
- 형용사 fleißig 앞에 *남성 4격* ein*en*이 있음.
→ 따라서 für ein*en* fleißig*en* ...
(근거: 남성 4격 d*en*, ein*en*, mein*en*, ihr*en*, unser*en*, kein*en*, dies*en* + 형용사 *-en*)
- 남성명사 Student는 복수형이 *-en*인 약변화 명사임.
따라서 여기서는 주어가 아닌 *단수 4격*이므로 복수형처럼 Student*en*이 됨.

3. Wir kennen das Mädchen, aber nicht den Junge*n* .

✱ **해석** 우리는 그 소녀를 알지만 그 소년은 알지 못한다.

✱ **어휘** kennen [타동사] 누구를 알다 ▌das Mädchen [축소명사] 소녀, 아가씨 (die Mädchen) ▌der Junge 소년 (die Junge*n*)

☞ Junge는 형태가 -*e*인 *남성*명사, 즉 복수형이 -*n*인 약변화 명사임!
즉, 단수에서 주어 1격이 아닌 나머지 2, 3, 4격 모두가 복수형처럼 -*n*임.
여기서는 동사 kennen의 4격 목적어로서 *단수 4격*이므로 Junge*n*이 됨.

4. Mit diesem Herr*n* arbeiten wir gern zusammen.

✱ **해석** 이 신사분과 함께라면 우리는 기꺼이 함께 일한다.

✱ **어휘** dies- [지시대명사] 이 ... (정관사 어미변화!) ▌der Herr 신사, 남자 (die Herr*en*) ▌arbeiten ... *zusammen* ⇒ *zusammen*arbeiten [분리동사] 함께 일하다, 협력하다 ▌gern(e) 기꺼이, 즐겨

☞ 명사 Herr는 불규칙 명사:
① 복수형은 -*en*, 즉 Herr*en*임.
② 단수에서 주어 1격 이외의 나머지 2, 3, 4격 모두가 어미 -*n*이 붙어 Herr*n*임.
여기서도 Herr는 3격 전치사 Mit의 목적어로서 *단수 3격*이므로 Herr*n*이 됨.

► 「Mit dies*em* Herr*n*」:
- 명사 Herr*n*은 *남성*이며, *3격* 전치사 Mit의 목적어이므로 *남성 3격!!*
  따라서 지시대명사 dies-는 *남성 3격* 어미 -*em*이 붙어 dies*em*임.
- 명사 Herr는 주어가 아닌 *단수 3격*이므로 Herr*n*이 됨.

5. Der Junge geht zu einem Poliziste*n* auf der Straße und fragt ihn.

✱ **해석** 그 소년은 거리 위에 있는 한 경찰관에게 가서 그에게 질문한다.

✱ **어휘** der Junge 소년 (die Junge*n*) ▌gehen 가다 ▌「3격 전치사 zu + 사람」(방향) 누구에게로 ▌der Polizist 경찰관 (die Poliziste*n*) ← die Polizei 경찰 ▌die Straße 거리 (die Straße*n*) ▌「전치사 auf + 3격」(위치) ... 위에, ... 위에 있는 : auf der Straße 길 위에 ▌「fragen + 4격(사람)」누구에게 질문하다 (4격 요구 동사!)

► 명사 Junge는 약변화 명사이지만, 여기서는 주어(= *단수 1격*)이므로 어미 -n이 붙지 않음.

☞ 명사 Polizist는 복수형이 -*en*인 *남성*의 "약변화 명사"임!
따라서 단수에서 주어 1격이 아닌 나머지 모두가 복수형처럼 -*en*임!
여기서 Polizist는 3격 전치사 zu의 목적어, 즉 *단수 3격*이므로 복수형처럼 Poliziste*n*이 됨.

► 「zu ein*em* Poliziste*n*」:
명사 Polizisten은 *남성*이며, *3격* 전치사 zu의 목적어이므로 *남성 3격!!*
따라서 *남성 3격* 어미 -*em*을 지닌 부정관사 ein*em*이 앞에 옴.

► 「auf d<u>er</u> Straße」 :
명사 Straße는 *여성*이며, 전치사 auf의 *3격* 목적어이므로 *<u>여성 3격</u>!!*
따라서 *여성 3격* 어미 *-er*를 지닌 정관사 d<u>er</u>가 앞에 옴.

► 4격 요구 동사인 fragt의 4격 목적어이므로 <u>er의 4격 형 ihn</u>이 사용됨.
3격 형은 ***ihm***임.

(여기서 ihn은 앞의 남성명사 Polizisten을 받음.)

IV. 알맞은 어미는? (9과, 심화문제: 교재 52쪽)

1. Wie heißt dies<u>er</u> Junge__ da? Kennst du ihn? - Welch<u>en</u> Junge<u>n</u> meinst du?

✸ **해석** 저기 있는 소년은 이름이 어떻게 되지? 너는 아니? - 어떤 소년을 말하는데?

✸ **어휘** wie 어떻게? (영. how?) ▌heißen 이름이 ...이다 : 「Wie heißen + 주어?」 *주어는* 이름이 무엇인가? - 「주어 + heißen ...」 *주어는* 이름이 ...이다' ▌der Junge 소년 (die Junge*n*) ▌da 저기 ▌kennen [타동사] 누구를 알다 ▌「welch- + 명사」 [의문사] 어떤 ...? (welch-는 정관사 어미변화! 영. which?) ▌meinen [타동사] ...을 의도하다 (영. mean)

문장 1

☞ 「dies<u>*er*</u> Junge」 :

- 명사 Junge는 *남성*이며, 이 문장의 *주어*이므로 *<u>남성 1격</u>!!*
따라서 dies-는 *남성 1격* 정관사 d<u>er</u>처럼 어미 *-er*가 붙어 dies<u>er</u>임.
- *남성*명사 Junge는 복수형이 *-n*인 "약변화 명사"임!
즉, 단수에서 주어 1격이 아닌 나머지 2, 3, 4격 모두 복수형처럼 *-n*임!
여기서는 주어(= *단수 1격*)이므로 어미 *-n*이 붙지 않고 그대로 Junge임.

문장 2

► 동사 Kennst의 4격 목적어이므로 <u>er의 4격 형 ihn</u>이 사용됨.
3격 형은 ***ihm***임.

(여기서 ihn은 앞 문장의 남성명사 Junge를 받음.)

문장 3

► 「Welch<u>*en*</u> Junge<u>*n*</u> 」 :

- 의문사 Welch-는 정관사 어미변화 함!
명사 Junge는 *남성*이며, 동사 meinst의 *4격* 목적어이므로 *<u>남성 4격</u>!!*
따라서 Welch-는 *남성 4격* 정관사 d<u>en</u>처럼 어미변화 하여 Welch<u>en</u>임.
- Junge는 *남성*명사로서 복수형이 *-n*인 약변화 명사임.
즉, 단수에서 주어 1격 이외의 나머지 2, 3, 4격 모두 복수형처럼 어미 *-n*이 붙음.
여기서도 Junge는 동사 meinst의 4격 목적어, 즉 *단수 4격*이므로 Junge<u>*n*</u>이 됨.

2. Wir sind vier nett<u>e</u>, lustig<u>e</u> Studentinnen und suchen ein<u>e</u> größer<u>e</u> Wohnung.

✺ **해석** 우리는 성품이 괜찮고 쾌활한 네 명의 여대생들인데, 큰 아파트 하나를 구하고 있습니다.

✺ **어휘** vier 4 ▌ nett 호감 주는, 친절한, 멋진 ▌ lustig 쾌활한 ▌ die Student*in* 여대생 (die Studentin*nen*) ▌ suchen [타동사] ...을 찾다, 구하다 ▌ größer 비교적 큰 (형용사 groß의 비교급!) ▌ die Wohnung 주택, 아파트 (die Wohnung*en*)

☞ 「(*관사 없음*) vier nett*e*, lustig*e* Studentin*nen* 」:

- 수사 vier와 결합하므로 복수명사 Studentin*nen*이 옴.
- 명사 Studentin*nen*은 *복수*이며, 동사 sind의 *주격* 보어이므로 *복수 1격!!*

  형용사 nett와 lustig는 앞에 관사가 없으므로 *정관사* 어미변화 함.

  따라서 두 형용사는 *복수 1격* 정관사 di*e*처럼 어미변화 하여 nett*e*, lustig*e*임.

☞ 「ein*e* größer*e* Wohnung」:

- 명사 Wohnung은 *여성*이며, 동사 suchen *4격* 목적어이므로 *여성 4격!!*

  따라서 *여성 4격* 부정관사 ein*e*가 앞에 옴.
- 비교급 형용사 größer 앞에 *여성 4격* ein*e*가 있음.

  → 따라서 ein*e* größer*e* ...

  (근거: 여성 1, 4격 di*e*, ein*e*, mein*e*, ihr*e*, unser*e*, eur*e*, kein*e*, dies*e* + 형용사 *-e*)

3. Das Mädchen ist hübsch. - Ja, ein__ wirklich hübsch<u>es</u> Mädchen.

✺ **해석** 그 소녀는 예뻐요. - 예, 정말 예쁜 소녀지요.

✺ **어휘** das Mädchen [축소명사] 소녀 (die Mädchen) ▌ hübsch 예쁜, 귀여운 ▌ wirklich 실제의, (부사적) 정말로

문장 2

► 축약된 문장임. 본래의 형태는: Ja, (sie ist) ein wirklich hübsches Mädchen.

<주의> 축소명사 Mädchen('소녀')은 중성명사이지만 의미상 분명한 '여자'이므로 일반적으로 여성의 sie('그녀')로 받음. (중성의 es로 받는 경우는 드물다!)

☞ 「*ein* wirklich hübsch*es* Mädchen」:

- 명사 Mädchen은 *중성*이며, 생략된 동사 ist의 *주격* 보어이므로 *중성 1격!!*

  따라서 *중성 1격* 부정관사 *ein*이 앞에 옴.
- 형용사 hübsch 앞에는 *중성 1격*의 *ein*이 있음.

  → 따라서 *ein* hübsch*es* ...

  (근거: 중성 1, 4격 ein_, mein_, ihr_, unser_, euer_, kein_ + 형용사 *-es*)
- wirklich는 뒤에 오는 형용사 hübsch를 수식하는 *부사어*이므로 어미변화 없음.

4. Ich suche einen neuen Sessel. - Wir haben gar keine alten Sessel. Wir haben nur neue Sessel.

✹ **해석** 나는 새 안락의자를 찾고 있어요. - 저희는 낡은 안락의자는 전혀 없습니다. 오로지 새 안락의자만을 가지고 있지요.

✹ **어휘** suchen [타동사] ...을 찾다, 구하다 ▌neu 새, 새로운 ▌der Sessel 안락의자, 쿠션의자 (die Sessel) ▌「gar nicht ...」, 「gar kein- ...」 전혀 ... 않다 (부정어 nicht 및 kein-이 강조됨!) ▌alt 낡은, 오래 된 ▌nur 단지, 오로지

문장 1

☞ 「ein*en* neu*en* Sessel」:

- 명사 Sessel은 *남성*이며, 동사 suche의 *4격* 목적어이므로 *남성 4격!!*
  따라서 *남성 4격* 부정관사 ein*en*이 앞에 옴.
- 형용사 neu 앞에 *남성 4격*의 ein*en*이 있음.
  → 따라서 ein*en* neu*en* ...
  (근거: 남성 4격 d*en*, ein*en*, mein*en*, ihr*en*, unser*en*, kein*en*, dies*en* + 형용사 *-en*)

문장 2

☞ 「kein*e* alt*en* Sessel」:

- 여기서 명사 Sessel은 복수형임!
  명사 Sessel은 *복수*이며, 동사 haben의 *4격* 목적어이므로 *복수 4격!!*
  따라서 kein-은 *복수 4격* 정관사 di*e*처럼 어미변화 하여 kein*e*임.
- 형용사 alt 앞에 *복수 4격* di*e*에 일치하는 kein*e*가 있음.
  → 따라서 kein*e* alt*en* ...
  (근거: 복수 1, 4격 di*e*, mein*e*, ihr*e*, unser*e*, eur*e*, kein*e*, dies*e* + 형용사 *-en*)

<주의>

만약 여기서 Sessel이 *단수*형이었다면:

「kein*en* alt*en* Sessel」:

- 명사 Sessel은 *남성*이며, 동사 haben의 *4격* 목적어이므로 *남성 4격!!*
  따라서 kein-은 *남성 4격* 정관사 d*en*처럼 어미변화 하여 kein*en*임.
- 형용사 alt 앞에 *남성 4격* d*en*에 일치하는 kein*en*이 있음.
  → 따라서 kein*en* alt*en* ...
  (근거: 남성 4격 d*en*, ein*en*, mein*en*, ihr*en*, kein*en*, dies*en* + 형용사 *-en*)

문장 3

☞ 「(*관사 없음*) neu*e* Sessel」:

여기서 명사 Sessel은 복수형임!

따라서 Sessel은 *복수*이며, 동사 haben의 *4격* 목적어이므로 *복수 4격!!*

형용사 neu는 앞에 관사가 없으므로 *정관사* 어미변화 함!

따라서 형용사 neu는 *복수 4격* 정관사 di*e*처럼 어미변화 하여 neu*e*임.

<주의> 만약 여기서 Sessel이 *단수*형이었다면, 앞에 남성 4격 *부정관사* einen이 있었을 것임. 그런데 관사가 없으므로 여기서는 복수형임!

5. Sind Sie für diesen neuen Plan? - Ja, ich bin dafür.

✺ **해석** 당신은 이 새로운 계획에 찬성하십니까? - 예, 저는 찬성해요.

✺ **어휘** für [4격 전치사] ~에 찬성하는 : 「동사 sein + für + 4격」 ...에 찬성하다 ▌dies- [지시대명사] 이 ... (정관사 어미변화!) ▌neu 새, 새로운 ▌der Plan 계획 (die Pl*ä*n*e*)

<참고> gegen [4격 전치사] ~에 반대하는 : 「동사 sein + gegen + 4격」 ...에 반대하다

문장 1

☞ 「für dies*en* neu*en* Plan」 :

- 명사 Plan은 *남성*이며, *4격* 전치사 für의 목적어이므로 *남성 4격!!*
  따라서 지시대명사 dies-는 *남성 4격* 정관사 d*en*처럼 어미변화 하여 dies*en*임.
- 형용사 neu 앞에는 *남성 4격* d*en*에 일치하는 dies*en*이 있음.
  → 따라서 für dies*en* neu*en* ...
  (근거: 남성 4격 d*en*, ein*en*, mein*en*, ihr*en*, unser*en*, kein*en*, dies*en* + 형용사 *-en*)

문장 2

► dafür '그것에 찬성하는' → 전치사 für '~에 찬성하는' + 지시대명사 das '그것'
(여기서 das는 앞 문장의 diesen neuen Plan('이 새로운 계획')을 받음!)

<참고>
「동사 sein + dafür」 찬성하다 : Ich bin dafür. 나는 (그것에) 찬성한다.
↔ 「동사 sein + dagegen」 반대하다: Ich bin dagegen. 나는 (그것에) 반대한다.

unit 03

마무리 문제

I. 괄호 안의 낱말을 사용하여 독일어로 옮기시오. (9과, 마무리문제: 교재 53쪽)

1. Paul과 Anne는 서로를 이미 오랫동안 알고 있다.

(lange, schon, sich kennen)

✻ 어휘 lange 오랫동안 ▌schon 이미 ▌kennen [타동사] 누구를 알다 → 「주어(복수) + kennen sich[4]」 '자신들을 알다', 즉 '서로를 알다'

정답 Paul und Anne kennen sich schon lange.

► 주어가 Paul und Anne, 즉 복수의 sie('그들')이므로 4격 재귀대명사는 sich임.

2. 그들은 매일 대학에서 서로를 본다.

(sie, an der Uni, jed-, Tag, sich sehen)

✻ 어휘 die Uni (구어체) 대학 (die Uni*s*) = die Universität (die Universität*en*) ▌an der Uni 대학에서 ▌「jed- + *단수* 명사」 매 ... (jed-는 정관사 어미변화! 영. every) ▌der Tag 날 (die Tag*e*) ▌sehen [타동사] 보다, 만나다 (영. see) → 「주어(복수) + sehen sich[4]」 '자신들을 보다', 즉 '서로를 보다'

정답 Sie sehen sich jeden Tag an der Uni.

► 주어가 복수의 sie('그들')이므로 4격 재귀대명사는 sich임.
주어가 sie('그들')일 때 3격 및 4격 재귀대명사 모두 ***sich***임.

► "매일"은 4격의 시간 부사어로 표현함.
즉, 「jed*en* Tag」 :
명사 Tag은 *남성*이며, 시간 부사어로서 *4격*이므로 *남성 4격!!*
따라서 jed-는 *남성 4격* d*en*처럼 어미변화 하여 jed*en*임.

► sich는 재귀*대명사*이므로 부사어인 jeden Tag 및 an der Uni보다 앞에 위치함.

3. Thomas야, 벌써 늦었어! 좀 서둘러라!

(es, spät, schon, sein, bitte, sich beeilen)

✻ 어휘 spät 늦은 ▌schon 벌써, 이미 ▌bitte [부사어] 명령문에서 정중한 표현을 위해 사용됨. ▌「beeilen sich[4]」 [4격 재귀동사] 서두르다

정답 Thomas, es ist schon spät. Beeil dich bitte!

► '시간'을 표현할 경우 비인칭 주어 es가 사용됨.

► du-명령문 「동사 어간 ...!」 ... 해라: 재귀동사 「beeil*en* sich[4]」 → *Beeil dich* ...!

<주의> du-명령문의 주어는 du이므로 4격 재귀대명사는 dich임.
주어가 du일 때 3격 재귀대명사는 ***dir***임.

4. 너 오늘 뭐 입을 거니? - 나는 나의 새 셔츠를 입을 거야.

(du, heute, was, sich[3] anziehen)

(ich, neu, mein-, Hemd, sich[3] anziehen)

✻ 어휘 heute 오늘 ▌was 무엇을? (4격) ▌*an*ziehen [분리동사&3격 재귀동사] → 「ziehen sich[3] + 4격 ... *an*」 (의복) ...을 입다 ▌neu 새, 새로운 ▌das Hemd 셔츠, 런닝셔츠, 와이셔츠 (die Hemd*en*)

<참고>
일반 동사 *an*ziehen:
① 「ziehen + 3격(사람) + 4격 ... *an*」 누구에게 ...을 입히다
⇒ 3격 재귀동사 「ziehen sich[3] + 4격 ... *an*」 '*자신*에게 ...을 입히다', 즉 '...을 입다'
② 「ziehen + 4격(사람) ... *an*」 누구에게 옷 입히다
⇒ 4격 재귀동사 「ziehen sich[4] ... *an*」 '*자신*에게 옷 입히다', 즉 '옷 입다'

정답 Was ziehst du dir heute an? - Ich ziehe mir mein neues Hemd an.

문장 1

► 우리말 "뭐"는 의문사 Was임.
여기서 Was는 동사 ziehst ... *an*의 4격 목적어이지만, 의문사이므로 문장 맨 앞에 위치!

► 주어가 "너", 즉 du이므로 3격 재귀대명사는 dir임.
주어가 du일 때 4격 재귀대명사는 ***dich***임.

문장 2

► 주어가 "나는", 즉 ich이므로 3격 재귀대명사는 mir임.
주어가 ich일 때 4격 재귀대명사는 ***mich***임.

► "나의 새 셔츠"는 분리동사 ziehe ... *an*의 4격 목적어임.
즉, 「*mein* neu*es* Hemd」:

- 명사 Hemd는 *중성*이며, 분리동사 ziehe ... *an*의 *4격* 목적어이므로 *중성 4격!!*
  따라서 mein-은 *중성 4격* 부정관사 ein_처럼 어미 없이 mein_임.
- 형용사 neu 앞에 *중성 4격* ein_에 일치하는 mein_이 있음.
  → 따라서 mein neu*es* ...
  (근거: 중성 1, 4격 ein_ , mein_ , ihr_ , unser_ , eurer_ , kein_ + 형용사 *-es*)

5. 너희는 무엇을 열심히 하고 있니? - 우리는 프랑스어에 몰두하고 있어.

(ihr, womit, sich beschäftigen)

(wir, mit, Französisch, sich beschäftigen)

✹ **어휘** 의문사 womit → 전치사 mit + 의문사 was ▌「beschäftigen sich⁴ mit + 3격」 [4격 재귀동사] ...에 몰두하다 ▌ mit [3격 전치사] ~을 가지고, ~와 함께 (영. with) ▌ Französisch [고유명사] 프랑스어

(정답) Womit beschäftigt ihr euch? - Wir beschäftigen uns mit Französisch.

문장 1

► 의문사 Womit '무엇에?' → 전치사 mit '...에' + 의문사 was '무엇'
4격 재귀동사 형식 「beschäftigen sich⁴ ***mit*** ...」 안의 전치사 ***mit***임!

<주의> 전치사 mit + 의문사 wer → Mit wem? (즉, "wo(r)- + 전치사" 형태 아님!)

► 주어가 "너희는", 즉 ihr이므로 4격 재귀대명사는 euch임.
주어가 ihr('너희는')일 때 3격 및 4격 재귀대명사 모두 ***euch***임.

문장 2

► 주어가 "우리는", 즉 Wir이므로 4격 재귀대명사는 uns임.
주어가 wir일 때 3격 및 4격 재귀대명사 모두 ***uns***임.

► Französisch는 고유명사이므로 관사 없음!

6. 저희에게 오셔서 이 우아한 옷을 구입하세요.

(uns, zu, kommen, und, Kostüm, Sie, elegant, dies-, sich³ kaufen)

✹ **어휘** 「3격 전치사 zu + 사람」 (방향) 누구에게로 ▌ kommen 오다 ▌ und [접속사] 그리고 ▌ das Kostüm 여성용 투피스 정장 (die Kostüm*e*) ▌ elegant 우아한 ▌ dies- [지시대명사] 이 ... (dies-는 정관사 어미변화!) ▌ 「kaufen + 3격(사람) + 4격」 [타동사] 누구에게 ...을 사주다 → 「kaufen sich³ + 4격」 [3격 재귀동사] (자신이 갖기 위해) ...을 사다, 구입하다

(정답) Kommen Sie zu uns und kaufen Sie sich dieses elegante Kostüm!

► 우리말 "... 오셔서 ... 구입하세요" → 두 개의 Sie-명령문을 접속사 und로 연결함:
Komm*en* Sie ... und kauf*en* Sie ...!

► "저희에게"는 「zu uns」 임:
3격 전치사 zu의 목적어이므로 wir('저희')의 3격 형 uns가 사용됨.
4격 형 역시 ***uns***임.

► Sie-명령문의 주어는 Sie('당신')이므로 3격 재귀대명사는 sich임.
주어가 Sie('당신은')일 때 3격 및 4격 재귀대명사 모두 ***sich***임. (대문자 표기된 Sich 아님!)

► 「dies*es* elegant*e* Kostüm」 :

- 명사 Kostüm은 *중성*이며, 동사 kaufen의 *4격* 목적어이므로 *중성 4격!!*
  따라서 dies-는 *중성 4격* 정관사 d*as*처럼 어미변화 하여 dies*es*임.

- 형용사 elegant 앞에 *중성 4격* d*as*와 동일한 dies*es*가 있음.

  → 따라서 dies*es* elegant*e* ...

  (근거: 중성 1, 4격 d*as*, dies*es* + 형용사 *-e*)

II. 잘못된 부분(들)을 고쳐서 다시 적으시오. (9과, 마무리문제: 교재 53쪽)

1. Wir erholen[오류] sehr gut in den Ferien.

   ✻ **해석** 우리는 휴가 중에 아주 잘 원기 회복한다.

   ✻ **어휘** 「erholen sich^4」 [4격 재귀동사] 휴양하다, 원기 회복하다 ▌sehr 매우 ▌gut 잘, 좋게 ▌ die Ferien (항상 복수) 휴가, 방학 → in den Ferien 휴가 중에, 방학 중에

   <오류>

   erholen은 4격 재귀동사로서, *반드시* 4격 재귀대명사와 결합해야 비로소 '휴양하다'를 의미함.
   따라서 주어가 Wir일 때의 4격 재귀대명사 uns가 동사 뒤에 와야 옳음!

   정답 Wir *erholen uns* sehr gut in den Ferien.

2. Kennst du einen Journalist[오류1]? - Nein, ich kenne leider keinen Journalist[오류2].

   ✻ **해석** 너 언론인 한 명 알고 있니? - 아니, 나는 유감스럽게도 아는 언론인이 없어.

   ✻ **어휘** kennen [타동사] 누구를 알다 ▌der Journalist 언론인, 기자 (die Journalist*en*) ▌leider 유감스럽게도

   <오류> 1

   Journalist는 복수형이 *-en*인 *남성*의 약변화 명사임.
   즉, 단수에서 주어 1격 이외의 나머지 2, 3, 4격 모두가 복수형과 동일하게 Journalist*en*임.
   여기서 Journalist는 동사 Kennst의 4격 목적어, 즉 *단수 4격*이므로 Journalist*en*이어야 옳음!

   <오류> 2

   여기서도 Journalist는 동사 kenne의 4격 목적어, 즉 *단수 4격*이므로 Journalist*en*이어야 옳음!

   정답 Kennst du einen *Journalisten* - Nein, ich kenne leider keinen Journalisten.

3. Einschalte[오류] das Gerät wieder!

   ✻ **해석** 그 기계를 다시 켜라.

✹ **어휘** *ein*schalten [분리동사&타동사] (기계, 기구) ...을 켜다 (= *an*machen) ↔ *aus*schalten (기계, 기구) ...을 끄다 (= *ab*machen) ▌das Gerät 기계, 기구 (die Gerät*e*) = die Maschine (die Maschine*n*)

<오류>

du-명령문에서도 분리동사 *ein*schalten의 전철 *ein*-은 분리되어 문장 맨 뒤에 위치해야 옳음: Schalt*e* ... *ein*!

정답 *Schalte* das Gerät wieder *ein*!

► 분리동사 schal*t*en ... *ein*의 경우 어간 끝이 -t이므로 du-명령문에서 발음상 -e-가 첨가됨: 따라서 du-명령문은「동사 어간 *-e* ...!」: Schalt*e* ... *ein*! (즉, Schalt ... *ein*! 아님!)

4. Bald mache ich eine Reise mit meinen engen Freunde[오류1]. Ich freue mich auf das[오류2].

✹ **해석** 곧 나는 나의 가까운 친구들과 여행 한다. 나는 그것에 대해 기뻐한다.

✹ **어휘** bald 곧 ▌machen [타동사] ...을 행하다 + die Reise 여행 (die Reise*n*) → eine Reise machen 여행하다 ▌mit [3격 전치사] ~와 함께 ▌eng 좁은 ▌der Freund 친구 (die Freund*e*) ▌「freuen sich[4] auf + 4격」 [4격 재귀동사] (미래의) ...에 대하여 기뻐하다

<오류> 1

명사의 *복수 3격*은 형태가 *-n*임!

여기서 Freund*e*는 *복수*이며 *3격* 전치사 mit의 목적어, 즉 *복수 3격*이므로 어미 *-n*이 붙어 Freunde*n*이어야 옳음!

<오류> 2

전치사 auf + 지시대명사 das → da*r*auf (즉, auf das 아님!)

정답 Bald mache ich eine Reise mit meinen engen *Freunden*. Ich freue mich *darauf*.

문장 1

►「mit mein*en* eng*en* Freund*en*」:

- 명사 Freund*e*는 *복수*이며, *3격* 전치사 mit의 목적어이므로 *복수 3격*!!
  따라서 mein-은 *복수 3격* 어미 *-en*이 붙어 mein*en*임.
- 형용사 eng 앞에 *복수 3격* 어미 *-en*을 지닌 mein*en*이 있음.
  → 따라서 mit mein*en* eng*en* ...
  (근거: 3격 어미 *-em*(남·중성), *-er*(여성), *-en*(복수)의 뒤에 오는 형용사는 모두 *-en*임!)
- 명사의 *복수 3격*은 형태가 *-n*임!
  따라서 Freund*e*는 *복수 3격*이므로 어미 *-n*이 붙어 Freunde*n*임.

문장 2

► 주어가 Ich이므로 4격 재귀대명사는 mich임.
주어가 ich일 때 3격 재귀대명사는 ***mir***임.

► dar*a*uf '그것에 대하여' → 전치사 auf '...에 대하여' + 지시대명사 das '그것'
4격 재귀동사 형식 「freuen sich^4 ***auf*** ...」 안의 전치사 ***auf***임!

(여기서 das는 앞 문장 내용 전체를 받음.)

5. Wobei[오류1] treffen wir sich[오류2] das nächste Mal? - Das nächste Mal treffen wir sich[오류3] bei mich[오류4].

✺ **해석** 우리 다음번에 누구 집에서 서로 만나지? - 다음번에는 내 집에서 만나자.

✺ **어휘** 의문사 wobei → 전치사 bei + 의문사 was ▌ treffen [타동사] ...을 만나다 → 「주어(복수) + treffen sich^4」 서로 만나다 ▌ das nächste Mal [4격의 시간 부사어] 다음번에 → nächst 다음의 + das Mal 번, 차례 ▌ 「3격 전치사 bei + 사람」 (위치, 소재) 누구에게서

<오류> 1
"누구 집에서"는 「전치사 bei + 의문사 wer」 형식이어야 함.
따라서 3격 전치사 bei와 결합하므로 wer의 3격 형 wem이 와서 Bei wem이어야 옳음!
(즉, Wobei는 「전치사 bei + 의문사 *was*」 이므로 틀림!)

<오류> 2
주어가 wir이므로 4격 재귀대명사는 uns이어야 옳음!
주어가 wir('우리는')일 때 3격 및 4격 재귀대명사 모두 *uns*임.

<오류> 3
역시 주어가 wir이므로 4격 재귀대명사는 uns이어야 옳음!

<오류> 4
3격 전치사 bei의 목적어이므로 ich의 3격 형 mir가 와야 옳음!
4격 형은 *mich*임.

정답 *Bei wem* treffen wir *uns* das nächste Mal? - Das nächste Mal treffen wir *uns* bei *mir.*

문장 1

► 「*das* nächst*e* Mal」는 4격의 시간 부사어임:

- 명사 Mal은 *중성*이며, 시간 부사어로서 *4격*이므로 *중성 4격!!*
  따라서 *중성 4격* 정관사 *das*가 앞에 옴.
- 형용사 nächst 앞에 *중성 4격*의 d*as*가 있음.
  → 따라서 d*as* nächst*e* ...
  (근거: 중성 1, 4격 d*as*, dies*es* + 형용사 *-e*)

Lektion 10

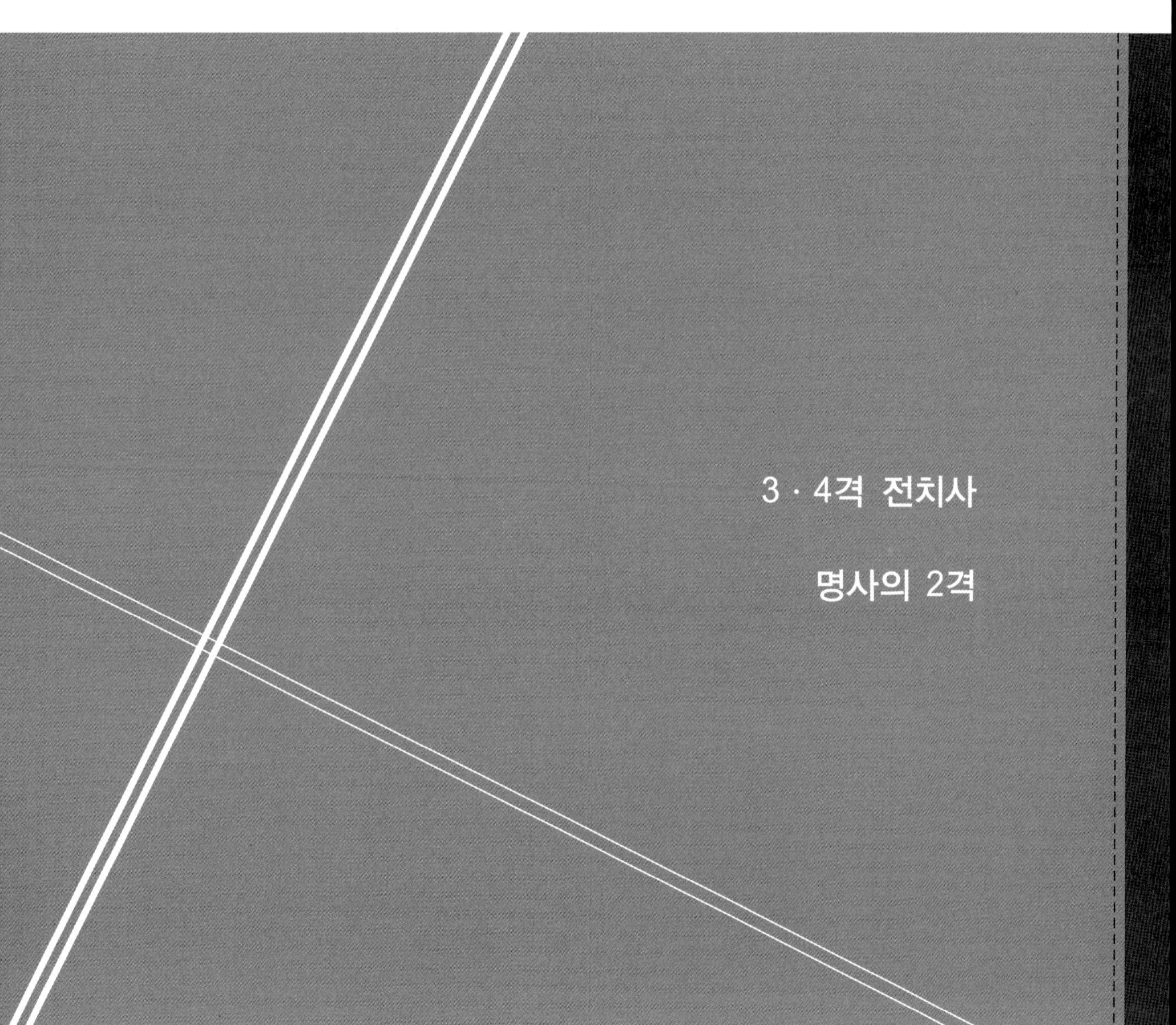

3 · 4격 전치사

명사의 2격

unit 01

기초문제

I. 알맞은 어미는? (10과, 기초문제: 교재 56쪽)

1. Der Chef kommt in sein__ Büro.

✵ **해석** 사장님이 자신의 사무실로 들어온다.

✵ **어휘** der Chef 사장, 부장, 과장 (die Chef*s*) ▌kommen 오다 ▌in [3 · 4격 전치사] [1] (3격 지배: 위치) ~안에(서), ~에(서); [2] (4격 지배: 방향) ~안으로, ~로 (영. in; into) ▌das Büro 사무실 (die Büro*s*)

☞「kommt ... *in sein* Büro」:

- 3 · 4격 전치사 in이 '장소 이동' 동사 kommt와 결합함. → '...안*으로* 오다'를 뜻함. 즉, '방향'을 뜻하므로 in은 *4격 지배!*
- 명사 Büro는 *중성*이며, 전치사 in의 *4격* 목적어이므로 *중성 4격!!* 따라서 sein-은 *중성 4격* ein_처럼 어미 없이 sein_임.

2. Wie viele Leute sind in dies*em* Zimmer?

✵ **해석** 얼마나 많은 사람들이 이 방 안에 있습니까?

✵ **어휘**「wie viele + *복수*명사」 얼마나 많은 ...? ▌die Leute (항상 복수) 사람들 ▌sein [자동사] 있다, 존재하다 ▌in [3 · 4격 전치사] [1] (3격 지배: 위치) ~안에(서), ~에(서); [2] (4격 지배: 방향) ~안으로, ~로 ▌dies- [지시대명사] 이 ... (dies-는 정관사 어미변화!) ▌das Zimmer 방 (die Zimmer)

☞「... sind *in* dies*em* Zimmer」:

- 3 · 4격 전치사 in이 동사 sind와 결합함. → '... 안*에* 있다'를 뜻함. 즉, '위치'를 뜻하므로 in은 *3격 지배!*
- 명사 Zimmer는 *중성*이며, 전치사 in의 *3격* 목적어이므로 *중성 3격!!* 따라서 dies-는 *중성 3격* 어미 *-em*이 붙어 dies*em*임.
  3격 어미: *-em*(남성, 중성), *-er*(여성), *-en*(복수)

3. Ich fahre mit meinen Freunden an d*ie* Ostsee.

✵ **해석** 나는 나의 친구들과 함께 동해로 간다.

✵ **어휘** fahren (차를 타고) 가다 ▌mit [3격 전치사] ~와 함께 ▌der Freund 친구 (die Freund*e*) ▌an [3 · 4격 전치사] [1] (3격 지배: 위치) ~옆에(서); [2] (4격 지배: 방향) ~ 옆으로 (영. at; on; on to) ▌die Ostsee 동해 ← die See 바다 (die See*n*)

☞「... fahre ... *an* d*ie* Ostsee」:

- 3 · 4격 전치사 an이 '장소 이동' 동사 fahre와 결합함. → '... 옆*으로* 가다'를 뜻함.
  즉, '방향'을 뜻하므로 an은 *4격 지배!*
- 명사 Ostsee는 *여성*이며, 전치사 an의 *4격* 목적어이므로 *여성 4격!!*
  따라서 *여성 4격*의 정관사 d*ie*가 옴.

►「mit mein*en* Freund*en*」:

- 명사 Freund*e*는 *복수*이며, *3격* 전치사 mit의 목적어이므로 *복수 3격!!*
  따라서 mein-은 *복수 3격* 어미 *-en*이 붙어 mein*en*임.
- 명사의 *복수 3격*은 형태가 *-n*임.
  여기서 Freund*e*는 *복수 3격*이므로 어미 *-n*이 붙어 Freunde*n*임.

4. Wo sind die Kinder? - Sie spielen jetzt auf d*er* Straße.

✺ **해석** 어디에 그 아이들이 있지? - 그들은 지금 거리 위에 있어.

✺ **어휘** wo 어디에(서)? ▌sein [자동사] 있다, 존재하다 ▌das Kind 아이 (die Kind*er*) ▌spielen 놀다 ▌jetzt 지금 ▌auf [3 · 4격 전치사] [1] (3격 지배: 위치) ~위에(서); [2] (4격 지배: 방향) ~위로 (영. on; on to) ▌die Straße 거리 (die Straße*n*)

문장 1

► 동사 sind, 즉 동사 sein의 의미는 '있다, 존재하다' 이므로
내용상 '위치'를 나타내는 의문사 Wo('어디*에*?, 어디*에서*?')와 결합함.

<주의> '장소 이동' 동사 kommen, gehen, fahren 등과 같이 3 · 4격 전치사가 4격 지배인 경우 '방향'의 의문사 wohin('어디*로*?')과 결합함.

문장 2

☞「... spielen ... *auf* d*er* Straße」:

- 3 · 4격 전치사 auf가 동사 spielen과 결합함. → '... 위*에서* 놀다'를 뜻함.
  즉 '위치'를 뜻하므로 auf는 *3격 지배!*
- 명사 Straße는 *여성*이며, 전치사 auf의 *3격* 목적어이므로 *여성 3격!!*
  따라서 정관사는 *여성 3격* 어미 *-er*를 지닌 d*er*임.

5. Der Ball liegt unter d*em* Bett.

✺ **해석** 그 공은 침대 아래에 놓여있다.

✺ **어휘** der Ball 공 (die B*ä*ll*e*) ▌liegen [자동사] 놓여있다 ▌unter [3 · 4격 전치사] [1] (3격 지배: 위치) ~아래에(서); [2] (4격 지배: 방향) ~아래로 (영. under) ▌das Bett 침대 (die Bett*en*)

☞「... liegt *unter* d*em* Bett」:

- 3 · 4격 전치사 unter가 동사 liegt와 결합함. → '... 아래*에* 놓여 있다'를 뜻함.
  즉, '위치'를 뜻하므로 unter는 *3격 지배!*
- 명사 Bett는 *중성*이며, 전치사 unter의 *3격* 목적어이므로 *중성 3격!!*
  따라서 정관사는 *중성 3격* 어미 *-em*을 지닌 d*em*임.

6. Der Wagen in d<u>er</u> Garage gehört meinem Bruder.

   ✷ **해석** 차고 안의 자동차는 나의 형 소유이다.

   ✷ **어휘** der Wagen 자동차 (die Wagen) ▌in [3 · 4격 전치사] [1] (3격 지배: 위치) ~안에(서), ~에(서); [2] (4격 지배: 방향) ~안으로, ~로 ▌die Garage [ga'ra:ʒə] 차고 (die Garage*n*) ▌「gehören + 3격(사람)」 누구에게 속하다, 누구의 소유이다 ▌der Bruder 형, 오빠, 남동생 (die Brüder)

☞「Der Wagen *in* d*er* Garage ...」:

- 3 · 4격 전치사 in은 바로 앞의 명사 Wagen을 수식함 → '... 안*에 있는* 자동차'를 뜻함. 즉, '위치'를 나타내므로 in은 *3격 지배!*
- 명사 Garage는 *여성*이며, 전치사 in의 *3격* 목적어이므로 *여성 3격!!* 따라서 *여성 3격* 어미 *-er*를 지닌 정관사 d*er*가 앞에 옴.

►「mein*em* Bruder」:
명사 Bruder는 *남성*이며, 동사 gehört의 *3격* 목적어이므로 *남성 3격!!*
따라서 mein-은 *남성 3격* 어미 *-em*이 붙어 mein*em*임.

7. Wo ist nur das Foto? - Es liegt zwischen d<u>en</u> Brief<u>en</u> (복수).

   ✷ **해석** 어디에 도대체 그 사진이 있는 거야? - 그것은 편지들 사이에 놓여 있어.

   ✷ **어휘** wo 어디에서? ▌sein [자동사] 있다, 존재하다 ▌nur [부사어] 의문문에서 불안, 당혹감, 놀람 등의 감정 상태를 나타냄. ("도대체"로 해석 가능!) ▌das Foto 사진 (die Foto*s*) ▌liegen [자동사] [1] (사물이) 놓여있다; [2] (사람이) 누워 있다 ▌zwischen [3 · 4격 전치사] [1] (3격 지배: 위치) ~사이에(서); [2] (4격 지배: 방향) ~사이로 (영. between; among) ▌der Brief 편지 (die Brief*e*)

문장 1

► 동사 ist, 즉 동사 sein은 '있다, 존재하다'의 의미를 지니므로
내용상 '위치'의 의문사 Wo('어디*에*?, 어디*에서*?')와 결합함.

문장 2

☞「... liegt *zwischen* d*en* Brief*en*」:

- 3 · 4격 전치사 zwischen이 동사 liegt와 결합함. → '... 사이*에* 놓여 있다'를 뜻함. 즉, '위치'를 뜻하므로 zwischen은 *3격 지배!*
- 명사 Brief*e*는 *복수*이며, 전치사 zwischen의 *3격* 목적어이므로 *복수 3격!!* 따라서 *복수 3격* 어미 *-en*을 지닌 정관사 d*en*이 옴.
- 여기서 명사 Brief*e*는 *복수 3격*이므로 어미 *-n*이 붙어 Brief*en*임.

<주의> 전치사 zwischen 뒤에는 *복수*가 옴!
「zwischen + 복수명사」 ...들 사이 / 「zwischen A und B」 A와 B 사이

8. Meine Freundin wohnt neben ein<u>em</u> Supermarkt.

✱ 해석 나의 여자 친구는 한 슈퍼마켓 옆에서 살고 있다.

✱ 어휘 die Freund*in* 여자 친구 (die Freundin*nen*) ▌wohnen 살다, 거주하다 ▌neben [3 · 4격 전치사] [1] (3격 지배: 위치) ~옆에(서); [2] (4격 지배: 방향) ~옆으로 (영. beside; next to) ▌der Supermarkt (die Supermärkt*e*) ← der Markt 시장 (die Märkt*e*)

☞ 「... wohnt *neben* ein*em* Supermarkt」:

- 3 · 4격 전치사 neben이 동사 wohnt와 결합함. → '... 옆*에서* 거주하다'를 뜻함. 즉 '위치'를 뜻하므로 neben은 *3격 지배!*
- 명사 Supermarkt는 *남성*이며, 전치사 neben의 *3격* 목적어이므로 *남성 3격!!* 따라서 *남성 3격* 어미 *-em*을 지닌 부정관사 ein*em*이 옴.

9. Er bringt seinen kleinen Sohn in d<u>en</u> Kindergarten.

✱ 해석 그는 자신의 어린 아들을 유치원으로 데려간다.

✱ 어휘 bringen [타동사] 누구를 데려가다, 데려오다 (영. bring) ▌klein 작은 ▌der Sohn 아들 (die Söhn*e*) ▌in [3 · 4격 전치사] [1] (3격 지배: 위치) ~안에(서), ~에(서); [2] (4격 지배: 방향) ~안으로, ~로 ▌der Kindergarten 유치원 (die Kindergärten) ← der Garten 정원 (die Gärten)

► 「sein*en* klein*en* Sohn」:

- 명사 Sohn은 *남성*이며, 동사 bringt의 *4격* 목적어이므로 *남성 4격!!* 따라서 sein-은 *남성 4격* 부정관사 ein*en*처럼 어미변화 하여 sein*en*임.
- 형용사 klein 앞에 *남성 4격* ein*en*에 일치하는 sein*en*이 있음. → 따라서 sein*en* klein*en* ... (근거: 남성 4격 d*en*, ein*en*, mein*en*, sein*en*, ihr*en*, kein*en*, dies*en* + 형용사 *-en*)

☞ 「... bringt ... *in* d*en* Kindergarten」:

- 3 · 4격 전치사 in이 동사 bringt와 결합함. → '...*로* 데려가다'를 뜻함. 즉, '방향'을 뜻하므로 in은 *4격 지배!*
- 명사 Kindergarten은 *남성*이며, 전치사 in의 *4격* 목적어이므로 *남성 4격!!* 따라서 *남성 4격* 정관사 d*en*이 앞에 옴.

10. Gehen Sie über dies<u>e</u> Brücke!

✱ 해석 이 다리 건너편으로 가세요.

✱ 어휘 gehen 가다 ▌über [3 · 4격 전치사] [1] (3격 지배: 위치) ~위에(서); [2] (4격 지배: 방향) ~위로, ~건너편으로 (영. above; over) ▌dies- [지시대명사] 이 ... (dies-는 정관사 어미변화!) ▌die Brücke 다리 (die Brück*en*)

► Sie-명령문 「동사 원형 + Sie ...!」 ...하세요. : Geh*en* *Sie* ...!

☞ 「Gehen ... *über* dies*e* Brücke」:

- 3 · 4격 전치사 über가 동사 Gehen과 결합함. → '... 건너편으로 가다'를 뜻함.
  즉 '방향'을 뜻하므로 über는 *4격 지배!*
- 명사 Brücke는 *여성*이며, 전치사 über의 *4격* 목적어이므로 *여성 4격!!*
  따라서 dies-는 *여성 4격* 정관사 die처럼 어미변화 하여 diese임.

11. Das Auto steht hinter dem Haus.

✺ **해석** 그 차는 집 뒤에 서있다.

✺ **어휘** das Auto 차, 자동차 (die Auto*s*) ▌stehen [자동사] 서있다 ▌hinter [3 · 4격 전치사] [1] (3격 지배: 위치) ~뒤에(서); [2] (4격 지배: 방향) ~뒤로 (영. behind) ▌das Haus 집 (die Häus*er*)

☞ 「... steht ... *hinter* d*em* Haus」:

- 3 · 4격 전치사 hinter가 동사 steht와 결합함. → '... 뒤*에* 서있다'를 뜻함.
  즉 '위치'를 나타내므로 hinter는 *3격 지배!*
- 명사 Haus는 *중성*이며, 전치사 hinter의 *3격* 목적어이므로 *중성 3격!!*
  따라서 *중성 3격* 어미 *-em*을 지닌 정관사 d*em*이 앞에 옴.

12. Wo treffen wir uns? In der Bibliothek?

✺ **해석** 어디서 우리 서로 만나지? 도서관에서?

✺ **어휘** wo 어디에서? ▌treffen [타동사] 누구를 만나다 → 「주어(복수) + treffen sich[4]」 서로 만나다 ▌in [3 · 4격 전치사] [1] (3격 지배: 위치) ~안에(서), ~에(서); [2] (4격 지배: 방향) ~안으로, ~로 ▌die Bibliothek 도서관 (die Bibliothek*en*)

문장 1

► 주어 wir(= 복수 1인칭)와 동사 treffen의 4격 목적어 uns(= 복수 1인칭)가 동일한 인칭임! 따라서 uns는 4격 재귀대명사('우리 자신')임 → '우리가 *우리 자신을* 만나다', 즉 '우리는 *서로* 만나다'임.

문장 2

► 축약된 문장임. 본래 형태는: (Treffen wir uns) In der Bibliothek?

☞ 「(Treffen ...) *In* d*er* Bibliothek」:

- 3 · 4격 전치사 In이 동사 Treffen과 결합함. → '... 안*에서* 만나다'를 뜻함.
  즉, '위치'를 뜻하므로 In은 *3격 지배!*
- 명사 Bibliothek은 *여성*이며, 전치사 In의 *3격* 목적어이므로 *여성 3격!!*
  따라서 정관사는 *여성 3격* 어미 *-er*를 지닌 d*er*임.

13. Kommen Sie zu uns auf die Terrasse!

✺ **해석** 테라스로 우리에게 오세요.

✺ **어휘** kommen 오다 ▌「3격 전치사 bei + 사람」(위치, 소재) 누구에게서 ▌auf [3 · 4격 전치사] [1] (3격 지배: 위치) ~위에(서); [2] (4격 지배: 방향) ~위로 ▌die Terrasse 테라스 (die Terrasse*n*)

► Sie-명령문「동사 원형 + Sie ...!」: Komm*en* *Sie* ...!
► 3격 전치사 zu의 목적어이므로 wir의 3격 형 uns가 사용됨.
4격 형 역시 ***uns***임.

☞「Kommen ... *auf* d*ie* Terrasse」:
- 3・4격 전치사 auf가 동사 Kommen과 결합함. → '... 위로 오다'를 뜻함.
즉, '방향'을 나타내므로 auf는 *4격 지배!*
- 명사 Terrasse는 *여성*이며, 전치사 auf의 *4격* 목적어이므로 *여성 4격!!*
따라서 *여성 4격*의 정관사 d*ie*가 앞에 옴.

II. 알맞은 2격 형태는? (10과, 기초문제: 교재 56쪽)

1. Wessen Brille ist das? - Das ist die Brille mein*es* Chef*s* .

✺ 해석 이것은 누구의 안경이지? - 그것은 내 직장 상사의 안경이야.

✺ 어휘「Das ist ...」이것은 ...이다 ▌「wessen + 명사?」[의문사] 누구의 ...? (wer의 2격 형) (영.「whose + 명사?」) ▌die Brille 안경 (die Brille*n*) ▌der Chef 직장 상사, 사장, 부장, 과장 (die Chef*s*)

문장 1

► 의문사 Wessen Brille('누구의 안경?')는 동사 ist의 주격 보어임.

문장 2

☞「... Brille mein*es* Chef*s* 」:
- 명사 Chef는 *남성*이며, 앞의 명사 Brille를 수식하는 *2격*이므로 *남성 2격!!*
따라서 mein-은 *남성 2격* 어미 *-es*가 붙어 mein*es*임.
2격 어미: *-es*(남성, 중성), *-er*(여성, 복수)
- Chef는 *남성*명사이므로 2격의 명사 어미 *-s*가 붙어 Chef*s*임.

<주의> *남성* 및 *중성*명사 2격은 *-s* 혹은 *-es*가 붙음. (*여성* 및 *복수*명사는 제외!)

► *die* Brille meines Chefs('내 직장 상사의 안경')는 동사 ist의 주격 보어임.
(따라서 *여성 1격*의 정관사 *die*가 앞에 옴.)

2. Nehmen Sie die Wohnung? - Nein, die Lage d*er* Wohnung ist ungünstig.

✺ 해석 그 아파트를 택하겠니? - 아니, 그 아파트의 위치가 안 좋아.

✺ 어휘 nehmen [타동사] ...을 갖다 (영. take) ▌die Wohnung 아파트, 주택 (die Wohnung*en*) ▌die Lage 위치 ← liegen [자동사] 놓여있다 (영. lie) ▌ungünstig 안 좋은, 부적절한, 불리한 ↔ günstig 좋은, 적절한

문장 2

☞ 「... Lage d*er* Wohnung 」:

- 명사 Wohnung은 *여성*이며, 앞 명사 Lage를 수식하는 *2격*이므로 *여성 2격!!*
  따라서 *여성 2격* 어미 *-er*를 지닌 정관사 d*er*가 앞에 옴.
- 명사 Wohnung은 여성이므로 2격의 명사 어미 -s, -es가 붙지 않음!

► *die* Lage der Wohnung('그 아파트의 위치')은 동사 ist의 주어임.
(따라서 *여성 1격*의 정관사 *die*가 앞에 옴.)

3. Kauf dir doch das Kleid! - Nein, der Preis d*es* Kleid*es* ist zu hoch.

❋ **해석** (그러지 말고) 그 원피스를 구입해. - 아니야, 그 원피스의 가격이 너무 높아.

❋ **어휘** 「kaufen sich³ + 4격」 [3격 재귀동사] (자신이 갖기 위해) ...을 사다 ▌doch [부사어] 명령문에서 요구 내용을 강조함. ▌das Kleid 원피스, 드레스 (die Kleid*er*) ▌der Preis 가격 (die Preis*e*) ▌hoch 높은 (↔ niedrig 낮은) ▌「zu + 형용사」 너무 ...한 (영. 「too + 형용사」)

문장 1

► du-명령문 「동사 어간 ...!」 : kauf*en* sich³ ... → *Kauf dir* ...!

<주의> du-명령문의 주어는 du이므로 3격 재귀대명사는 dir임!
주어가 du일 때 4격 재귀대명사는 ***dich***임.

문장 2

☞ 「... Preis d*es* Kleid*es* 」:

- 명사 Kleid는 *중성*이며, 앞 명사 Preis를 수식하는 *2격*이므로 *중성 2격!!*
  따라서 *중성 2격* 어미 *-es*를 지닌 정관사 d*es*가 앞에 옴.
- 명사 Kleid는 *중성*이므로 2격의 명사 어미 *-es*가 붙어 Kleid*es*임.
  <주의> 어미 -s가 붙어 Kleids도 가능함!

► *der* Preis des Kleides('그 원피스의 가격')는 동사 ist의 주어임.
(따라서 *남성 1격*의 정관사 *der*가 앞에 옴!)

4. Gehört die Wohnung Ihren Eltern? - Ja, das ist die Wohnung mein*er* Eltern.

❋ **해석** 그 집이 당신 부모님 소유입니까? - 예, 그 것은 내 부모님의 집이에요.

❋ **어휘** 「gehören + 3격(사람)」 누구에게 속하다, 누구의 소유이다 ▌die Wohnung 집, 주택, 아파트 (die Wohnung*en*) ▌die Eltern (항상 복수) 부모님

문장 1

► 「Ihr*en* Eltern」 :

- 명사 Eltern은 *복수*이며, 동사 Gehört의 *3격* 목적어이므로 *복수 3격!!*
  따라서 소유대명사 Ihr-('당신의')는 *복수 3격* 어미 *-en*이 붙어 Ihr*en*임.
- *복수 3격* 명사의 형태는 *-n*이어야 함.
  여기서 Elter*n*은 *복수 3격*이지만, 자체가 이미 *-n* 형태이므로 추가로 *-n*을 붙이지 않음.

문장 2

☞ 「... Wohnung mein*er* Eltern」:

- 명사 Eltern은 *복수*이며, 앞 명사 Wohnung을 수식하는 *2격*이므로 *복수 2격!!*
  따라서 mein-은 *복수 2격* 어미 *-er*가 붙어 mein*er*임.
- 명사 Eltern은 *복수*이므로 2격의 명사 어미 -s, -es 없음!

► *die* Wohnung meiner Eltern('내 부모님의 집')은 동사 ist의 주격 보어임.
(따라서 *여성 1격*의 정관사 *die*가 앞에 옴!)

5. Wo ist der Bericht dies*es* Student*en* ?

✺ **해석** 이 학생의 보고서가 어디 있지?

✺ **어휘** wo 어디에? ▌der Bericht 보고, 보고서 (die Bericht*e*) ▌dies- [지시대명사] 이 ... (dies-는 정관사 어미변화!) ▌der Student 대학생 (die Student*en*)

► 여기서 동사 ist는 '있다, 존재하다'의 의미이므로
내용상 '위치'의 의문사 Wo(어디*에*?, 어디*에서*?)와 결합함.

☞ 「... Bericht dies*es* Student*en* 」:

- 명사 Student는 *남성*이며, 앞 명사 Bericht를 수식하는 *2격*이므로 *남성 2격!!*
  따라서 지시대명사 dies-는 *남성 2격* 어미 *-es*가 붙어 dies*es*임.
- 명사 Student는 복수형이 *-en*인 *남성*의 약변화 명사임!
  즉, 단수에서 주어 1격 이외의 2, 3, 4격 모두 복수형과 동일하게 어미 *-en*이 붙음!
  여기서도 Student는 *단수 2격*, 즉 주어 1격이 아니므로 어미 *-en*이 붙어 Student*en*임.

► *der* Bericht dieses Studenten('이 학생의 보고서')은 동사 ist의 주어임.
(따라서 *남성 1격*의 정관사 *der*가 앞에 옴!)

III. 알맞은 2격 어미는? (10과, 기초문제: 교재 56쪽)

1. Glaubst du die Geschichte d*es* Mädchen*s* ?

✺ **해석** 너는 그 소녀의 이야기를 믿니?

✺ **어휘** glauben [타동사] ...을 믿다 ▌die Geschichte 이야기, 역사 (die Geschichte*n*) ▌das Mädchen [축소명사] 소녀, 아가씨 (die Mädchen)

☞ 「... Geschichte d*es* Mädchen*s* 」:

- Mädchen은 축소명사로서 *중성*이며, 앞 명사 Geschichte를 수식하는 *2격*이므로 *중성 2격!!*
  따라서 *중성 2격* 어미 *-es*를 지닌 정관사 d*es*가 앞에 옴.

2격 어미: *-es*(남성, 중성), *-er*(여성, 복수)

- 명사 Mädchen은 *중성*이므로 2격의 명사 어미 *-s*가 붙어 Mädchens임.

  <주의> 일반적으로 2 음절 이상인 명사의 2격 어미는 -es가 아니라 *-s*임:
  명사 Mäd-chen은 2 음절이므로 어미 -s가 붙어 Mädchens (즉, Mädchen*es* 아님!)

► *die* Geschichte des Mädchens('그 소녀의 이야기')는 동사 Glaubst의 4격 목적어임.
(따라서 *여성 4격* 정관사 *die*가 옴!)

2. Sie benutzt immer das Wörterbuch ihr*es* Bruder*s*.

❋ **해석** 그녀는 항상 자기 오빠의 사전을 이용한다.

❋ **어휘** benutzen [타동사] ...을 이용하다 (영. use, take) ▌ immer 늘, 항상 ▌ das Wörterbuch 사전 (die Wörterbüch*er*) → das Wort 낱말 (die Wört*er*) + das Buch 책 (die Büch*er*) ▌ das Bruder 오빠, 형, 남동생 (die Brüder)

☞ 「... Wörterbuch ihr*es* Bruder*s*」:

- 명사 Bruder는 *남성*이며, 앞 명사 Wörterbuch를 수식하는 *2격*이므로 *남성 2격!!*
  따라서 ihr-('그녀의')는 *남성 2격* 어미 *-es*가 붙어 ihres임.
- 명사 Bruder는 *남성*이므로 2격의 명사 어미 *-s*가 붙어 Bruders임.

  <주의> 명사 Bru-der는 2 음절이므로 어미 -s가 붙어 Bruders임. (즉, Bruder*es* 아님!)

► *das* Wörterbuch ihres Bruders('그녀의 오빠의 사전')는 동사 benutzt의 4격 목적어임.
(따라서 *중성 4격* 정관사 *das*가 옴!)

3. Die Eltern d*er* Schüler__ machen sich Sorgen.

❋ **해석** 그 학생들의 부모님은 걱정한다.

❋ **어휘** die Eltern (항상 복수) 부모 ▌ der Schüler 초・중・고등학생 (die Schüler) ▌ die Sorge 염려, 걱정 (die Sorge*n*) (대부분 복수!) → 「machen sich³ Sorgen um + 4격」 [3격 재귀동사] ...에 대해 염려하다, 걱정하다

☞ 「Die Eltern d*er* Schüler」:

- 명사 Schüler는 *복수*이며, 앞 명사 Eltern을 수식하는 *2격*이므로 *복수 2격!!*
  따라서 *복수 2격* 어미 *-er*를 지닌 정관사 der가 앞에 옴.
- 명사 Schüler는 *복수*이므로 2격의 명사 어미 -s, -es 없음!

► *Die* Eltern der Schüler('그 학생들의 부모님')는 이 문장의 주어임.
(따라서 *복수 1격*의 정관사 *Die*가 앞에 옴.)

► 주어인 Die Eltern ...은 복수의 sie('그들')에 해당함. → 따라서 3격 재귀대명사는 sich임.

4. Worüber freust du dich denn so? - Über das Ergebnis mein*es* Examen*s*.

❋ **해석** 너는 무엇에 대해 그렇게 기뻐하니? - 내 졸업시험의 결과에 대해서야.

✺ **어휘** 「über + 4격」 ...에 대해 ▌ 「freuen sich[4] über + 4격」 [4격 재귀동사] (과거, 현재의) ...에 대해 기뻐하다 ▌ denn [부사어] 의문문에서 질문을 자연스럽게 유도함. (해석 필요 없음!) ▌ so 그렇게 ▌ das Ergebnis 결과 (die Ergebnis*se*) ▌ das Examen 졸업시험 (die Examen)

<참고>
형태가 *-nis*인 명사는 대부분 중성이며, 복수형은 *-se*임:
das Ereignis 사건, 일 (die Ereignis*se*) / das Gedächtnis 기억 (die Gedächtnis*se*)
그러나 몇몇은 예외적으로 여성임: *die* Kenntnis 지식 (die Kenntnis*se*)

문장 1

► 의문사 Wo*r*über '무엇에 대해?' → 전치사 über '...에 대해' + 의문사 was '무엇?'
4격 재귀동사 형식 「freuen sich[4] ***über*** ...」 안에 있는 über임!

► 주어가 du이므로 4격 재귀대명사는 dich임.
주어가 du일 때 3격 재귀대명사는 ***dir***임.

문장 2

☞ 「... Ergebnis mein*es* Examen*s*」:

- 명사 Examen은 *중성*이며, 앞 명사 Ergebnis를 수식하는 *2격*이므로 *중성 2격!!*
  따라서 mein-은 *중성 2격* 어미 *-es*가 붙어 mein*es*임.
- 명사 Examen은 *중성*이므로 2격의 명사 어미 *-s*가 붙어 Examen*s*임.
  <주의> 명사 Exa-men은 2 음절이므로 어미 -s가 붙어 Examen*s*임. (즉, Examen*es* 아님!)

5. Wir wünschen allen Kunden und Freunden unser*er* Firma__ ein gutes neues Jahr.

✺ **해석** 우리는 우리 회사의 모든 고객들과 친구들에게 좋은 새해를 기원합니다.

✺ **어휘** 「wünschen + 3격(사람) + 4격」 누구에게 ...을 기원하다 ▌ 「all- + *복수*명사」 모든 ...들 (all-은 정관사 어미변화!) ▌ der Kunde 고객 (die Kunde*n*) ▌ der Freund 친구 (die Freund*e*) ▌ die Firma 회사 (die Firm*en*) ▌ gut 좋은 ▌ neu 새, 새로운 ▌ das Jahr 해, 년 (die Jahr*e*)

► 「all*en* Kund*en* und Freund*en*」:

- all-과 결합하므로 *복수*명사 Kunde*n*과 Freund*e*가 옴.
  Kunde*n*과 Freund*e*는 *복수*이며, 동사 wünschen의 *3격* 목적어이므로 *복수 3격!!*
  따라서 all-은 *복수 3격* 어미 *-en*이 붙어 all*en*임.
  3격 어미: *-em*(남성, 중성), *-er*(여성), *-en*(복수)
- Kunde*n*은 *복수 3격*이므로 형태가 *-n*이어야 하는데,
  복수형 Kunde*n* 자체 형태가 *-n*이므로 추가로 -n을 붙이지 않음.
- 이와는 달리 Freund*e*는 *복수 3격*으로서 형태가 *-n*이어야 하므로
  추가로 어미 *-n*이 붙어 Freund*en*임.

☞ 「... Kunden und Freunden unser*er* Firma」:

- Firma는 *여성*이며, 앞 명사 Kunden und Freunden을 수식하는 *2격*이므로 *여성 2격!!*
  따라서 unser-는 *여성 2격* 어미 *-er*가 붙어 unser*er*임.

- Firma는 여성이므로 2격의 명사 어미 -s, -es 없음! (즉, Firma*s* 아님!)

► 「*ein* gut*es* neu*es* Jahr」:

- 명사 Jahr는 *중성*이며, 동사 wünschen의 *4격* 목적어이므로 *중성 4격*!!
  따라서 *중성 4격* 부정관사 *ein*이 앞에 옴.
- 형용사 gut과 neu 앞에 *중성 4격* 부정관사 *ein*이 있음.
  → 따라서 *ein* gut*es* neu*es* ...
  (근거: 중성 1, 4격 ein_ , mein_ , ihr_ , unser_ , kein_ + 형용사 *-es*)

IV. 알맞은 전치사와 어미는? (10과, 기초문제: 교재 56쪽)

1. Wo arbeitet der Vater des Jungen? - In d*er* Firma meines Onkels.

✺ **해석** 그 소년의 아버지는 어디서 일하니? - 내 삼촌의 회사에서.

✺ **어휘** wo 어디에(서)? ▌arbeiten 일하다 ▌der Vater 아버지 (die Väter) ▌der Junge 소년 (die Junge*n*) ▌in [3 · 4격 전치사] 1 (3격 지배: 위치) ~안에(서), ~에(서); 2 (4격 지배: 방향) ~안으로, ~로 ▌die Firma 회사 (die Firm*en*) ▌der Onkel 삼촌 (die Onkel)

문장 1

► 「... Vater d*es* Junge*n*」:

- 명사 Junge는 *남성*이며, 앞 명사 Vater를 수식하는 *2격*이므로 *남성 2격*!!
  따라서 *남성 2격* 어미 *-es*를 지닌 정관사 d*es*가 앞에 옴.
  2격 어미: *-es*(남성, 중성), *-er*(여성, 복수)
- 명사 Junge는 복수형이 *-n*인 *남성*의 약변화 명사임!
  즉, 단수에서 주어 1격 이외에는 2, 3, 4격 모두 복수형처럼 어미 *-n*이 붙음.
  여기서 Junge는 *단수 2격*, 즉 주어 1격이 아니므로 어미 *-n*이 붙어 Junge*n*임.

► *der* Vater des Jungen('그 소년의 아버지')은 동사 arbeitet의 주어임.
(따라서 *남성 1격*의 정관사 *der*가 앞에 옴.)

문장 2

► 축약 문장임. 완전한 형태는: (Er arbeitet) In der Firma meines Onkels.

☞ 첫째 빈칸: 명사 Firma는 전치사 *in*과 결합함!
둘째 빈칸: 「(... arbeitet) In d*er* Firma ...」:

- 3 · 4격 전치사 In이 동사 arbeitet와 결합함. → '... 회사*에서* 일하다'를 뜻함.
  즉, '위치'를 나타내므로 In은 *3격 지배!*
- 명사 Firma는 *여성*이며 전치사 In의 *3격* 목적어이므로 *여성 3격*!!
  따라서 정관사는 *여성 3격* 어미 *-er*를 지닌 d*er*임.
  3격 어미: *-em*(남성, 중성), *-er*(여성), *-en*(복수)

► 「... Firma mein*es* Onkel*s* 」:

- 명사 Onkel은 *남성*이며, 앞 명사 Firma를 수식하는 *2격*이므로 *남성 2격!!*
  따라서 mein-은 *남성 2격* 어미 *-es*가 붙어 mein*es*임.
- 명사 Onkel은 *남성*이므로 2격의 명사 어미 *-s*가 붙어 Onkel*s*임.
  <주의> On-kel은 2 음절이므로 -es가 아니라 -s가 붙어 Onkel*s*임. (즉, Onkel*es* 아님!)

2. Herr und Frau Müller freuen sich __über__ d*ie* Geburt ihres Kindes im letzten Mai.

✻ **해석** 뮐러씨 부부는 지난 5월에 있었던 그들 아이의 출생에 대해 기뻐하고 있다.

✻ **어휘** Herr und Frau ... (부부 호칭) ...씨 부부 ▌「freuen sich⁴ über + 4격」 [4격 재귀동사] (현재, 과거의) ...에 대해 기뻐하다 ▌die Geburt 출생 ▌das Kind 아이 (die Kind*er*) ▌im = in dem → 「im + 남성 · 중성 3격」: im Mai 5월에 (← der Mai) ▌letzt 지난, 최근의, 마지막 (영. last)

<참고> 3 · 4격 전치사가 *시간적* 의미일 경우 *3격* 지배임:
「*im* + 남 · 중성 3격」: *im* Mai 5월에, *im* Herbst 가을에, *im* letzten Jahr 지난 해에
「*in* + 여성 3격」: *in einer* Stunde 한 시간 후에, *in der* Nacht 밤에
「*am* + 남 · 중성 3격」: *am* Morgen 아침에, *am* Wochenende 주말에

► 주어 Herr und Frau Müller는 복수의 sie('그들')에 해당하므로 4격 재귀대명사는 sich임.
주어가 sie('그들은')일 때 3격 및 4격 재귀대명사 모두 ***sich***임.

☞ 첫째 빈칸: 문장 뒤에 im letzten Mai('지난 5월에')가 나옴.
따라서 내용상 '*과거* 일에 대한 기쁨'이므로 「freuen sich⁴ *über* ...」 형식임!

둘째 빈칸: 「... freuen sich über d*ie* Geburt ...」:

- 3 · 4격 전치사 über는 여기서 「freuen sich⁴ *über* + 4격」 형식에 따라 *4격 지배!*
- 명사 Geburt는 *여성*이며, 전치사 über의 *4격* 목적어이므로 *여성 4격!!*
  따라서 *여성 4격* 정관사 d*ie*가 앞에 옴.

► 「... Geburt ihr*es* Kind*es* 」:

- 명사 Kind는 *중성*이며, 앞의 명사 Geburt를 수식하는 *2격*이므로 *중성 2격!!*
  따라서 ihr-('그들의')는 *중성 2격* 어미 *-es*가 붙어 ihr*es*임.
- 명사 Kind는 *중성*이므로 2격 명사 어미 *-es*가 붙어 Kind*es*임.
  <주의> Kind는 1 음절이므로 어미 -es가 붙어 Kind*es*임. (하지만 간혹 Kinds도 사용됨.)

► 「*im* letzt*en* Mai」:
형용사 letzt 앞에 im, 즉 in dem이 있음.
즉, *남성 3격* 어미 -em을 지닌 정관사 d*em*이 있는 것과 다름없음.
→ 따라서 *im* letzt*en* ...
(근거: 3격 어미 *-em*(남 · 중성), *-er*(여성), *-en*(복수)의 뒤에 오는 형용사는 모두 *-en*임!)

3. Was macht deine Tochter? - Sie geht noch __in__ d*ie* Schule.

✻ **해석** 네 딸은 무엇을 하니? - 그녀는 아직 학교에 다녀.

✺ **어휘** was 무엇을? (4격 형) ▌ machen [타동사] ...을 하다 ▌ die Tochter 딸 (die Töchter) ▌ gehen 가다 ▌ noch 아직, 여전히 ▌ in [3 · 4격 전치사] [1] (3격 지배: 위치) ~안에(서), ~에(서); [2] (4격 지배: 방향) ~안으로, ~로 ▌ die Schule 학교 (die Schule*n*)

문장 1

► 「dein*e* Tochter」 :

명사 Tochter는 *여성*이며, 이 문장의 *주어*이므로 *여성 1격!!*

따라서 dein-은 *여성 1격* ein*e*처럼 어미변화 하여 dein*e*임.

문장 2

☞ 첫째 빈칸: 내용상 전치사 *in*이 와야 함: in die Schule gehen 학교에 다니다

둘째 빈칸: 「... geht ... *in* d*ie* Schule」 :

- 3 · 4격 전치사 in이 '장소 이동' 동사 geht와 결합함. → '학교*로* 가다'를 뜻함. 즉, '방향'을 나타내므로 in은 *4격 지배!*
- 명사 Schule는 *여성*이며 전치사 in의 *4격* 목적어이므로 *여성 4격!!* 따라서 *여성 4격* 정관사 d*ie*가 빈칸에 옴.

4. Am Wochenende fahre ich gerne __an__ d*ie* See.

✺ **해석** 주말에 나는 바닷가로 가기를 좋아한다.

✺ **어휘** an [3 · 4격 전치사] → (3격 지배: 시간적 의미) ~에, ~일 때 : am Wochenende 주말에 **<참고>** am = an dem → 「am + 남성 · 중성 3격」 ▌ das Wochenende 주말 (die Wochenende*n*) → die Woche 주, 주일 (die Woche*n*) + das Ende 끝 (die Ende*n*) ▌ fahren (차 타고) 가다 ▌ gerne 즐겨 ...하다, ...하기 좋아하다 ▌ an [3 · 4격 전치사] [1] (3격 지배: 위치) ~옆에(서); [2] (4격 지배: 방향) ~옆으로 ▌ die See 바다 (die See*n*) **<참고>** der See 호수 (die See*n*)

☞ 첫째 빈칸: 명사 See('바다')와 결합하므로 전치사 *an*이 와야 함: 「*an* + See」 바닷가

둘째 빈칸: 「... fahre ... *an* d*ie* See」 :

- 3 · 4격 전치사 an이 '장소 이동' 동사 fahre와 결합함. → '바닷가*로* 가다'를 뜻함. 즉, '방향' 을 나타내므로 an은 *4격 지배!*
- 명사 See는 *여성*이며, 전치사 an의 *4격* 목적어이므로 *여성 4격!!* 따라서 *여성 4격* 정관사 d*ie*가 빈칸에 옴.

기타 정답

Am Wochenende fahre ich gerne an d*en* See.

주말에 나는 *호숫가*로 가기를 좋아한다.

► 명사 See는 *남성*명사일 경우 '호수'를 뜻함.

「... fahre ... *an* d*en* See」 :

명사 See는 *남성*이며, 전치사 an의 *4격* 목적어이므로 *남성 4격!!*

따라서 *남성 4격* 정관사 d*en*이 앞에 옴.

5. Ich interessiere mich <u>für</u> d*ie* Wiedervereinigung Deutschlands.

✹ **해석** 나는 독일의 재통일에 흥미를 가지고 있다.

✹ **어휘** 「interessieren $sich^4$ für + 4격」 [4격 재귀동사] ...에 흥미를 갖다 ▌für [4격 전치사] ~을 위해 ▌die Wiedervereinigung 재통일 → wieder 다시 + die Vereinigung 결합, 통일

► 주어가 Ich이므로 <u>4격 재귀대명사는 mich</u>임.
주어가 ich일 때 3격 재귀대명사는 ***mir***임.

☞ 첫째 빈칸: 4격 재귀동사 형식 「interessieren $sich^4$ *für* ...」 에 따라 전치사 *für*가 와야 함.
둘째 빈칸: 「... für d*ie* Wiedervereinigung ...」 :

- für는 *4격 전치사!*
- 명사 Wiedervereinigung은 *여성*이며, *4격* 전치사 für의 목적어이므로 *여성 4격!!*
  따라서 *여성 4격* 정관사 d*ie*가 빈칸에 옴.

► 고유명사의 2격 형은 *관사 없이* 어미 *-s*를 붙임:
... die Wiedervereinigung Deutschland*s* '독일*의* 재통일'

6. Ich denke oft <u>an</u> mein*e* Zukunft.

✹ **해석** 나는 자주 나의 미래를 생각한다.

✹ **어휘** 「denken an + 4격」 ...을 생각하다 (영. think of ...) ▌oft 자주 ▌die Zukunft 미래

☞ 첫째 빈칸: 「denken *an* + 4격」 형식에 따라 전치사 *an*이 와야 함.
둘째 빈칸: 「an mein*e* Zukunft」 :

- 3 · 4격 전치사 an은 여기서 「denken an + *4격*」 형식에 따라 *4격 지배!*
- 명사 Zukunft는 *여성*이며, 전치사 an의 *4격* 목적어이므로 *여성 4격!!*
  따라서 mein-은 *여성 4격* 부정관사 ein*e*처럼 어미변화 하여 mein*e*임.

unit 02

심화 문제

I. 알맞은 '전치사 + 관사' 축약형은 (am, im, ins)? (10과, 심화문제: 교재 58쪽)

1. Wo ist meine Hose? - Sie hängt __im__ Schrank.

✺ **해석** 어디에 나의 바지가 있지? - 그것은 장롱 안에 걸려 있어.

✺ **어휘** wo 어디에? ▌sein [자동사] 있다, 존재하다 ▌die Hose 바지 (die Hose*n*) ▌hängen [1] [자동사] 걸려 있다, 매달려 있다; [2] [타동사] ...을 걸다, ...을 매달다 (영. hang) ▌im = in dem → 「im + 남성・중성 3격」 (위치) ... 안에(서) : im Schrank 장롱 안에(서) ▌der Schrank 장롱 (die Schränk*e*)

문장 1

► 「mein*e* Hose」 :

명사 Hose는 *여성*이며, 이 문장의 *주어*이므로 *여성 1격!!*

따라서 mein-은 *여성 1격* ein*e*처럼 어미변화 하여 mein*e*임.

문장 2

► 주어 Sie는 여성 인칭대명사 sie('그녀')로서 앞 문장의 여성명사 meine Hose를 받음.

☞ 「... hängt *im* Schrank」 :

- '장롱 *안*'의 의미이므로 3・4격 전치사 in이 와야 함.
- 여기서 전치사 in은 자동사 hängt와 결합하여 '장롱 안*에* 걸려 있다'를 뜻함.
  즉, '위치'이므로 3・4격 전치사 in은 *3격 지배!*
  따라서 "in dem"의 축약형인 *im*이 빈칸에 와야 함.

<참고>

자동사 hängen '...*에* 걸려있다' (위치!) → 3・4격 전치사는 *3격 지배!*

타동사 hängen '...을 ...*로* 걸다' (방향!) → 3・4격 전치사는 *4격 지배!*

기타 정답

Wo ist meine Hose? - Sie hängt __am__ Schrank.

(어디에 나의 바지가 있지? - 그것은 장롱 *옆에* 걸려있어.)

► 바지가 장롱 안이 아니라 장롱의 바깥쪽 옆에 걸려있을 경우는 *am*이 사용됨.

2. Bei schlechtem Wetter gehen wir lieber __ins__ Museum.

✺ **해석** 날씨가 나쁠 경우 차라리 박물관으로 가는 것이 좋겠어.

✺ **어휘** bei [3격 전치사] ...일 때, ...일 경우 ▌ schlecht 나쁜 ▌ das Wetter 날씨 ▌ gehen 가다 ▌ lieber 오히려 ...하는 것이 더 낫다 (부사어 gern(e)의 비교급!) ▌ ins = in das → 「ins + 중성 4격」 (방향) ...안으로, ...로 : ins Museum 박물관으로 ▌ das Museum 박물관 (die Muse*en*)

► 「Bei schlecht*em* Wetter」 :
명사 Wetter는 *중성*이며, *3격* 전치사 Bei와 결합하므로 *중성 3격!!*
형용사 schlecht는 *앞에 관사가 없으므로* 정관사 어미변화 함!
따라서 schlecht는 *중성 3격* 정관사 d*em*처럼 어미변화 하여 schlecht*em*임.

☞ 「... gehen ... *ins* Museum」 :
- '박물관 *안*'의 의미이므로 3 · 4격 전치사 in이 와야 함.
- 여기서 in은 '장소 이동' 동사 gehen과 결합하여 '박물관 안*으로* 가다'를 뜻함.
  즉, '방향'을 나타내므로 3 · 4격 전치사 in은 *4격 지배!*
  따라서 "in das"의 축약형인 *ins*가 빈칸에 와야 함.

3. Ich sitze jetzt __am__ Schreibtisch meiner Schwester.

✺ **해석** 나는 지금 내 누이의 책상에 앉아 있다.

✺ **어휘** sitzen [자동사] 앉아 있다 ▌ jetzt 지금 ▌ am = an dem → 「am + 남성 · 중성 3격」 (위치) ... 옆에, ...에 : am Schreibtisch 책상 옆에(서) ▌ der Schreibtisch 책상 (die Schreibtisch*e*) ← der Tisch 탁자, 테이블 (die Tisch*e*) ▌ die Schwester 누이, 누나, 언니, 여동생 (die Schwester*n*)

☞ 「... sitze ... *am* Schreibtisch ...」 :
- '책상 *옆*'의 의미이므로 3 · 4격 전치사 an이 와야 함.
- 여기서 an은 동사 sitze와 결합하여 '...옆*에* 앉아있다'를 뜻함.
  즉, '위치'를 나타내므로 3 · 4격 전치사 an은 *3격 지배!*
  따라서 "an dem"의 축약형인 *am*이 빈칸에 와야 함.

  <참고>
  자동사 sitzen '...*에* 앉아있다' (위치!) → 3 · 4격 전치사는 *3격 지배!*
  타동사 setzen '...을 ...*로* 앉히다' (방향!) → 3 · 4격 전치사는 *4격 지배!*

► 「... Schreibtisch mein*er* Schwester 」 :
- 명사 Schwester는 *여성*이며, 앞 명사 Schreibtisch를 수식하는 *2격*이므로 *여성 2격!!*
  따라서 mein-은 *여성 2격* 어미 *-er*가 붙어 mein*er*임.
- 명사 Schwester는 *여성*이므로 2격의 명사 어미 -s, -es 없음.

4. Sie lebt mit ihrem Mann und vier Kindern __im__ Ausland.

✺ **해석** 그녀는 그녀의 남편과 네 명의 아이들과 함께 외국에서 살고 있다.

✺ **어휘** leben 살다 ▌ mit [3격 전치사] ~와 함께 ▌ der Mann [1] 남편; [2] 성인 남자 (die M*ä*nn*er*) ▌ vier 4 ▌ das Kind 아이 (die Kind*er*) ▌ im = in dem → 「im + 남성 · 중성 3격」 (위치) ...안에서, ...에서 : im Ausland 외국에서 ▌ das Ausland 외국 (복수 없음!)

► 「mit ihr*em* Mann und vier Kinder*n*」:

• 명사 Mann은 *남성*이며, *3격* 전치사 mit의 목적어이므로 *남성 3격!!*
따라서 ihr-('그녀의')는 *남성 3격* 어미 *-em*이 붙어 ihr*em*임.

• 수사 vier와 결합하므로 복수명사 Kind*er*가 옴.
여기서 Kind*er*는 *복수*이며, *3격* 전치사 mit의 목적어이므로 *복수 3격!!*
복수 3격 명사는 형태가 *-n*이어야 하므로 어미 -n이 붙어 Kinder*n*임.

☞ 「... lebt ... *im* Ausland」:

• '외국 *안*'의 의미이므로 3·4격 전치사 in이 와야 함.

• 여기서 in은 동사 lebt와 결합하여 '...안*에서* 살다'를 뜻함.
즉, '위치'를 뜻하므로 3·4격 전치사 in은 *3격 지배!*
따라서 "in dem"의 축약형인 *im*이 빈칸에 와야 함.

II. 알맞은 어미는? (10과, 심화문제: 교재 58쪽)

1. Wo wohnen Sie? - Ich wohne in d<u>er</u> Nähe der Universität.

✹ **해석** 당신은 어디에 거주하십니까? - 저는 대학 근처에서 거주해요.

✹ **어휘** wo 어디에서? ▌wohnen 거주하다, 살다 ▌in [3·4격 전치사] [1] (3격 지배: 위치) ~안에(서), ~에(서); [2] (4격 지배: 방향) ~안으로, ~로 ▌die Nähe 가까움, 근처 ▌「in der Nähe + 2격」 혹은 「in der Nähe von + 3격」 ...의 근처에 ▌die Universität 대학(교) (die Universität*en*)

문장 2

☞ 「... wohne ... *in* d*er* Nähe」:

• 3·4격 전치사 in은 동사 wohne와 결합하여 '... 안*에서* 거주하다'를 뜻함.
즉, '위치'를 나타내므로 *3격 지배!*

• 명사 Nähe는 *여성*이며, 전치사 in의 *3격* 목적어이므로 *여성 3격!!*
따라서 정관사는 *여성 3격* 어미 *-er*를 지닌 d*er*임.
3격 어미: *-em*(남성, 중성), *-er*(여성), *-en*(복수)

► 「... Nähe d*er* Universität」:

• 명사 Universität는 *여성*이며, 앞 명사 Nähe를 수식하는 *2격*이므로 *여성 2격!!*
따라서 *여성 2격* 어미 *-er*를 지닌 정관사 d*er*가 앞에 옴.
2격 어미: *-em*(남성, 중성), *-er*(여성, 복수)

• 명사 Universität는 여성이므로 2격의 명사 어미 -s, -es가 없음.

2. Rauch nicht so viel; denk an dein<u>e</u> Gesundheit!

✹ **해석** 그렇게 많이 담배 피우지 마라. 너의 건강을 생각해.

✹ **어휘** rauchen 흡연하다 ▌so 그렇게 ▌viel 많이 ▌「denken an + 4격」 ...을 생각하다 ▌die Gesundheit 건강 ← gesund 건강한

세미콜론 앞 문장

► du-명령문「동사 어간 ...!」...해라 : rauch*en* → Rauch ...!

세미콜론 뒤 문장

► du-명령문「동사 어간 ...!」...해라 : 동사 denk*en* → Denk ...!

☞「an dein*e* Gesundheit」:

- 「denken an + *4격*」 형식에 따라 3・4격 전치사 an은 *4격 지배!*
- 명사 Gesundheit는 *여성*이며, 전치사 an의 *4격* 목적어이므로 *여성 4격!!*
  따라서 dein-은 *여성 4격* 부정관사 ein*e*처럼 어미변화 하여 dein*e*임.

3. Wohin fahren wir morgen? Fahren wir an d<u>ie</u> See? - Nur bei schön<u>em</u> Wetter.

✹ **해석** 우리 내일 어디로 가지? 바닷가로 갈까? - 오직 날씨가 좋을 경우만.

✹ **어휘** wohin 어디로? (영. where ... to?) ▌fahren (차 타고) 가다 ▌morgen 내일 ▌an [3・4격 전치사] [1] (3격 지배: 위치) ~옆에(서), ~에(서); [2] (4격 지배: 방향) ~옆으로, ~로 ▌die See 바다 (die See*n*) ▌nur 단지, 다만 ▌bei [3격 전치사] ~일 경우, ~일 때 ▌schön 날씨가 좋은 ▌das Wetter 날씨

문장 1

► 동사 fahren은 '차 타고 *가다*'의 의미로서 '장소 이동' 동사임.
따라서 '방향'을 나타내는 의문사 Wohin('어디*로*?')과 결합됨.

문장 2

☞「Fahren ... *an* d*ie* See」:

- 3・4격 전치사 an은 '장소 이동' 동사 Fahre와 결합하여 '... 옆<u>으로</u> 차 타고 가다'를 뜻함.
  따라서 '방향'을 나타내므로 an은 *4격 지배!*
- 명사 See는 *여성*이며, 전치사 an의 *4격* 목적어이므로 *여성 4격!!*
  따라서 *여성 4격* 정관사 d*ie*가 앞에 옴.

문장 3

☞「bei schön*em* Wetter」:
명사 Wetter는 *중성*이며, *3격* 전치사 bei의 목적어이므로 *중성 3격!!*
형용사 schön은 *앞에 관사가 없으므로* 정관사 어미변화 함!
따라서 schön은 *중성 3격* 정관사 d*em*처럼 어미변화 하여 schön*em*임.

기타 정답

Wohin fahren wir morgen? Fahren wir an d<u>en</u> See? - Nur bei schönem Wetter.
(우리 내일 어디로 가지? *호숫가로* 갈까? - 오직 날씨가 좋을 경우만.)

► 명사 See는 '호수'를 뜻하는 *남성*명사도 될 수 있다.
이 경우 「an d*en* See」 :
명사 See는 *남성*이며, 전치사 an의 *4격* 목적어이므로 *남성 4격*!!
따라서 *남성 4격* 정관사 d*en*이 앞에 옴.

4. Jetzt bin ich schon eine Woche in Köln. Nächste Woche beginnt d*as* neu*e* Semester an d*er* Universität.

✺ **해석** 이제 나는 쾰른에 있은 지 벌써 일주일이야. 다음 주에 대학의 새 학기가 시작해.

✺ **어휘** jetzt 지금 ▌ sein [자동사] 있다, 존재하다 ▌ schon 벌써, 이미 ▌ die Woche 주, 주일 (die Woche*n*) ▌ in [3 · 4격 전치사] [1] (3격 지배: 위치) ~안에(서), ~에(서); [2] (4격 지배: 방향) ~안으로, ~로 ▌ Köln [고유명사] (독일 도시) 쾰른 ▌ nächst 다음의 + die Woche 주, 주일 → nächste Woche 다음 주에 (4격의 시간 부사어!) ▌ beginnen 시작하다 ▌ neu 새, 새로운 ▌ das Semester 학기 (die Semester) ▌ an [3 · 4격 전치사] [1] (3격 지배: 위치) ~옆에(서), ~에(서); [2] (4격 지배: 방향) ~옆으로, ~로 ▌ die Universität 대학, 대학교 (die Universität*en*)

문장 1

► 「... bin ... *in* Köln」 :
3 · 4격 전치사 in은 동사 bin, 즉 동사 sein과 결합하여 '... 안*에* 있다'를 뜻함.
즉, '위치'를 나타내므로 in은 *3격 지배!*
(고유명사 Köln은 관사 없음!)

► eine Woche('일주일 동안')는 4격의 시간 부사어임.

문장 2

► 「Nächst*e* Woche」('다음 주에')는 4격의 시간 부사어임:
명사 Woche는 *여성*이며, 시간 부사어로서 *4격*이므로 *여성 4격*!!
따라서 Nächst는 *여성 4격* 정관사 di*e*처럼 어미변화 하여 Nächst*e*임.
형용사 Nächst *앞에 관사가 없으므로* ***정관사*** 어미변화!

☞ 「*das* neu*e* Semester」 :

- 명사 Semester는 *중성*이며, 이 문장의 *주어*이므로 *중성 1격*!!
  따라서 *중성 1격* 정관사 *das*가 앞에 옴.
- 형용사 neu 앞에 *중성 1격* 정관사 *das*가 있음.
  → 따라서 *das* neu*e* ...
  (근거: 중성 1, 4격 d*as*, dies*es* + 형용사 *-e*)

☞ 「... beginnt ... *an* d*er* Universität」 :

- 3 · 4격 전치사 an은 동사 beginnt와 결합하여 '...*에서* 시작하다'를 뜻함.
  즉, '위치'를 나타내므로 an은 *3격 지배!*
- 명사 Universität는 *여성*이며, 전치사 an의 *3격* 목적어이므로 *여성 3격*!!
  따라서 *여성 3격* 정관사 d*er*가 앞에 옴.

<참고>
Sie studiert *an* der Universität Münster. 그녀는 뮌스터 대학교에서 공부한다.
Er ist Dozent *an* der Universität. 그는 대학 강사이다.
Sie geht nächstes Jahr *auf* die Universität. 그녀는 내년에 대학 간다. (대학 입학!)
= *zur* Universität
Er geht jetzt *in* die Universität. 그는 지금 대학교로 간다. (목적지 이동!)

5. Stellen Sie bitte das Sofa vor d*as* Fenster! - Vor d*em* Fenster steht doch schon das Regal.

✱ **해석** 그 소파를 창문 앞에 세워 놓으세요. - 창문 앞에는 이미 책장이 서 있잖아요.

✱ **어휘** stellen [타동사] ...을 세워 놓다 ▌bitte [부사어] 명령문에서 정중한 요구를 표현함. ▌das Sofa 소파 (die Sofa*s*) ▌vor [3 · 4격 전치사] [1] (3격 지배: 위치) ~앞에(서); [2] (4격 지배: 방향) ~앞으로 (영. in front of) ▌das Fenster 창문 (die Fenster) ▌stehen [자동사] 서 있다 ▌doch [부사어] 평서문에서 대화 상대자의 동의나 인정을 구하며 말할 때 사용함. ("...잖아" 등으로 해석!) ▌schon 이미, 벌써 ▌das Regal 책장 (die Regal*e*)

문장 1

► Sie-명령문「동사 원형 + Sie ...!」: Stell*en* Sie ...!

☞「Stellen ... *vor* *das* Fenster」:

- 3 · 4격 전치사 vor가 타동사 Stellen과 결합하여 '(...을) ...앞*으로* 세워놓다'를 뜻함. 즉, '방향'을 나타내므로 vor는 *4격 지배!*
- 명사 Fenster는 *중성*이며, 전치사 vor의 *4격* 목적어이므로 *중성 4격!!* 따라서 *중성 4격* 정관사 *das*가 앞에 옴.

문장 2

☞「... steht ... *vor* d*em* Fenster」:

- 3 · 4격 전치사 vor가 자동사 steht와 결합하여 '...앞*에* 서있다'를 뜻함. 즉, '위치'를 나타내므로 vor는 *3격 지배!*
- 명사 Fenster는 *중성*이며, 전치사 vor의 *3격* 목적어이므로 *중성 3격!!* 따라서 *중성 3격* 정관사 d*em*이 앞에 옴.

<참고>
자동사 stehen '...*에* 서있다' (위치!) → 3 · 4격 전치사는 *3격 지배!*
타동사 stellen '(...을) ...*로* 세워 놓다' (방향!) → 3 · 4격 전치사는 *4격 지배!*

6. Der neue Chef wohnt mit seiner Familie in d*er* Stadt.

✱ **해석** 새로 부임한 부장은 자신의 가족과 함께 시내에서 거주한다.

✱ **어휘** neu 새, 새로운 ▌der Chef 사장, 부장, 과장 (die Chef*s*) ▌wohnen 살다, 거주하다 ▌mit [3격 전치사] ~와 함께 ▌die Familie 가족 (die Familie*n*) ▌in [3 · 4격 전치사] [1] (3격 지배: 위치) ~안에(서), ~에(서); [2] (4격 지배: 방향) ~안으로, ~로 ▌die Stadt 시, 시내 (die Städt*e*)

► 「D*er* neu*e* Chef」 :

- 명사 Chef는 *남성*이며, 이 문장의 *주어*로서 1격이므로 *남성 1격!!*
  따라서 *남성 1격* 정관사 D*er*가 앞에 옴.
- 형용사 neu 앞에 *남성 1격* 정관사 D*er*가 있음.
  → 따라서 D*er* neu*e* ...
  (근거: *남성* d*er*, dies*er* + 형용사 *-e*)

► 「mit sein*er* Familie」 :

명사 Familie는 *여성*이며, *3격* 전치사 mit의 목적어이므로 *여성 3격!!*
따라서 sein-은 *여성 3격* 어미 *-er*가 붙어 sein*er*임.

☞ 「... wohnt ... *in* d*er* Stadt」 :

- 3 · 4격 전치사 in이 동사 wohnt와 결합하여 '...안*에서* 거주하다'를 뜻함.
  즉, '위치'를 나타내므로 in은 *3격 지배!*
- 명사 Stadt는 *여성*이며, 전치사 in의 *3격* 목적어이므로 *여성 3격!!*
  따라서 *여성 3격* 어미 *-er*를 지닌 정관사 d*er*가 앞에 옴.

7. Heute diskutieren wir über d*as*_ neu*e*_ Buch eines berühmten Schriftstellers.

✹ 해석 오늘 우리는 한 유명한 작가의 새 책에 대해 토론한다.

✹ 어휘 heute 오늘 ▌「diskutieren mit + 3격(사람) + über + 4격」 누구와 ...에 대해 토론하다 ▌「über + 4격」 ...에 대하여, ...에 관하여 ▌neu 새, 새로운 ▌das Buch 책 (die Büch*er*) ▌berühmt 유명한 ▌der Schriftsteller 작가 (die Schriftsteller) ← die Schrift 저술, 기록 (die Schrift*en*)

☞ 「über d*as* neu*e* Buch」 :

- 명사 Buch은 *중성*이며, 전치사 über의 *4격* 목적어이므로 *중성 4격!!*
  3 · 4격 전치사 über가 '...에 대하여'를 뜻할 경우는 ***4격*** 지배!
  따라서 *중성 4격* 정관사 d*as*가 앞에 옴.
- 형용사 neu 앞에 *중성 4격* 정관사 d*as*가 있음.
  → 따라서 über d*as* neu*e* ...
  (근거: 중성 1, 4격 d*as*, dies*es* + 형용사 *-e*)

► 「... Buch ein*es* berühmt*en* Schriftsteller*s* 」 :

- 명사 Schriftsteller는 *남성*이며, 앞 명사 Buch를 수식하는 *2격*이므로 *남성 2격!!*
  따라서 부정관사는 *남성 2격* 어미 *-es*를 지닌 ein*es*임.
- 형용사 berühmt 앞에 *여성 2격* 부정관사 ein*es*가 있음.
  → 따라서 ein*es* berühmt*en* ...
  (근거: *2격* 어미 *-es*(남성 · 중성), *-er*(여성, 복수)의 뒤에 오는 형용사는 모두 *-en*임!)
- 명사 Schriftsteller는 남성이므로 2격의 명사 어미 -s가 붙어 Schriftsteller*s*임.
  <주의> Schrift-stel-ler는 3 음절 명사로서 -s가 붙음. (즉, Schriftsteller*es*는 틀림!)

III. 알맞은 2격 형태는? (10과, 심화문제: 교재 58쪽)

1. Wessen Wohnung ist das? - Das ist die Wohnung mein<u>es</u> Freund<u>es</u>.

✸ **해석** 이것은 누구의 아파트니? - 그것은 내 친구의 아파트야.

✸ **어휘** 「wessen + 명사?」 [의문사] 누구의 ...? (wer의 2격 형; 영. 「whose + 명사?」) ▌die Wohnung 아파트, 주택 (die Wohnung*en*) ▌「Das ist ...」 이것은 (저것은, 그것은) ...이다 ▌der Freund 친구 (die Freund*e*)

문장 1

► 의문사 Wessen Wohnung('누구의 집?')은 동사 ist의 주격 보어.

문장 2

☞ 「... Wohnung <u>mein*es*</u> <u>Freund*es*</u> 」:

- 명사 Freund는 *남성*이며, 앞 명사 Wohnung을 수식하는 *2격*이므로 <u>*남성 2격!!*</u>
  따라서 mein-은 *남성 2격* 어미 *-es*가 붙어 mein<u>*es*</u>임.
- 명사 Freund는 남성이므로 <u>2격의 명사 어미 -es</u>가 붙어 Freund<u>*es*</u>임.
  남성 및 ***중성***명사는 2격의 명사 어미 -s, -es가 붙지만, ***여성*** 및 ***복수***명사는 아님!

<주의> 어미 -s가 붙은 Freund**s**도 가능함.

2. Das Thema d<u>es</u> Film<u>es</u> "Die Blechtrommel" ist das Leben ein<u>es</u> klein<u>en</u> Junge<u>n</u> in Nazi-Deutschland.

✸ **해석** 영화 "양철북"의 주제는 나치 집권 독일의 한 작은 소년의 삶이다.

✸ **어휘** das Thema 주제, 테마 (die Them*en*) ▌der Film 영화, 필름 (die Film*e*) ▌die Blechtrommel 양철북 → das Blech 양철, 철판 (die Blech*e*) + die Trommel (악기) 북 (die Trommel*n*) ▌das leben 삶, 인생 (die Leben) ▌klein 작은 ▌der Junge 소년 (die Junge*n*) ▌in [3 · 4격 전치사] [1] (3격 지배: 위치) ~안에(서), ~에(서); [2] (4격 지배: 방향) ~안으로, ~로 ▌Nazi = Nationalsozialismus 나치즘, 국가사회주의

☞ 「... Thema <u>d*es*</u> <u>Film*es*</u> ...」:

- 명사 Film은 *남성*이며, 앞 명사 Thema를 수식하는 *2격*이므로 <u>*남성 2격!!*</u>
  따라서 정관사는 *남성 2격* 어미 *-es*를 지닌 d<u>*es*</u>임.
- 명사 Film은 남성이므로 2격의 명사 어미 -es가 붙어 Film<u>*es*</u>임.

<주의> 어미 -s가 붙은 Film**s**도 가능함.

☞ 「... Leben <u>ein*es*</u> <u>klein*en*</u> <u>Junge*n*</u> ...」:

- 명사 Junge는 *남성*이며, 앞 명사 Leben을 수식하는 *2격*이므로 <u>*남성 2격!!*</u>
  따라서 부정관사는 *남성 2격* 어미 *-es*를 지닌 ein<u>*es*</u>임.
- 형용사 klein 앞에 *남성 2격* 부정관사 ein*es*가 있음.
  → 따라서 ein*es* klein<u>*en*</u> ...
  (근거: *2격* 어미 *-es*(남성 · 중성), *-er*(여성, 복수)의 뒤에 오는 형용사는 모두 *-en*임!)

- 명사 Junge는 복수형이 *-n*인 *남성*의 약변화 명사임.
  즉, 단수에서 주어 1격 이외에 2, 3, 4격 모두 복수형처럼 어미 -n이 붙음!
  여기서도 Junge는 주어가 아닌 *단수 2격*이므로 어미 -n이 붙어 Junge*n*임.

3. Das ist die Meinung d*er* meist*en* Männer.

✺ **해석** 그것은 남자들 대부분의 의견이다.

✺ **어휘** die Meinung 의견, 견해 (die Meinung*en*) ▌meist 대부분의 ▌der Mann 남자 (die Männ*er*)

☞「... Meinung d*er* meist*en* Männer」:

- 명사 Männ*er*는 *복수*이며, 앞 명사 Meinung을 수식하는 *2격*이므로 *복수 2격!!*
  따라서 *복수 2격* 어미 *-er*를 지닌 정관사 d*er*가 앞에 옴.
- 형용사 meist 앞에 *복수 2격* 정관사 d*er*가 있음.
  → 따라서 d*er* meist*en* ...
  (근거: *2격* 어미 *-es*(남성 · 중성), *-er*(여성, 복수)의 뒤에 오는 형용사는 모두 *-en*임!)
- 명사 Männ*er*는 복수이므로 2격의 명사 어미 -s, -es 없음.

4. Die Armut d*er* schwarz*en* Bevölkerung d*es* Land*es* ist groß.

✺ **해석** 그 나라의 흑인 주민들의 빈곤함은 심하다.

✺ **어휘** der Armut 빈곤, 가난함) ▌schwarz 검정색의 ▌Bevölkerung 인구 (die Bevölkerung*en*) ▌das Land 국가 (die Länd*er*) ▌groß 큰

► 2격 형 두 개, 즉「... d*er* schwarzen Bevölkerung」과「... d*es* Land*es*」가 연결됨.

☞「... Armut d*er* schwarz*en* Bevölkerung ...」:

- 명사 Bevölkerung은 *여성*이며, 앞 명사 Armut을 수식하는 *2격*이므로 *여성 2격!!*
  따라서 정관사는 *여성 2격* 어미 *-er*를 지닌 d*er*임.
- 형용사 schwarz 앞에 *여성 2격* 정관사 d*er*가 있음.
  → 따라서 d*er* schwarzen*en* ...
  (근거: *2격* 어미 *-es*(남성 · 중성), *-er*(여성, 복수)의 뒤에 오는 형용사는 모두 *-en*임!)
- 명사 Bevölkerung은 여성이므로 2격의 명사 어미 -s, -es 없음.

☞「... Bevölkerung d*es* Land*es* ...」:

- 명사 Land는 *중성*이며, 앞 명사 Bevölkerung을 수식하는 *2격*이므로 *중성 2격!!*
  따라서 *중성 2격* 어미 *-es*를 지닌 정관사 d*es*가 앞에 옴.
- 명사 Land는 중성이므로 2격의 명사 어미 -es가 붙어 Land*es*임.
  <주의> 2격 어미 -s가 붙은 Lands도 가능함.

5. Kennen Sie den Namen d*er* neu*en* Sekretärin_ mein*es* Mann*es* ?

✸ **해석** 당신은 내 남편의 새 여비서의 이름을 아시나요?

✸ **어휘** kennen [타동사] 누구를 알다 ▌der Name 이름 (die Name*n*) ▌neu 새, 새로운 ▌die Sekretär*in* 여비서 (die Sekretär*innen*) ↔ der Sekretär 비서, 남자 비서 (die Sekretär) ▌der Mann 남편 (die Männ*er*)

► 명사 Name는 *단수*에서 어미변화가 불규칙적임:
1격: Name 2격: Name*ns* 3격 및 4격: Name*n*
여기서 Name는 동사 Kennen의 4격 목적어, 즉 *단수 4격*이므로 어미 *-n*이 붙어 Name*n*임.

► 2격 형 두 개, 즉「... d*er* neuen Sekretärin」과「... mein*es* Mann*es*」가 연결됨.

☞「... Namen d*er* neu*en* Sekretärin ...」:

- 명사 Sekretärin은 *여성*이며, 앞 명사 Namen을 수식하는 *2격*이므로 *여성 2격!!*
  따라서 *여성 2격* 어미 *-er*를 지닌 정관사 d*er*가 앞에 옴.
- 형용사 neu 앞에 *여성 2격* 정관사 d*er*가 있음.
  → 따라서 d*er* schwarzen*en* ...
  (근거: *2격* 어미 *-es*(남성 · 중성), *-er*(여성, 복수)의 뒤에 오는 형용사는 모두 *-en*임!)
- 명사 Sekretärin은 여성이므로 2격의 명사 어미 -s, -es 없음.

☞「... Sekretärin mein*es* Mann*es* 」:

- 명사 Mann은 *남성*이며, 앞 명사 Sekretärin을 수식하는 *2격*이므로 *남성 2격!!*
  따라서 mein-은 *남성 2격* 어미 *-es*가 붙어 mein*es*임.
- 명사 Mann은 남성이므로 2격 어미 *-es*가 붙어 Mann*es*임.

6. Es regnet jetzt! - Kein Problem! Trotz d*es* Regen*s* gehen wir spazieren.

✸ **해석** 지금 비가 온다! - 문제 안 돼! 비에도 불구하고 우리는 산책 한다.

✸ **어휘** regnen 비오다 ('날씨' 동사로서 주어는 항상 비인칭 주어 es임! 영. rain) ▌jetzt 지금 ▌das Problem 문제 (die Problem*e*) → Kein Problem! 문제 안 돼! ▌trotz [2격 전치사] ~에도 불구하고' ▌der Regen 비 (복수 없음!) ▌「gehen ... spazieren」 산책하다

문장 1

► '날씨' 동사 regnen의 주어는 항상 비인칭 주어 es임:
주어가 Es이므로 동사 어미는 원래 -t이지만 동사 reg*n*en은 어간 끝이 *-gn*이므로 발음상 -e-가 첨가되어 regn*et*임. (즉, regn*t* 아님!)

문장 2

► 축약된 문장임. 완전한 형태는: (Das ist) Kein Problem!
「*Kein* Problem」:
명사 Problem은 *중성*이며, 생략된 동사 ist의 *주격* 보어이므로 *중성 1격!!*
따라서 Kein-은 *중성 1격* 부정관사 ein_처럼 어미 없이 Kein_임.

문장 3

☞「Trotz d*es* Regen*s* 」:

- 명사 Regen은 *남성*이며, *2격* 전치사 Trotz의 목적어이므로 *남성 2격*!!
  따라서 *남성 2격* 어미 *-es*를 지닌 정관사 d*es*가 앞에 옴.
- 명사 Regen은 남성이므로 2격의 명사 어미 -s가 붙어 Regen*s*임.
  <주의> Re-gen은 2 음절이므로 어미 -s가 붙음. (즉, Regen*es*는 틀림!)

unit 03 마무리 문제

I. 괄호 안의 낱말을 사용하여 독일어로 옮기시오. (10과, 마무리문제: 교재 59쪽)

1. 나는 주말마다 나의 부모님을 뵈러 서울에 간다.

(jedes Wochenende, mein-, die Eltern, zu, Seoul, nach, fahren)

✷ 어휘 「jed- + *단수* 명사」 매 ..., 모든 ... (영. every) (jed-는 정관사 어미변화!) ▌das Wochenende 주말 (die Wochenende*n*) ▌die Eltern (항상 복수) 부모 ▌「3격 전치사 zu + 사람」 (방향) 누구에게로 ▌「3격 전치사 nach + 도시, 국가」 (방향) ...로 : nach Seoul 서울로 (고유명사 관사 없음!) ▌fahren (차 타고) 가다

정답 Jedes Wochenende fahre ich zu meinen Eltern nach Seoul.

► "주말마다"는 4격의 시간 부사어 로 표현함.

즉, 「Jed*es* Wochenende」 :

명사 Wochenende는 *중성*이며, 시간 부사어로서 *4격*이므로 *중성 4격!!*

따라서 Jed-는 *중성 4격* 정관사 d*as*처럼 어미변화 하여 Jed*es*임.

► "부모님을 뵈러" → "부모님*에게로*"임.

즉, 「zu mein*en* Eltern」 임:

명사 Eltern은 *복수*이며, *3격* 전치사 zu의 목적어이므로 *복수 3격!!*

따라서 mein-은 *복수 3격* 어미 *-en*이 붙어 mein*en*임.

2. 이 컴퓨터를 어디에 놓을까? - 구석에 있는 책상 위에 놓자.

(dies-, der Computer, wohin, stellen)

(die Ecke, in, der Schreibtisch, auf, stellen)

✷ 어휘 dies- [지시대명사] 이 ... (정관사 어미변화!) ▌der Computer 컴퓨터 (die Computer) ▌wohin (방향) 어디로? ↔ wo (위치) 어디에(서)? ↔ woher 어디로부터? ▌stellen [타동사] ...을 세워놓다 ▌die Ecke 구석 (die Ecke*n*) ▌in [3·4격 전치사] [1] (3격 지배: 위치) ~안에(서), ~에(서); [2] (4격 지배: 방향) ~안으로, ~로 ▌der Schreibtisch 책상 (die Schreibtisch*e*) ← der Tisch 탁자, 테이블 (die Tisch*e*) ▌auf [3·4격 전치사] [1] (3격 지배: 위치) ~위에(서); [2] (4격 지배: 방향) ~위로

정답 Wohin stellen wir diesen Computer? - Stellen wir ihn auf den Schreibtisch in der Ecke!

문장 1

► "이 컴퓨터를 어디에 놓을까?" → "이 컴퓨터를 어디*로 세워 놓을까*?"
타동사 stellen을 사용함.
stellen의 의미는 '...*로* 세워 놓다', 즉 '방향'이므로 의문사 Wohin('어디*로*?')과 결합함.

► "이 컴퓨터를"은 동사 stellen의 4격 목적어임.
즉, 「dies*en* Computer」:
명사 Computer는 *남성*이며, 동사의 *4격* 목적어이므로 *남성 4격!!*
따라서 지시대명사 dies-는 *남성 4격* 정관사 d*en*처럼 어미변화 하여 dies*en*임.

문장 2

► 「동사 원형 + wir ...!」...하자! : Stell*en* wir ...!

► 동사 Stellen의 4격 목적어이므로 er의 4격 형 ihn이 사용됨.
3격 형은 ***ihm***임.

(여기서 ihn은 앞 문장의 남성명사 diesen Computer를 받음.)

► "책상 위에 놓자" → 「Stellen ... *auf* d*en* Tisch ...!」:
- 타동사 Stellen과 결합하여 '...위*로 세워 놓자*'를 뜻함.
  즉, '방향'을 나타내므로 3·4격 전치사 auf는 *4격 지배!*
- 명사 Tisch는 *남성*이며, 전치사 auf의 *4격* 목적어이므로 *남성 4격!!*
  따라서 *남성 4격* 정관사 den이 앞에 옴.

► "구석에 있는 책상 ..." → 「... Tisch *in* d*er* Ecke」:
- 바로 앞의 명사 Tisch를 수식하여 '... 안*에 있는* 책상'을 뜻함.
  즉, '위치'를 나타내므로 3·4격 전치사 in은 *3격 지배!*
- 명사 Ecke는 *여성*이며, 전치사 in의 *3격* 목적어이므로 *여성 3격!!*
  따라서 *여성 3격* 어미 *-er*를 지닌 정관사 d*er*.가 앞에 옴.

3. 왜 바닥에 앉아 있니? 이 편한 소파에 앉지 그래.
(warum, der Boden, auf, sitzen)
(dies-, bequem, das Sofa, auf, doch, sich setzen)

✹ **어휘** warum 왜? ▌der Boden 바닥 (die Böden) ▌auf [3·4격 전치사] [1] (3격 지배: 위치) ~위에(서); [2] (4격 지배: 방향) ~위로 ▌sitzen [자동사] 앉아 있다 ▌dies- [지시대명사] 이 ... (정관사 어미변화!) ▌bequem 편안한 ▌das Sofa (die Sofa*s*) ▌doch [부사어] 명령문에서 요구 내용을 강조. ▌setzen [타동사] ...을 앉히다 → 「setzen sich[4]」 [4격 재귀동사] '*자신*을 앉히다', 즉 '앉다'

정답 Warum sitzt du auf dem Boden? Setz dich doch auf dieses bequeme Sofa!

문장 1

► 동사 si*tz*en은 어간 끝이 -tz이므로 주어가 du일 때 발음상 -st가 아니라 -t가 붙어 sitz*t*임.
(즉, sitz*st* 아님!)

► "바닥에 앉아 있니?" → 「... sitzt ... *auf* d*em* Boden?」 :

- 자동사 sitzen과 결합하여 '...위*에 앉아 있다*'를 뜻함.
  즉, '위치'를 나타내므로 3 · 4격 전치사 auf는 *3격 지배!*
- 명사 Boden은 *남성*이며, 전치사 auf의 *3격* 목적어이므로 *남성 3격!!*
  따라서 *남성 3격* 어미 *-em*을 지닌 정관사 d*em*이 옴.

문장 2

► du-명령문 「동사 어간 ...!」 ... 해라 : 「setz*en* sich[4]」 → *Setz dich* ...!
du-명령문의 주어는 du이므로 4격 재귀동사는 ***dich***임.

► 「Setz dich ... *auf* dies*es* bequem*e* Sofa」 :

- 4격 재귀동사 「setzen sich[4]」 와 결합하여 '...위*로 앉다*'를 뜻함.
  즉, '방향'을 나타내므로 3 · 4격 전치사 auf는 *4격 지배!*
- 명사 Sofa는 *중성*이며, 전치사 auf의 *4격* 목적어이므로 *중성 4격!!*
  따라서 dies-는 *중성 4격* 정관사 d*as*와처럼 어미변화 하여 dies*es*임.
- 형용사 bequem 앞에 중성 d*as*에 일치하는 dies*es*가 있음.
  → 따라서 auf dies*es* bequem*e* ...
  (근거: 중성 1, 4격 d*as*, dies*es* + 형용사 *-e*)

4. 소음에도 불구하고 그 아기들은 잘 잔다.

(der Lärm, trotz, das Baby, gut, schlafen)

✱ **어휘** der Lärm 소음 ▌ trotz [2격 전치사] ...에도 불구하고 ▌ das Baby 아기 (die Baby*s*) ▌ gut (부사적) 잘, 좋게 ▌ schlafen 잠자다

정답 Trotz des Lärms schlafen die Babys gut.

► "소음에도 불구하고" → 「Trotz d*es* Lärm*s* 」 :

- 명사 Lärm은 *남성*이며, *2격* 전치사 Trotz의 목적어이므로 *남성 2격!!*
  따라서 *남성 2격* 어미 *-es*를 지닌 정관사 d*es*가 앞에 옴.
- 명사 Lärm은 남성명사이므로 2격의 명사 어미 -s가 붙어 Lärm*s*임.
  <주의> 명사 Lärm은 단음절이지만 어미 -es가 아니라 -*s*임. (즉, Lärm*es* 아님!)

5. 나는 내 교수님의 초대에 기뻐한다.

(ich, mein-, die Einladung, der Professor, über, sich freuen)

✱ **어휘** die Einladung 초대 (die Einladung*en*) ▌ der Professor 교수 (die Professor*en*) ▌ 「über + 4격」 ...에 대하여 ▌ 「freuen sich[4] über ...」 [4격 재귀동사] (현재, 과거의) ...에 대해 기뻐하다'

정답 Ich freue mich über die Einladung meines Professors.

► "초대에 기뻐한다"는 "*초대 받은 것*에 대해 기뻐한다", 즉 *과거* 사실에 대한 기쁨임.
따라서 4격 재귀동사 「freuen sich[4] *über* + 4격」 가 사용됨.

<주의> *미래*의 일에 대한 기쁨은 「freuen sich[4] *auf* + 4격」 이 사용됨.

► "내 교수님의 초대" → 「... Einladung mein*es* Professor*s* 」:

- 명사 Professor는 *남성*이며, 앞 명사 Einladung을 수식하는 *2격*이므로 *남성 2격!!*
  따라서 mein-은 *남성 2격* 어미 *-es*가 붙어 mein*es*임.
- 명사 Professor는 남성이므로 2격의 명사 어미 -s가 붙어 Professor*s*임.
  <주의> Pro-fes-sor는 3 음절이므로 어미 -es가 아니라 -*s*임. (즉, Professor*es* 아님!)

II. 잘못된 부분(들)을 고쳐서 다시 적으시오. (10과, 마무리문제: 교재 59쪽)

1. Er arbeitet in sein[오류] Zimmer.

✺ **해석** 그는 그의 방 안에서 공부한다.

✺ **어휘** arbeiten 공부하다, 일하다 ▌in [3 · 4격 전치사] [1] (3격 지배: 위치) ~안에(서), ~에(서); [2] (4격 지배: 방향) ~안으로, ~로 ▌das Zimmer 방 (die Zimmer)

<오류>

소유대명사 sein-('그의')의 형태가 어미 없이 sein_인 것은 오류임. (이것은 중성 4격 형태임!)
중성 3격 형태인 sein*em*이어야 옳음! (아래 설명!)

정답 Er arbeitet in *seinem* Zimmer.

► 「... arbeitet *in* sein*em* Zimmer」:

- 3 · 4격 전치사 in이 동사 arbeitet와 결합하여 '...안*에서* 공부하다'를 뜻함.
  즉, '위치'를 나타내므로 in은 *3격 지배!*
- 명사 Zimmer는 *중성*이며, 전치사 in의 *3격* 목적어이므로 *중성 3격!!*
  따라서 sein-은 *중성 3격* 어미 *-em*이 붙어 sein*em*임.

2. Stell den Wagen vor der[오류] Tür!

✺ **해석** 그 자동차를 문 앞에 세워 놓아라.

✺ **어휘** stellen [타동사] ...을 세워놓다 ▌der Wagen 자동차 (die Wagen) ▌vor [3 · 4격 전치사] [1] (3격 지배: 위치) ~앞에(서); [2] (4격 지배: 방향) ~앞으로 ▌die Tür 문 (die Tür*en*)

<오류>

여성 3격 정관사 der가 사용된 것은 오류임.
여성 4격 d*ie*이어야 옳음! (아래 설명!)

정답 Stell den Wagen vor *die* Tür!

► du-명령문 「동사 어간 ...!」: stell*en* → *Stell* ...!

► "문 앞에 세워 놓아라" → 「Stell ... *vor* d*ie* Tür」 :

- 3 · 4격 전치사 vor가 타동사 Stell, 즉 stellen과 결합하여 '...앞으로 세워 놓다'를 뜻함.
  즉 '방향'을 나타내므로 vor는 *4격 지배!*
- 명사 Tür는 *여성*이며, 전치사 vor의 *4격* 목적어이므로 *여성 4격!!*
  따라서 *여성 4격* 정관사 d*ie*가 앞에 옴.

3. Wir glauben dem Versprechen des Präsidentes[오류] nicht mehr.

✹ **해석** 우리는 그 대통령의 약속을 더 이상 믿지 않는다.

✹ **어휘** 「glauben + 3격」 ...을 믿다, 신뢰하다 ▌das Versprechen 약속 (die Versprechen) ← versprechen [타동사] ...을 약속하다 ▌der Präsident 대통령, 수장 (die Präsident*en*) ▌「... nicht mehr」 더 이상 ... 않다

<오류>

Präsident는 복수형이 -en인 남성의 약변화 명사임!
즉, 단수에서 주어 1격을 제외한 2, 3, 4격이 모두 복수형과 동일하게 Präsident*en*임.
따라서 Präsident는 여기서 *단수 2격*이므로 Präsident*en*이어야 옳음! (즉, Präsident*es* 아님!)

정답 Wir glauben dem Versprechen des *Präsidenten* nicht mehr.

► "... 약속을 ... 믿지 않는다" → 「... glauben d*em* Verpsrechen ...」 :

명사 Versprechen은 *중성*이며, 동사 glauben의 *3격* 목적어이므로 *중성 3격!!*

동사 원형을 ***대문자*** 표기하면 ***중성***명사화 됨:
versprechen 약속하다 → das **V**ersprechen 약속

따라서 *중성 3격* 어미 *-em*을 지닌 정관사 d*em*이 앞에 옴.

<참고>

① 「glauben + 4격」 ...을 믿다:
Er glaubt nicht *die Nachricht*. 그는 그 소식을 믿지 않는다.

② 「glauben + 3격」 ...을 신뢰하다:
Ich glaube *seiner Aussage* nicht. 나는 그의 말을 신뢰하지 않는다.
Ich glaube *dir* nicht. 나는 너를 신뢰하지 않는다.

③ 「glauben an + 4격」 ...의 존재를 믿다:
Er glaubt *an Gott* (*Wunder*). 그는 신(기적)의 존재를 믿지 않는다.

► 「... Versprechen d*es* Präsident*en* ...」 :

- 명사 Präsident는 *남성*이며, 앞 명사 Versprechen을 수식하는 *2격*이므로 *남성 2격!!*
  따라서 *남성 2격* 어미 *-es*를 지닌 정관사 d*es*가 앞에 옴.
  2격 어미: *-es*(남성, 중성), *-er*(여성, 복수)
- Präsident는 복수형이 *-en*인 *남성*의 약변화 명사임.
  즉, 단수 1격을 제외한 단수 2, 3, 4격이 모두 복수형과 동일하게 Präsident*en*임.
  여기서도 *단수 2격*이므로 복수형과 동일하게 Präsident*en*이 됨.

4. Das Fußballspiel stattfindet[오류1] wegen der Nebel[오류2] nicht.

✸ **해석** 그 축구 경기는 안개 때문에 열리지 않는다.

✸ **어휘** das Fußballspiel 축구 경기 (die Fußballspiel*e*) → der Fußball 축구, 축구공 + das Spiel 경기, 놀이 (die Spiel*e*) ▌ *statt*finden [분리동사] (행사가) 개최되다 ▌ wegen [2격 전치사] ... 때문에 ▌ der Nebel 안개 (die Nebel) → nebeln 안개 끼다

<참고> nebeln은 '날씨' 동사이므로 주어는 항상 비인칭 주어 es임: Es nebelt ... 날씨가 안개 꼈다.

<오류> 1

분리동사 *statt*finden의 전철 statt-는 분리되어 문장 맨 뒤에 위치해야 옳음!

<오류> 2

wegen은 2격 전치사이므로 명사 Nebel의 2격 형이 와야 함.
따라서 wegen d*es* Nebel*s*이어야 옳음! (아래 설명!)

정답 Das Fußballspiel *findet wegen des Nebels* nicht *statt.*

► 「wegen d*es* Nebel*s*」:

• 명사 Nebel은 *남성*이며, *2격* 전치사 wegen의 목적어이므로 *남성 2격!!*
따라서 *남성 2격* 어미 *-es*를 지닌 정관사 d*es*가 앞에 옴.

• 명사 Nebel은 남성이므로 2격의 명사 어미 -s가 붙어 Nebel*s*임.

<주의> Ne-bel은 2 음절이므로 -es가 아니라 -s가 붙음. (즉, Nebel*es*는 틀림!)

5. Ich lese gerade das neue Buch eines berühmtes deutsches Schriftsteller[오류].

✸ **해석** 나는 한 유명한 독일 작가의 신간 서적을 막 읽고 있는 중이다.

✸ **어휘** lesen [타동사] ...을 읽다 ▌ gerade [부사어] 막, 방금 (현재 시제에서 "...하는 중이다"로 해석됨!) ▌ neu 새, 새로운 ▌ das Buch 책 (die Büch*er*) ▌ berühmt 유명한 ▌ deutsch 독일의 ▌ der Schriftsteller 작가 (die Schriftsteller)

<오류>

남성 2격 형이므로 ein*es* berühmt*en* deutsch*en* Schriftsteller*s*이어야 옳음! (아래 설명!)

정답 Ich lese gerade das neue Buch *eines berühmten deutschen* Schriftstellers.

► 「d*as* neu*e* Buch」:

• 명사 Buch는 *중성*이며, 동사 lese의 *4격* 목적어이므로 *중성 4격!!*
따라서 *중성 4격* 정관사 d*as*가 앞에 옴.

• 형용사 neu 앞에 중성 4격 정관사 d*as*가 있음.
→ 따라서 d*as* neu*e* ...
(근거: 중성 1, 4격 d*as*, dies*es* + 형용사 *-e*)

► 「... Buch ein*es* berühmt*en* deutsch*en* Schriftsteller*s* 」:

- 명사 Schriftsteller는 *남성*이며, 앞 명사 Buch를 수식하는 *2격*이므로 *남성 2격!!*
  따라서 *남성 2격* 어미 *-es*를 지닌 부정관사 ein*es*가 앞에 옴.
- 형용사 berühmt와 duetsch 앞에 *남성 2격* 부정관사 ein*es*가 있음.
  → 따라서 ein*es* berühmt*en* deutsch*en* ...
  (근거: 2격 어미 *-es*(남 · 중성), *-er*(여성, 복수)의 뒤에 오는 형용사는 모두 *-en*임!)
- 명사 Schriftsteller는 남성이므로 2격의 명사 어미 -s가 붙어 Schriftsteller*s*임.

<주의> 복합명사의 문법적 성격은 맨 뒤 요소에 의해 결정됨!
여기서도 복합명사 Schriftsteller의 뒤 요소 -steller가 2 음절(stel-ler)이므로
2격의 명사 어미가 -es가 아닌 -s로서 -steller*s*임. (즉, -steller*es* 아님!)

6. Wo[오류1] setze ich mich? - Setz dich bitte hier neben mir[오류2]!

✵ **해석** 나는 어디에 앉지? - 여기 내 옆에 앉아.

✵ **어휘** wo (위치) 어디에(서)? ↔ wohin (방향) 어디로? ▌setzen [타동사] ...을 앉히다 → 「setzen sich[4]」 [4격 재귀동사] '*자신*을 앉히다', 즉 '앉다' ▌bitte [부사어] 명령문에서 정중한 요구를 표현! ▌hier 여기 ▌neben [3 · 4격 전치사] [1] (3격 지배: 위치) ~옆에(서); [2] (4격 지배: 방향) ~옆으로

<오류> 1

'방향'을 뜻하는 동사, 즉 3 · 4격 전치사의 4격 지배를 이끄는 동사는
의문사 wohin('어디*로*?')과 결합해야 함.
타동사 setzen('...을 ...*로* 앉히다') 및 이와 연관된 4격 재귀동사 「setzen sich[4]」 ('...*로* 앉다')는
'방향'을 뜻함으로써 3 · 4격 전치사의 4격 지배를 이끄는 동사들이다.
따라서 여기서는 의문사 *wohin*이 와야 옳음!

<오류> 2

4격 재귀동사 「setzen sich[4]」 와 결합하므로 3 · 4격 전치사 neben은 4격 지배!
따라서 4격 형 *mich*가 와야 옳음!

정답 *Wohin* setze ich mich? - Setz dich bitte hier neben *mich*!

문장 1

► 4격 재귀동사 「setzen sich[4]」 형식이 사용됨.
주어가 ich이므로 4격 재귀대명사는 mich임.
주어가 ich일 때 3격 재귀대명사는 ***mir***임.

문장 2

► du-명령문 「동사 어간 ...!」 ... 해라: 「setz*en* sich[4]」 → *Setz* dich ...!
du-명령문의 주어는 du이므로 4격 재귀대명사는 ***dich***임.

7. Ich ärgere mich über meinem[오류1] Mann. - Ärgere dich nicht darüber[오류2].

✵ **해석** 나는 나의 남편에 대해 화가 나. - 그에 대해 화내지 마.

❋ 어휘 ärgern [타동사] 누구를 화나게 하다 → 「ärgern sich⁴ über + 4격」 [4격 재귀동사] '*자신*을 화나게 하다', 즉 '...에 대해 화내다' ▌「über + 4격」 ...에 대하여 ▌der Mann 남자, 남편 (die Männ*er*) ▌da*r*über 그것에 대하여 ← über [전치사] ...에 관해 + das [지시대명사] 그것

<오류> 1

4격 재귀동사 「ärgern sich⁴ *über* + 4격」 의 전치사 über와 결합하므로 4격 형이어야 함.
따라서 남성 3격 형인 mein*em*은 오류임.
남성 4격 형 mein*en*이 와야 옳음! (아래 설명!)

<오류> 2

"da(*r*)- + 전치사" 형태는 '사물'을 받을 경우만 사용됨. ('사람'을 받을 수 없음!)
여기서 da*r*über는 내용상 앞 문장의 명사 Mann, 즉 '사람'을 받으므로 오류임.
인칭대명사를 사용하여 *über ihn*이어야 옳음!

정답 Ich ärgere mich über *meinen* Mann. - Ärgere dich nicht *über ihn.*

문장 1

► 4격 재귀동사 「ärgern sich⁴ über + 4격」 형식이 사용됨.
주어가 Ich이므로 4격 재귀대명사는 mich임.
주어가 ich일 때 3격 재귀대명사는 ***mir***임.

► 「über mein*en* Mann」 :
명사 Mann은 *남성*이며, 전치사 über의 *4격* 목적어이므로 *남성 4격!!*
따라서 mein-은 *남성 4격* 부정관사 ein*en*처럼 어미변화 하여 mein*en*임.

문장 2

► du-명령문 「동사 어간 ...!」 ... 해라 : 「ärger*n* sich⁴」 → Ärger*e* dich ...!
<주의 1> 동사 원형이 *-n*일 때 du-명령문은 「동사 어간*-e* ...!」 임: ärger*n* → Ärger*e* ...!
<주의 2> du-명령문의 주어는 du이므로 4격 재귀대명사 dich가 옴.
주어가 du일 때 3격 재귀대명사는 ***dir***임.

► 전치사 über의 4격 목적어이므로 er의 4격 형 ihn이 사용됨.
3격 형은 ***ihm***임.

(여기서 ihn은 앞 문장의 남성명사 meinen Mann을 받음!)

Lektion 11

불규칙 변화 동사

(= 단수 2, 3인칭 어간 모음 변화 동사)

unit 01

기초문제

I. 다음 불규칙 동사들의 알맞은 형태는? (11과, 기초문제: 교재 61~62쪽)

1. sehen 보다, 만나다, 알다 (영. see)

ich sehe / du siehst (seh*st* 아님!) / er (sie, es) sieht (seh*t* 아님!)

wir sehen / ihr seht / sie, Sie sehen

☞ 동사 sehen은 e → ie 유형임: du sieh*st* ; er sieh*t*

2. lesen 읽다, 독서하다 (영. write)

ich lese / du liest (les*t* 아님!) / er (sie, es) liest (les*t* 아님!)

wir lesen / ihr lest / sie, Sie lesen

☞ 동사 lesen은 e → ie 유형임: du lies*t* ; er lies*t*

<주의> du 및 er (sie, es)가 주어일 때 모두 동일하게 liest임!
왜냐하면 lesen의 어간 끝이 -s이므로 du가 주어일 때 *-st*가 아니라 *-t*만 붙이기 때문임.
(즉, du lies*st* 아님!)

3. helfen 돕다 (영. help)

ich helfe / du hilfst (helf*st* 아님!) / er (sie, es) hilft (helf*t* 아님!)

wir helfen / ihr helft / sie, Sie helfen

☞ 동사 helfen은 e → i 유형임: du hilf*st* ; er hilf*t*

4. essen 먹다, 식사하다 (영. eat)

ich esse / du isst (ess*t* 아님!) / er (sie, es) isst (ess*t* 아님!)

wir essen / ihr esst / sie, Sie essen

☞ 동사 essen은 e → i 유형임: du iss*t* ; er iss*t*

<주의> du 및 er (sie, es)가 주어일 때 모두 동일하게 isst임!
왜냐하면 essen의 어간 끝이 -s이므로 du가 주어일 때 *-st*가 아니라 *-t*만 붙이기 때문임.
(즉, du iss*st* 아님!)

5. treffen 만나다 (영. meet)

ich <u>treffe</u> / du <u>triffst</u> / er (sie, es) <u>trifft</u>
treffst 아님! trefft 아님!

wir <u>treffen</u> / ihr <u>trefft</u> / sie, Sie <u>treffen</u>

☞ 동사 treffen은 e → i 유형임: du tri*ffst* ; er tri*fft*

6. sprechen 말하다 (영. speak)

ich <u>spreche</u> / du <u>sprichst</u> / er (sie, es) <u>spricht</u>
sprechst 아님! sprecht 아님!

wir <u>sprechen</u> / ihr <u>sprecht</u> / sie, Sie <u>sprechen</u>

☞ 동사 sprechen은 e → i 유형임: du sprich*st* ; er sprich*t*

7. fallen 떨어지다 (영. fall)

ich <u>falle</u> / du <u>fällst</u> / er (sie, es) <u>fällt</u>
fallst 아님! fallt 아님!

wir <u>fallen</u> / ihr <u>fallt</u> / sie, Sie <u>fallen</u>

☞ 동사 fallen은 a → ä 유형임: du fäll*st* ; er fäll*t*

8. fahren (차 타고) 가다 (영. drive)

ich <u>fahre</u> / du <u>fährst</u> / er (sie, es) <u>fährt</u>
fahrst 아님! fahrt 아님!

wir <u>fahren</u> / ihr <u>fahrt</u> / sie, Sie <u>fahren</u>

☞ 동사 fahren은 a → ä 유형임: du fähr*st* ; er fähr*t*

9. schlafen 잠자다 (영. sleep)

ich <u>schlafe</u> / du <u>schläfst</u> / er (sie, es) <u>schläft</u>
schlafst 아님! schlaft 아님!

wir <u>schlafen</u> / ihr <u>schlaft</u> / sie, Sie <u>schlafen</u>

☞ 동사 schlafen은 a → ä 유형임: du schläf*st* ; er schläf*t*

II. 주어진 동사의 알맞은 형태는? (11과, 기초문제: 교재 62쪽)

1. fahren : Da kommt der Zug. Er <u>fährt</u> weiter nach Hamburg.

   ✹ **해석** 저기 기차가 온다. 그것은 계속해서 함부르크로 간다.

   ✹ **어휘** da 저기(에) ▌kommen 오다 ▌der Zug 기차 (die Züg*e*) ▌fährt ⇒ fahren [자동사] (차량이) 가다, 운행하다 ▌weiter [부사어] 계속 (영. further) ▌「3격 전치사 nach + 도시」 (방향) ...로

문장 2

☞ 동사 fahren은 불규칙변화 a → ä 유형: du fähr*st* ; er (sie, es) fähr*t*
주어가 Er이므로 어간 모음 변화하여 fähr*t*임.
(여기서 Er는 앞 문장의 남성명사 der Zug을 받음.)

2. sehen : <u>Siehst</u> du ihn heute noch? - Ja, ich habe eine Verabredung mit ihm.

   ✹ **해석** 너는 그를 오늘 안에 만나니? - 응, 나는 그와 만날 약속 있어.

   ✹ **어휘** Siehst ⇒ sehen [타동사] ...을 보다, 만나다 ▌heute 오늘 + noch 아직 → heute noch '아직 오늘', 즉 '오늘 안에' ▌die Verabredung 만날 약속 (die Verabredung*en*) ▌mit [3격 전치사] ...와 함께 ▌「haben eine Verabredung mit + 3격(사람)」 누구와 만날 약속이 있다

   <참고> 「verabreden sich^4 mit + 3격(사람)」 [4격 재귀동사] 누구와 만날 약속하다

문장 1

☞ 동사 sehen은 불규칙변화 e → ie 유형: du sieh*st* ; er (sie, es) sieh*t*
주어가 du이므로 어간 모음 변화하여 Sieh*st*임.

문장 2

► 3격 전치사 mit의 목적어이므로 3격 형 ihm이 사용됨.

3. denken : <u>Denkst</u> du gern an deine Schulzeit? - Ja, daran <u>denke</u> ich gern.

   ✹ **해석** 너는 너의 학창시절을 즐겨 회상하니? - 응, 그것에 대해 생각하기를 즐겨 해.

   ✹ **어휘** 「denken an + 4격」 ...에 대해 생각하다 (영. think of ...) ▌gern(e) 즐겨, 기꺼이 ▌die Schulzeit 학창시절 ← die Schule 학교 + die Zeit 시대, 시절 ▌da*r*an 그것에 대해 → 전치사 an + 지시대명사 das

   <참고> 명사 Schule의 합성어는 Schul- 형태임:
   die Schule + der Bus 버스 (die Bus*se*) → der Schulbus 스쿨버스 (die Schulbus*se*)
   die Schule + das Buch 책 (die Büch*er*) → das Schulbuch 교과서 (die Schulbüch*er*)

문장 1

☞ denken은 규칙변화 동사임. 즉, 어간 모음 변화 없음!
주어가 du이므로 동사 형태는 Denk*st*임.

► 명사 Schulzeit는 여성이며, 전치사 an의 *4격* 목적어이므로 *여성 4격!!*
따라서 dein-은 *여성 4격*의 ein*e*처럼 어미변화 하여 dein*e*임.

문장 2

► daran '그것에 대해' → 전치사 an '...에 대해' + 지시대명사 das '그것'
「denken ***an*** + 4격」 형식 안의 전치사 an임!

여기서 da*r*an은 앞 문장의 Schulzeit를 받음.

☞ 동사 denken은 규칙변화 동사. 즉, 어간 모음 변화 없음!
주어가 ich이므로 동사 형태는 denk*e*임.

4. schlafen : Mein Freund ist immer müde und schläft viel.

✸ **해석** 내 친구는 항상 피곤해 하고 잠을 많이 잔다.

✸ **어휘** der Freund 친구 (die Freund*e*) ▌immer 항상, 늘 ▌müde 피곤한 ▌schläft ⇒ schlafen [자동사] 잠자다 ▌viel 많이

► 명사 Freund는 *남성*이며, 이 문장의 *주어*이므로 *남성 1격!!*
따라서 mein-은 *남성 1격* ein_처럼 어미 없이 mein_임.

☞ 동사 schlafen은 불규칙변화 a → ä 유형: du schläf*st* ; er (sie, es) schläf*t*
주어인 Mein Freund는 남성의 er에 해당하므로 어간 모음 변화하여 schläf*t*임.

5. warten : Worauf wartet Maria jetzt? - Sie wartet auf das Essen.

✸ **해석** 마리아는 지금 무엇을 기다리니? - 그녀는 식사를 기다려.

✸ **어휘** wo*r*auf [의문사] 무엇을? → 전치사 auf + 의문사 was ▌「warten auf + 4격」 ...을 기다리다 ▌jetzt 지금 ▌das Essen 식사 (die Essen)

문장 1

► Wo*r*auf '무엇을?' → 전치사 auf '...을' + 의문사 was '무엇?'
「warten ***auf*** + 4격」 형식 안의 전치사 auf임!

<주의>
"wo(*r*)- + 전치사"는 '사물'을 지칭하는 의문사 was가 전치사와 결합한 형태임!
'사람'을 지칭하는 의문사 wer가 전치사와 결합한 형태는 「전치사 + wer」 형식임!
Auf wen wartet Maria jetzt? - Sie wartet auf ihren Gast.
Maria는 지금 *누구를* 기다리니? - 그녀는 자신의 손님을 기다려.

☞ warten은 규칙변화 동사임. 즉, 어간 모음 변화 없음!
주어가 Maria, 즉 여성의 sie('그녀')에 해당하므로 동사 형태는 warte*t*임.
war*t*en은 어간 끝이 -t이므로 발음상 -e-가 첨가되어 wart*e*t임. (즉, wart*t* 아님!)

문장 2

► 주어인 Sie('그녀')는 앞 문장의 Maria를 받음.

☞ 동사 warten은 규칙 변화 동사. 즉, 어간 모음 변화 없음:
주어가 여성의 sie('그녀')이므로 동사 형태는 wart*et*임.
war*t*en은 어간 끝이 -t이므로 발음상 -e-가 첨가되어 wart*et*임. (즉, wart*t* 아님!)

6. treffen : Ich treffe morgen Herrn Müller. Triffst du ihn auch?

✹ **해석** 나는 내일 뮐러씨를 만난다. 너 역시 그를 만나니?

✹ **어휘** morgen 내일 ▌Triffst ⇒ treffen [타동사] ...을 만나다 ▌auch 역시, ...도

문장 1

☞ 동사 treffen은 불규칙변화 e → i 유형: du triff*st* ; er (sie, es) triff*t*
여기서는 주어가 Ich이므로 어간 모음 변화 없이 treff*e*임.
<주의> 주어가 단수 2, 3인칭, 즉 du 혹은 er (sie, es)일 경우만 어간 모음이 변화함!

► 불규칙명사 Herr는 단수 1격 이외의 단수 2, 3, 4격 모두 어미 *-n*이 붙어 Herr*n*임.
여기서도 Herr는 동사 treffe의 4격 목적어, 즉 단수 4격이므로 Herr*n* Müller임.

문장 2

☞ 동사 treffen은 불규칙변화 e → i 유형: du triff*st* ; er (sie, es) triff*t*
주어가 du이므로 어간 모음 변화하여 Triff*st*임.

► 동사 Triffst의 4격 목적어이므로 er의 4격 형 ihn이 사용됨.
(ihn은 앞 문장의 남성명사 Herrn Müller를 받음.)

7. lesen : Wann liest du die Zeitung? - Ich lese morgens die Zeitung.

✹ **해석** 너는 언제 신문을 읽니? - 나는 아침에 신문을 읽어.

✹ **어휘** wann 언제? ▌liest ⇒ lesen [타동사] ...을 읽다 ▌die Zeitung 신문 (die Zeitung*en*) ▌
morgens 아침에, 아침마다

문장 1

☞ 동사 lesen은 불규칙변화 e → ie 유형: du lies*t* ; er (sie, es) lies*t*
주어가 du이므로 어간 모음 변화하여 lies*t*임.

문장 2

☞ 동사 lesen은 불규칙변화 e → ie 유형: du lies*t* ; er (sie, es) lies*t*
여기서는 주어가 Ich이므로 어간 모음 변화 없이 les*e*임.

8. stehen : Das Haus unserer Großeltern steht leider nicht mehr.

✺ 해석 아쉽게도 우리 조부모님의 집은 더 이상 서있지 않다.

✺ 어휘 das Haus 집 (die Häuser) ▌die Großeltern (항상 복수) 조부모 ← die Eltern 부모 ▌stehen [자동사] 서있다 ▌leider 아쉽게도, 유감스럽게도 ▌「... nicht mehr」 더 이상 ... 않다

► 「... Haus unser*er* Großeltern ...」 :

- 명사 Großeltern은 *복수*이며, 앞 명사 Haus를 수식하는 *2격*이므로 *복수 2격!!*
  따라서 unser-('우리의')는 *복수 2격* 어미 *-er*가 붙어 unser*er*임.
- 명사 Großeltern은 *복수*이므로 2격의 명사 어미 -s, -es 없음.
  <주의> 남성 및 중성명사만 2격의 명사 어미 -s, -es가 붙음. (여성 및 복수는 없음!)

☞ stehen은 규칙변화 동사임. 즉, 어간 모음 변화 없음!
주어가 Das Haus, 즉 중성의 es('그것')이므로 동사 형태는 steh*t*임.

9. halten : Er ist ein freundlicher Mensch! - Ja, jeder hält ihn für einen netten Menschen.

✺ 해석 그는 친절한 사람이야! - 맞아, 모두가 그를 친절한 사람이라고 생각해.

✺ 어휘 ist ⇒ sein [자동사] ...이다 ▌freundlich 친절한 ▌der Mensch 사람, 인간 (die Mensch*en*) ▌jeder 모두가, 각자가 (jed-의 남성 1격 형태임!) (영. everybody, everyone) ▌hält ⇒ halten : 「halten + 4격 + für + 4격」 ...을 ...라고 생각하다, 여기다 ▌nett 친절한 (= freundlich)

<참고> 「jed- + *단수*」 매 ..., 모든 ... (영. every, each) (jed-는 정관사 어미변화!)
지시대명사 jen-('저 ...' 영. that ...)과 혼동하지 말 것!

문장 1

► 「*ein* freundlich*er* Mensch」 :

- 명사 Mensch는 *남성*이며, 동사 ist의 *주격* 보어이므로 *남성 1격!!*
  따라서 *남성 1격* 부정관사 *ein*이 앞에 옴.
- 형용사 freundlich 앞에 *남성 1격* 부정관사 *ein*이 있음.
  → 따라서 *ein* freundlich*er* ...
  (근거: 남성 1격 ein_ , mein_ , sein_ , ihr_ , unser_ , kein_ + 형용사 *-er*)

문장 2

☞ 동사 halten은 불규칙변화 a → ä 유형: du hält*st* ; er (sie, es) häl*t*
주어 jeder는 남성의 er에 해당하므로 어간 모음 변화하여 häl*t*임.

► 동사 hält의 4격 목적어이므로 4격 형 ihn이 사용됨.
(ihn은 앞 문장의 남성명사 ein freundlicher Mensch를 받음.)

► 「für ein*en* nett*en* Mensch*en*」 :

- 명사 Mensch*en*은 *남성*이며, *4격* 전치사 für의 목적어이므로 *남성 4격!!*
  따라서 *남성 4격* 부정관사 ein*en*이 앞에 옴.

- 형용사 nett 앞에 *남성 4격* 부정관사 ein*en*이 있음.
  → 따라서 für ein*en* nett*en* ...
  (근거: 남성 4격 d*en*, ein*en*, mein*en*, ihr*en*, kein*en*, dies*en* + 형용사 *-en*)
- Mensch는 복수형이 *-en*인 남성의 약변화 명사임.
  즉, 단수 1격을 제외한 단수 2, 3, 4격이 복수형처럼 어미 *-en*이 붙어 Mensch*en*임.
  여기서도 Mensch는 *단수 4격*이므로 Mensch*en*임.

10. unterhalten : Mit wem unterhältst du dich gerne? - Ich unterhalte mich gern mit meinen Kollegen und Kolleginnen.

✹ 해석 너는 누구와 즐겨 이야기하니? - 나는 나의 남자 동료들 및 여자 동료들과 즐겨 이야기해.

✹ 어휘 mit [3격 전치사] ~와 함께 ▌wem 누구에게? (의문사 wer의 3격 형) ▌unterhältst ⇒ unterhalten : 「unterhalten sich⁴ mit + 3격(사람) + über + 4격」 [4격 재귀동사] 누구와 ...에 관해 이야기 나누다 ▌gern(e) 즐겨 ...하다, ...하기를 좋아하다 ▌der Kollege 동료, 남자 동료 (die Kolleg*en*) ↔ die Kolleg*in* 여자 동료 (die Kollegin*nen*)

문장 1

► 3격 전치사 Mit와 결합하므로 3격 형 wem이 사용됨.
  <참고> 1격: wer 누가? 2격: wessen 누구의? 3격: wem 누구에게? 4격: wen 누구를?
☞ 동사 *unter*halten = 접두어 *unter-* + 동사 halten (영. hold)
  halten은 불규칙변화 a → ä 유형: du hält*st* ; er (sie, es) häl*t*
  따라서 *unter*halten 역시 halten처럼 불규칙변화 a → ä 유형:
  du *unter*hält*st* ; er (sie, es) *unter*häl*t*
  여기서는 주어가 du이므로 어간 모음 변화하여 unterhäl*st*임.
► 주어가 du이므로 4격 재귀대명사는 dich임: ... unterhältst *du* *dich* ...?.

문장 2

☞ 동사 *unter*halten은 불규칙변화 a → ä 유형이지만,
  여기서는 주어가 1인칭의 Ich이므로 어간 모음 변화 없이 unterhalt*e*임.
► 주어가 Ich이므로 4격 재귀대명사는 mich임: *Ich* unterhalte *mich* ...
► 「mit mein*en* Kolleg*en* und Kollegin*nen* 」:
  - 명사 Kolleg*en*과 Kollegin*nen*은 *복수*이며, *3격* 전치사 mit의 목적어이므로 *복수 3격!!*
    따라서 소유대명사 mein-은 *복수 3격* 어미 *-en*이 붙어 mein*en*임.
  - 명사의 *복수 3격*은 형태가 *-n*이어야 함.
    여기서 Kolleg*en*과 Kollegin*nen*은 *복수 3격*이지만 자체 형태가 이미 *-n*이므로 추가로 *-n*을 붙이지는 않음.

11. wachsen : Trotz der hohen Ölpreise <u>wächst</u> der Export.

✺ **해석** 높은 유가(油價)에도 불구하고 수출이 증가한다.

✺ **어휘** trotz [2격 전치사] ~에도 불구하고 ▌ hoh- [형용사] 높은 <주의> 원형은 hoch임. 뒤에 있는 명사를 수식하여 어미변화 할 때는 hoh- 형태임! ▌ Ölpreis 유가, 기름 값 (die Ölpreis*e*) (보통 복수!) → das Öl 기름, 석유 (die Öl*e*) + der Preis 가격 (die Preis*e*) ▌ wächst ⇒ wachsen [자동사] 성장하다 ▌ der Export 수출 (die Export*e*) ↔ der Import 수입 (die Import*e*)

► 「Trotz d*er* hoh*en* Ölpreis*e*」 :

- 명사 Ölpreis*e*는 *복수*이며, *2격* 전치사 Trotz의 목적어이므로 *복수 2격!!*
  따라서 *복수 2격* 어미 *-er*를 지닌 정관사 d*er*가 앞에 옴.
- 형용사 hoh- 앞에 *복수 2격* 정관사 d*er*가 있음.
  → 따라서 Trotz d*er* hoh*en* ...
  (근거: 2격 어미 *-es*(남성, 중성), *-er*(여성, 복수)의 뒤에 오는 형용사는 모두 *-en*임!)

☞ 동사 wachsen은 불규칙변화 a → ä 유형: du wächs*t* ; er (sie, es) wächs*t*
주어인 der Export는 남성의 er에 해당하므로 어간 모음 변화하여 wächs*t*임.

12. sagen : Was <u>sagst</u> du zu seinem Vorschlag? - Im Moment <u>sage</u> ich noch nichts dazu.

✺ **해석** 너는 이 제안에 대해 어떻게 생각하니? - 지금으로서는 그것에 대해 아직 아무것도 말하지 못하겠어.

✺ **어휘** was 무엇을? (4격 형) ▌ sagen [타동사] ...을 말하다 (영. say) : 「Was sagst du zu + 3격?」 ...에 대해 어떻게 생각하니? (의견 문의!) ▌ zu [3격 전치사] ~에 대해 ▌ der Vorschlag 제안 (die Vorschläg*e*) ← vorschlagen [타동사] ...을 제안하다 ▌ im Moment 지금은 (= momentan) ▌ noch 아직 ▌ nichts 아무것도 ... 않다 (영. nothing) ↔ etwas 뭔가 (영. something) ▌ dazu 그것에 대해 → zu [전치사] ...에 대해 + das [지시대명사] 그것

문장 1

☞ sagen은 규칙변화 동사임. 즉, 어간 모음 변화 없음!
주어가 du이므로 동사 형태는 sag*st*임.

► 「zu sein*em* Vorschlag」 :
명사 Vorschlag은 *남성*이며, *3격* 전치사 zu의 목적어이므로 *남성 3격!!*
따라서 sein-('그의')은 *남성 3격* 어미 *-em*이 붙어 sein*em*임.

문장 2

☞ 동사 sagen은 규칙변화 동사임. 즉, 어간 모음 변화 없음!
주어가 ich이므로 동사 형태는 sag*e*임.

► nichts는 동사 sage의 4격 목적어임.

► dazu '그것에 대해' → 전치사 zu '...에 대해' + 지시대명사 das '그것'
여기서 dazu는 앞 문장의 seinem Vorschlag을 받음.

13. *ein*laden : Wen lädtst du heute noch ein ? - Einen Freund meiner Schwester.

✺ **해석** 너는 오늘 누구를 더 초대할 거니? - 내 누이의 여자 친구를 (초대할 거야).

✺ **어휘** wen 누구를? (의문사 wer의 4격 형) ▌lädst ... *ein* ⇒ *ein*laden [분리동사&타동사] ...을 초대하다 ▌heute 오늘 ▌noch 아직 ▌der Freund 친구 (die Freund*e*) ▌die Schwester 누나, 언니, 여동생, 누이 (die Schwester*n*)

문장 1

☞ 분리동사 *ein*laden = 분리전철 *ein-* + 동사 laden (영. load)
laden은 불규칙변화 a → ä 유형: du läds*t* ; er (sie, es) läd*t*
따라서 *ein*laden 역시 불규칙변화 a → ä 유형: du läds*t* ... *ein* ; er (sie, es) läd*t* ... *ein*
여기서는 주어가 du이므로 어간 모음 변화하여 läds*t* ... *ein*임.

► 4격 형 Wen은 분리동사 lädst ... *ein*의 4격 목적어.

문장 2

► 축약된 문장임. 완전한 형태는: (Ich lade) Einen Freund meiner Schwester (ein).

► 「Ein*en* Freund ...」 :
명사 Freund는 *남성*이며, 분리동사 lade ... *ein*의 *4격* 목적어이므로 *남성 4격!!*
따라서 *남성 4격* 부정관사 ein*en*이 앞에 옴.

► 「... Freund mein*er* Schwester 」 :

- 명사 Schwester는 *여성*이며, 앞 명사 Freund를 수식하는 *2격* 형이므로 *여성 2격!!*
  따라서 mein-은 *여성 2격* 어미 *-er*가 붙어 mein*er*임.
- 명사 Schwester는 여성이므로 2격의 명사 어미 -s, -es 없음.

III. 밑줄 친 동사의 원형은? (11과, 기초문제: 교재 62쪽)

1. Ist die Post weit vom Hauptbahnhof? - Nein, sie liegt ganz in der Nähe des Hauptbahnhofs.

✺ **해석** 우체국이 중앙역으로부터 멀리 있나요? - 아니오, 그것은 중앙역 아주 가까이에 있어요.

✺ **어휘** Ist ⇒ sein [자동사] 있다, 존재하다 ▌die Post 우체국 ▌weit 먼, (부사적) 멀리 : 「weit von + 3격」 ...로부터 먼, ...로부터 멀리 ▌von [3격 전치사] ~로부터 (영. from) ▌der Hauptbahnhof 중앙역 → Haupt- 주요한 + der Bahnhof 역 (die Bahnhöf*e*) ▌liegen [자동사] (사물이) 놓여 있다, (사람이) 누워 있다 ▌ganz [부사어] 아주 (영. quite) ▌in [3·4격 전치사] [1] (3격 지배: 위치) ~안에(서), ~에(서); [2] (4격 지배: 방향) ~안으로, ~로 ▌die Nähe 가까움, 근처 : 「in der Nähe + 2격」 혹은 「in der Nähe von + 3격」 ...의 근처에

문장 1

☞ 밑줄 친 동사 Ist의 원형은 *sein*임.

동사 sein은 불규칙변화: 주어가 die Post, 즉 여성의 sie에 해당하므로 동사 형태는 *Ist*임.

문장 2

► 주어인 여성의 sie('그녀')는 앞 문장의 여성명사 die Post를 받음.

☞ 밑줄 친 동사 liegt의 원형은 *liegen*임.

liegen은 규칙변화 동사임. 즉, 어간 모음 변화 없음:

주어가 여성의 sie이므로 동사 형태는 lieg*t*임.

► 「... liegt ... *in* d*er* Nähe」:

- 3・4격 전치사 in은 동사 liegt와 결합하여 '... 안*에* 위치하다'를 뜻함. 즉, '위치'를 나타내므로 in은 *3격 지배!*
- 명사 Nähe는 *여성*이며, 전치사 in의 *3격* 목적어이므로 *여성 3격!!* 따라서 정관사는 *여성 3격* 어미 *-er*를 지닌 d*er*임.

► 「... Nähe d*es* Hauptbahnhof*s*」:

- 명사 Hauptbahnhof는 *남성*이며, 앞 명사 Nähe를 수식하는 *2격* 형이므로 *남성 2격!!* 따라서 *남성 2격* 어미 *-es*를 지닌 정관사 d*es*가 앞에 옴.
- 명사 Hauptbahnhof는 남성이므로 2격의 명사 어미 -s가 붙어 Hauptbahnhof*s*임. <주의> 어미 -es가 붙어 Hauptbahnhof*es*도 가능함.

정답 Ist ⇒ 동사 원형 sein / liegt ⇒ 동사 원형 liegen

2. Udo kommt heute Nachmittag zu mir. Er sieht mit mir zusammen das Fußballspiel im Fernsehen.

✸ **해석** 우도가 오늘 오후 나에게 온다. 그는 나와 함께 축구 경기를 TV로 시청한다.

✸ **어휘** kommen [자동사] 오다 ▌heute Nachmittag 오늘 오후 → heute 오늘 + der Nachmittag 오후 (die Nachmittag*e*) ▌「3격 전치사 zu + 사람」 (방향) 누구에게로 ▌sieht ⇒ sehen [타동사] ...을 보다 (영. see) : 「sehen + 4격 + im Fernsehen」 TV에서 ...을 보다 ← das Fernsehen (복수 없음!) (방송으로서의) 텔레비전, TV <주의> der Fernseher (기계로서의) 텔레비전 (die Fernseher) ▌mit [3격 전치사] ~와 함께 ▌zusammen 함께 ▌das Fußballspiel 축구 경기 (die Fußballspiel*e*)

☞ 밑줄 친 동사 kommt의 원형은 *kommen*임.

kommen은 규칙변화 동사임. 즉, 어간 모음 변화 없음:

주어가 Udo, 즉 er이므로 동사 형태는 komm*t*임.

► 3격 전치사 zu의 목적어이므로 3격 형 mir가 사용됨.

☞ 밑줄 친 동사 sieht의 원형은 *sehen*임.

동사 sehen은 불규칙변화 e → ie 유형: du sieh*st* ; er (sie, es) sieh*t*

따라서 주어가 Er이므로 동사 형태는 어간 모음이 변화하여 sieh*t*임.

► 3격 전치사 mit의 목적어이므로 3격 형 mir가 사용됨.

(정답) kommt ⇒ 동사 원형 kommen / sieht ⇒ 동사 원형 sehen

IV. 알맞은 동사를 〈보기〉에서 선택하여 올바르게 표현하시오. (11과, 기초문제: 교재 62쪽)

Er _geht_ noch in die Schule. Im Sommer _fährt_ er mit seinen Eltern an die See. Dort _liegt_ er die meiste Zeit einfach am Strand und _liest_ ein Buch oder _schläft_.

✻ **해석** 그는 아직 학교에 다닌다. 여름에 그는 자신의 부모님과 함께 바닷가로 (차 타고) 간다. 거기서 그는 대부분의 시간을 단순히 해변에 누워서 책을 읽거나 잠을 잔다.

✻ **어휘** gehen 가다 ▌ in [3·4격 전치사] 1 (3격 지배: 위치) ~안에(서), ~에(서); 2 (4격 지배: 방향) ~안으로, ~로 ▌ die Schule 초·중·고등학교 (die Schule*n*) : gehen in die Schule gehen 학교로 가다, 학교 다니다 ▌「im + 계절」: im Sommer 여름에 ← der Sommer 여름 (die Sommer) ▌ fährt ⇒ fahren [자동사] (차 타고) 가다 ▌ mit [3격 전치사] ~와 함께 ▌ die Eltern 부모 (die Eltern) ▌ an [3·4격 전치사] 1 (3격 지배: 위치) ~옆에(서), ~가에(서); 2 (4격 지배: 방향) ~옆으로, ~가로 ▌ die See 바다 (die See*n*) ▌ dort 거기에 ▌ liegen [자동사] (사람이) 누워 있다 ▌ meist 대부분의 + die Zeit 시간 → die meiste Zeit (4격의 시간 부사어) 대부분의 시간 동안 ▌ einfach 단순한, (부사적) 단순히 ▌「am + 남성·중성명사 3격」 (위치) ... 옆에서 : am Strand 해변에서 ← der Strand 해안, 해변 (die Strän*de*) ▌ liest ⇒ lesen [타동사] ...을 읽다 ▌ das Buch 책 (die Büch*er*) ▌ oder [접속사] 혹은 ▌ schläft ⇒ schlafen [자동사] 잠자다

문장 1

☞ in die Schule gehen 학교에 다니다, 학생이다 → 따라서 빈칸에는 동사 gehen이 와야 함
gehen은 규칙변화 동사임. 즉, 어간 모음 변화 없음:
주어가 Er이므로 동사 형태는 geh*t*임.

문장 2

☞ 빈칸에는 내용상 동사 fahren이 와야 함.
동사 fahren은 불규칙변화 a → ä 유형: du fähr*st* ; er (sie, es) fähr*t*
따라서 주어가 er이므로 어간 모음이 변화하여 fähr*t*임.

► 「... fährt ... *an* *die* See」:

- 3·4격 전치사 an은 '장소 이동' 동사 fährt와 결합하여 '... 옆으로 가다'를 뜻함.
  따라서 '방향'을 나타내므로 an은 *4격 지배!*
- 명사 See는 *여성*이며, 전치사 an의 *4격* 목적어이므로 *여성 4격!!*
  따라서 *여성 4격* 정관사 *die*가 앞에 옴.

문장 3

☞ 첫째 빈칸에는 내용상 동사 liegen이 와야 함.
liegen은 규칙변화 동사임. 즉, 어간 모음 변화 없음:
주어가 er이므로 동사 형태는 lieg*t*임.

► 「... liegt ... *am* Strand」:

- 3 · 4격 전치사 an은 동사 liegt와 결합하여 '...*옆에서* 누워 있다'를 뜻함.
  따라서 '위치'를 나타내므로 an은 *3격 지배!*
- 명사 Strand는 *남성*이며, 전치사 an의 *3격* 목적어이므로 *남성 3격!!*
  따라서 *남성 3격* 정관사 d*em*이 앞에 와야 하는데,
  전치사 an과 결합하여 축약형인 *am*이 됨. (am = an dem)

☞ 둘째 빈칸에는 내용상 동사 lesen이 와야 함.
동사 lesen은 불규칙변화 e → ie 유형: du lies*t* ; er (sie, es) lies*t*
따라서 주어가 er이므로 어간 모음이 변화하여 lies*t*임.

☞ 세째 빈칸에는 내용상 동사 schlafen이 와야 함.
동사 schlafen은 불규칙변화 a → ä 유형: du schläf*st* ; er (sie, es) schläf*t*
따라서 주어가 er이므로 어간 모음이 변화하여 schläf*t*임.

unit 02

심화문제

I. 주어진 동사의 알맞은 형태는? (11과, 심화문제: 교재 64쪽)

1. gefallen : Wie gefällt dir mein neues Auto? - Gut. Nur die Farbe des Autos gefällt mir nicht.

✷ **해석** 나의 새 자동차가 네게는 얼마나 마음에 드니? - 매우 (마음에 들어). 다만 자동차 색깔이 마음에 들지 않을 따름이야.

✷ **어휘** wie 어떻게? (영. how?) ▌ gefällt ⇒ 「gefallen + 3격(사람)」 누구의 마음에 들다 ← fallen [자동사] 떨어지다 (영. fall) ▌ neu 새, 새로운 ▌ das Auto 자동차 (die Auto*s*) ▌ gut 좋은 ▌ nur 다만, 단지 ▌ die Farbe 색, 색깔 (die Farbe*n*)

문장 1

► 「*mein* neu*es* Auto」 :

- 명사 Auto는 *중성*이며, 이 문장의 *주어*이므로 *중성 1격!!*
  따라서 mein-은 *중성 1격* 부정관사 ein_처럼 어미 없이 mein_임.
- 형용사 neu 앞에 중성 1격의 ein_에 일치하는 mein_이 있음.
  → 따라서 *mein* neu*es* ...
  (근거: 중성 1, 4격 ein_ , mein_ , sein_ , ihr_ , unser_ , kein_ + 형용사 *-es*)

☞ 동사 *ge*fallen = 접두어 *ge-* + 동사 fallen
fallen은 불규칙변화 a → ä 유형: du fäll*st* ; er (sie, es) fäll*t*
따라서 *ge*fallen 역시 불규칙변화 a → ä 유형: du gefäll*st* ; er (sie, es) gefäll*t*
여기서는 주어인 mein neues Auto가 중성의 es('그것')에 해당하므로 동사 형태는 gefäll*t*임.

► 동사 gefällt의 3격 목적어이므로 3격 형 dir가 사용됨.
여기서 dir는 인칭*대명사*이므로 일반 명사인 주어 mein neues Auto보다 앞에 위치함!

문장 2

► 축약된 문장임. 완전한 형태는: (Das gefällt mir) Gut.
<주의> 동사 gefallen은 부사어 gut을 사용하여 '매우, 아주'의 뜻을 나타냄:
Das gefällt mir *(sehr) gut*. 그것은 내 마음에 *매우* 들어.

문장 3

☞ 동사 gefallen은 불규칙변화 a → ä 유형: du gefäll*st* ; er (sie, es) gefäll*t*
주어인 die Farbe des Autos가 여성의 sie에 해당하므로 동사 형태는 gefäll*t*임.

► 「... Farbe d*es* Auto*s* 」:

- 명사 Auto는 *중성*이며, 앞 명사 Farbe를 수식하는 *2격* 형이므로 *중성 2격!!*
  따라서 *중성 2격* 어미 *-es*를 지닌 정관사 d*es*가 앞에 옴.
- 명사 Auto는 중성이므로 2격의 명사 어미 -s가 붙어 Auto*s*임.
  <주의> Auto는 모음 -o로 끝나므로 -es가 아니라 -s임 (즉, Auto*es* 아님!)

► 동사 gefällt의 3격 목적어이므로 3격 형인 mir가 사용됨.

2. werden : Es wird langsam dunkel.

✸ **해석** 차츰 어두워진다.

✸ **어휘** wird ⇒ werden [자동사] ...되다 (영. become) <주의> werden은 동사 sein처럼 형용사 혹은 명사 보어와 결합함. ▌langsam 느린, (부사적) 차츰, 천천히 ▌dunkel 어두운 ↔ hell 밝은

► 막연히 분위기나 주위 상태를 말할 경우 비인칭 주어 es가 사용됨: *Es* ist ...
(여기서는 주위의 '명암' 상태를 말함.)

☞ werden은 불규칙변화 동사임: du *wirst* ; er (sie, es) *wird* (철자에 주의!)
따라서 주어가 비인칭 주어 Es이므로 동사 형태는 *wird*임.

3. *fern*sehen : Siehst du am Abend fern ? - Ja, beim Abendessen.

✸ **해석** 너는 저녁에 TV 시청하니? - 응, 저녁식사 때.

✸ **어휘** Siehst ... *fern* ⇒ *fern*sehen [분리동사] TV 시청하다 ← sehen [타동사] ...을 보다 ▌der Abend 저녁 (die Abend*e*) → am Abend 저녁에 ▌bei [3격 전치사] ...일 때, ...일 경우 → 「beim + 남성·중성 3격」: beim Abendessen 저녁 식사 때 (beim = bei dem) ▌das Abendessen 저녁 식사

<참고>
das Frühstück 아침식사 → frühstücken 아침식사하다
das Mittagessen 점심식사 → 「essen zu Mittag」 점심식사하다
das Abendessen 저녁식사 → 「essen zu Abend」 저녁식사하다

문장 1

☞ 분리동사 *fern*sehen = 분리전철 *fern-* + 동사 sehen
sehen은 불규칙변화 e → ie 유형: du sieh*st* ; er (sie, es) sieh*t*
따라서 *fern*sehen 역시 불규칙변화 e → ie 유형:
du sieh*st* ... *fern* ; er (sie, es) sieh*t* ... *fern*
이 예문에서는 주어가 du이므로 동사 형태는 sieh*st* ... *fern*임.

4. wissen : Kommt er morgen? - Das weiß ich nicht.

✸ **해석** 그가 내일 오니? - 나는 모르겠어.

✸ **어휘** kommen 오다 ▌morgen [부사어] 내일 <주의> der Morgen 아침 (die Morgen) ▌das [지시대명사] 그것 ▌weiß ⇒ wissen [타동사] ...을 알다

문장 2

► 여기서 지시대명사 Das는 앞 문장의 내용, 즉 '그가 내일 올지 여부'를 가리킴.

<주의> 지시대명사 das('그것')는 앞에 나온 남성, 중성, 여성 및 복수명사는 물론이고, 앞 문장의 일부 및 전체 등 무엇이든지 받을 수 있음. 따라서 das가 무엇을 가리키는 지는 문맥 내용을 통해 판단해야 함!

☞ wissen은 불규칙변화 동사임: ich *weiß* ; du *weißt* ; er (sie, es) *weiß*
따라서 주어가 ich이므로 동사 형태는 *weiß*임.

<주의> wissen의 예외적인 변화 방식, 특히 주어가 ich인 경우도 불규칙적인 점에 주의!

5. nehmen : Maria _nimmt_ heute nicht den Bus, sondern ein Taxi.

❋ **해석** 마리아는 오늘 버스를 타지 않고 택시를 탄다.

❋ **어휘** nimmt ⇒ nehmen [타동사] (차량) ...을 타다 (영. take) ▌ heute [부사어] 오늘 ▌「nicht A, sondern B」 A가 아니라 B이다 ▌ der Bus 버스 (die Bus*se*) ▌ das Taxi 택시 (die Taxi*s*)

☞ 동사 nehmen은 불규칙변화 e → i 유형: du nimm*st* ; er (sie, es) nimm*t* (철자에 주의!)
따라서 주어가 Maria, 즉 여성의 sie('그녀')에 해당하므로 동사 형태는 nimm*t*임.

6. essen : Was _isst_ du zum Frühstück? - Ich _esse_ nichts, aber ich trinke immer eine Tasse Kaffee.

❋ **해석** 너는 아침식사로 무엇을 먹니? - 아무것도 먹지 않아. 하지만 늘 한 잔의 커피를 마셔.

❋ **어휘** was 무엇을? (4격 형) ▌ isst ⇒ essen [타동사] ...을 먹다 ▌ zu [3격 전치사] ~을 위해 → 「zum + 남성·중성 3격」: zum Frühstück 아침식사로 ▌ das Frühstück 아침식사 ▌ nichts 아무것도 ... 않다 (영. nothing) ▌ aber [접속사] 그러나, 하지만 ▌ trinken [타동사] ...을 마시다 ▌ immer 항상 ▌ die Tasse 찻잔 (die Tasse*n*) ▌ der Kaffee 커피 (복수 없음!)

문장 1

☞ 동사 essen은 불규칙변화 e → i 유형: du iss*t* ; er (sie, es) iss*t*
따라서 주어가 du이므로 동사 형태는 iss*t*임.

문장 2

☞ 동사 essen은 불규칙변화 e → i 유형이지만,
여기서는 주어가 Ich이므로 어간 모음 변화 없이 ess*e*임.

<주의> 어간 모음의 변화는 단수 2, 3인칭, 즉 du 혹은 er (sie, es)가 주어일 경우만 해당됨.

► nichts는 동사 esse의 4격 목적어임.

► eine Tasse Kaffee는 동사 trinke의 4격 목적어.

<주의> Kaffee는 셀 수 없는 물질명사임. 여성명사 Tasse('찻잔')를 단위로 하여 셀 수 있음:
eine Tasse Kaffee 커피 한 잔 / zwei Tasse*n* Kaffee 커피 두 잔

7. einladen : Am zehnten Juli hat er Geburtstag. Dazu <u>lädt</u> er seine Freunde <u>ein</u>.

✺ **해석** 7월 10일 그는 생일이다. 이를 위해 그는 자신의 친구들을 초대한다.

✺ **어휘** 「am + 서수 *-en*」 (날짜) ...일에 : am zehn*ten* 10일에 ▌zehn 10 → zehn*t* (서수) 10번째 ▌der Juli 7월 ▌der Geburtstag 생일 (die Geburtstag*e*) : 「주어 + haben Geburtstag」 누구는 생일이다 ▌lädt ... *ein* ⇒ *ein*laden [분리동사&타동사] : 「laden + 4격(사람) + zu + 3격 ... *ein*」 누구를 ...으로 초대하다 ▌dazu ← 전치사 zu + 지시대명사 das ▌der Freund 친구 (die Freund*e*)

문장 2

► Dazu '<u>그것으로</u>' → <u>전치사 zu</u> '...으로' + 지시대명사 das '그것'
분리동사 형식 「laden ... ***zu*** + 3격 ... *ein*」 안의 전치사 zu임!

여기서 Dazu는 앞 문장의 Geburtstag을 받음.

☞ 분리동사 *ein*laden = 분리전철 *ein-* + 동사 laden (영. load)

laden은 불규칙변화 a → ä 유형: du l<u>ä</u>ds*t* ; er (sie, es) l<u>ä</u>d*t*

따라서 einladen 역시 불규칙변화 a → ä 유형:

du l<u>ä</u>ds*t* ... *ein* ; er (sie, es) l<u>ä</u>d*t* ... *ein*

이 예문에서는 주어가 er이므로 동사 형태는 l<u>ä</u>d*t* ... *ein*임.

► 「sein<u>*e*</u> Freund*e*」 :

명사 Freund*e*는 *복수*이며, 분리동사 lädt ... *ein*의 *4격* 목적어이므로 <u>*복수 4격!!*</u>

따라서 sein-('그의')은 *복수 4격* 정관사 di<u>e</u>처럼 어미변화 하여 sein<u>e</u>임.

Ⅱ. 주어진 동사의 du-명령문은? (11과, 심화문제: 교재 64쪽)

1. nehmen : <u>Nimm</u> nicht so viele Tabletten! Das ist nicht gesund.

✺ **해석** 그렇게 많이 약을 먹지 마. 그것은 건강에 좋지 않아.

✺ **어휘** N<u>i</u>mm ⇒ nehmen [타동사] ...을 취하다, 먹다 (영. take) ▌so 그렇게 ▌「viele + *복수*명사」 많은 ...들 (영. 「many + 복수명사」) ▌die Tablette 알약 (die Tablette*n*) ▌das [지시대명사] 그것 ▌gesund [형용사] [1] 건강에 좋은; [2] 건강한

문장 1

☞ 동사 nehmen은 불규칙변화 e → i 유형: du n<u>i</u>mms*t* ; er (sie, es) n<u>i</u>mm*t*

→ 따라서 du-명령문 「동사 어간 ...!」 : neh*men* → <u>N*i*mm</u> ...!
어간 모음이 ***변화함!*** 즉, Nehm 아님!

<참고> 유형 e → ie 및 e → i 인 불규칙 동사의 du-명령문은 어간 모음이 변화됨!

► so viele Tabletten은 동사 Nimm의 4격 목적어임.

문장 2

► 지시대명사 Das는 앞 문장 내용 "그렇게 많이 약을 먹는 것"을 받음.

2. geben : Gib mir bitte das Buch! Das gehört mir.

✻ **해석** 그 책을 나에게 줘. 그것은 내 거야.

✻ **어휘** Gib ⇒ geben [타동사] : 「geben + 3격(사람) + 4격」 누구에게 ...을 주다 ▌bitte [부사어] 명령문에서 공손한 요구를 표현함. ▌das Buch 책 (die Büch*er*) ▌das [지시대명사] 그것 ▌「gehören + 3격(사람)」 누구에게 속하다, 누구의 소유이다

문장 1

☞ 동사 geben은 불규칙변화 e → i 유형: du gib*st* ; er (sie, es) gib*t*

→ 따라서 du-명령문 「동사 어간 ...!」 : geb*en* → G*i*b ...!

어간 모음이 ***변화함***! 즉, Geb 아님!

► 동사 Gib의 3격 목적어이므로 3격 형 mir가 사용됨.

문장 2

► 주어인 지시대명사 Das는 앞 문장의 중성명사 das Buch를 받음.

► 동사 gehört의 3격 목적어이므로 3격 형 mir가 사용됨.

3. schlafen : Bei wem schlafe ich? - Schlaf doch bei mir!

✻ **해석** 나는 누구 집에서 잠을 자? - (그러지 말고) 내 집에서 잠 자.

✻ **어휘** 「3격 전치사 bei + 사람」 (위치) 누구에게서, 누구 집에서 ▌wem 누구에게? (의문사 wer의 3격 형!) ▌schlafen [자동사] 잠자다 ▌doch [부사어] 명령문에서 요구 내용을 강조함. ("그러지 말고" 등으로 해석!)

문장 1

► 3격 전치사 Bei와 결합하므로 3격 형 wem이 사용됨.

문장 2

☞ 동사 schlafen은 불규칙변화 a → ä 유형: du schläf*st* ; er (sie, es) schläf*t*

→ 따라서 du-명령문 「동사 어간 ...!」 : schlaf*en* → Schl*a*f ...!

어간 모음이 ***변화하지 않음***! 즉, Schläf 아님!

<주의> 유형 a → ä인 불규칙 동사의 du-명령문은 어간 모음 변화 없음!

► 3격 전치사 bei와 결합하므로 3격 형 mir가 사용됨.

4. sprechen : Sprich doch nicht so schnell! Ich verstehe dich nicht richtig.

✻ **해석** 그렇게 빨리 말하지 마. 네 말을 제대로 이해하지 못하겠어.

✸ 어휘 Sprich ⇒ sprechen [자동사] 말하다 (영. speak) ▌doch [부사어] 명령문에서 요구 내용을 강조함. ▌so 그렇게, 매우 ▌schnell 빠른, (부사적) 빨리 ▌verstehen [타동사] ...을 이해하다 ▌richtig 올바른, (부사적) 올바르게 ↔ falsch 틀린, 틀리게

문장 1

☞ 동사 sprechen은 불규칙변화 e → i 유형: du sprich*st* ; er (sie, es) sprich*t*

→ 따라서 du-명령문「동사 어간 ...!」: sprech*en* → Spr*i*ch ...!

어간 모음이 ***변화함***! 즉, Sprech 아님!

문장 2

► 동사 verstehe의 4격 목적어이므로 4격 형 dich가 사용됨.

5. *vor*lesen : Lies mir bitte eine Geschichte vor !

✸ 해석 이야기 하나를 읽어 줘.

✸ 어휘 Lies ... *vor* ⇒「lesen + 3격(사람) + 4격 ... *vor*」[분리동사&타동사] 누구에게 ...을 읽어주다, 누구에게 ...을 낭독하다 ← lesen [타동사] ...을 읽다 ▌bitte [부사어] 명령문에서 공손한 요구를 표현함. ▌die Geschichte 이야기 (die Geschichte*n*)

☞ 분리동사 *vor*lesen = 분리전철 *vor-* + 동사 lesen

lesen은 불규칙변화 e → ie 유형: du lies*t* ; er (sie, es) lies*t*

따라서 *vor*lesen 역시 불규칙변화 e → ie 유형:

du lies*t* ... *vor* ; er (sie, es) lies*t* ... *vor*

→ 따라서 du-명령문「동사 어간 ...!」: les*en* ... *vor* → Lies ... *vor*!

어간 모음이 ***변화함***! 즉, Les ... *vor* 아님!

► 분리동사 Lies ... vor의 3격 목적어이므로 3격 형 mir가 사용됨.

6. *ein*laden : Lade doch auch seine Freundin ein !

✸ 해석 (그러지 말고) 그의 여자 친구도 초대하지 그래.

✸ 어휘 Lade ... *ein* ⇒ *ein*laden [분리동사&타동사] ...을 초대하다 ▌doch [부사어] 명령문에서 요구 내용을 강조함. ("그러지 말고" 등으로 해석!) ▌auch ...도, 역시 ▌die Freund*in* 여자 친구 (die Freundin*nen*)

☞ 분리동사 *ein*laden = 분리전철 *ein-* + 동사 laden

laden은 불규칙변화 a → ä 유형: du läd*st* ; er (sie, es) läd*t*

따라서 *ein*laden 역시 불규칙변화 a → ä 유형:

du läd*st* ... *ein* ; er (sie, es) läd*t* ... *ein*

→ 따라서 du-명령문「동사 어간 ...!」: lad*en* ... *ein* → Lade ... *ein*!

어간 모음이 ***변화하지 않음***! 즉, Läde ... *ein* 아님!

<주의> laden ... *ein*은 어간 끝이 -d이므로 du-명령문은「동사 어간 *-e* ...!」임: Lade ... *ein*!

► 「sein*e* Freundin」:

명사 Freund*in*은 *여성*이며, 동사 Lade ... *ein*의 *4격* 목적어이므로 *여성 4격!!*

따라서 sein-은 *여성 4격* 부정관사 ein*e*처럼 어미변화 하여 sein*e*임.

7. *an*sehen : Sieh dir bitte dieses Foto einmal genau an !

✹ **해석** 이 사진을 한번 정확히 봐라.

✹ **어휘** Sieh ... *an* ⇒ *an*sehen [분리동사&3격 재귀동사] : 「sehen sich³ + 4격 ... *an*」 ...을 바라보다, ...을 구경하다 ← sehen [타동사] ...을 보다 ▌bitte [부사어] 명령문에서 공손한 요구를 표현함. ▌dies- [지시대명사] 이 ... (정관사 어미변화!) ▌das Foto 사진 (die Foto*s*) ▌einmal 한번 <참고> zweimal 두 번, dreimal 세 번 ... ▌genau 정확한, (부사적) 정확히

☞ 분리동사 *an*sehen = 분리전철 *an*- + 동사 sehen

sehen은 불규칙변화 e → ie 유형: du sieh*st* ; er (sie, es) sieh*t*

따라서 *an*sehen 역시 불규칙변화 e → ie 유형:

du sieh*st* ... *an* ; er (sie, es) sieh*t* ... *an*

→ 따라서 du-명령문 「동사 어간 ...!」: sehen ... *an* → Sieh ... *an*!

어간 모음이 ***변화함!*** 즉, Seh 아님!

► du-명령문의 주어는 du임. 따라서 3격 재귀대명사는 dir임

► 「dies*es* Foto」:

명사 Foto는 *중성*이며, 동사 Sieh ... *an*의 *4격* 목적어이므로 *중성 4격!!*

따라서 dies-는 *중성 4격* 정관사 d*as*처럼 어미변화 하여 dies*es*임.

III. 밑줄 친 du-명령문을 Sie-명령문으로 바꾸시오. (11과, 심화문제: 교재 64쪽)

1. Stell dir das einmal vor! Ist er nicht verrückt?

✹ **해석** 한번 그것을 상상해 봐. 그가 미친 거 아니야?

✹ **어휘** Stell ... *vor* ⇒ *vor*stellen [분리동사&3격 재귀동사] : 「stellen sich³ + 4격 ... *vor*」 ...을 상상하다 ▌das [지시대명사] 그것 ▌einmal 한번 ▌verrückt 미친

문장 1

► 밑줄 친 문장은 분리동사이며 3격 재귀동사인 「stell*en* sich³ ... *vor*」의 du-명령문임.

즉, 「동사 어간 ...!」: stell*en* sich³ ... *vor* → *Stell* dir ... *vor*!

<주의> du-명령문의 주어는 du이므로 3격 재귀대명사는 dir임.

☞ 분리동사&3격 재귀동사 「stell*en* sich³ ... *vor*」의 Sie-명령문은:

「동사 원형 + Sie ...!」: stell*en* sich³ ... *vor* → *Stellen Sie* sich ... *vor*!

<주의> Sie-명령문의 주어는 Sie이므로 3격 재귀대명사는 sich임.

정답 Stellen Sie sich das einmal vor!

2. Setz dich nicht auf den Stuhl da! Der ist nicht bequem. Nimm lieber den Sessel! Der ist besser.

✱ **해석** 저기 저 의자에 앉지 마. 그것은 편안하지 않아. 오히려 이 안락의자를 택해. 그것이 더 좋아.

✱ **어휘** 「setzen sich[4]」 [4격 재귀동사] 앉다 ← setzen [타동사] ...을 앉히다 ▌auf [3·4격 전치사] [1] (3격 지배: 위치) ~위에, ~위에서; [2] (4격 지배: 방향) ~위로 ▌der Stuhl 걸상, 의자 (die Stühl*e*) ▌da 저기(에) ▌bequem 편안한 ▌Nimm ⇒ nehmen [타동사] ...을 취하다 ▌lieber 오히려 ...이 더 낫다 (부사어 gern(e)의 비교급!) ▌der Sessel 안락의자 (die Sessel) ▌besser 더 좋은 (형용사 gut의 비교급!)

문장 1

► 밑줄 친 문장은 4격 재귀동사 「setzen sich[4]」 의 du-명령문임.

즉, 「동사 어간 ...!」 : setz*en* sich[4] → *Setz* dich ...!

<주의> du-명령문의 주어는 du이므로 4격 재귀대명사는 dich임.

☞ 4격 재귀동사 「setzen sich[4]」 의 Sie-명령문은:

「동사 원형 + Sie ...!」 : setz*en* sich[4] → *Setzen Sie* sich ...!

<주의> Sie-명령문의 주어는 Sie이므로 4격 재귀대명사는 sich임.

► 「Setz dich ... *auf* d*en* Stuhl ...!」 :

- '걸상 *위*에'의 의미이므로 3·4격 전치사 auf가 옴.
- 3·4격 전치사 auf가 재귀동사 「setzen sich[4]」 와 결합하여 '... *위로* 앉다'를 뜻함.

  따라서 '방향'을 나타내므로 auf는 *4격 지배!*

  명사 Stuhl은 *남성*이며, 전치사 auf의 *4격* 목적어이므로 *남성 4격!!*

  따라서 *남성 4격* 정관사 d*en*이 앞에 옴.

  <참고 1>

  auf (*붙은* 상태의) '~위' vs. über (*떨어진* 상태의) '~위' :

  Der Brief liegt *auf* dem Schreibtisch. vs. Das Bild hängt *über* dem Schreibtisch.

  그 편지는 책상 *위*에 놓여 있다. 그 그림은 책상 *위*에 걸려 있다.

  <참고 2>

  ① setzen [타동사] ...을 앉히다 / 「setzen sich[4]」 [4격 재귀동사] 앉다 → 3·4격 전치사 *4격* 지배!
  sitzen [자동사] 앉아 있다 → 3·4격 전치사 *3격* 지배!

  ② legen [타동사] ...을 눕히다 / 「legen sich[4]」 [4격 재귀동사] 눕다 → 3·4격 전치사 *4격* 지배!
  liegen [자동사] 누워 있다 → 3·4격 전치사는 *3격* 지배!

  ③ stellen [타동사] ...을 세우다 / 「setzen sich[4]」 [4격 재귀동사] 서다 → 3·4격 전치사 *4격* 지배!
  sitzen [자동사] 앉아 있다 → 3·4격 전치사 *3격* 지배!

문장 2

► 지시대명사 Der는 문장의 주어임. (앞 문장의 남성명사 Stuhl을 받음!)

<참고> 이 Der는 "Der Stuhl"의 축약형으로 볼 수 있음!

문장 3

► 밑줄 친 문장은 동사 nehmen의 du-명령문임.

즉, 「동사 어간 ...!」 : nehm*en* → *Nimm* ...!

동사 nehmen은 불규칙변화 e → i 유형: du nimm*st* / er (sie, es) nimm*t*

따라서 du-명령문의 경우 ***어간 모음이 변화됨!***

☞ 동사 nehmen의 Sie-명령문은:

「동사 원형 + Sie ...!」 : nehm*en* → *Nehmen Sie* ...!

문장 4

► 지시대명사 Der는 문장의 주어임. (앞 문장의 남성명사 Sessel을 받음.)

<참고> 이 Der는 "Der Sessel"의 축약형으로 볼 수 있음!

정답 ① Setzen Sie sich nicht auf den Stuhl da!

② Nehmen Sie lieber den Sessel!

3. Es ist 7 Uhr. Steh(e) auf! Wasch dich und putz dir die Zähne!

✺ **해석** 7시야. 일어나라. 목욕하고 양치질 해라.

✺ **어휘** 「Es ist ... Uhr.」 (시간) ...시이다 → die Uhr 시계 (die Uhr*en*) ▌sieben 7, 일곱 ▌Steh(e) *auf* ⇒ *auf*stehen [분리동사] 일어나다, 기상하다 ← stehen [자동사] 서있다 ▌「waschen sich[4]」 [4격 재귀동사] 목욕하다, 몸을 씻다 ← waschen [타동사] ...을 씻다 ▌「putzen sich[3] die Zähne」 [3격 재귀동사] 양치질하다 ← putzen [타동사] ...을 닦다 ▌der Zahn 이, 치아 (die Zähn*e*)

<참고> waschen (몸, 의복, 자동차) 씻다 / putzen (창문, 벽, 바닥) 닦다 / spülen (그릇) 닦다

문장 1

► 시간을 표현할 경우 주어는 항상 비인칭 주어 es임.

문장 2

► 밑줄 친 문장은 분리동사 *auf*stehen의 du-명령문임.

즉, 「동사 어간 ...!」 : steh*en* ... *auf* → *Steh*(*e*) ... *auf*!

<주의>

steh*en*의 du-명령문: Steh ...! 혹은 Steh*e* ...!

geh*en*의 du-명령문: Geh ...! 혹은 Geh*e* ...!

☞ 분리동사 *auf*stehen의 Sie-명령문은:

「동사 원형 + Sie ...!」 : steh*en* ... *auf* → *Stehen Sie* ... *auf*!

문장 3

► 밑줄 친 문장은 두 개의 du-명령문이 접속사 und에 의해 연결된 형태임.

① 앞의 Wasch dich ...는 4격 재귀동사 「waschen sich[4]」 의 du-명령문임.

즉, 「동사 어간 ...!」 : 「wasch*en* sich[4]」 → *Wasch* dich ...!

<주의> du-명령문의 주어는 du이므로 4격 재귀대명사는 dich임.

② 뒤의 ... putz dir ...는 3격 재귀동사「putz sich³ + 4격」의 du-명령문임.
즉,「동사 어간 ...!」:「putz sich³ ...」 → *putz* dir ...!
<주의> du-명령문의 주어는 du이므로 3격 재귀대명사는 dir임.

☞ ① 4격 재귀동사「waschen sich⁴」의 Sie-명령문은:
「동사 원형 + Sie ...!」: waschen sich⁴ → *Waschen Sie* sich ...!
<주의> Sie-명령문의 주어는 Sie임. 이 경우 3격 및 4격 재귀대명사 모두 sich임.

② 3격 재귀동사「putzen sich³ + 4격」의 Sie-명령문은:
「동사 원형 + Sie ...!」: putzen sich³ ... → *putzen Sie* sich ...!
<주의> Sie-명령문의 주어는 Sie임. 이 경우 4격 및 3격 재귀대명사 모두 sich임.

► *복수*명사 die Zähn*e*는 3격 재귀동사「putz dir ...」의 *4격* 목적어임.

정답 ① Stehen Sie auf!
② Waschen Sie sich und putzen Sie sich die Zähne!

IV. 알맞은 지시대명사 der, die, das ... 를 넣으시오. (11과, 심화문제: 교재 64쪽)

1. Ist der Platz hier frei? - Nein, der ist besetzt.

✵ 해석 여기 이 자리 비었나요? - 아니오, 그 자리는 주인이 있어요.

✵ 어휘 der Platz 자리, 좌석 (die Plätz*e*) ▌hier 여기(에) ▌frei ¹ (자리가) 빈; ² 자유의, 자유로운 ▌besetzt (자리가) 차지된

문장 2

☞ 빈칸에 올 지시대명사는:
앞 문장의 *남성*명사 Platz를 받으며, *주어*이므로 *남성 1격!!*
따라서 *남성 1격* 지시대명사 *der*가 정답임.

<참고 1>
정관사 형태의 지시대명사 d-는 「정관사 + 명사」의 축약형으로 볼 수 있음.
즉, 여기서 지시대명사 der는 “der Platz”에서 명사 Platz를 생략한 형태로 볼 수 있음!
<참고 2> *남성 1격* 인칭대명사 er도 빈칸에 가능함: Nein, *er* ist besetzt.

2. Wie findest du den Mantel? - Den finde ich langweilig! - Und den Rock? - Den finde ich toll!

✵ 해석 너는 이 외투를 어떻게 생각하니? - 나는 그것이 단조롭다고 생각해. - 그러면 이 치마는 (어떠니)? - 그것은 아주 멋지다고 생각해!

✷ **어휘** wie 어떻게? (영. how?) ▌「Wie findest du + 4격?」 (의견 문의) ...을 어떻게 생각하는가? -「Ich finde + 4격 + 형용사」 (의견 표명) 나는 *4격*이 ...하다고 생각한다 ▌der Mantel 외투, 오버코트 (die Mäntel) ▌langweilig 심심한, 단조로운 ▌der Rock 치마 (die Röck*e*) ▌toll (구어체) 매우 좋은 (= prima, super)

문장 1

► 동사 fin*d*en은 어간 끝이 -d이므로 주어가 du일 때 발음상 -e- 첨가됨: ... find*est du* ...? (즉, find*st* 아님!)

문장 2

☞ 빈칸에 올 지시대명사는:

앞 문장의 *남성*명사 Mantel을 받으며, 동사 finde의 *4격* 목적어이므로 *남성 4격!!*

따라서 *남성 4격* 지시대명사 *Den*이 정답임.

「정관사 + 명사」, 즉 "***Den*** (Mantel)"의 축약형으로 볼 수 있음!

<참고> *남성 4격* 인칭대명사 ihn도 빈칸에 가능함: *Ihn* finde ich langweilig!

문장 3

► 축약된 문장임. 완전한 형태는: Und (wie findest du) den Rock?

문장 4

☞ 빈칸에 올 지시대명사는:

앞 문장의 *남성*명사 Rock을 받으며, 동사 finde의 *4격* 목적어이므로 *남성 4격 !!*

따라서 *남성 4격* 지시대명사 *Den*이 정답임.

「정관사 + 명사」, 즉 "***Den*** (Rock)"의 축약형으로 볼 수 있음!

<참고> *남성 4격* 인칭대명사 ihn도 빈칸에 가능함: *Ihn* finde ich toll!

3. Ich nehme diese Jacke hier. <u>Die</u> sieht schick aus.

✷ **해석** 나는 여기 이 재킷을 택하겠어. 그것은 세련되어 보여.

✷ **어휘** nehmen [타동사] ...을 택하다, 취하다 ▌dies- [지시대명사] 이 ... (정관사 어미변화!) ↔ jen- 저 ... (영. that) ▌die Jacke 재킷 (die Jacke*n*) ▌hier 여기(에) ▌s**ie**ht ... *aus* ⇒ *aus*sehen [분리동사] (외모가) ...해 보이다 ▌schick 세련된, 멋진

문장 1

►「dies*e* Jacke」:

명사 Jacke는 *여성*이며, 동사 nehme의 *4격* 목적어이므로 *여성 4격!!*

따라서 dies-는 *여성 4격* 정관사 di*e*처럼 어미변화 하여 dies*e*임.

문장 2

☞ 빈칸에 올 지시대명사는:

앞 문장의 *여성*명사 Jacke를 받으며, 문장의 *주어*이므로 *여성 1격!!*

따라서 *여성 1격* 지시대명사 *Die*가 정답임.

「정관사 + 명사」, 즉 "***Die*** (Jacke)"의 축약형으로 볼 수 있음!

<참고> *여성 1격* 인칭대명사 sie도 빈칸에 가능함: *Sie* sieht schick aus!

► 분리동사 *aus*sehen = 분리전철 *aus*- + 동사 sehen
sehen은 불규칙변화 e → ie 유형: du sieh*st* ; er (sie, es) sieh*t*
따라서 분리동사 *aus*sehen 역시 불규칙변화 e → ie 유형:
du sieh*st* ... *aus* ; er (sie, es) sieh*t* ... *aus*
→ 따라서 주어가 여성의 Die(= sie)이므로 어간 모음이 변화하여 sieh*t* ... *aus*임.

4. Gefällt Ihnen das Kleid nicht? - Doch, das gefällt mir gut, aber es ist zu kurz.

✸ **해석** 이 원피스가 마음에 들지 않나요? - 천만에요, 매우 마음에 들지만 너무 짧네요.

✸ **어휘** Gefällt ⇒ 「gefallen + 3격(사람)」 누구의 마음에 들다 ▌das Kleid 원피스, 드레스 (die Kleid*er*) ▌doch 천만에요, 아니오 (부정 질문에 대한 긍정 답변!) ▌gut 좋은, (부사적) 좋게 ▌aber [접속사] 그러나 ▌「zu + 형용사」 너무 ...한 : zu kurz 너무 짧은 ▌kurz 짧은 ↔ lang 긴

문장 1

► 동사 *ge*fallen = 접두어 *ge*- + 동사 fallen
fallen은 불규칙변화 a → ä 유형: du fäll*st* ; er (sie, es) fäll*t*
따라서 *ge*fallen 역시 불규칙변화 a → ä 유형: du gefäll*st* ; er (sie, es) gefäll*t*
→ 따라서 주어가 das Kleid, 즉 es에 해당하므로 동사는 어간 모음 변화하여 Gefäll*t*임.

► Sie('당신')의 3격 형 Ihnen은 동사 Gefällt의 3격 목적어임.

► 어순: 여기서 Ihnen은 인칭*대명사*이므로 일반 명사인 주어 das Kleid 앞에 위치함!

문장 2

► 앞의 질문이 부정문임! 따라서 부정 질문에 대한 긍정 답변이므로 Doch가 사용됨.

☞ 빈칸에 올 지시대명사는:
앞 문장의 *중성*명사 das Kleid를 받으며, 문장의 *주어*이므로 *중성 1격!*
따라서 *중성 1격* 지시대명사 *das*가 정답임.
「정관사 + 명사」, 즉 "***Das*** (Kleid)"의 축약형으로 볼 수 있음!

<참고> *중성 1격* 인칭대명사 es도 빈칸에 가능함: Doch, *es* gefällt mir gut ...

► 동사 *ge*fallen은 불규칙변화 a → ä 유형: du gefäll*st* ; er (sie, es) gefäll*t*
여기서는 중성의 das(= es)가 주어이므로 동사는 어간 모음이 변화하여 gefäll*t*임.

► ich의 3격 형인 mir는 동사 gefällt의 3격 목적어임.

► 접속사 aber 뒤의 es는 동사 ist의 주어임.
(앞서 나온 지시대명사 das와 마찬가지로 앞 문장의 중성명사 das Kleid를 받음.)

5. Wir haben oft Gäste. Die bleiben manchmal ziemlich lange bei uns.

✸ **해석** 우리는 자주 손님들을 맞이해. 간혹 그들은 상당히 오랫동안 우리 집에 머물러.

✺ **어휘** oft 자주 ▌ der Gast 손님 (die Gäst*e*) ▌ bleiben 머무르다 ▌ manchmal 간혹, 때때로 ▌ ziemlich 꽤, 상당히 ▌ lange 오랫동안 ▌「3격 전치사 bei + 사람」 (위치) 누구에게서, 누구 집에서

문장 1

► *복수*명사 Gäst*e*는 동사 haben의 4격 목적어임.
내용상 '특정 손님들'이 아니라 막연히 '손님들'을 뜻하므로 원래 부정관사가 와야 하지만, *복수*이므로 관사 없음!

문장 2

☞ 빈칸에 올 지시대명사는:
앞 문장의 *복수*명사 Gäste를 받으며, 문장의 *주어*이므로 *복수 1격!!*
따라서 *복수 1격* 지시대명사 *Die*가 정답임.
「정관사 + 명사」, 즉 "***Die*** (Gäste)"의 축약형으로 볼 수 있음!
<참고> *복수 1격* 인칭대명사 sie('그들은')도 빈칸에 가능함: *Sie* bleiben manchmal ...

► 3격 전치사 bei의 목적어이므로 wir의 3격 형 uns가 사용됨.

unit 03

마무리 문제

I. 괄호 안의 낱말을 사용하여 독일어로 옮기시오. (11과, 마무리문제: 교재 65쪽)

1. 식사 전에는 손을 씻는다.

(man, das Essen, vor, Hand, sich³ waschen)

✵ 어휘 man [부정대명사] 사람들은 (단수 3인칭 er 취급!) (영. people, one) ▌das Essen 식사 (die Essen) ▌vor [3·4격 전치사] (3격 지배: 시간) ~전에 ▌die Hand 손 (die Hände) ▌「waschen + 4격」 [타동사] ...을 씻다, 세탁하다 (단수 2, 3인칭 불규칙 변화: du wäschst ; er wäscht) → 「waschen sich³ + 4격」 [3격 재귀동사] (신체 일부) ...을 씻다 ; 「waschen sich⁴」 [4격 재귀동사] 목욕하다

정답 Vor dem Essen wäscht man sich die Hände.

► 특정인이 아닌 일반적인 사람들에 대한 내용이므로 주어는 man이 되어야 함.
(따라서 우리말 표현에서는 주어가 생략되어 있음!)
주어인 man은 er처럼 취급하므로 동사 waschen은 불규칙 변화 하여 wäscht임.

► 주어가 man일 경우 3격 및 4격 재귀대명사 모두 sich임.

2. 나는 점차 독일 날씨에 익숙해진다.

(ich, langsam, an, in, das Wetter, Deutschland, sich gewöhnen)

✵ 어휘 langsam [형용사] 느린, (부사적) 천천히 ↔ schnell 빠른, 빨리 ▌in [3·4격 전치사] ¹ (3격 지배: 위치) ~안에(서) ; ² (4격 지배: 방향) ~안으로 ▌das Wetter 날씨 (항상 단수!) ▌「gewöhnen sich⁴ an + 4격」 [4격 재귀동사] ...에 익숙해지다

정답 Ich gewöhne mich langsam an das Wetter in Deutschland.

► 주어가 Ich일 경우 4격 재귀대명사는 mich임.

► 「... Wetter *in* Deutschland」 :
3·4격 전치사 in은 바로 앞에 위치한 명사 Wetter를 수식하여 "독일 *안에 있는* 날씨",
즉 "독일 날씨"를 뜻함. 따라서 in은 3격 지배임.
(Deutschland는 고유명사이므로 관사 없음!)

3. 가난한 이웃들을 도와주어라.

(arm, die Mitmenschen, helfen)

✺ 어휘 arm 가난한 (↔ reich 부유한) ▌der Mitmensch (같은 사회에 함께 사는 사람) 이웃, 동포 (die Mitmensch*en*) (주로 복수!) ▌「helfen + 3격(사람)」 누구를 돕다 (3격 요구 동사!) (동사 helfen은 단수 2, 3인칭 불규칙 변화: du hilf*st* ; er hilf*t*)

<참고> der *Mit*arbeiter 동료 노동자, der *Mit*bewohner 동료 주민, der *Mit*bürger 동료 시민, der *Mit*schüler 동료 학생

정답 Hilf den armen Mitmenschen!

► 우리말 "... *도와주어라*" → du-명령문 형식「동사 어간 ...!」: Hil*f* ...!

<주의> 유형 e → ie 및 e → i 인 불규칙 동사는 du-명령문에서 어간 모음이 변화 함!

►「d*en* arm*en* Mitmensch*en*」:

• 명사 Mitmensch*en*은 *복수*이며, 동사 Hilf의 *3격* 목적어이므로 *복수 3격!!*
 따라서 *복수 3격* 어미 *-en*을 지닌 정관사 d*en*이 앞에 옴.

• 형용사 arm 앞에 *복수 3격* 정관사 d*en*이 있음.
 → 따라서 d*en* arm*en* ...
 (근거: 3격 어미 *-em*(남성, 중성), *-er*(여성), *-en*(복수) 뒤에 오는 형용사는 모두 *-en*임)

• 명사의 복수 3격은 형태가 *-n*이어야 함.
 여기서 Mitmensch*en*은 *복수 3격*인데 자체 형태가 이미 *-n*임.

4. 그는 자신의 손님에게 한 잔의 커피를 더 준다.

(er, ein-, Gast, Tasse, noch, sein-, Kaffee, geben)

✺ 어휘 der Gast 손님 (die Gäst*e*) ▌die Tasse 찻잔 (die Tasse*n*) ▌noch [부사어] 아직, 여전히 ▌der Kaffee 커피 (물질명사로서 복수 없음!) ▌「geben + 3격(사람) + 4격」 누구에게 ...을 주다 (동사 geben은 단수 2, 3인칭 불규칙 변화: du gi*bst* ; er gi*bt*)

정답 Er gibt seinem Gast noch eine Tasse Kaffee.

► 주어가 "그는", 즉 Er이므로 동사 geben은 불규칙 변화 하여 gib*t*임.

► "그는 *자신의* 손님에게" → "그는 *그의* 손님에게"
 따라서 소유대명사 sein-이 사용됨.
 「sein*em* Gast」:
 명사 Gast는 *남성*이며, 동사 gibt의 *3격* 목적어이므로 *남성 3격!!*
 따라서 sein-('그의')은 *남성 3격* 어미 *-em*이 붙어 sein*em*임.

► Kaffee는 셀 수 없는 물질명사이므로 '한 개'를 뜻하는 부정관사 ein-과 결합하지 못함.
 명사 Tasse('찻잔')를 단위로 양을 헤아릴 수 있음:
 eine Tasse Kaffee 한 잔의 커피 / zwei Tasse*n* Kaffee 두 잔의 커피

► 여기서 부사어 noch는 시간적 의미가 아님!
 오히려 "(*다 끝나지 않고*) 아직 ..."이라는 의미에서 "(*추가로*) ...을 *더*"로 이해하여야 함.

5. 한반도의 경치가 얼마나 마음에 드세요? - 매우 마음에 듭니다.

(die koreanische Halbinsel, auf, die Landschaft, wie, Ihnen, gefallen)

(die, sehr gut, mir, gefallen)

✺ 어휘 koreanisch [형용사] 한국의 <주의> Koreanisch [고유명사] 한국어 ▌die Halbinsel 반도 (die Halbinsel*n*) → halb [형용사] 반의, 1/2의 + die Insel 섬 (die Insel*n*) ▌auf [3·4격 전치사] [1] (3격 지배: 위치) ~위에(서) ; [2] (4격 지배: 방향) ~위로 ▌die Landschaft 경치, 지형 (die Landschaft*en*) (영. landscape) ▌wie [의문사] 어떻게? ▌「gefallen + 3격(사람)」 누구에게 마음에 들다 (동사 gefallen은 단수 2, 3인칭 불규칙 변화: du gefäll*st* ; er gefäll*t*) <참고> fallen [자동사] 떨어지다 (du fäll*st* ; er fäll*t*) ▌sehr 아주, 매우 ▌gut [형용사] 좋은, (부사적) 잘

<참고> 형태가 *-schaft*인 명사는 모두 *여성*이며, 복수형은 *-en*임:
die Freund*schaft* 우정 (대부분 단수!) /
die Gewerkschaft 노동조합 (die Gewerkschaft*en*)

정답 Wie gefällt Ihnen die Landschaft auf der koreanischen Halbinsel?
- Die gefällt mir sehr gut.

문장 1

► 주어는 "경치가", 즉 die Landschaft이므로 여성의 sie('그녀는')에 해당함.
따라서 동사 gefallen은 불규칙 변화 하여 gefäll*t*임.

► 동사 gefällt의 3격 목적어이므로 Sie('당신은')의 3격 형인 Ihnen이 사용됨.
어순 규칙: Ihnen은 3격 인칭*대명사*이므로 일반 명사인 주어 die Landschaft보다 앞에 옴.

► 「... Landschaft *auf* d*er* koreanisch*en* Halbinsel」 :

- 3·4격 전치사 auf는 바로 앞의 명사 Landschaft를 수식하여 "한반도 *위에 있는* 경치", 즉 "한반도의 경치"를 뜻함. 따라서 auf는 *3격* 지배임.
- 명사 Landschaft는 *여성*이며, 전치사 auf의 *3격* 목적어이므로 *여성 3격!!*
  따라서 *여성 3격* 어미 *-er*를 지닌 정관사 d*er*가 앞에 옴.
- 형용사 koreanisch 앞에 *여성 3격* 정관사 d*er*가 있음.
  → 따라서 auf d*er* koreanisch*en* ...
  (근거: 3격 어미 *-em*(남성, 중성), *-er*(여성), *-en*(복수) 뒤에 오는 형용사는 모두 *-en*임)

문장 2

► 정관사 형태의 지시대명사 Die가 사용됨:
앞 문장의 *여성*명사 die Landschaft를 받으며, *주어*이므로 *여성 1격!!*
따라서 *여성 1격* 지시대명사 *Die*가 사용됨.
<참고> 여기서 Die는 "*Die* (Landschaft)"의 축약형으로 볼 수 있음.

► 주어인 지시대명사 Die는 여성 인칭대명사 sie('그녀는')와 동일하므로
동사 gefallen은 불규칙 변화 하여 gefäll*t*임.

► 동사 gefällt의 3격 목적어이므로 ich의 3격 형인 mir가 사용됨.

II. 잘못된 부분(들)을 고쳐서 다시 적으시오. (11과, 마무리문제: 교재 65쪽)

1. Mutter regt sich über meinem[오류1] Bruder auf. - Worüber[오류2]? - Na, über Stefan!

✸ **해석** 어머니가 내 남동생에 대해 격분하고 있어. - 누구에 대해서? - 그게 말이야... , 슈테판에 대해서야.

✸ **어휘** die Mutter 어머니 (die Mütter) ▌regt ... *auf* ⇒ *auf*regen : 「regen sich⁴ + über + 4격 ... *auf*」 [분리동사&4격 재귀동사] ...에 대해 격분하다, 흥분하다 <참고> 「주어(사물) + regen + 4격(사람) ... *auf*」 [분리동사&타동사] *주어는* 누구를 격분시키다, 흥분시키다 ▌「über + 4격」 ...에 대하여 ▌na [감탄사] (구어체) 보통 짧게 줄인 문장 앞에 사용되며, 개인적 감정, 특히 초조함이나 불만, 거부, 체념 등 부정적 느낌을 표현함. ("어, 저, 글쎄, 그게 ..." 등등 해당 상황에 따라 다양하게 해석됨.) (영. 감탄사 well) ▌der Bruder 남자 형제 (die Brüder) ▌worüber [의문사] 무엇에 대하여? → 전치사 über + 의문사 was

<오류> 1

문장 형식 「regen sich⁴ + über + 4격 ... *auf*」 에 따라 전치사 über 뒤에는 4격이 와야 옳음! (여기서는 über 뒤에 3격이 오는 오류를 보임.)

<오류> 2

"wo(*r*)- + 전치사" 형태의 의문사는 '사물'에 대해서만 사용함. ('사람'에 대해서는 사용 못함.)

정답 Mutter regt sich über mein*en* Bruder auf. - *Über wen*? - Na, über Stefan!

문장 1

- 주어가 Mutter, 즉 여성의 sie('그녀는')에 해당하므로 4격 재귀대명사는 sich임
  <참고> 주어가 3인칭 단수, 즉 er, sie('그녀는'), es일 경우 3격 및 4격 재귀대명사 모두 sich임.
- 분리동사 *auf*regen의 전철 *auf*는 분리되어 문장 맨 뒤에 옴.
- 「über mein*en* Bruder」 :
  명사 Bruder는 *남성*이며, 전치사 über의 *4격* 목적어이므로 *남성 4격!!*
  따라서 소유대명사 mein-('나의')은 *남성 4격* 부정관사 ein*en*처럼 어미변화 하여 mein*en*임.

문장 2

- 축약된 문장임. 완전한 형태는: Über wen (regt sie sich auf)?
- '사람'에 대하여 묻고 있으므로 의문사 was가 아니라 wer가 와야 함.
  전치사 Über와 결합하므로 wer의 4격 형 wen이 사용됨.

문장 3

- "Na, über Stefan"은 축약된 형태임. 완전한 형태는: Na, (sie regt sich) über Stefan (auf)!

2. Das hier ist meiner[오류1] Großvater. - Erzähl mir davon[오류2]!

✺ **해석** 여기 이것은 나의 할아버지이셔. - 그에 대해서 얘기해 봐.

✺ **어휘** das [지시대명사] 이것, 저것, 그것 ▌hier [부사어] 여기 ▌der Großvater 할아버지 (die Großväter) ↔ die Großmutter 할머니 (die Großmütter) ▌「erzählen + 3격(사람) + von + 3격」 누구에게 ...에 대해 이야기하다 <참고> 「erzählen + 3격(사람) + 4격」 누구에게 ...을 이야기하다 ▌davon 그것에 대해서 → von [3격 전치사] ~에 대해서 + das [지시대명사] 그것

<오류> 1

소유대명사 mein-('나의')의 어미변화 방식이 옳지 않음!

<오류> 2

"da(r)- + 전치사" 형태는 '사물'에 대해서만 사용함. ('사람'에 대해서는 사용 못함.)

정답 Das hier ist *mein* Großvater. - Erzähl mir *von ihm*!

문장 1

► Das hier("여기 이것")는 대화 상황 안에 실제로 놓여있는 대상을 가리키는 표현임.

► 「*mein* Großvater」 :

명사 Großvater는 *남성*이며, 동사 ist의 *주격* 보어이므로 *남성 1격*!!

따라서 소유대명사 mein-('나의')은 *남성 1격* 부정관사 ein_처럼 어미 없이 mein_임.

문장 2

► du-명령문 「동사 어간 ...!」 ... 해라 : erzähl*en* → *Erzähl* ...!

► 동사 Erzähl의 3격 목적어이므로 ich의 3격 형인 mir가 사용됨.

► 3격 전치사 von과 결합하므로 er의 3격 형인 ihm이 사용됨.

3. Man geht zuerst über der[오류1] Brücke. Dann sieht er[오류2] einen großen Baum.

✺ **해석** 우선 다리를 건너갑니다. 그러면 커다란 나무 한 그루를 보게 되지요.

✺ **어휘** man [부정대명사] 사람들은 (항상 주어임. 단수 3인칭 er 취급함.) ▌gehen [자동사] 가다 ▌zuerst [부사어] 우선, 먼저 (영. first, at first) ▌über [3·4격 전치사] [1] (3격 지배: 위치) ~위에, ~위에서 ; [2] (4격 지배: 방향) ~위로, ~을 건너서 (영. over) ▌die Brücke 다리, 교량 (die Brücke*n*) ▌dann [부사어] 그 다음에, 그러면 (= danach) (영. then) ▌sieh*t* ⇒ sehen [타동사] ...을 보다 (단수 2, 3인칭 불규칙 변화: du sieh*st* ; er sieh*t*) ▌groß 큰, 커다란 ▌der Baum 나무 (die Bäum*e*)

<오류> 1

3·4격 전치사 über가 '~을 건너서'라는 의미이므로 4격 지배이어야 옳음!
(여기서는 über 뒤에 3격이 오는 오류를 보임.)

<오류> 2

부정대명사 man('사람들은')은 특정인이 아니므로 인칭대명사 er('그는')로 받을 수 없음.
man을 받을 경우는 다시 man을 반복해서 사용함.

<주의> 물론 man의 문법적 성격은 er에 일치함!

① man은 er의 경우처럼 동사 어미변화가 이루어짐: Er geh*t* ... → Man geh*t* ...

② man은 er의 경우처럼 3격 및 4격 재귀대명사가 모두 sich임

정답 Man geht zuerst über *die* Brücke. Dann sieht *man* einen großen Baum.

문장 1

► 주어인 man은 3인칭 단수 er처럼 취급하므로 동사 gehen의 형태는 geh*t*임.

► 「über di*e* Brücke」:

명사 Brücke는 *여성*이며, 전치사 über의 *4격* 목적어이므로 *여성 4격!!*

따라서 *여성 4격* 정관사 di*e*가 앞에 옴.

문장 2

► 「zuerst ..., dann ...」 우선은 ..., 그 다음은 ...

► 주어인 man은 er처럼 취급하므로 동사 sehen은 불규칙 변화 하여 sieh*t*임.

► 「ein*en* groß*en* Baum」:

- 명사 Baum은 *남성*이며, 동사 sieht의 *4격* 목적어이므로 *남성 4격!!*
  따라서 *남성 4격* 부정관사 ein*en*이 앞에 옴.
- 형용사 groß 앞에 *남성 4격* 부정관사 ein*en*이 있음.
  → 따라서 ein*en* groß*en* ...
  (근거: 남성 4격 d*en*, ein*en*, mein*en*, ihr*en*, kein*en*, dies*en* + 형용사 *-en*)

4. Sprech[오류1] laut und deutlich. Ich verstehe dir[오류2] nicht.

✺ **해석** 크고 분명하게 말해라. 나는 네 말을 이해하지 못하겠어.

✺ **어휘** Sprich ⇒ sprechen [자동사] 말하다 (단수 2, 3인칭 불규칙 변화: du sprich*st* ; er sprich*t*) ▌laut [형용사] 소리가 큰, (부사적) 큰 소리로 ▌deutlich [형용사] 분명한, 명확한, (부사적) 분명히, 명확하게 (영. clear, clearly) ▌verstehen [타동사] ...을 이해하다

<오류> 1

동사 sprechen은 어간 모음 변화 유형 e → i 인 불규칙 동사임.
따라서 sprechen의 du-명령문은 Sprich ...! 이어야 옳음.

<오류> 2

타동사 verstehen의 목적어이므로 du의 4격 형 dich가 사용되어야 옳음!
(여기서는 3격 형 dir가 사용되는 오류를 보임.)

정답 *Sprich* laut und deutlich. Ich verstehe *dich* nicht.

문장 1

► du-명령문 형식은「동사 어간 ...!」: sprech*en* → Sprich ...!
(명령문은 느낌표(!)를 사용하는 것이 일반적이지만 마침표(.)도 가능함.)
<주의> 유형 e → ie 및 e → i 인 불규칙 동사는 du-명령문에서 어간 모음이 변화 함!

문장 2

► 어순 규칙: 4격 인칭*대명사*인 dich는 부사어 nicht보다 앞에 위치해야 함.
(즉, Ich verstehe *nicht dich*는 틀림!)

5. Schläf[오류] doch endlich ein!

✺ **해석** (그러지 말고) 제발 잠들어라.

✺ **어휘** Schlaf ... *ein* ⇒ *ein*schlafen [분리동사] 잠들다 (단수 2, 3인칭 불규칙 변화: du schläf*st* ... *ein* ; er schläf*t* ... *ein*) (영. fall asleep) ▌doch [부사어] 명령문에서 요구 내용을 강조함. ("그러지 말고" 등으로 해석함.) ▌endlich [부사어] [1] 명령문 등에서 초조함이나 간절함을 나타내는 표현. ("제발") ; [2] (오랜 기다림 끝에) 드디어, 마침내 (영. at last)

<오류>
분리동사 schlafen ... *ein*은 어간 모음 변화 유형 a → ä 인 불규칙 동사임.
그렇지만 du-명령문은 어간 모음 변화 없이 Schlaf ... *ein*! 이어야 옳음.

정답 *Schlaf* doch endlich ein!

► du-명령문 형식은「동사 어간 ...!」: schlaf*en* ... *ein* → Schlaf ... *ein*!
<주의> 유형 a → ä 인 불규칙 동사는 du-명령문에서 어간 모음이 변화하지 않음!

6. Käuf[오류1] keinen Pullover, sondern ein Hemd! Der[오류2] ist nicht teuer, sondern sehr billig.

✺ **해석** 스웨터를 사지 말고 셔츠를 사라. 그것이 비싸지 않고 아주 저렴해.

✺ **어휘** kaufen [타동사] ...을 사다 (영. buy) ▌der Pullover 스웨터 (die Pullover) ▌「kein- ..., sondern ...」, 「nicht ..., sondern ...」 ...이 아니라 ...이다 (영. not ..., but ...) ▌das Hemd 셔츠, 와이셔츠 (die Hemd*en*) ▌teuer 비싼 ▌sehr [부사어] 매우, 아주 ▌billig 값싼, 저렴한

<오류> 1
동사 kaufen은 규칙변화 동사임. 따라서 du-명령문은 Kauf ...! 이어야 옳음!

<오류> 2
내용상 앞에 나온 중성명사 Hemd를 받는 중성 지시대명사 Das가 사용되어야 옳음!
(여기서는 남성명사 Pullover를 받는 남성 지시대명사 Der가 사용되는 오류를 보임!)

정답 *Kauf* keinen Pullover, sondern ein Hemd! *Das* ist nicht teuer, sondern sehr billig.

문장 1

► 「kein*en* Pullover」:
명사 Pullover는 *남성*이며, 동사 Kauf의 *4격* 목적어이므로 *남성 4격*!!
따라서 kein-은 *남성 4격* 부정관사 ein*en*처럼 어미변화 하여 kein*en*임.

문장 2

► 정관사 형태 지시대명사 Das가 사용됨:
앞에 나온 *중성*명사 Hemd를 받으며, 문장의 *주어*이므로 *중성 1격*!!
따라서 *중성 1격* 지시대명사 *Das*가 사용됨.
<참고> 여기서 Das는 "*Das* (Hemd)"의 축약형으로 볼 수 있음.

Lektion 12

화법조동사 (1) :

können, müssen, wollen

unit 01

기초문제

I. 화법조동사 können, müssen, wollen의 알맞은 형태는? (12과, 기초문제: 교재 68쪽)

1. Kann*st* du Klavier spielen?

✹ **해석** 너 피아노 칠 수 있니?

✹ **어휘** Kannst ⇒「können ... 동사 원형」[화법조동사] ...할 수 있다 ▌das Klavier [-'viːɐ] 피아노 (die Klavier*e*) ▌spielen ...을 연주하다

☞ • 주어가 단수일 때 화법조동사는 불규칙 변화!
können → ich kann / du kann*st* / er (sie, es) kann
• 여기서는 주어가 du이므로 정답은 Kann*st*임.
(화법조동사 문장 맨 뒤는 동사 원형이 옴: Kann*st* du ... *spielen*?)

► Klavier spielen 피아노를 치다 ('악기'의 경우 관사 없음!)
die Gitarre 기타 → Gitarre spielen 기타를 연주하다
die Geige 바이올린 → Geige spielen 바이올린을 연주하다

2. Mein Freund macht morgen Examen. Er kann nicht zu uns kommen.

✹ **해석** 나의 친구는 내일 졸업시험을 치른다. 그는 우리에게 올 수 없다.

✹ **어휘** der Freund 친구, 남자 친구 (die Freund*e*) ▌das Examen 시험, 졸업시험 (die Examen) → Examen machen 졸업시험을 치르다 ▌kann ⇒「können ... 동사 원형」[화법조동사] ...할 수 있다 ▌「zu + 사람(3격)」 (방향) 누구에게로 ▌kommen 오다

문장 1

►「*Mein* Freund」:
명사 Freund는 *남성*이며, 이 문장의 *주어*이므로 *남성 1격!!*
따라서 소유대명사 Mein-은 *남성 1격* 부정관사 ein_처럼 어미 없이 Mein_임.

문장 2

☞ • 주어가 단수일 때 화법조동사는 불규칙 변화!
können → ich kann / du kann*st* / er (sie, es) kann
• 여기서는 주어가 Er이므로 정답은 kann임.
(화법조동사 문장 맨 뒤는 동사 원형이 옴: Er kann ... *kommen*.)

► 3격 전치사 zu와 결합하므로 wir의 3격 형 uns가 옴: zu uns 우리에게로

3. Guten Tag, hier ist Peter Klage. Kann ich bitte Herrn Müller sprechen?

✺ **해석** 안녕하세요, 저는 페터 클라게입니다. 뮐러씨와 통화할 수 있을까요?

※ 전화 통화에서 이루어지는 내용이다.
먼저 "Guten Tag, hier ist ..."라고 하며 인사와 함께 자신이 누구인지 밝히고, 이어서 "Kann ich ... sprechen?"이라고 하며 통화하고 싶은 사람의 소재를 묻는 것은 전형적인 표현 방식이다.

✺ **어휘** 「Hier ist ...」 = 「Hier spricht ...」 (전화 통화에서 자신을 소개하는 표현) 저는 ...입니다 ▌ kann ⇒ 「können ... 동사 원형」 [화법조동사] ...할 수 있다 ▌ 「sprechen + 4격(사람)」 누구와 이야기 나누다 (= 「unterhalten sich[4] mit + 3격(사람)」)

문장 2

☞ • 주어가 단수일 때 화법조동사는 불규칙 변화!
können → ich kann / du kann*st* / er (sie, es) kann

• 여기서는 주어가 ich이므로 정답은 Kann임.
(화법조동사 문장 맨 뒤는 동사 원형이 옴: Kann ich ... *sprechen*?)

► Herr*n* Müller는 동사 sprechen의 4격 목적어임.
<주의> 명사 Herr는 단수에서 주어 1격을 제외한 단수 2, 3, 4격 모두가 Herr*n*임.

4. Könn*en* Sie mir helfen? Ich suche für meine kleine Tochter eine Puppe mit langen Haaren.

✺ **해석** 저를 도와주실 수 있나요? 저는 제 어린 딸을 위해 긴 머리를 가진 인형을 찾고 있어요.

※ 상점에서 고객이 점원에게 도움을 청하는 내용이다.
먼저 "Können Sie mir helfen?"이라고 도움을 청하고, 이어서 "Ich suche ..."라고 하여 자신이 찾는 물품을 말하는 것은 전형적인 표현 방식이다.

✺ **어휘** 「können ... 동사 원형」 [화법조동사] ...할 수 있다 ▌ 「helfen + 3격(사람)」 누구를 돕다 (3격 요구 동사!) ▌ suchen [타동사] ...을 찾다, 구하다 ▌ für [4격 전치사] ~을 위해 ▌ klein 작은, 어린 ▌ die Tochter 딸 (die T**ö**chter) ▌ die Puppe 인형 (die Puppe*n*) ▌ mit [3격 전치사] [1] ~을 가진; [2] ~와 함께 ▌ lang 긴 ▌ das Haar 머리카락 (die Haar*e*)

문장 1

☞ • 주어가 복수 및 Sie('당신은')일 때 화법조동사는 규칙 변화!
können → wir könn*en* / ihr könn*t* / sie, Sie könn*en*

• 여기서는 주어가 Sie('당신은')이므로 정답은 Könn*en*임.
(화법조동사 문장 맨 뒤는 동사 원형이 옴: Könn*en* Sie ... *helfen*?)

► 3격 요구 동사 helfen의 목적어이므로 ich의 3격 형 mir가 사용됨.

문장 2

► 「für mein*e* klein*e* Tochter」 :

• 명사 Tochter는 *여성*이며, *4격* 전치사 für의 목적어이므로 *여성 4격!*

- 소유대명사 mein-은 *여성 4격* 부정관사 eine처럼 어미변화하여 meine임.
- 형용사 klein 앞에 *여성*의 eine에 일치하는 meine가 있음.
  → 따라서 meine kleine ...
  (근거: 여성 1, 4격 die, eine, meine, ihre, unsere, keine, diese + 형용사 -e)

► 「mit langen Haaren」:
- 명사 Haare는 *복수*이며, *3격* 전치사 mit의 목적어이므로 *복수 3격!!*
- 형용사 lang은 앞에 관사가 없으므로 *정관사* 어미변화!
  따라서 *복수 3격* 정관사 den처럼 어미변화 하여 langen임.
- 명사의 *복수 3격*은 형태가 *-n*임.
  따라서 Haare는 *복수 3격*이므로 어미 -n이 붙어 Haaren임.
  <주의> 특별히 "머리카락 1개"를 뜻할 경우는 단수형 Haar를 사용할 수 있지만,
  막연히 "머리(카락)"을 뜻할 경우 보통은 복수형 Haare가 사용됨.

5. Gehen wir jetzt einkaufen? - Gleich, ich muss vorher noch telefonieren.

✸ **해석** 지금 쇼핑하러 갈까? - 잠시 후에 (가자), 나는 그에 앞서 전화 통화 해야만 해.

✸ **어휘** gehen 가다 ▌*ein*kaufen [분리동사] 쇼핑하다 ▌「gehen ... 동사 원형」...하러 가다 : gehen ... einkaufen 쇼핑하러 가다 ▌gleich 곧, 즉시 (= sofort) ▌muss ⇒ 「müssen ... 동사 원형」 [화법조동사] ... 해야 한다 ▌vorher 그 전에 (↔ nachher 나중에) ▌telefonieren 전화 통화하다

문장 1

► 분리동사가 문장 맨 뒤에 원형으로 올 경우는 분리되지 않음:
Gehen wir ... *ein*kaufen? (즉, Gehen wir ... *ein* kaufen? 아님!)

문장 2

☞ • 주어가 단수일 때 화법조동사는 불규칙 변화!
  müssen → ich muss / du muss*t* / er (sie, es) muss
- 여기서는 주어가 ich이므로 정답은 muss임.
  (화법조동사 문장 맨 뒤는 동사 원형이 옴: ... ich muss ... *telefonieren*.)

6. Rita ist krank. Sie muss zu Haus bleiben.

✸ **해석** 리타는 아파. 그녀는 집에 머물러 있어야 해.

✸ **어휘** krank 아픈 (↔ gesund 건강한) ▌muss ⇒ 「müssen ... 동사원형」 [화법조동사] ... 해야 한다 ▌zu Haus(e) 집에, 집에서 ▌bleiben 머무르다, 머물러 있다

문장 2

☞ • 주어가 단수일 때 화법조동사는 불규칙 변화!
  müssen → ich muss / du muss*t* / er (sie, es) muss

• 여기서는 주어가 여성의 sie('그녀는')이므로 정답은 muss임.
(화법조동사 문장 맨 뒤는 동사 원형이 옴: Sie muss ... bleiben.)

7. Hier spricht man nur Deutsch. Du muss*t* Deutsch lernen.

✱ **해석** 여기서는 사람들이 오로지 독일어만 사용해. 너는 독일어를 배워야 해.

✱ **어휘** spricht ⇒ sprechen [타동사] ...을 말하다 (단수 2, 3인칭 불규칙 변화: du sprich*st* ; er sprich*t*) ▌man 사람들은 (항상 주어임, 단수 취급) (영 people) ▌nur 단지, 오로지 ▌muss*t* ⇒ 「müssen ... 동사 원형」 [화법조동사] ... 해야 한다 ▌lernen [타동사] ...을 배우다

문장 1

► 부정대명사 man은 '사람들'을 뜻하지만 단수 3인칭의 er('그는') 취급함!
따라서 man이 주어이므로 동사 sprechen은 어간 모음이 변화하여 sprich*t*임.

<참고>
부정대명사 man은 '특정한 사람들'이 아닌 '일반적인 사람들'을 뜻함.
따라서 man이 있는 문장은 막연히 "사람들은 (보통) ... 한다"로 해석되는데,
경우에 따라 "우리는"으로 해석되며, 때로는 생략할 수도 있음:
z.B. Hier spricht man nur Deutsch. 여기서는 *사람들이* 오로지 독일어만 사용해.
① man을 "우리"로 해석할 경우: "여기서 *우리는* 오로지 독일어만 사용해."
② man 을 해석하지 않을 경우: "여기서는 오로지 독일어만 사용해."

문장 2

☞ • 주어가 단수일 때 화법조동사는 불규칙 변화!
müssen → ich muss / du muss*t* / er (sie, es) muss
• 여기서는 주어가 Du이므로 정답은 muss*t*임.
(화법조동사 문장 맨 뒤는 동사 원형이 옴: Du muss*t* ... lernen.)

8. Woll*en* Sie schon gehen? - Ja, wir müss*en* morgen sehr früh aufstehen.

✱ **해석** (당신들은) 벌써 가시려고 합니까? - 예, 저희는 내일 아주 일찍 일어나야 해요.

✱ **어휘** 「wollen ... 동사 원형」 [화법조동사] ...하려고 한다 ▌gehen 가다 ▌「müssen ... 동사 원형」 [화법조동사] ...해야 한다 ▌früh 이른, 일찍 ▌*auf*stehen [분리동사] 일어나다, 기상하다

문장 1

☞ • 주어가 복수 및 Sie('당신은')일 때 화법조동사는 규칙 변화!
wollen → wir woll*en* / ihr woll*t* / sie, Sie woll*en*
• 여기서는 주어가 Sie('당신들은')이므로 정답은 woll*en*임.
(화법조동사 문장 맨 뒤는 동사 원형이 옴: Woll*en* Sie ... gehen?)

<주의> 격식칭 Sie는 단수로서 '*당신은*' 혹은 복수로서 '*당신들은*'을 의미할 수 있음.
이 예문의 경우, 뒤 문장에서 wir, 즉 '우리는'으로 대답하는 점을 고려할 때
Sie는 복수의 '*우리들은*'으로 이해해야 함.

문장 2

☞ • 주어가 복수 및 Sie('당신은')일 때 화법조동사는 규칙 변화!
müssen → wir müss*en* / ihr müss*t* / sie, Sie müss*en*
• 여기서는 주어가 wir이므로 정답은 müss*en*임.
(화법조동사 문장 맨 뒤는 동사 원형이 옴: ... wir müssen ... *aufstehen*.)
<주의> *auf*stehen은 분리동사이지만 문장 맨 뒤에 원형으로 오므로 분리되지 않음!

9. Wir wollen bald eine große Reise machen.

✵ **해석** 우리는 곧 대단한 여행을 하려고 해.

✵ **어휘** 「wollen ... 동사 원형」 [화법조동사] ...하려고 한다 ▌bald (가까운 미래) 곧 ▌groß 큰, 커다란 ▌die Reise 여행 (die Reise*n*) → eine Reise machen 여행하다
<참고> der Spaziergang 산책 → einen Spaziergang machen 산책하다
der Ausflug 소풍 → einen Ausflug machen 소풍가다

☞ • 주어가 복수 및 Sie('당신은')일 때 화법조동사는 규칙 변화!
wollen → wir woll*en* / ihr woll*t* / sie, Sie woll*en*
• 여기서는 주어가 wir이므로 정답은 woll*en*임.
(화법조동사 문장 맨 뒤는 동사 원형이 옴: Wir wollen ... *machen*.)

► 「ein*e* groß*e* Reise」:
• 명사 Reise는 *여성*이며, 동사 machen의 *4격* 목적어이므로 *여성 4격!!*
따라서 *여성 4격* 부정관사 ein*e*가 앞에 옴.
• 형용사 groß 앞에 *여성 4격*의 ein*e*가 있음.
→ 따라서 ein*e* groß*e* ...
(근거: 「여성 1, 4격 di*e*, ein*e*, mein*e*, sein*e*, ihr*e*, kein*e*, dies*e* + 형용사 -*e*」)

10. Warum will er unsere Stadt verlassen? Gefällt es ihm hier nicht mehr?

✵ **해석** 왜 그는 우리 시를 떠나려고 하지? 여기가 더 이상 그의 마음에 들지 않나?

✵ **어휘** warum [의문사] 왜? (영. why?) ▌will ⇒ 「wollen ... 동사 원형」 [화법조동사] ...하려고 한다 ▌die Stadt 시, 도시 (die Städt*e*) ▌verlassen [타동사] ...을 떠나다 ▌Gefällt ⇒ 「gefallen + 3격(사람)」 누구의 마음에 들다 (단수 2, 3인칭 불규칙 변화: du gefäll*st* ; er gefäll*t*)

문장 1

☞ • 주어가 단수일 때 화법조동사는 불규칙 변화!
wollen → ich will / du will*st* / er (sie, es) will
• 여기서는 주어가 er이므로 정답은 will임.
(화법조동사 문장 맨 뒤는 동사 원형이 옴: ... will er ... *verlassen*?)

► 「unser*e* Stadt」:
명사 Stadt는 *여성*이며, 동사 verlassen의 *4격* 목적어이므로 *여성 4격!!*
따라서 소유대명사 unser-는 *여성 4격* 부정관사 ein*e*처럼 어미변화 하여 unser*e*임.

문장 2

► 동사 gefallen의 경우, "마음에 드는" 것이 구체적인 대상이 아니고, 막연히 특정 장소의 환경이나 분위기 등일 때는 비인칭 주어 es가 사용됨: 「Es gefällt + 3격(사람) + 장소」

z.B. *Es* gefällt mir in Seoul. 서울에서 지내는 것이 내 마음에 든다.

► 동사 Gefällt의 3격 목적어이므로 er의 3격 형 ihm이 사용됨.

11. Worüber **will*st*** du morgen mit ihm sprechen?

✵ 해석 너는 내일 그와 무엇에 관해 이야기하려고 하니?

✵ 어휘 의문사 worüber '무엇에 관해?' ← 전치사 über '~에 관해' + 의문사 was '무엇?' <참고> 의문사 was가 전치사와 결합할 경우 "wo(r)- + 전치사" 형태임! ▌will*st* ⇒ 「wollen ... 동사 원형」 [화법조동사] ... 하려고 한다 ▌mit [3격 전치사] ~와 함께 ▌「sprechen mit + 3격(사람) + über + 4격」 누구와 ...에 관해 이야기하다

☞ • 주어가 단수일 때 화법조동사는 불규칙 변화!
wollen → ich will / du will*st* / er (sie, es) will
• 여기서는 주어가 du이므로 정답은 will*st*임.
(화법조동사 문장 맨 뒤는 동사 원형이 옴: ... will*st* du ... *sprechen*?)

► 3격 전치사 mit의 목적어이므로 er의 3격 형 ihm이 사용됨.

Ⅱ. 밑줄 친 표현 (= 동사 원형) 가운데 생략이 가능한 경우는? (12과, 기초문제: 교재 68쪽)

1. Heute müssen wir in die Stadt fahren.

✵ 해석 오늘 우리는 시내로 가야 한다.

✵ 어휘 「müssen ... 동사 원형」 [화법조동사] ... 해야 한다 ▌in [3 · 4격 전치사] [1] (3격 지배: 위치) ~안에서, ~에서; [2] (4격 지배: 방향) ~안으로, ~로 ▌die Stadt 시, 시내 (die Städt*e*) ▌fahren (차 타고) 가다

► 주어가 wir이므로 화법조동사 müssen의 형태는 → müss*en*
주어가 복수 및 Sie('당신은')일 경우 화법조동사는 규칙 변화!
wir **müss***en* / ihr **müss***t* / sie, Sie **müss***en*

► 화법조동사 문장 맨 뒤는 원칙적으로 동사 원형이 옴: ... müss*en* wir ... *fahren*.

► 「... *in die* Stadt fahren」 :
• 3 · 4격 전치사 in이 '장소 이동' 동사 fahren과 결합하여 '... *로* 차 타고 가다'를 뜻함.
따라서 '방향'을 나타내므로 in은 *4격 지배!*
• 명사 Stadt는 *여성*이며 전치사 in의 *4격* 목적어이므로 *여성 4격!!*
따라서 *여성 4격* 정관사 *die*가 앞에 옴.

☞ 동사 fahren을 생략하더라도 '방향'을 뜻하는 표현인 in die Stadt('시내*로*')가 있다는 점에서 fahren 등과 같은 '장소 이동' 동사가 생략되어 있음을 알 수 있음.
따라서 문장 전체의 의미가 파악될 수 있으므로 생략 가능함!

정답 생략 *가능*! Heute müssen wir in die Stadt.

2. Kann Herr Klug hier bleiben? - Nein, er muss ins Hotel gehen.

✸ **해석** 클룩씨가 여기 머물 수 있나요? - 아니오, 그는 호텔로 가야 해요.

✸ **어휘** Kann ⇒ 「können ... 동사 원형」 [화법조동사] ...할 수 있다 ▌bleiben 머무르다 ▌muss ⇒ 「müssen ... 동사 원형」 [화법조동사] ...해야 한다 ▌「ins + 중성 4격」 (방향) ... 안으로, ...로 (ins = in das) ▌das Hotel 호텔 (die Hotel*s*) / gehen 가다 : ins Hotel gehen 호텔로 가다

문장 1

► 주어인 Herr Klug은 er에 해당하므로 화법조동사 können의 형태는 → Kann
주어가 단수일 때 화법조동사는 불규칙 변화!
ich **kann** / du **kann***st* / er (sie, es) **kann**

► 화법조동사 문장 맨 뒤는 원칙적으로 동사 원형이 옴: Kann Herr Klug ... *bleiben*?

문장 2

► 주어가 er이므로 화법조동사 müssen의 형태는 → muss
주어가 단수일 때 화법조동사는 불규칙 변화!
ich **muss** / du **muss***t* / er (sie, es) **muss**

► 화법조동사 문장 맨 뒤는 원칙적으로 동사 원형이 옴: ... er muss ... *gehen*.

► 「... *ins* Hotel gehen」 :

- 3 · 4격 전치사 in이 '장소 이동' 동사 gehen과 결합하여 '... *로* 가다'를 뜻함.
  따라서 '방향'을 나타내므로 in은 *4격 지배!*
- 명사 Hotel은 *중성*이며 전치사 in의 *4격* 목적어이므로 *중성 4격!!*
  따라서 *중성 4격* 정관사 *das*가 앞에 와야 하는데,
  앞의 전치사 in과 결합하여 *ins*가 됨.

☞ 동사 gehen을 생략하더라도 '방향'을 뜻하는 표현인 ins Hotel('호텔*로*')이 있다는 점에서 gehen 등과 같은 '장소 이동' 동사가 생략되어 있음을 알 수 있다.
따라서 문장 전체의 의미가 파악될 수 있으므로 생략 가능함!

정답 생략 *가능*! ... - Nein, er muss ins Hotel.

3. Können Sie Deutsch sprechen? - Ja, aber nicht so gut.

✸ **해석** 당신은 독일어를 할 수 있습니까? - 예, 하지만 그렇지 잘 하지는 못해요.

✻ **어휘** 「können ... 동사 원형」 [화법조동사] ...할 수 있다 ▌ sprechen 말하다 (영. speak) ▌ so 그렇게 ▌ gut 좋은, (부사적) 잘 (↔ schlecht 나쁜, 나쁘게)

문장 1

► 주어가 Sie('당신은')이므로 화법조동사 können의 형태는 → Können

주어가 복수 및 Sie('당신은')일 때 화법조동사는 규칙 변화!
wir **könn***en* / ihr **könn***t* / sie, Sie **könn***en*

► 화법조동사 문장 맨 뒤는 원칙적으로 동사 원형이 옴: Können Sie ... *sprechen*?

☞ 동사 sprechen을 생략하더라도 언어 명인 Deutsch('*독일어*')가 동사의 목적어임을 고려하면, sprechen 등과 같은 '말하다'를 의미하는 동사가 생략되었음을 알 수 있다.
따라서 문장 전체의 의미가 파악될 수 있으므로 생략 가능함!

정답 생략 *가능*! Können Sie Deutsch? - ...

4. Gisela will das Buch zurückbringen; das Thema interessiert sie nicht.

✻ **해석** 기젤라는 그 책을 되돌려 보내려고 하는데, (왜냐하면) 그 주제가 그녀에게 흥미롭지 않다.

✻ **어휘** will ⇒ 「wollen ... 동사 원형」 [화법조동사] ...하려고 한다 ▌ das Buch 책 (die Büch*er*) ▌ *zurück*bringen [분리동사] ...을 되돌려 보내다 ← zurück [부사어] 뒤로, 되돌려 (영. back) + bringen [타동사] ...을 가져오다 (영. bring) ▌ das Thema 주제, 테마 (die Them*en*) ▌ 「주어 + interessieren + 4격(사람)」 *주어는* 누구에게 흥미를 주다

<참고> 형태가 *-a*인 명사들:
복수형이 *-en* : die Firm*a* 회사 (die Firm*en*), die Pizz*a* 피자 (die Pizz*en*)
복수형이 *-s* : die Kamer*a* 카메라 (die Kamera*s*), *das* Sof*a* 소파 (die Sofa*s*)

세미콜론 앞 문장

► 주어인 Gisela가 sie('그녀는')에 해당하므로 화법조동사 wollen의 형태는 → will.

주어가 단수일 때 화법조동사는 불규칙 변화!
ich **will** / du **will***st* / er (sie, es) **will**

► 화법조동사 문장 맨 뒤는 원칙적으로 동사 원형이 옴: Gisela will ... *zurückbringen*; ...

☞ 동사 *zurück*bringen을 생략할 경우, 목적어 das Buch('책')만을 통해서는 결코 어떤 의미의 동사가 생략되었는지를 알 수 없음.
따라서 문장 전체의 의미가 파악되지 않으므로 생략 불가능함!

세미콜론 뒤 문장

► 접속사 und, aber 등은 두 문장을 '그리고', '그러나' 등의 명확한 의미로 연결하는 반면, 세미콜론(;)은 두 문장을 느슨하게 연결한다. 따라서 해석할 때 두 문장의 연결 관계를 고려하여 '그런데', '따라서', '왜냐하면' 등의 접속사적 의미를 첨가할 수 있다.

► 앞 문장에 나온 여자 Gisela를 받으며 동사 interessiert의 4격 목적어이므로 여성 4격의 sie ('그녀를')가 사용됨.

정답 생략 *불가능*! Gisela will das Buch zurückbringen; ...

5. Willst du ein Bier trinken? - Ja, gern.

✺ **해석** 너 맥주 한 잔 마실래? - 응, 좋아.

✺ **어휘** Will*st* ⇒ 「wollen ... 동사 원형」 [화법조동사] ...하려고 한다 ▌ das Bier 맥주 ▌ trinken [타동사] ...을 마시다

문장 1

► 주어가 du이므로 화법조동사 wollen의 형태는 → Will*st*
주어가 단수일 때 화법조동사는 불규칙 변화!
ich **will** / du **will***st* / er (sie, es) **will**

► 화법조동사 문장 맨 뒤는 원칙적으로 동사 원형이 옴: Will*st* du ... *trinken*?

► Bier는 셀 수 없는 물질명사이므로 원칙적으로 부정관사와 결합할 수 없음.
그러나 여기서는 문맥상 "맥주 *한 잔*", 혹은 "맥주 *한 병*" 등의 개체를 뜻하므로 부정관사 ein과 결합됨.

☞ 동사 trinken을 생략하더라도, 남아있는 동사의 목적어가 음료수 ein Bier('*맥주 한 잔*')라는 점을 고려하면, trinken과 같은 '마시다'를 의미하는 동사가 생략되었음을 알 수 있다. 따라서 문장 전체의 의미가 파악될 수 있으므로 생략 가능함!

정답 생략 *가능*! Willst du ein Bier? - ...

6. Wollen Sie dieses Paket zur Post bringen? Ich muss jetzt auch zur Post gehen. Ich kann es für Sie abschicken.

✺ **해석** 이 소포를 우체국으로 가져가시려 합니까? 저 역시 지금 우체국으로 가야 해요. 제가 당신 대신 그것을 발송할 수 있어요.

✺ **어휘** 「wollen ... 동사 원형」 [화법조동사] ...하려고 하다 ▌ das Paket 꾸러미, 소포 (die Paket*e*) ▌ 「zur + 여성 3격」 (방향) ...로 (zur = zu der) : zur Post 우체국으로 ▌ die Post 우체국 ▌ bringen [타동사] ...을 가져오다 ▌ muss ⇒ 「müssen ... 동사 원형」 [화법조동사] ...해야 한다 ▌ gehen 가다 ▌ kann ⇒ 「können ... 동사 원형」 [화법조동사] ...할 수 있다 ▌ für [4격 전치사] ~를 위해 ▌ *ab*schicken [분리동사] ...을 발송하다 (= *ab*senden)

문장 1

► 주어가 Sie('당신은')이므로 화법조동사 wollen의 형태는 → Woll*en*
주어가 복수 및 Sie('당신은')일 때 화법조동사는 규칙 변화!
wir **woll***en* / ihr **woll***t* / sie, Sie **woll***en*

► 화법조동사 문장 맨 뒤는 원칙적으로 동사 원형이 옴: Woll*en* Sie ... *bringen*?

► 「dies*es* Paket」:

명사 Paket은 *중성*이며, 동사 bringen의 *4격* 목적어이므로 *중성 4격!!*

따라서 지시대명사 dies-는 *중성 4격* 정관사 d*as*처럼 어미변화 하여 dies*es*임.

☞ 동사 bringen을 생략하더라도 목적어가 dieses Paket('이 소포')인 점, 그리고 '방향' 을 뜻하는 표현인 zur Post('우체국*으로*')가 있는 점을 고려하면, '가져가다'의 의미를 지니는 동사 bringen 등이 생략되었음을 알 수 있다.

따라서 문장 전체의 의미가 파악될 수 있으므로 생략 가능함!

문장 2

► 주어가 Ich이므로 화법조동사 müssen의 형태는 → muss

주어가 단수일 때 화법조동사는 불규칙 변화!
ich **muss** / du **muss***t* / er (sie, es) **muss**

► 화법조동사 문장 맨 뒤는 원칙적으로 동사 원형이 옴: Ich muss ... *gehen*.

☞ 동사 gehen을 생략하더라도 '방향'을 뜻하는 zur Post('우체국*으로*')가 있는 점을 고려하면, gehen 등과 같은 '장소 이동'의 동사가 생략되었음을 알 수 있음.

따라서 문장 전체의 의미가 파악될 수 있으므로 생략 가능함!

문장 3

► 주어가 Ich이므로 화법조동사 können의 형태는 → kann

주어가 단수일 때 화법조동사는 불규칙 변화!
ich **kann** / du **kann***st* / er (sie, es) **kann**

► 화법조동사 문장 맨 뒤는 원칙적으로 동사 원형이 옴: Ich kann ... *abschicken*.

► 앞 문장의 중성명사 Paket을 받으며, 동사 *ab*schicken의 4격 목적어이므로 중성 4격의 es('그것을')가 사용됨.

► 4격 전치사 für와 결합하므로 Sie('당신은')의 4격 형 Sie가 사용됨.

☞ 동사 *ab*schicken을 생략할 경우, 나머지 표현들 ... es für Sie ...를 통해서는 결코 '발송하다'의 의미를 지니는 동사 *ab*schicken을 알 수 없다.

따라서 문장 전체의 의미가 파악될 수 없으므로 생략 불가능함!

정답 ① 생략 *가능*! Wollen Sie dieses Paket zur Post?

② 생략 *가능*! Ich muss jetzt auch zur Post.

③ 생략 *불가능*! Ich kann es für Sie abschicken.

III. 괄호 안의 표현 가운데 알맞은 것을 선택하시오. (12과, 기초문제: 교재 68쪽)

1. Was kann ich für Sie tun?

✺ **해석** 무엇을 도와드릴까요?

✵ **어휘** kann ⇒ 「können ... 동사 원형」 [화법조동사] ...할 수 있다 ▌ für [4격 전치사] ~를 위해 ▌ tun [타동사] ...을 행하다 (영. do)

► 주어가 ich이므로 화법조동사 können의 형태는 → kann

주어가 단수일 때 화법조동사는 불규칙 변화!
ich **kann** / du **kanns***t* / er (sie, es) **kann**

► 화법조동사 문장 맨 뒤는 동사 원형이 옴: ... kann ich ... *tun*?

► 의문사 Was는 동사 tun의 4격 목적어임. (의문사는 문장 맨 앞에 위치!)

☞ 4격 전치사 für와 결합하므로 Sie('당신은')의 4격 형인 Sie가 정답임.
(Ihnen은 Sie의 3격 형임!)

► 이 문장은 직역하면 "제가 당신을 위해 무엇을 할 수 있나요?"로서 간접적으로 "무엇을 도와드릴까요?"로 해석될 수 있다.

<참고>
이 문장은 의례적인 표현임. 따라서 호칭 du가 사용되는 친밀한 관계의 대화에서 Was kann sich für *dich* tun?은 사용하지 않음. 이 경우 사용되는 표현은 오히려:
Wie kann ich dir helfen? 내가 어떻게 너를 도와주면 되겠니?

2. Wollen Sie mit mir tanzen? - Ja, gerne.

✵ **해석** 당신 저와 함께 춤추시겠어요? - 예, 기꺼이.

✵ **어휘** 「wollen ... 동사 원형」 [화법조동사] ...하려고 한다 ▌ mit [3격 전치사] ~와 함께 ▌ tanzen 춤추다 ▌ gern(e) 즐겨, 기꺼이

문장 1

► 주어가 Sie('당신은')이므로 화법조동사 wollen의 형태는 → Moll*en*

주어가 복수 및 Sie('당신은')일 때 화법조동사는 규칙 변화!
wir **woll***en* / ihr **woll***t* / sie, Sie **woll***en*

► 화법조동사 문장 맨 뒤는 동사 원형이 옴: Wollen Sie ... *tanzen*?

☞ 3격 전치사 mit와 결합하므로 ich의 3격 형인 mir가 정답임.
(mich는 ich의 4격 형임!)

3. Diese Kamera ist sehr kompliziert. Ich kann damit nicht fotografieren.

✵ **해석** 이 카메라는 매우 복잡해. 나는 그것을 가지고 사진 찍을 수가 없어.

✵ **어휘** dies- [지시대명사] 이 ... (정관사 어미변화!) ↔ jen- 저 ... ▌ die Kamera 카메라 (die Kamera*s*) ▌ kompliziert 복잡한 ▌ kann ⇒ 「können ... 동사 원형」 [화법조동사] ...할 수 있다 ▌ mit [3격 전치사] [1] ~을 가지고; [2] ~와 함께 (영. with) ▌ fotografieren 촬영하다 ← das Foto 사진 (die Foto*s*)

문장 1

► 「Diese Kamera」:
명사 Kamera는 *여성*이며, 문장의 *주어*이므로 *여성 1격!!*
따라서 지시대명사 Dies-는 여성 1격 정관사 die처럼 어미변화 하여 Diese임.

문장 2

► 주어가 Ich이므로 화법조동사 können의 형태는 → kann
주어가 단수일 때 화법조동사는 불규칙 변화!
ich **kann** / du **kann***st* / er (sie, es) **kann**

► 화법조동사 문장은 맨 뒤에 동사 원형이 옴: Ich kann ... *fotografieren*.

☞ 지시대명사 das('그것')가 '사람'이 아닌 '사물'을 받으며, 전치사와 결합할 경우, "da(*r*)- + 전치사" 형태임: damit, dafür, da*r*auf, da*r*in ...
따라서 여기서는 앞 문장의 Diese Kamera, 즉 '사물'을 받으며, 전치사 mit와 결합하므로 damit('그것을 가지고')가 정답임.

<주의> "wo(r)- + 전치사"는 '사물'을 뜻하는 의문사 was가 전치사와 결합된 형태임!
z.B. womit '무엇을 가지고?' = 전치사 mit '~을 가지고' + 의문사 was '무엇?'

4. Brauchst du das Buch gerade oder kann ich es nehmen? - Nimm es ruhig, ich brauche es nicht mehr.

✵ **해석** 너는 그 책이 당장 필요하니? 아니면 내가 그것을 가져도 되니? - 마음 놓고 그것을 가져가. 나는 그것을 더 이상 필요로 하지 않아.

✵ **어휘** brauchen [타동사] ...을 필요로 하다 ▌das Buch 책 (die Büch*er*) ▌gerade 막, 지금 ▌oder 혹은 (영. or) ▌kann ⇒ 「können ... 동사 원형」 [화법조동사] ...할 수 있다 ▌Nimm ⇒ nehmen [타동사] ...을 취하다, 갖다 (영. take) (단수 2, 3인칭 불규칙변화: du nimm*st* ; er nimm*t*) ▌ruhig 조용한, 차분한 ▌... nicht mehr 더 이상 ... 않다

문장 1

► 접속사 oder 뒤 문장에서 주어가 ich이므로 화법조동사 können의 형태는 → kann
주어가 단수일 때 화법조동사는 불규칙 변화!
ich **kann** / du **kann***st* / er (sie, es) **kann**

► 화법조동사 문장은 맨 뒤에 동사 원형이 옴: ... kann ich ... *nehmen*?

► 앞에 나온 중성명사 das Buch를 받으며, 동사 nehmen의 4격 목적어이므로 중성 인칭대명사 es('그것은')의 4격 형인 es가 사용됨.

문장 2

☞ 동사 nehmen은 어간 모음 변화 e → i 유형임: du nimm*st* ; er (sie, es) nimm*t*
→ 따라서 du-명령문 「동사 어간 ...!」: nehm*en* → Nimm ...!
어간 모음이 e → i로 ***변화함!*** (즉, Nehm 아님!)

<참고> 단수 2, 3인칭 불규칙 변화 동사의 du-명령문:
① 유형 e → ie 및 유형 e → i 인 경우: 어간 모음이 변화함
sehen 보다 : du sieh*st* ; er (sie, es) sieh*t* → Sieh ...! (즉, Seh 아님!)
sprechen 말하다 : du sprich*st* ; er (sie, es) sprich*t* → Sprich ...! (즉, Sprech 아님!)

② 유형 a → ä 인 경우: 어간 모음 변화하지 않음.
schlafen 잠자다 : du schläf*st* ; er (sie, es) schläf*t* → Schlaf ...! (즉, Schläf 아님!)

► 두 번 사용된 es는 모두가 앞에 나온 중성명사 das Buch를 받으며, 각각 동사 Nimm과 brauche의 4격 목적어임. (따라서 중성 인칭대명사 es의 4격 형임.)

5. Mein Computer ist __kaputt__. Kannst du ihn reparieren?

✵ **해석** 내 컴퓨터는 고장 났어. 너 그것을 수리할 수 있니?

✵ **어휘** der Computer 컴퓨터 (die Computer) ▌krank 아픈 ▌kaputt 고장 난 ▌Kann*st* ⇒ 「können ... 동사 원형」 [화법조동사] ...할 수 있다 ▌reparieren [타동사] ...을 고치다, 수리하다

문장 1

► 「*Mein* Computer」 :
명사 Computer는 *남성*이며, 이 문장의 *주어*이므로 *남성 1격!!*
따라서 소유대명사 Mein-은 *남성 1격* 부정관사 ein_처럼 어미 없이 Mein_임

☞ 주어 Mein Computer는 *사물*이므로 형용사 보어는 kaputt('고장 난')이어야 함.
이와는 달리 형용사 krank('아픈')는 *사람*에 대해서만 사용할 수 있음.

문장 2

► 주어가 du이므로 화법조동사 können의 형태는 → Kann*st*
주어가 단수일 때 화법조동사는 불규칙 변화!
ich **kann** / du **kann***st* / er (sie, es) **kann**

► 화법조동사 문장은 맨 뒤에 동사 원형이 옴: Kann*st* du ... *reparieren*?

► ihn은 남성 인칭대명사 er의 4격 형으로서,
앞 문장의 남성명사 Mein Computer를 받으며, 동사 reparieren의 4격 목적어임.

6. Herr Kohl, Sie müssen __sich__ mehr bewegen! Gehen Sie jeden Tag eine halbe Stunde spazieren!

✵ **해석** 콜씨, 당신은 더 많이 몸을 움직여야 해요. 매일 반시간 동안 산책하세요.

✵ **어휘** 「müssen ... 동사 원형」 [화법조동사] ...해야 한다 ▌mehr 더 많이 (viel의 비교급!) ▌bewegen [타동사] ...을 움직이다 → 「bewegen sich[4]」 [4격 재귀동사] '*자신*을 움직이다', 즉 '몸을 움직이다, 운동하다' ▌「gehen ...... spazieren」 산책하다 ▌「jed- + *단수*명사」 모든 ..., 매 ... (영. every, each) (정관사 어미변화!) ▌der Tag 날, 낮 (die Tag*e*) → jeden Tag 매일 (4격의 시간 부사어!) ▌halb 반의, 1/2의 ▌die Stunde 시간 (die Stunde*n*)

문장 1

► 주어가 Sie('당신은')이므로 화법조동사 müssen의 형태는 → müss*en*
주어가 복수 및 Sie('당신은')일 때 화법조동사는 규칙 변화!
wir **müss***en* / ihr **müss***t* / sie, Sie **müss***en*

► 화법조동사 문장은 맨 뒤에 동사 원형이 옴: ... Sie müssen ... *bewegen*!

☞ 재귀대명사는 *주어*에 따라 결정된다!

주어가 격식칭 Sie('당신은')일 경우, 3격 및 4격 재귀대명사 모두 sich임.

<주의> 소문자 표기한 sich임. 대문자 표기하여 Sich로 쓰면 틀림!

문장 2

► Sie-명령문 「동사 원형 + Sie ...!」 ... 하세요 : Geh*en* Sie ...!

► 「jed*en* Tag」 매일 :

명사 Tag은 *남성*이며, *4격*의 시간 부사어이므로 *남성 4격!!*

따라서 jed-는 *남성 4격* 정관사 d*en*처럼 어미변화 하여 jed*en*임.

<참고> 4격의 시간 부사어: jeden Morgen 매일 아침 / jede Stunde 매시간 / jedes Jahr 매년

► 「ein*e* halb*e* Stunde」 반 시간 동안 :

- 명사 Stunde는 *여성*이며, *4격*의 시간 부사어이므로 *여성 4격!!*
- 따라서 *여성 4격* 부정관사 ein*e*가 앞에 옴.
- 형용사 halb 앞에 *여성*의 ein*e*가 있음.

→ 따라서 ein*e* halb*e* ...

(근거: 여성 1, 4격 di*e*, ein*e*, mein*e*, ihr*e*, unser*e*, kein*e*, dies*e* + 형용사 *-e*)

IV. 알맞은 어미는? (12과, 기초문제: 교재 68쪽)

1. Willst du wirklich d<u>en</u> teur<u>en</u> Computer hier kaufen? - Ja, ich brauche unbedingt ein<u>en</u> gut<u>en</u> Computer für mein<u>e</u> neu<u>e</u> Arbeit.

✺ **해석** 너 정말로 여기 이 비싼 컴퓨터를 사려고 하니? - 응, 나는 나의 새로운 작업을 위해서 좋은 컴퓨터 하나를 무조건 필요로 해.

✺ **어휘** Will*st* ⇒ 「wollen ... 동사 원형」 [화법조동사] ...하려고 한다 ▌wirklich 정말의, (부사적) 정말로, 진짜로 ▌teuer 비싼 (↔ billig 값싼) ▌der Computer 컴퓨터 (die Computer) ▌kaufen [타동사] ...을 사다 ▌brauchen [타동사] ...을 필요로 하다 ▌unbedingt 무조건, 반드시 ▌gut 좋은 ▌für [4격 전치사] ~을 위해 ▌neu 새, 새로운 ▌die Arbeit 일, 작업 (die Arbeit*en*)

문장 1

► 주어가 du이므로 화법조동사 wollen의 형태는 → Will*st*

주어가 단수일 때 화법조동사는 불규칙 변화!
ich **will** / du **will*st*** / er (sie, es) **will**

► 화법조동사 문장은 맨 뒤에 동사 원형이 옴: Will*st* du ... *kaufen*?

☞ 「d*en* teur*en* Computer」 :

- 명사 Computer는 *남성*이며, 동사 kaufen의 *4격* 목적어이므로 *남성 4격!!*

따라서 *남성 4격* 정관사 d*en*이 앞에 옴.

• 형용사 teuer 앞에 *남성 4격* 정관사 d*en*이 있음.
→ 따라서 d*en* teur*en* ... (*teueren* 아님!)
(근거: 남성 4격 d*en*, ein*en*, mein*en*, ihr*en*, kein*en*, dies*en* + 형용사 -*en*)
<주의> 형용사 teuer에 어미가 붙을 경우 teur-임.

문장 2

☞ 「ein*en* gut*en* Computer」 :
• 명사 Computer는 *남성*이며, 동사 brauche의 *4격* 목적어이므로 *남성 4격!!*
따라서 *남성 4격* 부정관사 ein*en*이 앞에 옴.
• 형용사 gut 앞에 *남성 4격*의 ein*en*이 있음.
→ 따라서 ein*en* gut*en* ...
(근거: 남성 4격 d*en*, ein*en*, mein*en*, ihr*en*, kein*en*, dies*en* + 형용사 -*en*)

☞ 「für mein*e* neu*e* Arbeit」 :
• 명사 Arbeit는 *여성*이며, *4격* 전치사 für의 목적어이므로 *여성 4격!!*
따라서 mein-은 *여성 4격* 부정관사 ein*e*처럼 어미변화 하여 mein*e*임.
• 형용사 neu 앞에 *여성 4격*의 ein*e*에 일치하는 mein*e*가 있음.
→ 따라서 für mein*e* neu*e* ...
(근거: 여성 1, 4격 di*e*, ein*e*, mein*e*, ihr*e*, unser*e*, kein*e*, dies*e* + 형용사 -*e*)

2. Kann ich Ihnen helfen? - Ja, ich suche ein<u>en</u> Kleiderschrank mit groß<u>en</u> Tür<u>en</u> .

✺ **해석** 제가 당신을 도와드릴 수 있을까요? - 예, 저는 커다란 문이 있는 옷장 하나를 찾고 있어요.

※ 상점에서 점원과 고객 사이에서 이루어지는 전형적인 대화 내용임.
먼저 점원이 "Kann ich Ihnen helfen?"이라고 도움을 제안하자, 이어서 고객이 "Ich suche ..." 라고 말하며 구입하고자 하는 물품을 알려준다.

✺ **어휘** Kann ⇒ 「können ... 동사 원형」 [화법조동사] ...할 수 있다 ▌「helfen + 3격(사람)」 누구를 돕다 (3격 요구 동사!) ▌ suchen [타동사] ...을 찾다, 구하다 ▌ der Kleiderschrank 옷장 (die Kleiderschr*ä*nk*e*) ← das Kleid 원피스, 드레스 (die Kleid*er*) + der Schrank 장롱 (die Schr*ä*nk*e*) ▌ mit [3격 전치사] ~을 지닌 ▌ groß 큰, 커다란 ▌ die Tür 문 (die Tür*en*)

문장 1

► 주어가 ich이므로 können의 형태는 → Kann
주어가 단수일 때 화법조동사는 불규칙 변화!
ich **kann** / du **kann***st* / er (sie, es) **kann**

► 화법조동사 문장은 맨 뒤에 동사 원형이 옴: Kann ich ... *helfen*?

► 3격 요구 동사 helfen의 목적어이므로 Sie('당신은')의 3격 형인 Ihnen이 사용됨.

문장 2

☞ 「ein*en* Kleiderschrank」:

명사 Kleiderschrank는 *남성*이며, 동사 suche의 *4격* 목적어이므로 *남성 4격!!*

따라서 *남성 4격* 부정관사 ein*en*이 앞에 옴.

☞ 「mit groß*en* Tür*en*」:

- 명사 Tür*en*은 복수이며, *3격* 전치사 mit의 목적어이므로 *복수 3격!!*
- 「(*관사 없이*) 형용사 + 명사」 일 경우 형용사는 *정관사* 어미변화 함!
  따라서 형용사 groß는 *복수 3격* 정관사 d*en*처럼 어미변화 하여 groß*en*임.
- 명사가 *복수 3격*일 경우 형태가 *-n*임!
  여기서도 Türe*n*은 *복수 3격*인데, 자체가 이미 *-n* 형태이므로
  추가로 -n을 붙이지는 않음. (즉, Türen*n* 아님!)

  <주의>
  명사 Tür가 단수형이라면 형용사 groß 앞에 부정관사나 정관사가 있었어야 옳음!
  그런데 여기서는 groß 앞에 관사가 없으므로 Tür_가 복수형이며, 이에 따라 부정관사가 생략된 경우로 파악하여야 함.

3. Die Wohnung im fünft**en** Stock können Sie leider noch nicht mieten; die wird erst im Oktober frei. Nehmen Sie doch die im viert**en** .

✻ **해석** 6층에 있는 그 집은 유감스럽지만 아직 당신이 임대할 수 없어요. 그것은 10월에 비로소 비워져요. 4층에 있는 그 집을 택하세요.

✻ **어휘** die Wohnung 아파트, 집 (die Wohnung*en*) ▌「im + 남성・중성 3격」 (위치) ...에, ... 안에 (im = in dem) ▌fünf 5 → fünf*t* [서수] 다섯 번째, 제 5의 (서수는 형용사 어미변화!) ▌der Stock (건물의) 층 (die Stock) ▌「können ... 동사 원형」 [화법조동사] ...할 수 있다 ▌leider 유감스럽게도 ▌mieten [타동사] ...에 세들다 (↔ vermieten ...을 세놓다) ▌wird ⇒ werden [자동사] ...이 되다 (영. become) (단수 2, 3인칭 불규칙 변화: du *wirst* ; er *wird*) ▌erst 비로소 ▌「im + 월 명」: im Oktober 10월에 ▌frei 자유로운, (방이나 집이) 임대되지 않은 ▌nehmen [타동사] ...을 갖다, 취하다 ▌doch 명령문에서 요구 내용을 강조하는 부사어 ("그러지 말고" 등으로 해석함.) ▌vier 4 → vier*t* [서수] 네 번째, 제 4의 (서수는 형용사 어미변화!)

문장 1 의 세미콜론 앞 부분

☞ 「Die Wohnung *im* fünf*ten* Stock」:

- 3・4격 전치사 in이 명사 Wohnung 바로 뒤에서 수식하여 '...*에* 있는 집'을 뜻함.
  따라서 '위치'를 나타내므로 in은 *3격 지배!*
- 명사 Stock는 *남성*이며, 전치사 in의 *3격* 목적어이므로 *남성 3격!!*
  따라서 *남성 3격* 어미 *-em*을 지닌 정관사 d*em*이 앞에 오는데,
  전치사 in과 결합하여 *im*으로 축약됨.
- 서수 fünf*t*는 형용사 어미변화 함.
  그런데 fünf*t* 앞에 있는 im은 "in dem"의 축약형임.
  따라서 fünf*t* 앞에 *남성 3격*의 d*em*이 있는 것과 다름없음.

→ 따라서 *im* fünf*ten* ...

(근거: 3격 어미 *-em*(남 · 중성), *-er*(여성), *-en*(복수)의 뒤에 오는 형용사는 모두 *-en*임!)

► 문장 맨 앞의 Die Wohnung ...은 동사 mieten의 4격 목적어임.

► 주어가 Sie('당신은')이므로 können의 형태는 → können

주어가 복수 및 Sie('당신은')일 때 화법조동사는 규칙 변화!
wir **könn***en* / ihr **könn***t* / sie, Sie **könn***en*

► 화법조동사 문장은 맨 뒤에 동사 원형이 옴: ... können Sie ... *mieten*; ...

문장 1 의 세미콜론 뒤 부분

► die는 정관사가 아니라 지시대명사임.

앞에 나온 여성명사 Die Wohnung을 받으며, 문장의 주어임.

「정관사 + 명사」, 즉 "*die* (Wohnung)"의 축약형으로 볼 수 있음.

<참고> 이 지시대명사 die 대신 여성 인칭대명사 sie('그녀는')를 사용해도 됨: ...; *sie* wird ...

► 주어인 지시대명사 die는 단수 3인칭 여성의 sie('그녀는')에 해당함.

따라서 동사 werden의 형태는 *wird*임.

문장 2

► Sie-명령문「동사 원형 + Sie ...!」...하세요 : Nehm*en* Sie ...

<주의> 명령문은 일반적으로 느낌표(!)를 사용하지만 마침표(.) 역시 사용할 수 있음.

► die는 지시대명사임.

앞에 나온 명사 Die Wohnung을 받으며, 동사 Nehmen의 4격 목적어임.

"*die* (Wohnung)"의 축약형으로 볼 수 있음.

☞「*im* vier*ten* (Stock)」:

반복되는 명사 Stock가 생략됨.

서수 vier*t*는 형용사 어미변화 함. 그런데 vier*t* 앞에 있는 im은 "in dem"의 축약형임.

따라서 vier*t* 앞에 *남성 3격* 어미 *-em*을 지닌 정관사 d*em*이 있는 것과 다름없음.

→ 따라서 *im* vier*ten* ...

(근거: 3격 어미 *-em*(남 · 중성), *-er*(여성), *-en*(복수)의 뒤에 오는 형용사는 모두 *-en*임!)

unit 02 심화문제

I. 화법조동사 können, müssen, wollen의 알맞은 형태는? (12과, 심화문제: 교재 70쪽)

1. Vielleicht weiß er es auch nicht. Wer kann mir dabei helfen?

✹ **해석** 아마도 그 사람 역시 그것을 알지 못할 것이다. 누가 나를 그 일에서 도울 수 있을까?

✹ **어휘** vielleicht 아마도 ▌weiß ⇒ wissen [타동사] ...을 알다 (단수 1, 2, 3인칭 불규칙 변화: ich *weiß* ; du *weißt* ; er *weiß*) ▌kann ⇒ 「können ... 동사 원형」 [화법조동사] ... 할 수 있다 ▌dabei 그 경우, 그 때 → bei [3격 전치사] ...일 경우, ...일 때 + das [지시대명사] 그것 ▌「helfen + 3격(사람) + bei + 3격」 누구를 ...할 때 돕다 (3격 요구 동사!)

문장 1

- ► 주어가 er일 때 동사 wissen의 형태는 불규칙적으로 *weiß*임. (즉, wiss*t* 아님!)
- ► 동사 weiß의 4격 목적어 es는 인칭*대명사*이므로 auch nicht 보다 앞에 위치함!

문장 2

☞ 주어인 의문사 Wer('누가?')는 er에 해당하므로 화법조동사 können의 형태는 → kann
주어가 단수일 때 화법조동사는 불규칙 변화!
ich **kann** / du **kann**s*t* / er (sie, es) **kann**

- ► 화법조동사 문장이므로 맨 뒤에 동사 원형이 옴: Wer kann ... *helfen*?
- ► 3격 요구 동사 helfen의 목적어이므로 ich의 3격 형 mir가 사용됨.

2. Im Internet kann man wichtige Informationen suchen und finden.

✹ **해석** 인터넷에서 사람들은 중요한 정보들을 찾고 발견할 수 있다.

✹ **어휘** 「im + 남성 · 중성 3격」 (위치) ...에서, ... 안에서 (im = in dem) ▌das Internet 인터넷 ▌kann ⇒ 「können ... 동사 원형」 [화법조동사] ...할 수 있다 ▌man 사람들은 (항상 주어이며 단수 3인칭 er 취급!) ▌wichtig 중요한 ▌die Information 정보 (die Information*en*) ▌suchen [타동사] ...을 찾다, 구하다 ▌finden [타동사] ...을 발견하다

<참고> 형태가 *-ion*인 명사는 *여성*이며 복수형은 *-en*임:
die Lekt*ion* ...과, 교훈 (die Lektion*en*); die Pens*ion* 펜션 (die Pension*en*)

► 「*Im* Internet ... suchen und finden」 :

- 3 · 4격 전치사 in이 suchen 및 finden과 결합하여 '인터넷 *안에서* 찾고 발견하다'를 뜻함. 따라서 '위치'를 나타내므로 in은 *3격 지배!*

- 명사 Internet은 *중성*이며, 전치사 in의 *3격* 목적어이므로 *중성 3격!!*
  따라서 *중성 3격* 어미 -*em*을 지닌 정관사 d*em*이 앞에 오는데,
  전치사 in과 결합하여 *im*으로 축약됨.

☞ 주어인 man은 *3인칭 단수* er 취급하므로 화법조동사 können의 형태는 → kann
주어가 단수일 때 화법조동사는 불규칙 변화!
ich **kann** / du **kann**s*t* / er (sie, es) **kann**

► 화법조동사 문장이므로 맨 뒤에 동사 원형이 옴: ... kann man ... *suchen* und *finden*.

► 「wichtig*e* Information*en* 」:
- 명사 Information*en*은 *복수*이며, 동시에 suchen과 finden의 *4격* 목적어이므로 *복수 4격!!*
- 「(*관사 없이*) 형용사 + 명사」 일 경우 형용사는 *정관사* 어미변화!
  따라서 형용사 wichtig는 *복수 4격* 정관사 di*e*처럼 어미변화 하여 wichtig*e*임.

<주의> 내용상 부정관사 ein-이 와야 하지만 *복수*명사이므로 생략된 경우임!

3. Muss*t* du heute ins Büro? - Nein, heute ist Samstag. Seit der Einführung der Fünftagewoche muss man samstags nicht mehr arbeiten.

✹ **해석** 너는 오늘 사무실로 가야 하니? - 아니, 오늘은 토요일이야. 주 5일 근무제의 도입 이후로 토요일에는 더 이상 일하지 않아.

✹ **어휘** Muss*t*, muss ⇒ 「müssen ... 동사 원형」 [화법조동사] ... 해야 한다 ▌「ins + 중성 4격」 (방향) ...로, ... 안으로 (ins = in das) : ins Büro 사무실로 ▌das Büro 사무실 (die Büro*s*) ▌der Samstag 토요일 ▌seit [3격 전치사] ~이후, ~이래 ▌die Einführung 도입, 끌어들임 ← *ein*führen [분리동사] ...을 안으로 이끌다 ▌die Fünftagewoche 주 5일 근무 ← fünf 5 + der Tag 날 (die Tag*e*) + die Woche 주, 주일 (die Woche*n*) ▌man 사람들은 (항상 주어, 단수 3인칭 er 취급!) ▌samstags [부사어] 토요일에, 토요일마다 ▌arbeiten 일하다, 작업하다

문장 1

☞ 주어가 du이므로 화법조동사 müssen의 형태는 → Muss*t*
주어가 단수일 때 화법조동사는 불규칙 변화!
ich **muss** / du **muss***t* / er (sie, es) **muss**

► 화법조동사 Musst가 있는 문장이므로 원칙적으로 맨 뒤에 동사 원형이 있어야 하지만, 여기서는 '방향'의 의미를 지니는 ins Büro('사무실*로*')가 있으므로 '장소 이동'의 동사 gehen, fahren 등이 생략되었음.

► 「... *ins* Büro (gehen)?」:
- 3·4격 전치사 in이 축약된 동사 gehen과 결합하여 '사무실*로* 가다'를 뜻함.
  따라서 '방향'을 나타내므로 in은 *4격 지배!*
- 명사 Büro는 *중성*이며, 전치사 in의 *4격* 목적어이므로 *중성 4격!!*
  따라서 *중성 4격* 정관사 *das*가 앞에 오는데,
  전치사 in과 결합하여 *ins*로 축약됨.

문장 2

► 「... Einführung d*er* Fünftagewoche」 :

명사 Fünftagewoche는 *여성*이며, 앞 명사 Einführung을 수식하는 *2격*이므로 *여성 2격!!*

따라서 *여성 2격* 어미 *-er*를 지닌 정관사 d*er*가 앞에 옴.

(여성 명사는 2격 명사 어미 -s, -es 없음!)

☞ 주어인 man은 *3인칭 단수* er 취급하므로 화법조동사 müssen의 형태는 → muss

주어가 단수일 때 화법조동사는 불규칙 변화!
ich **muss** / du **muss***t* / er (sie, es) **muss**

► 화법조동사 문장이므로 맨 뒤에 동사 원형이 옴: ... muss man ... *arbeiten*.

4. Was will*st* du nach dem Studium machen? - Ich will weiter studieren. Aber nebenbei muss ich Geld verdienen. Ich muss mein Studium selbst finanzieren.

✱ **해석** 너는 대학 공부를 마친 후에 무엇을 하려고 하니? - 나는 계속 대학 공부를 하려고 해. 하지만 그 밖에 부수적으로 돈을 벌어야만 해. 나는 나의 학업 비용을 스스로 충당해야 해.

✱ **어휘** will*st*, will ⇒ 「wollen ... 동사 원형」 [화법조동사] ...하려고 하다 ▌ nach [3격 전치사] (시간적 의미) ~후에 ▌ das Studium 대학 학업 (die Studi*en*) ▌ weiter 계속해서 ▌ studieren 대학공부 하다 ▌ nebenbei 그 밖에, 부수적으로 ▌ muss ⇒ 「müssen ... 동사 원형」 [화법조동사] ...해야 한다 ▌ das Geld 돈 ▌ verdienen [타동사] ...을 벌다 ▌ selbst 스스로 ▌ finanzieren [타동사] ...의 비용을 충당하다

<참고> 형태가 *-um*인 명사는 *중성*이며, 복수형은 어미 -um이 *-en*으로 변화함:
das Zentr*um* 중앙, 중심 (die Zentr*en*) / *das* Muse*um* 박물관 (die Muse*en*) / *das* Gymnasi*um* 인문계 고교 (die Gymnasi*en*) / *das* Stipendi*um* 장학금 (die Stipendi*en*)

문장 1

☞ 주어가 du이므로 화법조동사 wollen의 형태는 → will*st*

주어가 단수일 때 화법조동사는 불규칙 변화!
ich **will** / du **will***st* / er (sie, es) **will**

► 화법조동사 문장이므로 맨 뒤에 동사 원형이 옴: ... will*st* du ... *machen*?

► 문장 맨 앞의 의문사 Was는 동사 machen의 4격 목적어임.

문장 2

☞ 주어가 Ich이므로 화법조동사 wollen의 형태는 → will

주어가 단수일 때 화법조동사는 불규칙 변화!
ich **will** / du **will***st* / er (sie, es) **will**

► 화법조동사 문장이므로 맨 뒤에 동사 원형이 옴: Ich will ... *studieren*.

문장 3

☞ 주어가 ich이므로 화법조동사 müssen의 형태는 → muss

주어가 단수일 때 화법조동사는 불규칙 변화!
ich **muss** / du **muss***t* / er (sie, es) **muss**

► 화법조동사 문장이므로 맨 뒤에 동사 원형이 옴: ... muss ich ... *verdienen*.

문장 4

☞ 주어가 Ich이므로 화법조동사 müssen의 형태는 → muss

주어가 단수일 때 화법조동사는 불규칙 변화!
ich **muss** / du **muss***t* / er (sie, es) **muss**

► 화법조동사 문장이므로 맨 뒤에 동사 원형이 옴: Ich muss ... *finanzieren*.

► 「*mein* Studium」:

명사 Studium은 *중성*이며, 동사 finanzieren의 *4격* 목적어이므로 *중성 4격!!*
따라서 mein-은 *중성 4격*의 부정관사 ein_과 동일하게 어미 없이 mein_임.

II. können? müssen? wollen? 내용상 알맞은 화법조동사는?

(12과, 심화문제: 교재 70쪽)

1. Ich habe es eilig. Ich muss bis 9 Uhr im Büro sein.

✹ **해석** 나는 시간이 없어. 나는 9시까지 사무실에 도착해야만 해.

✹ **어휘** eilig 급한 ▌muss ⇒ 「müssen ... 동사 원형」 [화법조동사] ... 해야 한다 ▌bis [4격 전치사] ~까지 ▌neun 9 ▌「im + 남성 · 중성 3격」 (위치) ...에, ...안에 (im = in dem) : im Büro 사무실에(서) ▌das Büro 사무실 (die Büro*s*) ▌sein [자동사] 있다, 존재하다

<참고> 형태가 -*o*인 명사는 *중성*이며 복수형은 -*s*임:
das Auto 자동차 (die Auto*s*) / *das* Kino 영화관 (die Kino*s*) / *das* Foto 사진 (die Foto*s*)

문장 1

► 이 문장에서 es는 앞의 중성명사를 받는 인칭대명사가 아님.
여기서는 구체적 의미 없이 관용적으로 사용되는 이른바 "비인칭 목적어"임:
「주어 + haben es eilig」 *주어*는 (급해서) 시간이 없다

문장 2

☞ • 내용상 '... 해야 한다'를 뜻하는 화법조동사 müssen이 와야 함.
• 주어가 Ich이므로 화법조동사 müssen의 형태는 → muss

주어가 단수일 때 화법조동사는 불규칙 변화!
ich **muss** / du **muss***t* / er (sie, es) **muss**

► 화법조동사 문장이므로 맨 뒤에 동사 원형이 옴: Ich muss ... *sein*.

► 「... *im* Büro sein」:

• 3 · 4격 전치사 in이 동사 sein과 결합하여 '사무실 *안에* 있다'를 뜻함.
따라서 '위치'를 나타내므로 in은 *3격 지배!*

• 명사 Büro는 *중성*이며, 전치사 in의 *3격* 목적어이므로 *중성 3격!!*
따라서 *중성 3격* 어미 -*em*을 지닌 정관사 d*em*이 앞에 오는데,
전치사 in과 결합하여 *im*으로 축약됨.

2. Hier ist die Endstation dieses Zugs. Du musst aussteigen.

✳ **해석** 여기는 이 기차의 종착역이야. 너는 하차해야만 해.

✳ **어휘** die Endstation 종착역 (die Endstation*en*) ← das Ende 끝 + die Station 정거장 (die Station*en*) ▌ dies- [지시대명사] 이 ... (정관사 어미변화!) ▌ der Zug 기차 (die Züg*e*) ▌ muss*t* ⇒ 「müssen ... 동사 원형」 [화법조동사] ...해야 한다 ▌ *aus*steigen [분리동사] 하차하다 (↔ *ein*steigen 승차하다)

문장 1

► 「... Endstation dies*es* Zug*s* 」 :

- 명사 Zug은 *남성*이며, 앞 명사 Endstation을 수식하는 *2격*이므로 *남성 2격!!* 따라서 지시대명사 dies-는 *남성 2격* 어미 *-es*가 붙어 dies*es*임.
  2격 어미: *-es*(남성, 중성), ***-er***(여성, 복수)
- Zug은 *남성*명사이므로 2격의 명사 어미 *-s*가 붙어 Zug*s*임. (어미 *-es*가 붙어 Zug*es*도 가능함!)

문장 2

☞ • 내용상 '... 해야 한다'를 뜻하는 화법조동사 müssen이 와야 함.
- 주어가 Du이므로 화법조동사 müssen의 형태는 → muss*t*
  주어가 단수일 때 화법조동사는 불규칙 변화!
  ich **muss** / du **muss*t*** / er (sie, es) **muss**

► 화법조동사 문장이므로 맨 뒤에 동사 원형이 옴: Du muss*t* *aussteigen*.

3. Es ist sehr warm hier. Kann*st* du bitte das Fenster aufmachen?

✳ **해석** 여기는 매우 더워. 너 창문 좀 열어줄 수 있니?

✳ **어휘** warm 따뜻한, 더운 ▌ Kann*st* ⇒ 「können ... 동사 원형」 [화법조동사] ...할 수 있다 ▌ das Fenster 창, 창문 (die Fenster) ▌ *auf*machen [분리동사&타동사] ...을 열다 (= öffnen) ↔ *zu*machen ...을 닫다 (= schließen)

문장 1

► 비인칭 주어 es를 사용하여 '기온'을 표현함: *Es* ist ...

<참고> 구체적인 대상이 아니라 막연하게 분위기나 상황을 말할 경우, 이를테면 '기온', '주위 상태' 등을 표현할 할 경우, 비인칭 주어 es를 사용함: z.B. *Es* wird gleich dunkel. 곧 어두워져.

문장 2

☞ • 내용상 "... 해줄 수 있니?"라는 부탁으로서 화법조동사 können이 와야 함: Können Sie (bitte) ...? 혹은 Kannst du (bitte) ...?는 부탁 표현임.
- 주어가 du이므로 화법조동사 können의 형태는 → Kann*st*
  주어가 단수일 때 화법조동사는 불규칙 변화!
  ich **kann** / du **kann*st*** / er (sie, es) **kann**

► 화법조동사 문장이므로 맨 뒤에 동사 원형이 옴: Kann*st* du ... *aufmachen*?

4. Kinder, ihr <u>müss*t*</u> jetzt ins Bett gehen! - Mama, es ist doch erst 20 Uhr.

✵ **해석** 얘들아, 너희 지금 잠자리에 들어야만 해. - 엄마, 이제 고작 20시에 불과하잖아.

✵ **어휘** das Kind 아이 (die Kind*er*) ▌müss*t* ⇒ 「müssen ... 동사 원형」 [화법조동사] ...해야 한다 ▌「ins + 중성 4격」 (방향) ... 안으로, ...로 (ins = in das) : ins Bett gehen 잠자리에 들다 ▌das Bett 침대 (die Bett*en*) ▌die Mama (구어체) 엄마 ↔ der Papa 아빠 ▌doch 상대방을 설득하기 위해 일정 내용을 환기시키는 표현 ("...잖아" 등으로 해석!) ▌erst 비로소, 고작 ▌zwanzig 20

문장 1

☞ • 내용상 '... 해야 한다'를 뜻하는 화법조동사 müssen이 와야 함.

• 주어가 ihr('너희는')이므로 화법조동사 müssen의 형태는 → <u>müss*t*</u>

주어가 복수 및 Sie('당신은')일 때 화법조동사는 규칙 변화!

wir **müss***en* / ihr **müss***t* / sie, Sie **müss***en*

► 화법조동사 문장이므로 맨 뒤에 동사 원형이 옴: ... ihr müss*t* ... <u>*gehen*</u>!

문장 2

► '시간'을 표현하는 비인칭 주어 es가 사용됨: *Es* ist ...

5. Vielleicht regnet es, es ist nicht sicher. - Ja, das <u>kann</u> sein. Es regnet heute wahrscheinlich.

✵ **해석** 혹시 비가 올지 몰라, 확실하지는 않아. - 맞아, 그럴 것 같아. 오늘 비가 올 가능성이 있어.

✵ **어휘** vielleicht 혹시, 어쩌면 ('추측'의 부사어) (영. perhaps) ▌regnen 비오다 <주의> '날씨' 동사의 주어는 항상 비인칭 주어 es임! → der Regen 비 ▌sicher 확실한, (부사적) 확실히, 틀림없이 ▌kann ⇒ 「können ... 동사 원형」 [화법조동사] ...할 수 있다 ▌wahrscheinlich 아마도 (가능성 높은 '추측'의 부사어) (영. probably)

문장 1

► '날씨'를 표현하는 비인칭 주어 es가 사용됨: ... <u>regne*t*</u> *es*, ...

reg**n**en은 어간 끝이 -gn이므로 발음상 -e-가 첨가되어 regn<u>e</u>*t*임. (즉, regn***t*** 아님!)

► 인칭대명사 es는 기본적으로 앞에 나온 중성명사를 받음.
하지만 이 밖에도 앞서 언급된 문장의 내용을 받을 수 있음.
여기서 es는 앞 문장의 내용, 즉 '비가 오는 것'을 가리킨다.

문장 2

► 지시대명사 das는 앞 문장의 내용을 받을 수 있음.
여기서 das는 주어이며, 앞 문장의 es처럼 '비가 오는 것'을 가리킨다.

☞ • 내용상 "... 일 수 있다"는 가능성을 표현하는 화법조동사 können이 와야 함.
• 주어가 지시대명사 das이므로 화법조동사 können의 형태는 → kann
주어가 단수일 때 화법조동사는 불규칙 변화!
ich **kann** / du **kann***st* / er (sie, es) **kann**

► 화법조동사 문장이므로 맨 뒤에 동사 원형이 옴: ... das kann *sein*.
<참고> Das kann sein('그럴 수 있어')은 실현 가능성 있는 추측을 나타내는 관용적 표현임.

III. 밑줄 친 문장을 화법조동사를 사용하여 표현하시오. (12과, 심화문제: 교재 70쪽)

1. Wahrscheinlich gewinnt er heute. Er spielt fantastisch!

✺ **해석** 아마도 그가 오늘 이길 거야. 그는 환상적으로 잘 경기하고 있어!

✺ **어휘** wahrscheinlich 아마도 (실현 가능성 높은 '추측'의 부사어) ▌gewinnen [자동사] (스포츠 등에서) 이기다 ▌spielen [자동사] 경기하다 (영. play) ▌fantastisch 환상적인, 매우 좋은, (부사적) 환상적으로, 매우 잘

문장 1

☞ 부사어 Wahrscheinlich가 사용된 점을 고려할 때,
'실현 가능성 있는 추측'을 표현하는 화법조동사 können('...일 수 있다')을 사용할 수 있음.

정답 Er kann heute gewinnen.

✺ **해석** 그는 오늘 이길 거야.

► 주어가 Er이므로 화법조동사 können의 형태는 → kann
주어가 단수일 때 화법조동사는 불규칙 변화!
ich **kann** / du **kann***st* / er (sie, es) **kann**

► 화법조동사가 있으므로 문장 맨 뒤에 동사 원형이 옴: Er kann ... *gewinnen*.

2. Katharina ist sicher schon zu Hause. Ich weiß es genau.

✺ **해석** 카타리나는 틀림없이 벌써 집에 있을 거야. 나는 그것을 정확히 알고 있어.

✺ **어휘** sicher 틀림없이, 반드시 ('확신'의 부사어) (= bestimmt, gewiss) ▌zu Haus(e) 집에, 집에서 ▌weiß ⇒ wissen [타동사] ...을 알다 (단수 주어일 때 불규칙 변화: ich *weiß* ; du *weißt* ; er *weiß*) ▌genau 정확한, (부사적) 정확히

문장 1

☞ '확신'의 부사어 sicher가 있으므로 → 「müssen ... sein」 ...임에 틀림없다 (영. must be)

문장 2

► 주어가 Ich일 때 동사 wissen은 불규칙 변화하여 *weiß*임. (즉, wiss*e* 아님!)

► 중성 인칭대명사 es는 앞서 나온 문장의 내용을 받을 수 있음.
여기서 es는 동사 weiß의 4격 목적어로서, 앞 문장 내용 '카타리나가 집에 있는 것'을 가리킴.

정답 Katharina muss schon zu Hause sein.

✺ **해석** 카타리나는 벌써 집에 있음에 틀림없어.

► 주어인 Katharina는 sie('그녀는')에 해당하므로 화법조동사 müssen의 형태는 → muss
주어가 단수일 때 화법조동사는 불규칙 변화!
ich **muss** / du **muss***t* / er (sie, es) **muss**

► 화법조동사가 있으므로 문장 맨 뒤에 동사 원형이 옴: Katharina muss ... *sein.*

3. Dieser Plan ist nicht realisierbar. Der ist viel zu kompliziert.

✺ **해석** 이 계획은 실현될 수 없어. 그것은 아주 너무 복잡해.

✺ **어휘** realisierbar 실현될 수 있는 ← realisieren [타동사] ...을 실현하다 ▌viel 많은, 많이 ▌kompliziert 복잡한 ▌「zu + 형용사」 너무 ...한

<참고> 형용사 어미 *-bar*는 *타동사*의 어간과 결합하여 '*...될 수 있는*'을 뜻함:
essen [타동사] ...을 먹다 → ess*bar* 먹어질 수 있는, 식용의 (↔ *un*essbar)
heilen [타동사] ...을 치료하다 → heil*bar* 치료될 수 있는 (↔ *un*heilbar)
benutzen [타동사] ...을 이용하다 → benutz*bar* 이용될 수 있는 (↔ *un*benutzbar)

문장 1

► 「Dies*er* Plan」:
명사 Plan은 *남성*이며, 문장의 *주어*이므로 *남성 1격!!*
따라서 지시대명사 Dies-는 *남성 1격* 정관사 d*er*처럼 어미변화 하여 Dies*er*임.

☞ 수동의 가능성 '...될 수 있는'을 뜻하는 형용사 어미 *-bar*가 붙은 realisier*bar*가 있음.
따라서 '가능성'을 표현하는 화법조동사 können('...일 수 있다')을 사용할 수 있음.

문장 2

► 지시대명사 Der는 주어이며, 앞 문장의 남성 명사 Plan을 받음.
"***Der*** (Plan)"의 축약형!

<참고> 여기서 지시대명사 Der 대신 인칭대명사 Er를 사용할 수도 있음: *Er* ist ...

► viel은 「zu + 형용사」의 의미인 '너무 ...하다'를 강화함. ("*아주* 너무 ...하다"로 해석!)

정답 Man kann diesen Plan nicht realisieren.

✺ **해석** 우리는 이 계획을 실현시킬 수 없다.

► 주어인 man은 단수 3인칭 er에 해당하므로 können의 형태는 → kann
주어가 단수일 때 화법조동사는 불규칙 변화!
ich **kann** / du **kann***st* / er (sie, es) **kann**

► 화법조동사 문장이므로 문장 맨 뒤에 동사 원형이 옴: Man kann ... *realisieren*.

► 「dies*en* Plan」:
명사 Plan은 *남성*이며, 동사 realisieren의 *4격 목적어*이므로 *남성 4격!!*
따라서 지시대명사 dies-는 *남성 4격* 정관사 d*en*처럼 어미변화 하여 dies*en*임.

IV. 괄호 안의 표현 가운데 알맞은 것을 선택하시오. (12과, 심화문제: 교재 70쪽)

1. Wir gehen heute Abend ins Kino. Kommst du mit? - Ich kann leider nicht. Ich fahre zu meiner Freundin. Sie ist krank.

✳ **해석** 우리는 오늘 저녁 영화관으로 가. 너 함께 갈래? - 나는 아쉽게도 그럴 수 없어. 나는 내 여자 친구에게로 가. 그녀가 아파.

✳ **어휘** gehen [자동사] 가다 ▌das Kino 영화관 (die Kino*s*) ▌「ins + 중성 4격」 (방향) ... 안으로, ...로 (ins = in das) : ins Kino 영화관으로 ▌Kommst ... *mit* ⇒ *mit*kommen [분리동사] 함께 가다, 함께 오다 ← mit [부사어] 함께 (영. together) + kommen [자동사] 오다 ▌kann ⇒ 「können ... 동사 원형」 [화법조동사] ...할 수 있다 ▌leider 아쉽게도, 유감스럽게도 ▌fahren [자동사] (차 타고) 가다 ▌「zu + 사람(3격)」 (방향) 누구에게로 ▌die Freund*in* 여자 친구 (die Freundin*nen*) ▌krank 아픈 ↔ gesund 건강한

문장 1

► ins Kino gehen 영화관으로 가다
「... gehen ... *ins* Kino」:
- 3·4격 전치사 in이 동사 gehen과 결합하여 '영화관으로 가다'를 뜻함.
  따라서 '방향'을 나타내므로 in은 *4격 지배!*
- 명사 Kino는 *중성*이며, 전치사 in의 *4격* 목적어이므로 *중성 4격!!*
  따라서 *중성 4격* 정관사 *das*가 앞에 오는데,
  전치사 in과 결합하여 *ins*로 축약됨.

문장 2

► 분리동사 *mit*kommen의 전철 *mit*-가 분리되어 문장 맨 뒤에 옴: Kommst du *mit*?

문장 3

► 주어가 Ich이므로 화법조동사 können의 형태는 → kann
주어가 단수일 때 화법조동사는 불규칙 변화!
ich **kann** / du **kann***st* / er (sie, es) **kann**

► 화법조동사 kann이 있으므로 원래는 문장 맨 뒤에 동사 원형 *mit*kommen이 와야 하지만, 앞에서 이미 언급되었으므로 반복을 피해 생략됨: Ich kann leider nicht (*mit*kommen).

문장 4

☞ '장소 이동' 동사 fahren('차 타고 가다')과 결합하므로 '방향'을 나타내어야 함.
따라서 전치사 *zu*가 정답: zu meiner Freundin (방향) 내 여자 친구에게로

<주의> 「3격 전치사 bei + 사람」 (위치) 누구에게서, 누구 집에서:
bei meiner Freundin 내 여자 친구 집에서

► 「zu mein*er* Freundin」 :
명사 Freundin은 *여성*이며, *3격* 전치사 zu의 목적어이므로 *여성 3격!!*
따라서 소유대명사 mein-은 *여성 3격* 어미 *-er*가 붙어 mein*er*임.
3격 어미: *-em*(남성, 중성), *-er*(여성), *-en*(복수)

2. Kann Herr Rogalla heute __bei__ Ihnen übernachten? - Nein, meine Eltern kommen. Er muss leider __im__ Hotel übernachten.

✺ **해석** 로갈라씨가 오늘 당신 집에서 숙박할 수 있나요? - 아니오, 저의 부모님이 오시거든요. 그는 아쉽게도 호텔에서 숙박해야만 해요.

✺ **어휘** Kann ⇒ 「können ... 동사 원형」 [화법조동사] ...할 수 있다 ▌「bei + 사람(3격)」 (위치) 누구에게서, 누구 집에서 ▌übernachten [자동사] 숙박하다, 밤을 보내다 ▌die Eltern (항상 복수) 부모님 ▌kommen [자동사] 오다 ▌leider 유감스럽게도 ▌muss ⇒ 「müssen ... 동사 원형」 [화법조동사] ...해야 한다 ▌「im + 남성 · 중성 3격」 (위치) ... 안에서, ...에서 (im = in dem) : im Hotel 호텔에서 ▌das Hotel 호텔 (die Hotel*s*)

문장 1

► 주어가 Herr Rogalla, 즉 er에 해당하므로 화법조동사 können의 형태는 → Kann
주어가 단수일 때 화법조동사는 불규칙 변화!
ich **kann** / du **kann***st* / er (sie, es) **kann**

► 화법조동사 문장이므로 맨 뒤에 동사 원형이 옴: Kann Herr Rogalla ... *übernachten*?

☞ 동사 übernachten과 결합하여 '...*에서* 숙박하다', 즉 '위치'를 나타내어야 함.
따라서 전치사 *bei*가 정답임: bei Ihnen 당신 *집에서*, 당신*에게서*

► 3격 전치사 bei와 결합하므로 Sie('당신은')의 3격 형 Ihnen이 사용됨.

문장 2

► 「mein*e* Eltern」 :
명사 Eltern은 *복수*이며, 이 문장의 *주어*이므로 *복수 1격!!*
따라서 소유대명사 mein-은 *복수 1격 정관사* di*e*처럼 어미변화 하여 mein*e*임.
소유대명사는 기본적으로 ***부정관사*** ein- 어미변화 하지만,
*복수*일 경우 ***정관사*** d- 어미변화 함!

문장 3

► 주어가 Er이므로 화법조동사 müssen의 형태는 → muss
주어가 단수일 때 화법조동사는 불규칙 변화!
ich **muss** / du **muss***t* / er (sie, es) **muss**

► 화법조동사 문장이므로 맨 뒤에 동사 원형이 옴: Er muss ... *übernachten*.

☞ 동사 übernachten과 결합하여 '...*에서* 숙박하다', 즉 '위치'를 나타내어야 함. 따라서 *im*이 정답임: im Hotel 호텔*에서*, 호텔 안*에서*
<주의> 「ins + 중성 4격」 (방향) ...로, ... 안으로 : *ins* Hotel 호텔*로*, 호텔 *안으로*

3. Um 8 Uhr will er fernsehen, aber es gibt keinen guten Film.

✵ **해석** 8시에 그는 TV를 시청하려고 하지만, 좋은 영화가 없다.

✵ **어휘** acht 8 ▌will ⇒ 「wollen ... 동사 원형」 [화법조동사] ... 하려고 하다 ▌*fern*sehen [분리동사] TV 시청하다 ← fern [부사어] 멀리 + sehen [타동사] ...을 보다 <참고> der Fernseher (기계) 텔레비전 (die Fernseher) ▌「es gibt + 4격」 ...이 있다, 존재하다 ← geben [타동사] ...을 주다 (단수 2, 3인칭 불규칙 변화: du gib*st* ; er gib*t*) ▌gut 좋은 ▌der Film 영화, 필름 (die Film*e*)

► 주어가 er이므로 화법조동사 wollen의 형태는 → will
주어가 단수일 때 화법조동사는 불규칙 변화!
ich **will** / du **will***st* / er (sie, es) **will**

► 화법조동사 문장이므로 맨 뒤에 동사 원형이 옴: ... will er ... *fernsehen*, aber ...

☞ 동사 geben은 어간 모음 e → i 유형의 불규칙 변화: du gib*st* ; er (sie, es) gib*t*
따라서 es가 주어이므로 *gibt*가 정답임.

► 「kein*en* gut*en* Film」 :

- 명사 Film은 *남성*이며, 「es gibt ...」 형식의 *4격* 목적어이므로 *남성 4격!!*
- kein-은 *남성 4격* 부정관사 ein*en*처럼 어미변화 하여 kein*en*임.
- 형용사 gut 앞에 *남성 4격*의 kein*en*이 있음.

→ kein*en* gut*en* ...
(근거: 남성 4격 d*en*, ein*en*, mein*en*, ihr*en*, kein*en*, dies*en* + 형용사 -*en*)

4. Lass mich bitte in Ruhe! Ich muss mich auf die Arbeit konzentrieren.

✵ **해석** 나를 제발 가만히 내버려 둬. 나는 일에 집중해야만 해.

✵ **어휘** Lass ⇒ lassen [타동사] ...을 내버려 두다, 방임하다 (영. let) (단수 2, 3인칭 불규칙 변화: du l**ä**ss*t* ; er l**ä**ss*t*) → 「lassen + 4격(사람) + in Ruhe」 누구를 가만히 내버려 두다 ▌die Ruhe 조용함 → ruhig 조용한 ▌muss ⇒ 「müssen ... 동사 원형」 [화법조동사] ...해야 한다 ▌「konzentrieren sich[4] auf + 4격」 ...에 집중하다 ▌die Arbeit 일, 작업 (die Arbeit*en*)

문장 1

☞ du-명령문 「동사 어간 ...!」 : lassen → *Lass* ...!
<주의> a → ä 유형 불규칙 동사는 du-명령문에서 어간 모음 변화 없음:
schlafen 잠자다 : du schläfst ; er schläft → Schlaf! 잠자라. (즉, Schläf 아님.)
fahren 운전하다 : du fährst ; er fährt → Fahr! 운전해라. (즉, Fähr 아님.)

► 동사 Lass의 4격 목적어이므로 ich의 4격 형인 mich가 사용됨.

문장 2

► 주어가 Ich이므로 화법조동사 müssen의 형태는 → muss

주어가 단수일 때 화법조동사는 불규칙 변화!
ich **muss** / du **muss***t* / er (sie, es) **muss**

► 화법조동사 문장이므로 맨 뒤에 동사 원형이 옴: Ich muss ... *konzentrieren*.

► 주어가 Ich이므로 4격 재귀대명사는 mich임.

<참고> 재귀대명사는 주어에 의해 결정됨:

주어 (단수)	3격	4격	주어 (복수)	3격	4격
ich	*mir*	*mich*	wir	*uns*	*uns*
du	*dir*	*dich*	ihr	*euch*	*euch*
er, sie, es	*sich*		sie, Sie	*sich*	

☞ 4격 재귀동사 형식「konzentrieren sich[4] *auf* + 4격」에 따라 전치사 *auf*가 와야 함.

5. Kann man hier parken? - Nein, hier ist Parken verboten .

✹ **해석** (사람들이) 이곳에 주차할 수 있나요? - 아니오, 여기는 주차가 금지되어 있어요.

✹ **어휘** Kann ⇒「können ... 동사 원형」[화법조동사] ...할 수 있다 ▌man 사람들은 (항상 주어임. 단수 3인칭 er 취급함.) (영. people, one) ▌parken 주차하다 ▌verboten 금지된 (← verbieten ...을 금지하다) ↔ erlaubt 허락된 (← erlauben ...을 허락하다)

문장 1

► 주어인 man은 단수 3인칭 er에 해당하므로 화법조동사 können의 형태는 → Kann

주어가 단수일 때 화법조동사는 불규칙 변화!
ich **kann** / du **kann***st* / er (sie, es) **kann**

► 화법조동사 문장이므로 맨 뒤에 동사 원형이 옴: Kann man ... *parken*?

문장 2

► 동사 원형을 *대문자* 표기하면 *중성*명사화 되어 '...하는 것'을 의미함:

parken 주차하다 → (das) Parken 주차, 주차하는 것

essen 먹다 → (das) Essen 식사, 식사하기

☞ 문맥 내용상 verboten('금지된')이 와야 함.

unit 03

마무리 문제

I. 괄호 안의 낱말을 사용하여 독일어로 옮기시오. (12과, 마무리문제: 교재 71쪽)

1. 나를 좀 도와줄 수 있니? 나는 이 독일어 텍스트를 이해할 수가 없어.
   (du, ich, bitte, helfen, können) (ich, dies-, deutsch, Text, verstehen, können)

✺ 어휘 「helfen + 3격(사람)」 누구를 돕다 ▌「können ... 동사 원형」 [화법조동사] ...할 수 있다 ▌deutsch 독일의, 독일어의 ▌der Text 텍스트 (die Text*e*) ▌verstehen [타동사] ...을 이해하다

정답 Kannst du mir bitte helfen? Ich kann diesen deutschen Text nicht verstehen.

문장 1

► "도와줄 *수 있니*?" → 따라서 화법조동사 können이 사용되어야 함.
우리말에서 생략된 "너는", 즉 du가 주어이므로 können의 형태는 → Kann*st*
주어가 단수일 때 화법조동사는 불규칙 변화!
ich **kann** / du **kann***st* / er (sie, es) **kann**

► "*도와줄* 수 있니?" → 따라서 화법조동사 Kannst와 결합하는 동사는 helfen임.
화법조동사 문장이므로 동사 원형이 문장 맨 뒤에 옴: Kann*st* du ... *helfen*?

► 우리말 "나*를*"은 마치 4격 형처럼 보이지만,
여기서는 3격 요구 동사인 helfen의 목적어이므로 ich의 3격 형 mir가 사용됨.

► 어순 규칙: mir는 인칭*대명사*이므로 부사어 bitte보다 앞에 위치함.
(즉, "Kannst du *bitte mir* helfen?"은 틀림!)

문장 2

► "이해할 *수가 없어*" → 따라서 화법조동사 können의 부정문이 되어야 함.
주어가 "나는", 즉 Ich이므로 können의 형태는 → kann

► "*이해할* 수가 없어" → 따라서 화법조동사 kann과 결합하는 동사는 verstehen임.
화법조동사 문장이므로 동사 원형이 문장 맨 뒤에 옴: Ich kann ... *verstehen*.

► "이 독일어 텍스트*를*"은 동사 verstehen의 4격 목적어임.
즉, 「dies*en* deutsch*en* Text」:

- 명사 Text는 *남성*이며, 동사 verstehen의 *4격* 목적어이므로 *남성 4격!!*
  따라서 지시대명사 dies-는 *남성 4격* 정관사 d*en*처럼 어미변화 하여 dies*en*임.
- 형용사 deutsch 앞에 *남성 4격*의 dies*en*이 있음.
  → 따라서 dies*en* deutsch*en* ...
  (근거: 남성의 d*en*, ein*en*, mein*en*, ihr*en*, kein*en*, dies*en* + 형용사는 -*en*)

2. 나는 아직 잠자러 갈 수 없다. 3개의 중요한 이메일에 답을 해야 한다.

(ich, nicht, noch, ins, gehen, Bett, können)

(drei, E-Mail, antworten, wichtig, auf, müssen)

✹ **어휘** 「ins + 중성 4격」 (방향) ...로, ... 안으로 (ins = in das) : ins Bett gehen '침대 안으로 가다', 즉 '잠자리에 들다' ▌gehen [자동사] 가다 ▌das Bett 침대 (die Bett*en*) ▌「können ... 동사 원형」 [화법조동사] ...할 수 있다 ▌drei 3 ▌die E-Mail 이메일 (die E-Mail*s*) ▌「antworten auf + 4격」 ...에 답하다, 답장하다 ▌wichtig 중요한 ▌「müssen ... 동사 원형」 [화법조동사] ...해야 한다

정답 Ich kann noch nicht ins Bett gehen. Ich muss auf die drei wichtigen E-Mails antworten.

문장 1

► "잠자러 갈 *수 없다*" → 따라서 화법조동사 können의 부정문이 되어야 함.
주어가 "나는", 즉 Ich이므로 können의 형태는 → kann

주어가 단수일 때 화법조동사는 불규칙 변화!
ich **kann** / du **kann***st* / er (sie, es) **kann**

► "잠자러 *갈* 수 없다" → 따라서 화법조동사 kann과 결합하는 동사는 gehen임.
화법조동사 문장이므로 동사 원형이 문장 맨 뒤에 옴: Ich kann ... gehen.

문장 2

► "답을 *해야 한다*" → 따라서 화법조동사 müssen이 사용되어야 함.
우리말에서 생략된 "나는", 즉 Ich가 주어이므로 müssen의 형태는 → muss

주어가 단수일 때 화법조동사는 불규칙 변화!
ich **muss** / du **muss***t* / er (sie, es) **muss**

► "*답을 해야* 한다" → 따라서 화법조동사 muss와 결합하는 동사는 antworten임.
화법조동사 문장이므로 동사 원형이 문장 맨 뒤에 옴: Ich muss ... *antworten*.

► "3개의 중요한 이메일에"는 동사 antworten와 함께 오는 전치사 auf의 4격 목적어임.
즉, 「auf di*e* drei wichtig*en* E-Mail*s* 」:

- 명사 E-Mail*s*는 *복수*이며, 전치사 auf의 *4격* 목적어이므로 *복수 4격!!*
  따라서 *복수 4격* 정관사 di*e*가 앞에 옴.
- 형용사 wichtig 앞에 복수 4격 정관사 di*e*가 있음.
  → 따라서 auf di*e* drei wichtig*en* ...
  (근거: 복수 1, 4격 di*e*, dies*e* + 형용사 *-en*)

3. 졸업 후에 무엇을 하려고 합니까? - 일자리를 구하려고 합니다.

(das Studium, nach, was, machen, wollen) (sich[3] suchen, eine Stelle, wollen)

✹ **어휘** das Studium 학업, 공부 (die Studi*en*) ▌「nach + 3격」 (시간적 의미) ... 후에 ▌machen [타동사] ...을 하다, 행하다 ▌「wollen ... 동사 원형」 [화법조동사] ...하려고 하다 ▌

「suchen sich^{3} + 4격」 [3격 재귀동사] (자신이 갖기 위해) ...을 구하다, 찾다 ▌die Stelle 직위, 일자리 (die Stelle*n*)

정답 Was wollen Sie nach dem Studium machen? - Ich will mir eine Stelle suchen.

문장 1

► "무엇을 *하려고 합니까*?" → 따라서 화법조동사 wollen이 사용되어야 함.
우리말에서 생략된 "당신은", 즉 격식칭 Sie가 주어이므로 wollen의 형태는 → woll*en*
주어가 복수 및 Sie('당신은')일 때 화법조동사는 규칙 변화!
wir **woll***en* / ihr **woll***t* / sie, Sie **wollen**

► "무엇을 *하려고* 합니까?" → 따라서 화법조동사 wollen과 결합하는 동사는 machen임.
화법조동사 문장이므로 동사 원형이 문장 맨 뒤에 옴: ... woll*en* Sie ... *machen*?

► "졸업 후에"는 "학업 후에"로 이해하여 독일어로 옮김.
즉, 「nach d*em* Stidium」:
명사 Studium은 *중성*이며, *3격* 전치사 nach의 목적어이므로 *중성 3격!!*
따라서 *중성 3격* 어미 *-em*을 지닌 정관사 d*em*이 앞에 옴.
<참고> 3격 어미: *-em*(남성, 중성), *-er*(여성), *-en*(복수)

문장 2

► "일자리를 구*하려고 합니다*" → 따라서 화법조동사 wollen이 사용되어야 함.
우리말에서 생략된 "저는", 즉 Ich가 주어이므로 wollen의 형태는 → will
주어가 단수일 때 화법조동사는 불규칙 변화!
ich **will** / du **will***st* / er (sie, es) **will**

► "일자리를 *구하려고* 합니다" → 따라서 화법조동사 will과 결합하는 동사는 suchen임.
화법조동사 문장이므로 동사 원형이 문장 맨 뒤에 옴: Ich will ... *suchen*.

► 주어가 Ich이므로 3격 재귀대명사는 mir임.

► 어순 규칙: 재귀*대명사*인 mir는 일반 *명사*인 4격 목적어 eine Stelle보다 앞에 위치함.

4. 월요일과 수요일마다 나는 스페인어 강좌에 가야 해.

(ich, montags, mittwochs, und, der Spanischkurs, zu, müssen)

✹ **어휘** montags [부사어] 월요일에 ← der Montag 월요일 ▌mittwochs [부사어] 수요일에 ← der Mittwoch 수요일 ▌der Spanischkurs 스페인어 강좌 (die Spanischkurs*e*) ← Spanisch 스페인어 + der Kurs 강좌, 경로 (die Kurs*e*) (영. course) ▌「zu + 3격」 (방향) ...로 ▌「müssen ... 동사 원형」 [화법조동사] ...해야 한다

정답 Montags und mittwochs muss ich zum Spanischkurs.

► "스페인어 강좌에 *가야해*" → 따라서 화법조동사 müssen이 사용되어야 함.
주어가 "나는", 즉 ich이므로 müssen의 형태는 → muss
주어가 단수일 때 화법조동사는 불규칙 변화!
ich **muss** / du **muss***t* / er (sie, es) **muss**

► 「zum + 남성 · 중성 3격」 (방향) ...로 : zum Spanischkurs 스페인어 강좌로
(zum = zu dem)

► "... *가야* 해" → 따라서 원칙적으로 화법조동사 muss와 결합하여 '가다'를 의미하는 동사 gehen, fahren 등이 문장 맨 뒤에 와야 하지만 여기서는 생략됨.

<주의> 동사 원형을 생략하더라도 '방향'을 뜻하는 표현 zum Spanischkurs('스페인어 강좌로')가 있는 점을 통해, gehen, fahren 등의 '장소 이동' 동사가 생략되었음을 알 수 있음.

II. 잘못된 부분(들)을 고쳐서 다시 적으시오. (12과, 마무리문제: 교재 71쪽)

1. Mein Freund kannt[오류1] sprechen[오류2] sieben Fremdsprachen.

✵ **해석** 나의 친구는 7개의 외국어를 할 수 있다.

✵ **어휘** der Freund [1] (남녀 구분 없이 일반적인) 친구; [2] 남자 친구 (die Freund*e*) ▌「können ... 동사 원형」 [화법조동사] ...할 수 있다 ▌ sprechen ...을 말하다 ▌ sieben 7 ▌ Fremdsprache 외국어 (die Fremdsprache*n*) ← fremd 낯선 + die Sprache 언어 (die Sprache*n*)

<오류> 1

화법조동사 können은 주어가 단수일 때 불규칙 변화 함:
ich kann / du kann*st* / er (sie, es) kann
따라서 주어가 Mein Freund, 즉 er에 해당하므로 können의 형태는 kann이어야 옳음!

<오류> 2

화법조동사와 결합하는 동사 원형은 반드시 문장 맨 뒤에 위치해야 옳음!
(여기서는 영어와 혼동하여 동사 원형 sprechen이 화법조동사 바로 뒤에 오는 오류를 보임.)

정답 Mein Freund *kann* sieben Fremdsprachen *sprechen*.

► 화법조동사 kann이 있으므로 동사 원형이 문장 맨 뒤에 옴:
Mein Mann kann ... *sprechen*.

► 「*Mein* Freund」 :
명사 Freund는 *남성*이며, 문장의 *주어*이므로 *남성 1격!!*
따라서 소유대명사 Mein-('나의')은 *남성 1격* 부정관사 ein_처럼 어미 없이 Mein_임.

2. Du müsst[오류1] jede Woche am Unterricht teil nehmen[오류2].

✵ **해석** 너는 매주 수업에 참여해야 해.

✷ 어휘 「müssen ... 동사 원형」 [화법조동사] ...해야 한다 ▌「jed- + *단수*명사」 모든 ..., 매 ... (jed-는 정관사 어미변화!) (영. every, each) : jede Woche 매주 (4격의 시간 부사어!) ▌die Woche 주, 주일 (die Woche*n*) ▌der Unterricht 수업 (die Unterricht*e*) ▌*teil*nehmen [분리동사] → 「nehmen + an + 3격 ... *teil*」 ...에 참여하다, 참가하다 ▌「am + 남성 · 중성 3격」 (am = an dem)

<오류> 1

화법조동사 müssen은 주어가 단수일 때 불규칙 변화 함:

ich muss / du muss*t* / er (sie, es) muss

따라서 주어가 du이므로 müssen의 형태는 muss*t*이어야 옳음!

<오류> 2

분리동사는 화법조동사와 결합하여 문장 맨 뒤에 올 경우는 전철이 분리되지 않음.

따라서 분리동사 *teil*nehmen의 전철 *teil*-이 분리되지 않고 그대로 와야 옳음!

정답 Du *musst* jede Woche am Unterricht *teilnehmen*.

► 화법조동사 musst가 있는 문장이므로 동사 원형이 맨 뒤에 옴: Du muss*t* ... *teilnehmen*.
분리동사 *teil*nehmen의 전철 *teil*-이 분리되지 않음!

► 「jed*e* Woche」 :

명사 Woche는 *여성*이며, *4격*의 시간 부사어이므로 *여성 4격!!*

따라서 jed-는 *여성 4격* 정관사 di*e*처럼 어미변화 하여 jed*e*임.

► 「*am* Unterricht」 :

명사 Unterricht는 *남성*이며, 분리동사 *teil*nehmen과 함께 오는 전치사 an의 *3격* 목적어이므로 *남성 3격!!*

따라서 *남성 3격* 어미 *-em*을 지닌 정관사 d*em*이 앞에 와야 하는데,

이 dem이 전치사 an과 결합하여 *am*으로 축약됨.

3. Am Sonntag muss Mann[오류] nicht zur Arbeit gehen.

✷ 해석 일요일에는 일하러 갈 필요가 없다.

✷ 어휘 「am + 요일」 : am Sonntag 일요일에 ← der Sonntag 일요일 (die Sonntag*e*) ▌muss ⇒ 「müssen ... 동사 원형」 [화법조동사] ... 해야 한다 ▌der Mann 남자, 남편 (die Männ*er*) ▌「zur + 여성 3격」 [1] (방향) ...로 ; [2] (목적) ...을 위해 (zur = zu der) : zur Arbeit gehen 일하러 가다 ▌die Arbeit 일, 작업 (die Arbeit*en*) ▌gehen [자동사] 가다

<오류>

(대문자 표기) Mann은 남성명사로서 '성인 남자, 남편'을 뜻함.

(소문자 표기) man은 부정대명사로서 특정인이 아닌 일반적 '사람들'을 뜻함.

여기서는 내용상 부정대명사 man이 와야 옳음!

정답 Am Sonntag muss *man* nicht zur Arbeit gehen.

► 주어인 man은 단수 3인칭 er 취급하므로 화법조동사 müssen의 형태는 → muss
주어가 단수일 때 화법조동사는 불규칙 변화!
ich **muss** / du **muss*t*** / er (sie, es) **muss**

► 화법조동사 문장은 맨 뒤에 동사 원형이 옴: ... muss man ... *gehen*.

4. Du must[오류1] fleißig lernen. Sonst kanst[오류2] du die Prüfung nicht bestehen.

✸ **해석** 너는 열심히 공부해야만 해. 그렇지 않으면 너는 그 시험을 통과할 수 없어.

✸ **어휘** 「müssen ... 동사 원형」 [화법조동사] ...해야 한다 ▌fleißig [형용사] 부지런한, (부사적) 부지런히 ▌lernen 공부하다 ▌sonst 그렇지 않으면, 그 밖에 (영. otherwise) ▌「können ... 동사 원형」 [화법조동사] ...할 수 있다 ▌die Prüfung 시험 (die Prüfung*en*) → eine Prüfung bestehen 시험에 통과하다 (↔ in einer Prüfung *durch*fallen 시험에 떨어지다)

<오류> 1

화법조동사 müssen은 주어가 단수일 때 불규칙 변화 함:
ich muss / du muss*t* / er (sie, es) muss
따라서 주어가 Du이므로 müssen의 형태는 muss*t*이어야 옳음!
(여기서는 영어의 조동사 must와 혼동하는 오류를 보임!)

<오류> 2

화법조동사 können은 주어가 단수일 때 불규칙 변화 함:
ich kann / du kann*st* / er (sie, es) kann
따라서 주어가 Du이므로 können의 형태는 kann*st*이어야 옳음!

정답 Du *musst* fleißig lernen. Sonst *kannst* du die Prüfung nicht bestehen.

문장 1

► 화법조동사 musst가 있으므로 동사 원형이 문장 맨 뒤에 옴: Du muss*t* ... *lernen*.

문장 2

► 화법조동사 kannst가 있는 문장이므로 동사 원형이 맨 뒤에 옴: ... kann*st* du ... *bestehen*.

► die Prüfung은 동사 bestehen의 4격 목적어임.

5. Warum können[오류1] Sie schon gehen? Bleib[오류2] doch noch etwas!

✸ **해석** 왜 당신은 벌써 가시려고 합니까? (그러지 말고) 조금 더 머무르세요.

✸ **어휘** warum [의문사] 왜? ▌「können ... 동사 원형」 [화법조동사] ...할 수 있다 ▌gehen [자동사] 가다 ▌bleiben [자동사] 머무르다 ▌doch [부사어] 명령문에서 요구 내용을 강조함. ("그러지 말고" 등으로 해석!) ▌noch [부사어] ... 더 → noch etwas 조금 더, noch einmal 한번 더 ▌etwas [부사어] 약간, 조금 (= ein wenig, ein bisschen)

<오류> 1

내용상 '... 하려고 하다'를 의미하는 화법조동사 wollen이 와야 옳음!

<오류> 2

du-명령문 「동사 어간 ...!」 형식의 문장임: bleib*en* → Bleib ...!
그런데 앞 문장에서 격식칭 Sie('당신은')가 사용된 점을 고려할 때 Sie-명령문이어야 옳음!

정답 Warum *wollen* Sie schon gehen? *Bleiben Sie* doch noch etwas!

문장 1

► 화법조동사 wollen은 주어가 복수 및 Sie('당신은, 당신들은')일 때 규칙 변화 함:
wir woll*en* / ihr woll*t* / sie, Sie woll*en*
따라서 주어가 격식칭 Sie('당신은')이므로 화법조동사 형태는 원형 그대로 woll*en*임.

► 화법조동사 wollen이 있으므로 동사 원형이 문장 맨 뒤에 옴: ... woll*en* Sie ... *gehen*?

문장 2

► Sie-명령문 「동사 원형 + Sie ...!」 ... 하세요 : Bleib*en* Sie ...!

6. Ist dieser[오류1] Milch noch trinkbar? - Ja, man will[오류2] ihn[오류3] noch trinken.

✻ 해석 이 우유 아직 마실 수 있나요? - 예, 우리는 그것을 아직 마실 수 있어요.

✻ 어휘 die Milch [물질명사] 우유 ▌trinken [타동사] ...을 마시다 → trink*bar* 마셔질 수 있는, 마셔도 되는 ▌man 사람들은 (항상 주어, 단수 3인칭 er 취급) ▌「wollen ... 동사 원형」 [화법조동사] ...하려고 하다

<오류> 1

지시대명사 dies-의 어미변화 방식이 옳지 않음!

<오류> 2

내용상 '...할 수 있다'를 의미하는 화법조동사 können이 와야 옳음!

<오류> 3

앞 문장의 여성명사 Milch를 받으므로 여성 인칭대명사 sie('그녀')가 와야 옳음!

정답 Ist dies*e* Milch noch trinkbar? - Ja, man *kann sie* noch trinken.

문장 1

► 「dies*e* Milch」 :
명사 Milch는 *여성*이며, 동사 Ist의 *주어*이므로 *여성 1격!*
따라서 지시대명사 dies-는 *여성 1격* 정관사 di*e*처럼 어미변화 하여 dies*e*임.

► 「*타동사* 어간 + 형용사 어미 *-bar* 」 ...될 수 있는
타동사 trink*en*('...을 마시다')의 어간 trink- + *-bar* = trink*bar* 마셔질 수 있는

문장 2

► 주어인 man은 단수 3인칭 er처럼 취급하므로 화법조동사 können의 형태는 → kann
주어가 단수일 때 화법조동사는 불규칙 변화!
ich **kann** / du **kann***st* / er (sie, es) **kann**

► 화법조동사 kann이 있는 문장이므로 동사 원형이 맨 뒤에 옴: ... man kann ... *trinken*.

► 앞 문장의 *여성*명사 Milch를 받으며, 동사 trinken의 *4격* 목적어이어야 하므로 여성 인칭대명사 sie('그녀')의 4격 형인 sie가 옴.

<참고> 정관사 형태의 지시대명사 die가 사용될 수 있음: Ja, *die* kann man noch trinken.
die (Milch)의 축약형임.
정관사 형태 지시대명사 d-는 일반적으로 문장 앞으로 나옴!

7. Frag doch mich[오류1]! Ich erkläre dir es[오류2].

✷ **해석** (그러지 말고) 나에게 물어 봐. 내가 너에게 그것을 설명해 줄 게.

✷ **어휘** 「fragen + 4격(사람)」 누구에게 질문하다 (4격 요구 동사!) ▌doch [부사어] 명령문에서 요구 내용을 강조함. ("그러지 말고" 등으로 해석!) ▌「erklären + 3격(사람) + 4격」 누구에게 ...을 설명하다

<오류> 1

어순 규칙: *대명사*는 다른 낱말보다 앞에 위치함!

따라서 인칭*대명사* 4격 형 mich는 부사어 doch보다 앞에 위치해야 옳음!

<오류> 2

어순 규칙: *대명사*들이 함께 올 경우는 1격 > 4격 > 3격 순서임.

따라서 인칭*대명사 4격* 형인 es가 인칭*대명사 3격* 형인 dir보다 앞에 위치해야 옳음!

<참고> 명사들이 함께 올 경우는 1격 > 3격 > 4격 순서임:
Ich erkläre meinem Schüler (3격) einen Satz (4격). 나는 나의 학생에게 문장 하나를 설명한다.

정답 Frag *mich* doch! Ich erkläre *es* dir.

문장 1

► du-명령문 「동사 어간 ...!」 ... 해라 : frag*en* → Frag ...!

► 동사 fragen은 '...*에게* 질문하다'이지만 3격이 아닌 4격 목적어를 갖는 4격 요구 동사임! 따라서 동사 Frag의 4격 목적어이어야 하므로 ich의 4격 형인 mich가 사용됨.

문장 2

► 동사 erkläre의 4격 목적어이어야 하므로 es의 4격 형인 es가 사용됨.

► 동사 erkläre의 3격 목적어이어야 하므로 du의 3격 형인 dir가 사용됨.

Lektion 13

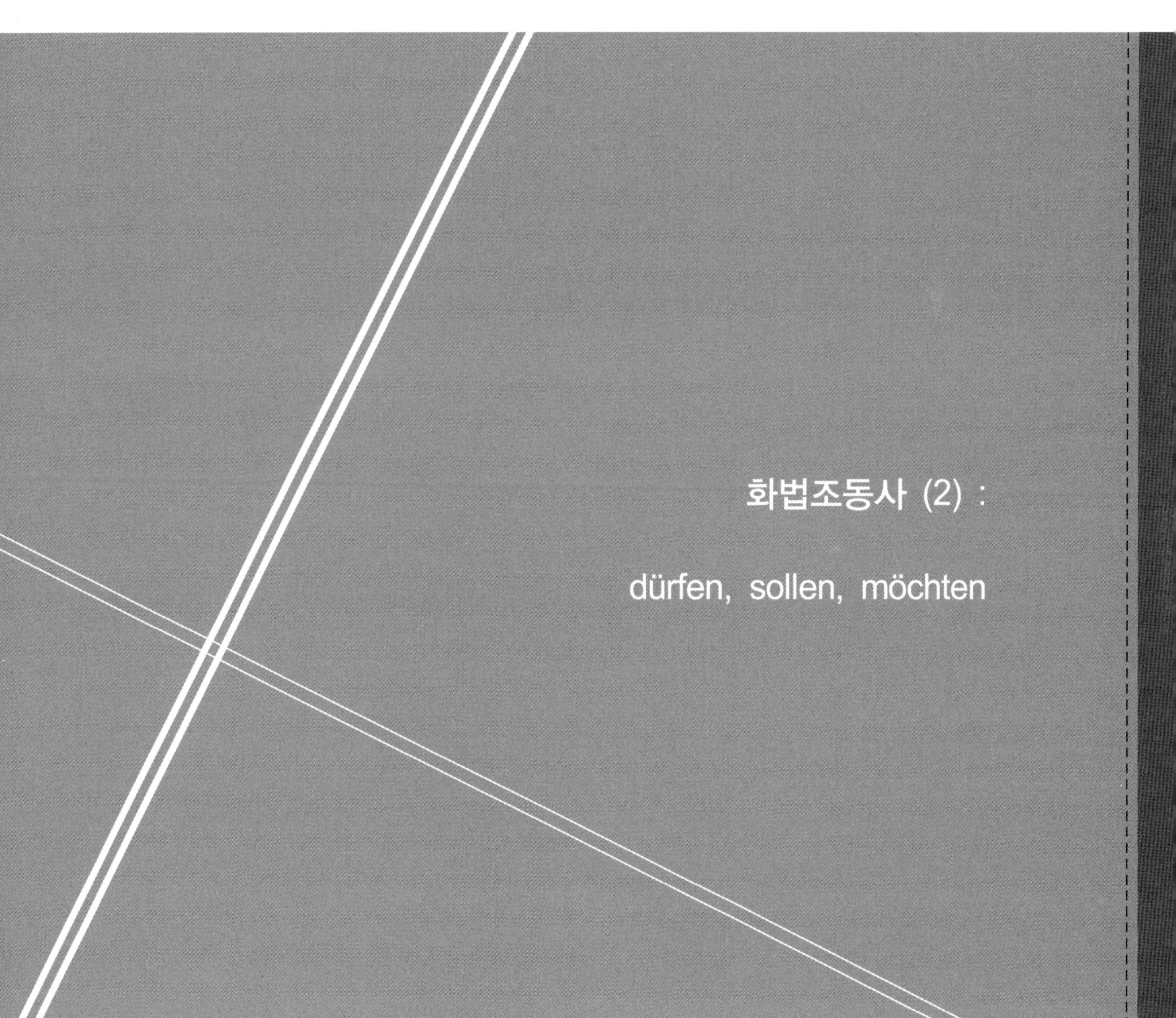

unit 01

기초문제

I. 화법조동사 dürfen, sollen, möchten, können, müssen, wollen의 알맞은 형태는? (13과, 기초문제: 교재 73~74쪽)

1. Man soll seine Eltern ehren.

✹ **해석** 사람들은 자신의 부모님을 존경해야 한다.

✹ **어휘** man 사람들은 (항상 주어임, 단수 3인칭 er 취급함.) (영. people, one) ▌soll ⇒「sollen ... 동사 원형」[화법조동사] ...해야 한다 ▌die Eltern (항상 복수) 부모 ▌ehren [타동사] 존경하다

► 주어인 man은 '특정인들'이 아니라 막연하게 '사람들'을 뜻하므로 "우리는"으로도 해석됨: "*우리는* 부모님을 존경해야 한다."

☞ 주어인 man은 단수 취급하여 er에 해당하므로 화법조동사 sollen의 형태는 → soll

화법조동사는 주어가 단수일 때 불규칙 변화함:
ich **soll** / du **soll***st* / er (sie, es) **soll**

► 화법조동사 문장이므로 맨 뒤에 동사 원형이 옴: Man soll ... *ehren*.

► man은 3인칭 단수 er 취급하므로 소유대명사는 *sein-*임.

► 「sein*e* Eltern」
명사 Eltern은 *복수*이며, 동사 ehren의 *4격* 목적어이므로 *복수 4격!!*
따라서 sein-은 *복수 4격* 정관사 di*e*처럼 어미변화 하여 sein*e*임.

2. Herr Treck, darf ich Ihnen meinen Mann vorstellen?

✹ **해석** 트렉씨, 제가 당신에게 제 남편을 소개해도 될까요?

※ 사람을 소개할 때 사용되는 전형적인 표현 방식임.

✹ **어휘** darf ⇒「dürfen ... 동사 원형」[화법조동사] ...해도 된다 ▌der Mann 남자, 남편 (die Männ*er*) ▌*vor*stellen [분리동사&타동사] ...을 소개하다 →「stellen + 3격(사람) + 4격 ... *vor*」누구에게 ...을 소개하다

☞ 주어가 ich이므로 화법조동사 dürfen의 형태는 → darf

화법조동사는 주어가 단수일 때 불규칙 변화함:
ich **darf** / du **darf***st* / er (sie, es) **darf**

► 화법조동사 문장이므로 맨 뒤에 동사 원형이 옴: ... darf ich ... *vor*stellen?

<주의> *vor*stellen은 분리동사이지만 문장 맨 뒤에 원형으로 올 경우는 분리되지 않음.

► 분리동사 *vor*stellen의 3격 목적어이므로 Sie('당신') 3격 형 Ihnen이 사용됨.

► 「mein*en* Mann」 :

명사 Mann은 *남성*이며, 동사 *vor*stellen의 *4격* 목적어이므로 *남성 4격!!*

따라서 mein-은 *남성 4격* 부정관사 ein*en*처럼 어미변화 하여 mein*en*임.

3. **D**ürf*en* wir heute Abend ins Kino gehen? - Ja, aber ihr **s**oll*t* zuerst eure Hausaufgaben machen.

✺ **해석** 우리 오늘 저녁 영화관으로 가도 돼? - 응, 하지만 너희는 우선 너희의 숙제를 해야 해.

✺ **어휘** 「dürfen ... 동사 원형」 [화법조동사] ...해도 되다 ▌heute Abend 오늘 저녁 ← heute 오늘 + der Abend 저녁 (die Abend*e*) ▌「ins + 중성 4격」 (방향) ... 안으로, ...로 (ins = in das) : ins Kino gehen 영화관으로 가다 ▌das Kino 영화관 (die Kino*s*) ▌gehen [자동사] 가다 ▌soll*t* ⇒ 「sollen ... 동사 원형」 [화법조동사] ...해야 한다 <주의> sollen의 부정문은 '...해서는 안 된다' ▌zuerst 우선, 먼저 ▌die Hausaufgabe*n* (주로 복수) (방과 후 집에서 행하는) 숙제, 과제 ← das Haus 집 (die Häus*er*) + die Aufgabe 과제, 임무 (die Aufgabe*n*) : die Hausaufgabe*n* machen 숙제 하다

문장 1

☞ 주어가 wir이므로 화법조동사 dürfen의 형태는 → Dürf*en*

화법조동사는 주어가 복수 및 Sie('당신은')일 때 규칙 변화함:
wir **dürf***en* / ihr **dürf***t* / sie, Sie **dürf***en*

► 화법조동사 문장이므로 맨 뒤에 동사 원형이 옴: Dürf*en* wir ... *gehen*?

► 「... *ins* Kino gehen」 :

- 3 · 4격 전치사 in이 '장소 이동' 동사 gehen과 결합하여 '...*로* 간다'를 뜻함.
  따라서 '방향'를 나타내므로 in은 *4격 지배!*
- 명사 Kino는 *중성*이며, 전치사 in의 *4격* 목적어이므로 *중성 4격!!*
  따라서 *중성 4격*의 정관사 *das*가 앞에 와야 하는데,
  전치사 in과 결합하여 축약형 *ins*가 됨.

문장 2

☞ 주어가 ihr이므로 화법조동사 sollen의 형태는 → soll*t*

화법조동사는 주어가 복수 및 Sie('당신은')일 때 규칙 변화함:
wir **soll***en* / ihr **soll***t* / sie, Sie **soll***en*

► 화법조동사 문장이므로 맨 뒤에 동사 원형이 옴: ... ihr soll*t* ... *machen*.

► sollen의 의미 '*...해야 한다*'는 타인의 의지나 바램에 근거함.

즉 'A가 ...해야 하는' 경우, 이는 A가 아닌 다른 누군가가 그것을 의도하거나 원하기 때문임.

여기서는 말하는 화자가 원하는 바에 따라 'A는 먼저 숙제를 *해야 하는*' 상황임.

► 「eur*e* Hausaufgabe*n*」 :

명사 Hausaufgabe*n*은 *복수*이며, 동사 machen의 *4격* 목적어이므로 *복수 4격!!*

따라서 소유대명사 euer-는 *복수 4격 정관사* di*e*처럼 어미변화 하여 eur*e*임.
소유대명사는 기본적으로 ***부정관사*** ein- 어미변화 함.
그러나 ***복수***일 경우는 ***정관사*** d- 어미변화 함.

<주의> 소유대명사 euer-는 어미변화 할 경우 eur-임. (즉, euer*e* 아님!)

4. **Möcht*en*** Sie ein Bier? - Nein, ich nehme lieber ein Glas Wein.

✺ **해석** 맥주 한 잔 드시겠어요? - 아니오, 저는 오히려 포도주 한 잔을 마실게요.

✺ **어휘** möchten [1] [타동사] ...을 원하다; [2] 「möchten ... 동사 원형」 [화법조동사] ...하고 싶다 ▌das Bier 맥주 ▌nehmen [타동사] (음식, 음료수 등을) 먹다, 마시다 (영. take) ▌lieber 오히려 ...하고 싶다 (부사어 gern(e)의 비교급!) ▌das Glas 유리잔, 유리컵 (die Gläs*er*) ▌der Wein 포도주

문장 1

☞ 주어가 Sie('당신')이므로 möchten의 형태는 → Möcht*en*
주어가 복수 및 Sie('당신은')일 때 규칙 변화함:
wir **möcht*en*** / ihr **möcht*et*** / sie, Sie **möcht*en***

<주의> 여기서 Möchten('...을 원하다')은 화법조동사가 아님. (문장 맨 뒤에 동사 원형 없음!)
오히려 4격 목적어를 지니는 타동사임.

► ein Bier는 타동사 Möchten의 4격 목적어임.

<주의> Bier('맥주')는 원래 셀 수 없는 물질명사로서 부정관사 ein-과 결합할 수 없지만,
여기서는 '맥주 한 잔', 혹은 '맥주 한 병'을 뜻하여 부정관사 ein이 앞에 옴.

문장 2

► Wein('포도주')은 셀 수 없는 물질명사로서 Glas('유리잔')를 단위로 헤아릴 수 있음.

「*ein* Glas Wein」 한 잔의 포도주 (영. a glass of wine) :

명사 Glas는 *중성*이며, 동사 nehme의 *4격* 목적어이므로 *중성 4격!!*

따라서 *중성 4격* 부정관사 *ein*이 앞에 옴.

<참고> 물질명사의 양을 헤아리는 단위:
die Tasse 찻잔 (die Tasse*n*) : eine Tasse Kaffee / zwei Tasse*n* Tee
das Glas 유리잔 (die Gläs*er*) : ein Glas Bier / drei Gläs*er* Wasser
die Dose 깡통 (die Dose*n*) : eine Dose Cola / vier Dose*n* Saft
die Flasche 병 (die Flasche*n*) : eine Flasche Milch / fünf Flasche*n* Limonade

5. Du bist sicher müde von der langen Fahrt. **Möcht*est*** du dich nicht etwas ausruhen?

✺ **해석** 틀림없이 너는 오랫동안 운전함으로 인해 피곤할 거야. 약간 휴식을 취하고 싶지 않니?

✺ **어휘** sicher 틀림없이, 확실히 ('확신'의 부사어) ▌「müde (von + 3격)」 (...로 인해) 피곤한 ▌von [3격 전치사] ~로부터 ▌lang 긴, 오랜 ▌die Fahrt 운행, 운전 ← fahren [자동사] (차 타고) 가다 ▌Möcht*est* ⇒ 「möchten ... 동사 원형」 [화법조동사] ...하고 싶다 ▌etwas [부사어] 약간, 조금 (= ein bisschen, ein wenig) ▌*aus*ruhen [분리동사&4격 재귀동사] → 「ruhen sich[4] ... *aus*」 (고된 일 뒤에) 휴식을 취하다

문장 1

► 「von d*er* lang*en* Fahrt」:

- 명사 Fahrt는 *여성*이며, *3격* 전치사 von의 목적어이므로 *여성 3격!!*
  따라서 *여성 3격* 어미 *-er*를 지닌 정관사 d*er*가 앞에 옴.
- 형용사 lang 앞에 *여성 3격*의 정관사 d*er*가 있음.
  → 따라서 von d*er* lang*en* ...
  (근거: 3격 어미 *-em*(남·중성), *-er*(여성), *-en*(복수) 뒤에 오는 형용사는 모두 *-en*임.)

문장 2

☞ 주어가 du이므로 화법조동사 möchten의 형태는 → Möchte*st*

화법조동사는 주어가 단수일 때 불규칙 변화함:
ich **möchte** / du **möchte***st* / er (sie, es) **möchte**

► 화법조동사 문장이므로 맨 뒤에 동사 원형이 옴: Möchte*st* du ... *aus*ruhen?

<주의> *aus*ruhen은 분리동사이지만 문장 맨 뒤에 원형으로 올 경우는 분리되지 않음.

► 주어가 du이므로 4격 재귀대명사는 dich임.

6. Von Computern **mö**chte er viel verstehen, aber nicht von Kunst.

✺ **해석** 컴퓨터에 대해서 그는 많은 것을 이해하고 싶어 하지만, 예술에 대해서는 그렇지 않다.

✺ **어휘** 「von + 3격」 ~에 대하여 ▌ der Computer 컴퓨터 (die Computer) ▌ 「möchten ... 동사 원형」 [화법조동사] ...하고 싶다 ▌ viel 많은, 많이 (영. much) ▌ verstehen [타동사] ...을 이해하다 ▌ die Kunst 예술, 미술 (die Künst*e*)

► 「Von Comuter*n*」:

*복수*명사 Computer가 *3격* 전치사 von과 결합하므로 *복수 3격!!*

명사의 *복수 3격*은 형태가 *-n*이므로 어미 -n을 붙여 Computer*n*임.

☞ 주어가 er이므로 화법조동사 möchten의 형태는 → möchte

화법조동사는 주어가 단수일 때 불규칙 변화함:
ich **möchte** / du **möchte***st* / er (sie, es) **möchte**

► 화법조동사 문장이므로 맨 뒤에 동사 원형이 옴: ... möchte er ... *verstehen*, aber ...

7. Kann ich Ihnen helfen? - Ich **mö**chte sechs Brötchen.

✺ **해석** 무엇을 도와드릴까요? - 저는 작은 빵 6개를 원해요.

※ 빵 가게에서 점원과 고객 사이에 이루어지는 대화이다.

✺ **어휘** Kann ⇒ 「können ... 동사 원형」 [화법조동사] ...할 수 있다 ▌ 「helfen + 3격(사람)」 누구를 돕다 (3격 요구 동사!) ▌ möchten [타동사] ...을 원하다 ▌ sechs 6, 여섯 ▌ das Brötchen [축소명사] 작은 빵 (die Brötchen) <참고> 형태가 -chen인 축소명사는 항상 *중성*이며, 복수형은 *단수형과 동일*함!

문장 1

- 주어가 ich이므로 화법조동사 können의 형태는 → Kann
  화법조동사는 주어가 단수일 때 불규칙 변화함:
  ich **kann** / du **kann***st* / er (sie, es) **kann**
- 화법조동사 문장이므로 맨 뒤에 동사 원형이 옴: Kann ich ... *helfen*?
- *Kann* ich Ihnen helfen? = *Darf* ich Ihnen helfen? (영. Can/May I help you?)
- 동사 helfen의 3격 목적어이므로 Sie('당신')의 3격 형 Ihnen이 사용됨.

문장 2

☞ 주어가 Ich이므로 möchten의 형태는 → möchte
화법조동사는 주어가 단수일 때 불규칙 변화함:
ich **möchte** / du **möchte***st* / er (sie, es) **möchte**

<주의> 여기서 möchten('...을 원하다')은 화법조동사 아님. (즉, 문장 뒤에 동사 원형 없음!)
4격 목적어를 지니는 타동사임.

8. Ich suche mir einen Job für die Ferien. **K**ann*st* du mir da helfen?

   ✹ **해석** 나는 방학 동안의 일자리를 찾고 있어. 너는 그것과 관련해서 나를 도와줄 수 있겠니?

   ✹ **어휘** suchen [타동사] ...을 찾다, 구하다 → 「suchen sich^3 + 4격」 [3격 재귀동사] (자신이 갖기 위해) ...을 찾다, 구하다 ▌der Job (일정 기간 동안의) 일자리, 아르바이트 (die Job*s*) ▌für [4격 전치사] ~을 위해 ▌die Ferien (항상 복수) 휴가, 방학 ▌Kann*st* ⇒ 「können ... 동사 원형」 [화법조동사] ...할 수 있다 ▌da (앞에 언급된 내용을 받아) 그 점에서, 그것과 관련하여 ▌「helfen + 3격(사람)」 누구를 돕다 (3격 요구 동사!)

문장 1

- 주어가 Ich이므로 3격 재귀대명사는 mir임.

문장 2

☞ 주어가 du이므로 화법조동사 können의 형태는 → Kann*st*
화법조동사는 주어가 단수일 때 불규칙 변화함:
ich **kann** / du **kann***st* / er (sie, es) **kann**

- 화법조동사 문장이므로 맨 뒤에 동사 원형이 옴: Kann*st* du ... *helfen*?
- 동사 helfen의 3격 목적어이므로 ich의 3격 형 mir가 사용됨.

9. **K**önn*en* wir uns um 4 Uhr treffen? - Nein, am Nachmittag habe ich keine Zeit; erst am Abend.

   ✹ **해석** 우리 4시에 서로 만날 수 있을까? - 아니, 오후에 나는 시간이 없어, 저녁에야 비로소 (시간이 있어).

   ✹ **어휘** 「können ... 동사 원형」 [화법조동사] ...할 수 있다 ▌「um ... Uhr」 ... 시에 ▌vier 4, 넷 ▌treffen [타동사] ...을 만나다 → 「주어(*복수*) + treffen sich^4」 서로 만나다 ▌der Nachmittag 오후 (die Nachmittag*e*) : am Nachmittag 오후에 ▌die Zeit 시간 ▌erst 비로소 ▌der Abend 저녁 (die Abend*e*) : am Abend 저녁에

<참고> am Morgen 아침에, am Vormittag 오전에, am Mittag 정오에, in der Nacht 밤에

문장 1

☞ 주어가 wir이므로 화법조동사 können의 형태는 → Könn*en*

화법조동사는 주어가 복수 및 Sie('당신은')일 때 규칙 변화함:
wir **könn***en* / ihr **könn***t* / sie, Sie **könn***en*

► 화법조동사 문장이므로 맨 뒤에 동사 원형이 옴: Können wir ... *treffen*?

► 주어가 wir이므로 4격 재귀대명사는 uns임.

<참고> 주어가 복수이고, 일반 동사의 목적어로서 우연히 재귀대명사가 올 경우 재귀대명사는 "서로"로 해석됨.

Wir lieben ihn. 우리는 그를 사랑한다.
인칭대명사 4격 형

Wir lieben uns. '우리는 *우리 자신*을 사랑한다.' 즉, '우리는 *서로(를)* 사랑한다.'
4격 재귀대명사

문장 2

► 「kein*e* Zeit」:

명사 Zeit는 *여성*이며, 동사 habe의 *4격* 목적어이므로 *여성 4격!!*

따라서 kein-은 *여성 4격* 부정관사 ein*e*처럼 어미변화 하여 kein*e*임.

10. An den Wochentagen **muss** ich früh aufstehen, aber am Wochenende nicht.

✵ **해석** 나는 평일에는 일찍 일어나야 하지만, 주말에는 그럴 필요 없다.

✵ **어휘** an [3·4격전치사] → 「an + 날(3격)」 ...에 : an den Wochentagen 평일(들)에 <주의> 3·4격 전치사가 *시간적* 의미일 때는 3격 지배! ▌der Wochentag 평일, 근무일 (die Wochentag*e*) ▌muss ⇒ 「müssen ... 동사 원형」 [화법조동사] ...해야 한다 <주의> müssen의 부정문은 '...할 필요 없다' ▌früh 이른, 일찍 ▌*auf*stehen [분리동사] 일어나다, 기상하다 ▌das Wochenende 주말 (근무하지 않는 날, 즉 토요일과 일요일) ← die Woche 주일 (die Woche*n*) + das Ende 끝 ▌am Wochenende 주말에

<참고> 「an + Tag(3격)」 ...에 :
am Vormit*tag* 오전에, am Diens*tag*, 화요일에, an meinem Geburts*tag* 내 생일에

► 「An d*en* Wochentag*en*」:

- 명사 Wochentag*e*는 *복수*이며, 전치사 an의 *3격* 목적어이므로 *복수 3격!!*
  따라서 *복수 3격* 어미 *-en*을 지닌 정관사 d*en*이 앞에 옴.
- 명사의 *복수 3격*은 형태가 *-n*임!
  따라서 Wochentag*e*는 어미 *-n*이 붙어 Wochentag*en*임.

☞ 주어가 ich이므로 화법조동사 müssen의 형태는 → muss

화법조동사는 주어가 단수일 때 불규칙 변화함:
ich **muss** / du **muss***t* / er (sie, es) **muss**

► 화법조동사 문장이므로 맨 뒤에 동사 원형이 옴: ... muss ich ... *auf*stehen, aber ...
<주의> *auf*stehen은 분리동사이지만 문장 맨 뒤에 원형으로 올 때는 분리되지 않음.

► aber 뒤 문장은 축약형임: ..., aber (ich muss) am Wochenende nicht (früh *auf*stehen).
화법조동사 müssen의 부정문이므로 해석은 "...할 필요가 없다"임.

11. Ich **m**uss mich beeilen. Es ist schon Viertel vor sieben. Um sieben (Uhr) kommen unsere Gäste!

✹ **해석** 나는 서둘러야만 해. 벌써 6시 45분이야. 7시에 우리의 손님들이 오셔.

✹ **어휘** muss ⇒ 「müssen ... 동사 원형」 [화법조동사] ...해야 한다 ▌「beeilen sich[4]」 [4격 재귀동사] 서두르다, 급히 행하다 ▌das Viertel 1/4, 15분 (die Viertel) ▌sieben 7, 일곱 ▌um ... Uhr ...시에 ▌kommen [자동사] 오다 ▌der Gast 손님 (die Gäst*e*)

문장 1

☞ 주어가 Ich이므로 화법조동사 müssen의 형태는 → muss
화법조동사는 주어가 단수일 때 불규칙 변화함:
ich **muss** / du **muss*t*** / er (sie, es) **muss**

► 화법조동사 문장이므로 맨 뒤에 동사 원형이 옴: Ich muss ... *beeilen*.

► 주어가 ich이므로 4격 재귀대명사는 mich임.

문장 2

► '시간'을 표현하므로 비인칭 주어 es가 사용됨: *Es* ist ...

► Viertel *vor* sieben '7시 전 15분', 즉 '6시 45분'

문장 3

► 「unser*e* Gäste」:
명사 Gäst*e*는 *복수*이며, 문장의 *주어*이므로 *복수 1격!!*
따라서 소유대명사 unser-('우리의')는 *복수 1격* 정관사 di*e*처럼 어미변화 하여 unser*e*임.
unser- 등의 소유대명사는 기본적으로 ***부정관사*** ein- 어미변화 하지만,
복수일 경우는 ***정관사*** d- 어미변화 함.

12. Warum **w**oll*en* Sie unsere Stadt verlassen? Gefällt es Ihnen hier nicht mehr?

✹ **해석** 왜 당신은 우리 도시를 떠나시려 합니까? 여기가 당신의 마음에 들지 않나요?

✹ **어휘** warum 왜? ▌「wollen ... 동사 원형」 [화법조동사] ...하려고 하다 ▌die Stadt 시, 도시 (die Städt*e*) ▌verlassen [타동사] ...을 떠나다 ▌gefäll*t* ⇒ 「gefallen + 3격(사람)」 누구의 마음에 들다 (단수 2, 3인칭 불규칙 변화: du gefäll*st* ; er gefäll*t*) ▌... nicht mehr 더 이상 ... 않다

문장 1

☞ 주어가 Sie('당신')이므로 화법조동사 wollen의 형태는 → wollen
화법조동사는 주어가 복수 및 Sie('당신은')일 때 규칙 변화함:
wir **woll***en* / ihr **woll***t* / sie, Sie **woll***en*

▸ 화법조동사 문장이므로 맨 뒤에 동사 원형이 옴: ... wollen Sie ... *verlassen*?

▸ 「unser*e* Stadt」:
명사 Stadt는 *여성*이며, 동사 verlassen의 *4격* 목적어이므로 *여성 4격!!*
따라서 소유대명사 unser-는 *여성 4격* 부정관사 ein*e*처럼 어미변화 하여 unser*e*임.

문장 2

▸ 주어가 단수 3인칭 es이므로 동사 gefallen의 형태는 Gef*ä*ll*t*임.
<주의>
'마음에 드는 것'이 구체적인 대상이 아니라 막연히 '분위기, 환경' 등이므로 비인칭 주어 es를 사용함:
Es gefällt mir gut in Korea.
"한국의 분위기, 환경 등"이 마음에 든다. (= 한국에서 지내는 것이 마음에 든다.)
Das Wetter in Korea gefällt mir gut.
"한국의 날씨"라는 구체적 대상이 마음에 든다.

▸ 동사 Gefällt의 3격 목적어이므로 Sie('당신')의 3격 형 Ihnen이 사용됨.

13. Worüber **w**ill*st* du morgen mit ihm sprechen?

✵ **해석** 무엇에 관해 너는 내일 그와 이야기하려고 하니?

✵ **어휘** worüber 무엇에 관해? ← über [전치사] ~에 관해 + was [의문사] 무엇? ▌willst ⇒ 「wollen ... 동사 원형」 [화법조동사] ...하려고 하다 ▌morgen 내일 ▌mit [3격 전치사] ~와 함께 ▌「sprechen mit + 3격(사람)」 누구와 말하다 <참고> 「sprechen über + 4격」 ...에 관해 말하다

☞ 주어가 du이므로 화법조동사 wollen의 형태는 → will*st*
화법조동사는 주어가 단수일 때 불규칙 변화함:
ich **will** / du **will***st* / er (sie, es) **will**

▸ 화법조동사 문장이므로 맨 뒤에 동사 원형이 옴: ... will*st* du ... *sprechen*?

▸ 3격 전치사 mit의 목적어이므로 er의 3격 형 *ihm*이 사용됨.

II. 알맞은 화법조동사는? (13과, 기초문제: 교재 74쪽)

1. Peter möchte ein Auto fahren; also muss er den Führerschein machen.

✵ **해석** 페터는 자동차를 운전하고 싶어 한다. 그러므로 그는 운전면허증을 취득해야 한다.

✹ **어휘** 「möchten ... 동사 원형」 [화법조동사] ...하고 싶다 ▌das Auto 자동차 (die Auto*s*) ▌fahren [타동사] ...을 운전하다 ▌also 그러므로 (논리적 귀결) (= folglich) ▌muss ⇒ 「müssen ... 동사 원형」 [화법조동사] ...해야 한다 ▌der Führerschein 운전면허(증) (die Führerschein*e*) → den Führerschein machen 운전면허를 취득하다 **<참고>** der Schein 증명서 (die Schein*e*)

세미콜론 앞 문장

► 주어인 Peter는 er에 해당하므로 화법조동사 möchten의 형태는 → möchte
화법조동사는 주어가 단수일 때 불규칙 변화함:
ich **möchte** / du **möchte***st* / er (sie, es) **möchte**

► 화법조동사 문장이므로 맨 뒤에 동사 원형이 옴: Peter möchte ... *fahren* ; ...

► Auto는 *중성*이며 타동사 fahren의 *4격* 목적어임.
따라서 *중성 4격* 부정관사 *ein*이 앞에 옴.

세미콜론 뒤 문장

► 세미콜론 (;) 뒤 문장은 앞 문장과 일정한 의미관계를 이룸. (뒤 문장 첫 글자는 *소문자*!)
여기서는 뒤 문장 내용이 앞 문장 내용의 논리적 귀결임.
(부사어 also를 사용하여 이 의미 관계를 명시적으로 표현함!)

☞ • 내용상 '...해야 한다'를 의미하는 화법조동사 müssen이 와야 함.
• 주어가 er이므로 화법조동사 müssen의 형태는 → muss
화법조동사는 주어가 단수일 때 불규칙 변화함:
ich **muss** / du **muss***t* / er (sie, es) **muss**

► 화법조동사 문장이므로 맨 뒤에 동사 원형이 옴: ... ; also muss er ... *machen*.

► 명사 Führerschein는 *남성*이며, 동사 machen의 *4격* 목적어임.
따라서 *남성 4격* 정관사 d*en*이 앞에 옴.

2. Soll ich dir noch einen Kaffee machen? - Nein, das brauchst du nicht.

✹ **해석** (너에게) 커피 한 잔 더 줄까? - 아니, 그럴 필요 없어.

✹ **어휘** soll ⇒ 「sollen ... 동사 원형」 [화법조동사] ...해야 한다 ▌der Kaffee 커피 → 「machen + 3격(사람) + Kaffee」 누구에게 커피를 끓여주다 ▌das [지시대명사] 그것 **<참고>** das는 성, 수에 관계없이 앞의 명사, 그리고 문장 일부 및 전체 등 무엇이든 받을 수 있음! ▌brauchen [타동사] ...을 필요로 하다 (영. need)

문장 1

☞ • 대화 상대자의 의사 및 의도를 묻는 경우로서 화법조동사 sollen이 와야 함.
「*Soll* ich ... 동사 원형?」 ... 해줄까요? (상대방의 의사를 묻는 표현!)
• 주어가 ich이므로 화법조동사 sollen의 형태는 → soll
화법조동사는 주어가 단수일 때 불규칙 변화함:
ich **soll** / du **soll***st* / er (sie, es) **soll**

► 화법조동사 문장이므로 맨 뒤에 동사 원형이 옴: Soll ich ... *machen*?

► 동사 machen의 3격 목적어이므로 du의 3격 형 dir가 사용됨.

► Kaffee는 *남성*이며 machen의 *4격* 목적어임.
따라서 *남성 4격* 부정관사 ein*en*이 앞에 옴.
<주의> Kaffee('커피')는 원래 셀 수 없는 물질명사로서 부정관사 ein-과 결합할 수 없지만, 여기서는 '커피 한 잔'을 의미하여 부정관사 einen과 결합함.

문장 2

► 지시대명사 das는 동사 brauchst의 4격 목적어임.
(여기서 das는 앞 문장의 내용, 즉 '커피 한 잔 더 주는 것'을 가리킴.)

3. Darf ich mal deinen Computer benutzen? - Ja, klar!

✵ **해석** 네 컴퓨터를 한번 이용해도 되겠니? - 응. 물론이지.

✵ **어휘** Darf ⇒ 「dürfen ... 동사 원형」 [화법조동사] ...해도 된다 ▌mal 한번 (einmal의 줄임말!) ▌der Computer 컴퓨터 (die Computer) ▌benutzen [타동사] ...을 이용하다 ▌klar [1] [부사어] 당연하지, 물론이지 (구어체에서 긍정적 답변을 강조!) (= selbstverständlich, sicher); [2] [형용사] 맑은, 명확한

문장 1

☞ • 대화 상대자의 허락 및 승락을 구하는 내용이므로 화법조동사 dürfen이 와야 함.
「*Darf* ich ... 동사 원형?」 ... 해도 되나요? (상대방의 허락을 구하는 표현!)
• 주어가 ich이므로 화법조동사 dürfen의 형태는 → Darf
화법조동사는 주어가 단수일 때 불규칙 변화함:
ich **darf** / du **darf***st* / er (sie, es) **darf**

► 화법조동사 문장이므로 맨 뒤에 동사 원형이 옴: Darf ich ... *benutzen*?

► 「dein*en* Computer」 :
명사 Computer는 *남성*이며, 동사 benutzen의 *4격* 목적어이므로 *남성 4격!!*
따라서 소유대명사 dein-은 *남성 4격* 부정관사 ein*en*처럼 어미변화 하여 dein*en*임.

4. Monika, ich möchte dich auch einladen. Kommst du mit?

✵ **해석** 모니카야, 나는 너도 초대하고 싶어. 함께 가겠니?

✵ **어휘** 「möchten ... 동사 원형」 [화법조동사] ...하고 싶다 ▌*ein*laden [분리동사&타동사] ...을 초대하다 ▌Komm*st* ... *mit* ⇒ *mit*kommen [분리동사] 함께 가다, 함께 오다

문장 1

☞ • 내용상 '... 하고 싶다'를 뜻하는 화법조동사 möchten이 와야 함.
• 주어가 ich이므로 화법조동사 möchten의 형태는 → möchte
화법조동사는 주어가 단수일 때 불규칙 변화함:
ich **möchte** / du **möchte***st* / er (sie, es) **möchte**

<주의> 물론 특수한 문맥이 주어진다면 können, müssen, sollen, wollen 등, 거의 모든 화법조동사가 가능하겠지만, möchten은 별다른 문맥 조건 없이도 자연스럽게 사용됨.

► 화법조동사 문장이므로 맨 뒤에 동사 원형이 옴: ... ich möchte ... *ein*laden.

▸ 동사 *ein*laden의 4격 목적어이므로 du의 4격 형 dich가 사용됨.

5. Darf ich Sie etwas fragen? - Ja, natürlich! Fragen Sie nur!

✷ **해석** 당신에게 뭔가 질문해도 되겠습니까? - 예, 당연하지요! 걱정 말고 질문하세요.

✷ **어휘** Darf ⇒「dürfen ... 동사 원형」[화법조동사] ...해도 된다 ▌etwas 뭔가 (영. something) ▌「fragen + 4격(사람) + 4격(사물)」누구에게 무엇을 질문하다 ▌natürlich [1] [부사어] 당연하지 (구어체에서 긍정적 답변을 강조함!) ; [2] [형용사] 자연의, 당연한 ▌nur [1] 명령문에서 상대방을 안심시키거나 편안하게 하는 표현 ("걱정 말고" 등으로 해석) ; [2] 단지, 오로지

문장 1

☞ • 「*Darf* ich ... 동사 원형?」... 해도 되나요? (상대방의 허락을 구하는 표현!)

• 주어가 ich이므로 화법조동사 dürfen의 형태는 → Darf

화법조동사는 주어가 단수일 때 불규칙 변화함:
ich **darf** / du **darf***st* / er (sie, es) **darf**

▸ 화법조동사 문장이므로 맨 뒤에 동사 원형이 옴: Darf ich ... *fragen*?

▸ fragen의 4격 목적어이므로 → Sie('당신')의 4격 형 Sie가 사용됨.

문장 3

▸ Sie-명령문「동사 원형 + Sie ...!」...하세요 : frage*n* → *Fragen Sie* ...!

6. Siehst du dir heute Abend das Theaterstück im Fernsehen an? - Ich kann leider nicht. Ich habe keine Zeit dafür.

✷ **해석** 너는 오늘 저녁 TV로 그 연극 작품을 볼 거니? - 아쉽게도 불가능해. 나는 그럴 시간이 없어.

✷ **어휘** Sieh*st* ... *an* ⇒ *an*sehen [분리동사&3격 재귀동사] →「sehen sich[3] + 4격 ... *an*」...을 관람하다, 구경하다 ▌das Theaterstück 연극 작품 (die Theaterstück*e*) ← das Theater 극장 (die Theater) + das Stück 작품, 조각 (die Stück*e*) ▌im Fernsehen 텔레비전에서 ← das Fernsehen 텔레비전 프로그램 <참고> *fern*sehen [분리동사] TV 시청하다 ▌kann ⇒ können [화법조동사] ...할 수 있다 ▌leider 유감스럽게도 ▌die Zeit 시간 ▌dafür 그것을 위해 ← 전치사 für [4격 전치사] ~을 위해 + das [지시대명사] 그것

문장 1

▸ 분리동사 *an*sehen = 분리전철 *an-* + 동사 sehen
sehen은 단수 2, 3인칭 불규칙 변화: du sieh*st* ; er (sie, es) sieh*t*
따라서 *an*sehen 역시 불규칙 변화: du sieh*st* ... *an* ; er (sie, es) sieh*t* ... *an*
여기서는 주어가 du이므로 동사 형태는 Sieh*st* ... *an*임.

▸ 주어가 du이므로 3격 재귀대명사는 dir임.

문장 2

☞ • 내용상 '... 할 수 있다'를 뜻하는 화법조동사 können이 와야 함.
• 주어가 Ich이므로 화법조동사 können의 형태는 → kann
화법조동사는 주어가 단수일 때 불규칙 변화함:
ich **kann** / du **kann**st / er (sie, es) **kann**

문장 3

► 「keine Zeit」:
명사 Zeit는 *여성*이며, 동사 habe의 *4격* 목적어이므로 *여성 4격*!!
따라서 kein-은 *여성 4격* 부정관사 eine처럼 어미변화 하여 keine임.

III. 알맞은 표현은? (13과, 기초문제: 교재 74쪽)

1. Wohin soll ich mich setzen? - Hier neben mich!

✺ **해석** 내가 어디에 앉으면 될까? - 여기 내 옆에!

✺ **어휘** wohin (방향) 어디로? ▌soll ⇒ 「sollen ... 동사 원형」 [화법조동사] ...해야 한다 ▌setzen [타동사] ...을 앉히다 → 「setzen sich[4]」 [4격 재귀동사] '*자신*을 앉히다', 즉 '앉다' ▌neben [3·4격 전치사] [1] (3격 지배: 위치) ~옆에(서) ; [2] (4격 지배: 방향) ~옆으로

문장 1

☞ 타동사 setzen('...을 앉히다') 및 4격 재귀동사 「setzen sich[4]」 ('앉다')는 동작을 나타냄.
① 3·4격 전치사가 올 경우 '...로 앉히다, 앉다', 즉 '방향'을 나타내므로 항상 *4격* 지배임!
② 의문사 역시 '방향'을 나타내는 *wohin*과 결합함.

<주의>
이와는 달리 자동사 sitzen('앉아 있다')은 정지 상태를 나타냄.
① 3·4격 전치사가 올 경우 '...*에* 앉아 있다', 즉 '위치'를 나타내므로 항상 *3격* 지배임!
② 의문사 역시 '위치'를 나타내는 *wo*와 결합함.

► 대화 상대방의 의사를 묻는 말이므로 화법조동사 sollen을 사용함.
주어가 ich이므로 화법조동사 sollen의 형태는 → soll
화법조동사는 주어가 단수일 때 불규칙 변화함:
ich **soll** / du **soll**st / er (sie, es) **soll**

► 화법조동사 문장이므로 맨 뒤에 동사 원형이 옴: ... soll ich ... *setzen*?

► 주어가 ich이므로 4격 재귀대명사는 mich임.

문장 2

► Sie-명령문 혹은 du-명령문이 축약된 형태임!
① Sie-명령문일 경우 완전한 형태는: (Setzen Sie sich) Hier neben mich!
② du-명령문일 경우 완전한 형태는: (Setz dich) Hier neben mich!
즉, 여기서 3·4격 전치사 neben은 생략된 「setzen sich[4]」 와 결합하므로 4격 지배!
따라서 ich의 4격 형 mich가 사용됨: ... neben *mich*!

<주의>
Sie-명령문의 주어는 Sie이므로 4격 재귀대명사는 sich임.
du-명령문의 주어는 du이므로 4격 재귀대명사는 dich임.

2. Zu wem soll ich kommen? - Komm doch zu mir!

✷ **해석** 나는 누구에게로 가야 하니? - (그러지 말고) 나에게 와.

✷ **어휘** 「zu + 사람(3격)」 (방향) 누구에게로 ▌soll ⇒ 「sollen ... 동사 원형」 [화법조동사] ... 해야 한다 ▌kommen [자동사] 오다 ▌doch [부사어] 명령문에서 요구 내용을 강조함. ("그러지 말고 ...")

문장 1

☞ 내용상 "누구에게로?"가 되어야 하므로 「zu + wer」 형식이 와야 함.
3격 전치사 zu와 결합하므로 의문사 wer의 3격 형 wem이 사용됨.
<주의> wozu는 '사물'을 뜻하는 의문사 was가 전치사 zu와 결합한 형태로서 "무엇을 위해?"임.

► 대화 상대자의 의사를 묻는 말이므로 화법조동사 sollen을 사용함.
주어가 ich이므로 화법조동사 sollen의 형태는 → soll
화법조동사는 주어가 단수일 때 불규칙 변화함:
ich **soll** / du **soll***st* / er (sie, es) **soll**

► 화법조동사 문장이므로 맨 뒤에 동사 원형이 옴: ... soll ich ... *kommen*?

문장 2

► du-명령문 「동사 어간 ...!」 ...해라 : komm*en* → *Komm* ...!
► 3격 전치사 zu와 결합하므로 ich의 3격 형 mir가 사용됨.

3. Was möchten Sie zu Mittag essen?

✷ **해석** 당신은 점심식사로 무엇을 드시고 싶으십니까?

✷ **어휘** 「möchten ... 동사 원형」 [화법조동사] ...하고 싶다 ▌der Mittag 정오 ▌essen [타동사] ...을 먹다 ▌「essen + 4격 + zu Mittag」 ...을 점심으로 먹다 (← das Mittagessen 점심식사)

<참고>
das Frühstück 아침식사 → 「essen + 4격 + zum Frühstück」 ...을 아침으로 먹다
das Abendessen 저녁식사 → 「essen + 4격 + zu Abend」 ...을 저녁으로 먹다

► 주어가 Sie('당신')이므로 화법조동사 möchten의 형태는 → möchten
주어가 복수 및 Sie('당신')일 때 화법조동사는 규칙 변화:
wir **möchte***n* / ihr **möchte***t* / sie, Sie **möchte***n*

► 화법조동사 문장이므로 맨 뒤에 동사 원형이 옴: ... möchten Sie ... *essen*?
☞ 문장 형식 「essen + 4격 + *zu* Mittag」에 따라 전치사 zu가 와야 함.

4. Darf ich Sie __zu__ einem Glas Wein einladen?

✹ 해석 제가 당신에게 포도주 한 잔 대접해도 되겠습니까?

✹ 어휘 Darf ⇒ 「dürfen ... 동사 원형」 [화법조동사] ...해도 된다 ▌*ein*laden [분리동사&타동사] ...을 초대하다 → 「laden + 4격(사람) + zu + 3격 ... *ein*」 누구를 ...에 초대하다 ▌das Glas 유리잔 (die Gläs*er*) ▌der Wein 포도주

► 주어가 ich이므로 화법조동사 dürfen의 형태는 → Darf
주어가 단수일 때 화법조동사는 불규칙 변화:
ich **darf** / du **darf***st* / er (sie, es) **darf**

► 화법조동사 문장이므로 맨 뒤에 동사 원형이 옴: Darf ich ... *ein*laden?

☞ 분리동사 *ein*laden의 문장 형식 「laden + 4격(사람) + *zu* + 3격 ... *ein*」 에 따라 전치사 zu가 와야 함.

► Wein('포도주')은 셀 수 없는 물질명사로서 Glas('유리잔')를 단위로 수량을 헤아릴 수 있음.
「zu ein*em* Glas Wein」 :
명사 Glas는 *중성*이며, *3격* 전치사 zu와 결합하므로 *중성 3격!!*
따라서 *중성 3격* 어미 *-em*을 지닌 부정관사 ein*em*이 앞에 옴.

5. Ich möchte am Wochenende auf __die Berge__ steigen.

✹ 해석 저는 주말에 등산하기를 원해요.

✹ 어휘 「möchten ... 동사 원형」 [화법조동사] ...하고 싶다 ▌das Wochenende 주말 → am Wochenende 주말에 ▌auf [3·4격 전치사] [1] (3격 지배: 위치) ~위에, ~위에서 ; [2] (4격 지배: 방향) ~위로 ▌der Berg 산 (die Berg*e*) ▌steigen [자동사] 올라가다 → auf einen Berg steigen 산 위로 올라가다, 등산하다

► 주어가 Ich이므로 화법조동사 möchten의 형태는 → möchte
주어가 단수일 때 화법조동사는 불규칙 변화:
ich **möchte** / du **möchte***st* / er (sie, es) **möchte**

► 화법조동사 문장이므로 맨 뒤에 동사 원형이 옴: Ich möchte ... *steigen*.

☞ 3·4격 전치사 auf가 '장소 이동' 동사 steigen과 결합하여 '...로 올라가다'를 뜻함.
즉, '방향'을 나타내므로 auf는 4격 지배임!
따라서 Berg*e*는 *복수*이며 auf의 *4격*목적어이므로 *복수 4격* 정관사 *die*가 앞에 옴.

IV. 알맞은 어미는? (13과, 기초문제: 교재 74쪽)

1. Ich möchte vor unser__er__ Abreise noch d__ie__ ganz__e__ Wohnung aufräumen.

✹ 해석 나는 우리가 출발하기에 앞서 집 전체를 정리했으면 해.

✵ **어휘** 「möchten ... 동사 원형」 [화법조동사] ...하고 싶다 ▌「vor + 3격」 (시간적 의미) ~ 전에 : vor unserer Reise 우리의 여행 전에 ▌die Abreise 여행의 출발 ← *ab*reisen [분리동사] 여행을 떠나다 ▌noch [부사어] 아직, 여전히 ▌ganz 전체의 (영. whole) ▌die Wohnung 집, 아파트 (die Wohnung*en*) ▌*auf*räumen [분리동사&타동사] ...을 정돈하다, 정리하다

► 주어가 Ich이므로 화법조동사 möchten의 형태는 → möchte

주어가 단수일 때 화법조동사는 불규칙 변화:
ich **möchte** / du **möchte*st*** / er (sie, es) **möchte**

► 화법조동사 문장이므로 맨 뒤에 동사 원형이 옴: Ich möchte ... *auf*räumen.

☞ 「vor unser*er* Abreise」 :

명사 Abreise는 *여성*이며, 전치사 vor의 *3격* 목적어이므로 *여성 3격!!*

따라서 unser-('우리의')는 *여성 3격* 부정관사 ein*er*처럼 어미변화 하여 unser*er*임.

☞ 「d*ie* ganz*e* Wohnung」 :

- 명사 Wohnung은 *여성*이며, 동사 *auf*räumen의 *4격* 목적어이므로 *여성 4격!!*
  따라서 *여성 4격* 정관사 d*ie*가 앞에 옴.
- 형용사 ganz 앞에 *여성 4격*의 di*e*가 있음.
  → 따라서 di*e* ganz*e* ...
  (근거: 여성 1, 4격 di*e*, ein*e*, mein*e*, ihr*e*, unser*e*, kein*e*, dies*e* + 형용사 *-e*)

2. Ich möchte ein*en* Sprachkurs machen. Deshalb bin ich hier in Deutschland.

✵ **해석** 나는 어학 강좌를 다녔으면 해. 그런 까닭에 나는 여기 독일에 있어.

✵ **어휘** 「möchten ... 동사 원형」 [화법조동사] ...하고 싶다 ▌der Sprachkurs 어학코스 (die Sprachkurs*e*) ← der Kurs 강좌 (die Kurs*e*) : einen Kurs machen 강좌를 받다 <참고> einen Kurs besuchen 강좌를 다니다 ; einen Kurs absolvieren 강좌를 끝내다 ▌deshalb 그러므로 (= daher, deswegen) ▌bin ⇒ sein [자동사] 있다, 존재하다

문장 1

► 주어가 Ich이므로 화법조동사 möchten의 형태는 → möchte

주어가 단수일 때 화법조동사는 불규칙 변화:
ich **möchte** / du **möchte*st*** / er (sie, es) **möchte**

► 화법조동사 문장이므로 맨 뒤에 동사 원형이 옴: Ich möchte ... *machen*.

☞ 「ein*en* Sprachkurs」 :

명사 Sprachkurs는 *남성*이며, 동사 machen의 *4격* 목적어이므로 *남성 4격!!*

따라서 *남성 4격* 부정관사 ein*en*이 앞에 옴.

3. In der Nähe meiner Wohnung gibt es ein*en* Park, ein__ Einkaufszentrum und ein*e* U-Bahnstation.

✵ **해석** 나의 아파트 근처에는 공원과 쇼핑센터, 그리고 지하철역이 있다.

✵ **어휘** die Nähe 가까움, 이웃 → 「in der Nähe + 2격」 ...의 근처에 ▌die Wohnung 집, 아파트 (die Wohnung*en*) ▌gibt ⇒ geben [타동사] ...을 주다 (단수 2, 3인칭 불규칙 변화: du gib*st* ; er gib*t*) : 「es gibt + 4격」 ...이 있다 ▌der Park 공원 (die Park*s*) ▌das Einkaufszentrum 쇼핑센터 ← der Einkauf 쇼핑, 구입 + das Zentrum 센터, 중심 (die Zentr*en*) ▌die U-Bahnstation 지하철역 ← die U-Bahn 지하철 + die Station 정거장 (die Station*en*)

► 「... Nähe mein*er* Wohnung」 :

- 명사 Wohnung은 *여성*이며, 앞 명사 Nähe를 수식하는 *2격*이므로 *여성 2격*!!
  따라서 소유대명사 mein-은 *여성 2격* 어미 *-er*가 붙어 mein*er*임.
- 여성명사는 2격의 명사 어미 *-s*, *-es* 없음. (즉, Wohnung*s* 아님!)

☞ 「ein*en* Park, ein_ Einkaufszentrum und ein*e* U-Bahnstation」 :

세 개의 명사 Park, Einkaufszentrum, U-Bahnstation 모두 「Es gibt ...」 와 결합하여 *4격*이 되어야 함. 따라서:

명사 Park는 *남성*이므로 *남성 4격* 부정관사 ein*en*이 앞에 옴.

명사 Einkaufszentrum은 *중성*이므로 *중성 4격* 부정관사 ein_이 앞에 옴.

명사 U-Bahnstation은 *여성*이므로 *여성 4격* 부정관사 ein*e*가 앞에 옴.

unit 02

심화 문제

I. mögen의 알맞은 형태는? (13과, 심화문제: 교재 76쪽)

1. Der Junge __mag__ dieses Mädchen nicht.

❋ **해석** 그 소년은 이 소녀를 좋아하지 않는다.

❋ **어휘** der Junge 소년 (die Junge*n*) ▌mag ⇒ mögen [타동사] ...을 좋아하다, 선호하다 ▌das Mädchen [축소명사] 소녀 (die Mädchen) ▌dies- 이 ... (정관사 어미변화!) (영. this) <참고> jen- 저 ... (영. that)

☞ 주어인 Der Junge는 er에 해당하므로 타동사 mögen의 형태는 → mag
주어가 단수일 때 mögen은 불규칙 변화:
ich **mag** / du **mag***st* / er (sie, es) **mag**

► 「dies*es* Mädchen」 :
축소명사 Mädchen은 *중성*이며, 동사 mag의 *4격* 목적어이므로 *중성 4격!!*
따라서 지시대명사 dies-는 *중성 4격* 정관사 d*as*처럼 어미변화 하여 dies*es*임.

2. __Magst__ du amerikanische Filme? - Ja, die gefallen mir sehr gut.

❋ **해석** 너는 미국 영화들을 선호하니? - 응, (그것들은) 아주 내 마음에 들어.

❋ **어휘** Magst ⇒ mögen [타동사] ...을 좋아하다, 선호하다 ▌amerikanisch 미국의 ▌der Film 영화, 필름 (die Film*e*) ▌「gefallen + 3격(사람)」 누구의 마음에 들다

문장 1

☞ 주어가 du이므로 타동사 mögen의 형태는 → mag*st*
주어가 단수일 때 mögen은 불규칙 변화:
ich **mag** / du **mag***st* / er (sie, es) **mag**

► 「amerikanisch*e* Film*e*」 :
명사 Film*e*는 *복수*이며, 동사 magst의 *4격* 목적어이므로 *복수 4격!!*
따라서 형용사 amerikanisch는 *복수 4격 정관사* di*e*처럼 어미변화 하여 amerikanisch*e*임.
「(***관사 없이***) 형용사 + 명사」일 때 형용사는 ***정관사*** 어미변화 함!

문장 2

► 주어인 지시대명사 die는 앞 문장의 복수명사 Filme를 받음. (= "*die* (Filme)"의 축약형!)
<참고> 복수 인칭대명사 sie('그들')를 사용해도 됨: Ja, *sie* gefallen mir sehr gut.

► 동사 gefallen의 3격 목적어이므로 → ich의 3격 형 *mir*가 사용됨.
ich의 4격 형은 ***mich***

3. Mögen Sie diese Schokolade? Die ist nicht schlecht. Die mag ich sehr.

✱ **해석** 당신은 이 초콜릿을 좋아하시나요? 그것은 꽤 괜찮아요. 그것을 나는 아주 좋아한답니다.

✱ **어휘** mögen [타동사] ...을 좋아하다, 선호하다 ▌dies- [지시대명사] 이 ... (정관사 어미변화!) ▌die Schokolade [물질명사] 초콜릿 ▌schlecht 나쁜 (↔ gut 좋은)

문장 1

☞ 주어가 Sie('당신')이므로 타동사 mögen의 형태는 → Mög*en*

주어가 복수 및 Sie('당신은')일 때 mögen은 규칙 변화:
wir **mög***en* / ihr **mög***t* / sie, Sie **mög***en*

► 「dies*e* Schokolade」:

명사 Schokolade는 *여성*이며, 동사 Mögen의 *4격* 목적어이므로 *여성 4격!!*

따라서 지시대명사 dies-는 *여성 4격* 정관사 di*e*처럼 어미변화 하여 dies*e*임.

문장 2

► 지시대명사 die는 앞 문장의 여성명사 Schokolade를 받으며 이 문장의 주어임.

(= "*die* (Schokolade)"의 축약형!)

<참고> 여성 1격 인칭대명사 sie('그녀')를 사용해도 됨: *Sie* ist nicht schlecht.

문장 3

► 지시대명사 die는 앞의 여성명사 Schokolade를 받으며, 동사 mag의 4격 목적어임.

(= "*die* (Schokolade)"의 축약형!)

<참고> 여성 4격 인칭대명사 sie('그녀')를 사용해도 됨: *Sie* mag ich sehr.

☞ 주어가 ich이므로 타동사 mögen의 형태는 → mag

주어가 단수일 때 mögen은 불규칙 변화:
ich **mag** / du **mag***st* / er (sie, es) **mag**

4. Trinken Sie gern Wein? - Nein, Wein mögen wir nicht.

✱ **해석** 당신들은 포도주를 즐겨 마십니까? - 아니요, 포도주를 저희는 좋아하지 않아요.

✱ **어휘** trinken [타동사] ...을 마시다 ▌gern 즐겨, 기꺼이 ▌der Wein [물질명사] 포도주 ▌mögen [타동사] ...을 좋아하다, 선호하다

문장 1

► Wein은 동사 Trinken의 4격 목적어임.

(특정 포도주를 뜻하는 것이 아니므로 원래 부정관사 ein-이 와야 하겠지만, 셀 수 없는 물질명사로서 부정관사가 올 수 없으므로 생략됨!)

문장 2

► Wein은 동사 mögen의 4격 목적어임.

☞ 주어가 wir이므로 타동사 mögen의 형태는 → mög*en*

주어가 복수 및 Sie('당신은')일 때 mögen은 규칙 변화:
wir **mög***en* / ihr **mög***t* / sie, Sie **mög***en*

II. 내용상 알맞은 화법조동사는? (13과, 심화문제: 교재 76쪽)

1. Was will er denn jetzt schon wieder? - Du <u>sollst</u> ihm eine Zeitung holen.

   ✺ **해석** 그는 도대체 지금 또 무엇을 원하는 거야? - 네가 그에게 신문을 가져다주기를 바라고 있어.

   ✺ **어휘** will ⇒ wollen [타동사] ...을 원하다 ▌ denn [부사어] 의문문에서 불만이나 짜증을 표현함. ("도대체"로 해석!) ▌ wieder 다시 ▌ sollst ⇒「sollen ... 동사 원형」[화법조동사] ...해야 한다 ▌ die Zeitung 신문 (die Zeitung*en*) ▌「holen + 3격(사람) + 4격」누구에게 무엇을 가져오다

문장 1

► 여기서 will은 화법조동사가 아니라 4격 목적어를 지니는 타동사임.

주어가 er이므로 wollen의 형태는 → <u>will*st*</u>

타동사 wollen의 형태는 화법조동사일 경우와 동일함!
따라서 주어가 단수일 때 타동사 wollen은 불규칙 변화:
ich **will** / du **will***st* / er (sie, es) **will**

► 의문사 Was는 타동사 will의 4격 목적어임.

문장 2

☞ 화법조동사 sollen의 의미 '...*해야 한다*'는 타인의 의지나 바램에 근거한다.
여기서는 앞 문장의 주어인 er가 원하므로 "신문을 가져다 *주어야 하는*" 상황이다.
주어가 Du이므로 sollen의 형태는 → <u>soll*st*</u>

주어가 단수일 때 sollen은 불규칙 변화:
ich **soll** / du **soll***st* / er (sie, es) **soll**

► 화법조동사 문장이므로 맨 뒤에 동사 원형이 옴: Du soll*st* ... <u>*holen*</u>.

► 동사 holen의 3격 목적어이므로 → er의 <u>3격 형 ihm</u>이 사용됨.

er의 4격 형은 ***ihn***

2. Sag den Kindern, sie <u>sollen</u> ruhig sein!

   ✺ **해석** 아이들에게 말해 줘, 조용히 했으면 한다고.

   ✺ **어휘**「sagen + 3격(사람) + 4격」누구에게 무엇을 말하다 (영. say) ▌ das Kind 아이 (die Kind*er*) ▌「sollen ... 동사 원형」[화법조동사] ...해야 한다 ▌ ruhig [형용사] [1] 조용한 (↔ laut 시끄러운) ; [2] 안정된 (↔ unruhig 불안정한)

► Du-명령문「동사 어간 ...!」...해라 : sag*en* → Sag ...!

►「d<u>*en*</u> Kinder<u>*n*</u>」:

- 명사 Kind*er*는 *복수*이며, 동사 Sag의 *3격* 목적어이므로 <u>*복수 3격*</u>!!
  따라서 *복수 3격* 정관사 d<u>*en*</u>이 앞에 옴.
  <참고> 3격 어미: *-em*(남성, 중성), *-er*(여성), *-en*(복수)

- 명사의 *복수 3격*은 형태가 *-n*임.
  여기서 Kind*er*는 *복수 3격*이므로 어미 -n이 붙어 Kinder*n*임.

☞ 화법조동사 sollen의 의미 '...*해야 한다*'는 타인의 의지나 바램에 근거한다.
여기서는 말하는 화자가 원하므로 "아이들이 조용히 *해야 하는*" 상황이다.
주어가 sie('그들')이므로 sollen의 형태는 → soll*en*
주어가 복수 및 Sie('당신은')일 때 sollen은 규칙 변화:
wir **soll***en* / ihr **soll***t* / sie, Sie **soll***en*

► 화법조동사 문장이므로 맨 뒤에 동사 원형이 옴: ..., sie soll*en* ... *sein* !

3. Hier darf man nicht rauchen. Du musst deine Zigarette ausmachen.

✵ **해석** 여기서는 흡연해서는 안 돼. 너는 담배를 꺼야 해.

✵ **어휘** darf ⇒「dürfen ... 동사 원형」[화법조동사] ...해도 된다 <주의> dürfen의 부정문은 '...해서는 안 된다', 즉 '금지'를 뜻함. ▌man 사람들은 (항상 주어, 3인칭 단수 er처럼 취급) (영. people, one) ▌rauchen [자동사] 담배 피우다 ▌muss*t* ⇒「müssen ... 동사 원형」[화법조동사] ...해야 한다 ▌die Zigarette 담배 (die Zigarette*n*) ▌*aus*machen [분리동사 & 타동사] ...을 끄다, 불끄다 (↔ *an*zünden ...을 켜다, 불켜다)

문장 1

► 주어인 man은 단수 3인칭 er 취급하므로 dürfen의 형태는 → darf
주어가 단수일 때 dürfen은 불규칙 변화:
ich **darf** / du **darf***st* / er (sie, es) **darf**

► 화법조동사 문장이므로 맨 뒤에 동사 원형이 옴: ... darf man ... *rauchen*.

► 화법조동사 dürfen의 부정문은 '...해서는 안 된다', 즉 '금지'를 뜻한다.

문장 2

☞ 화법조동사 müssen의 의미 '...*해야 한다*'는 강제 및 의무에 근거한다.
(따라서 '...*하지 않을 수 없다*'로 해석 될 수 있음!)
주어가 Du이므로 müssen의 형태는 → muss*t*
주어가 단수일 때 müssen은 불규칙 변화:
ich **muss** / du **muss***t* / er (sie, es) **muss**

► 화법조동사 문장이므로 맨 뒤에 동사 원형이 옴: Du muss*t* ... *aus*machen.
분리동사이지만 문장 맨 뒤에 원형으로 오므로 전철 *aus*-가 분리되지 않음.

► 「dein*e* Zigarette」:
명사 Zigarette는 *여성*이며, 동사 *aus*machen의 *4격* 목적어이므로 *여성 4격!!*
따라서 소유대명사 dein-은 *여성 4격 부정관사* ein*e*처럼 어미변화 하여 dein*e*임.
소유대명사는 기본적으로 부정관사 ein- 어미변화 하며,
다만 복수일 경우 정관사 d- 어미변화 함.

4. Peter kann Auto fahren. Aber er ist betrunken. Er __darf__ jetzt nicht Auto fahren.

   ✹ **해석** 페터는 자동차를 운전할 수 있다. 하지만 그는 술 취한 상태다. 그는 지금 차를 운전해서는 안 된다.

   ✹ **어휘** kann ⇒「können ... 동사 원형」[화법조동사] ...할 수 있다 ▌das Auto 자동차 (die Auto*s*) → Auto fahren 차를 운전하다 ▌betrunken [형용사] 술 취한 (↔ nüchtern 술이 깬) ▌darf ⇒「dürfen ... 동사 원형」[화법조동사] ...해도 된다 **<주의>** dürfen의 부정문은 '...해서는 안 된다', 즉 '금지'를 뜻함.

문장 1

► 주어가 Peter, 즉 er에 해당하므로 können의 형태는 → __kann__

주어가 단수일 때 können은 불규칙 변화:
ich **kann** / du **kann***st* / er (sie, es) **kann**

► 화법조동사 문장이므로 맨 뒤에 동사 원형이 옴: Peter kann ... *__fahren__*.

문장 3

☞ 내용상 '금지'를 뜻해야 하므로 화법조동사 dürfen의 부정문이 사용됨('*...해서는 안 된다*'). 주어가 er이므로 dürfen의 형태는 → __darf__

주어가 단수일 때 dürfen은 불규칙 변화:
ich **darf** / du **darf***st* / er (sie, es) **darf**

► 화법조동사 문장이므로 맨 뒤에 동사 원형이 옴: Er darf ... *__fahren__*.

5. Hier ist Schwimmen verboten. Wir __dürfen__ also hier nicht schwimmen. Gehen wir dorthin!

   ✹ **해석** 여기는 수영하기가 금지되어 있어. 그러므로 우리는 여기서 수영해서는 안 돼. 저쪽으로 가자.

   ✹ **어휘** das Schwimmen 수영하기 ← schwimmen [자동사] 수영하다 **<참고>** 동사 원형을 대문자 표기하면 중성명사화! (추상적 개념인 '*...하기, ...하는 것*'을 뜻함) ▌verboten 금지된 (↔ erlaubt 허락된) ▌「dürfen ... 동사 원형」[화법조동사] ...해도 된다 ▌gehen 가다 ▌dorthin [부사어] 저쪽으로, 저 곳으로 → dort [부사어] 저기 + hin [부사어] (방향) ...으로, 그리로

문장 2

☞ 내용상 '금지'를 뜻해야 하므로 화법조동사 dürfen의 부정문이 사용됨('*...해서는 안 된다*'). 주어가 wir이므로 dürfen의 형태는 → __dürf*en*__

주어가 복수 및 Sie('당신은')일 때 dürfen은 규칙 변화:
wir **dürf***en* / ihr **dürf***t* / sie, Sie **dürf***en*

► 화법조동사 문장이므로 맨 뒤에 동사 원형이 옴: Wir dürfen ... *__schwimmen__*.

문장 3

►「동사 원형 + wir ...!」...합시다, ...하자 : Geh*en* wir ...!

6. Wohin soll ich die Blumen stellen? Auf den Tisch? - Nein, stellen Sie sie auf den Fernseher!

✵ **해석** 이 꽃들을 어디에 세워 놓아야 하나요? 탁자 위에 놓을까요? - 아니오, 그것들을 텔레비전 위에 세워 놓으세요.

✵ **어휘** wohin [의문사] 어디로? (↔ woher 어디로부터?) ▌soll ⇒「sollen ... 동사 원형」 [화법조동사] ...해야 한다 (해당 주어가 아닌 타인이 그것을 바라거나 원하므로 "... 해야 하는" 상황을 나타냄!) ▌die Blume 꽃 (die Blume*n*) ▌stellen [타동사] ...을 세워 놓다 ↔ stehen [자동사] 서 있다 ▌auf [3・4격 전치사] [1] (3격 지배: 위치) ~위에, ~위에서 ; [2] (4격 지배: 방향) ~위로 ▌der Tisch 탁자, 책상 (die Tisch*e*) ▌der Fernseher 텔레비전 (die Fernseher)

문장 1

► 타동사 stellen은 '방향'을 나타내는 의문사 wohin과 결합함!

<참고> 이와는 달리 자동사 stehen('서 있다')은 '위치'를 나타내는 의문사 wo('어디에?')와 결합함.

☞ 대화 상대자가 무엇을 원하는지? 즉 상대방의 의지 및 바램을 묻는 경우이므로 화법조동사 sollen이 사용되어야 함.

주어가 ich이므로 sollen의 형태는 → soll

주어가 단수일 때 sollen은 불규칙 변화:
ich **soll** / du **soll***st* / er (sie, es) **soll**

► 화법조동사 문장이므로 맨 뒤에 동사 원형이 옴: ... soll ich ... *stellen*?

문장 2

► 축약된 문장임. 완전한 형태는: (Soll ich sie) Auf den Tisch (stellen)?

►「... *Auf* d*en* Tisch (stellen)」:

- 3・4격 전치사 Auf가 동사 stellen과 결합하여 "... *위로* 세워 놓다"를 뜻함. 따라서 '방향'을 나타내므로 Auf는 *4격 지배!*
- 명사 Tisch는 *남성*이며, 전치사 auf의 *4격* 목적어이므로 *남성 4격!!* 따라서 *남성 4격* 정관사 d*en*이 앞에 옴.

<참고> 3・4격 전치사가 자동사 stehen('서 있다')과 결합할 경우는 *3격 지배!!*

문장 3

► Sie-명령문「동사 원형 + Sie ...!」...하세요 : ..., stell*en* Sie ...!

► 복수 인칭대명사 sie('그것들')는 앞의 복수명사 die Blume*n*을 받으며, 동사 stellen의 4격 목적어임.

►「... stellen ... *auf* d*en* Fernseher」:

- 3・4격 전치사 auf가 동사 stellen과 결합하여 "... *위로* 세워 놓다"를 뜻함. 따라서 '방향'을 나타내므로 Auf는 *4격 지배!*
- 명사 Fernseher는 *남성*이며, 전치사 auf의 *4격* 목적어이므로 *남성 4격!!* 따라서 *남성 4격* 정관사 d*en*이 앞에 옴.

7. Ich bin furchtbar müde ; ich möchte mich sofort ins Bett legen.

✷ **해석** 저는 끔찍할 정도로 피곤해요. (그래서) 저는 곧 바로 잠자리에 들었으면 해요.

✷ **어휘** furchtbar [부사어] (구어체) 끔찍하게, 아주, 매우 (부정적 의미를 강조하는 부사어!) (= schrecklich) ▌müde 피곤한 ▌「möchten ... 동사 원형」 [화법조동사] ...하고 싶다 ▌sofort 곧, 즉시 ▌das Bett 침대 (die Bett*en*) ▌「ins + 중성 4격」 (방향) ... 안으로 (ins = in das) : 「legen sich^4 ins Bett」 [4격 재귀동사] 침대에 눕다 ▌legen [타동사] (사람을) 눕히다, (사물을) 놓다 → 「legen sich^4」 [4격 재귀동사] '자신을 눕히다', 즉 '눕다'
<참고> liegen [자동사] (사람이) 누워 있다, (사물이) 놓여 있다

► 세미콜론 (;) 뒤 문장은 앞 문장과 일정한 의미관계를 이룸. (뒤 문장 첫 글자는 *소문자*!)
여기서는 "그래서, 그러므로" 등에 의해 두 문장이 연결될 수 있음.

세미콜론 앞 문장

► 부사어 furchtbar는 뒤의 형용사 müde를 수식함.

세미콜론 뒤 문장

☞ '소망, 바램' 을 뜻하는 화법조동사 möchten을 사용해야 함.
주어가 ich이므로 möchten의 형태는 → möchte
주어가 단수일 때 möchten은 불규칙 변화:
ich **möchte** / du **möchte***st* / er (sie, es) **möchte**

► 화법조동사 문장이므로 맨 뒤에 동사 원형이 옴: ...; ich möchte ... *legen*.

► 주어가 ich이므로 4격 재귀대명사는 *mich*임.
주어가 ich일 때 3격 재귀대명사는 ***mir***임.

► 「... mich ... *ins* Bett legen」 :

- 3 · 4격 전치사 in이 재귀동사 「legen sich^4」 와 결합하여 "... 안으로 눕다"를 뜻함.
따라서 '방향'을 나타내므로 in은 *4격 지배!*
- 명사 Bett는 *중성*이며, 전치사 in의 *4격* 목적어이므로 *중성 4격!!*
따라서 *중성 4격* 정관사 *das*가 앞에 오는데,
이 das가 그 앞의 전치사 in과 결합하여 *ins*가 됨.

<참고> 이와는 달리 3 · 4격 전치사가 자동사 liegen과 결합할 경우 *3격 지배!!*
im Bett *liegen* 침대에 누워 있다

8. Im Sommer muss man nicht heizen.

✷ **해석** 여름에는 난방을 할 필요가 없다.

✷ **어휘** 「im + 계절」 : im Sommer 여름에 (← der Sommer 여름) ▌muss ⇒ 「müssen ... 동사 원형」 [화법조동사] ...해야 한다, ...하지 않으면 안 된다 <주의> müssen의 부정문은 '...*할 필요 없다*' (영. need not) ▌man 사람들은 (항상 주어, 단수 3인칭 er처럼 취급!) ▌heizen [자동사] 난방하다 → die Heizung 난방, 난방 시설 (die Heizung*en*)

☞ 내용상 화법조동사 müssen의 부정문이 사용되어 "...할 필요 없다"이어야 함.
주어인 man은 단수 3인칭 er 취급하므로 müssen의 형태는 → muss
주어가 단수일 때 müssen은 불규칙 변화:
ich **muss** / du **muss***t* / er (sie, es) **muss**

► 화법조동사 문장이므로 맨 뒤에 동사 원형이 옴: ... muss man ... *heizen*.

III. 다음 중 밑줄 친 화법조동사의 의미가 다른 것은? (13과, 심화문제: 교재 76쪽)

ⓐ Susanne darf zwar Schokolade essen, aber sie soll sich danach die Zähne putzen.

✺ **해석** 수잔네는 비록 초콜릿을 먹어도 되긴 하지만, 그 뒤에는 양치질을 해야 한다.

✺ **어휘** darf ⇒「dürfen ... 동사 원형」[화법조동사] ...해도 된다①zwar ..., aber ...」 비록 ...이지만 ... 이다 ▌die Schokolade [물질명사] 초콜릿 ▌essen [타동사] ...을 먹다 ▌soll ⇒「sollen ... 동사 원형」[화법조동사] (타인의 의도나 바램에 근거하여) '...해야 한다' ▌danach 그 이후에 → nach [3격 전치사] ~후에 + das [지시대명사] 그것 ▌der Zahn 이빨 (die Zähn*e*) ▌putzen [타동사] ...을 닦다 →「putzen sich³ die Zähne」[3격 재귀동사] 양치질하다 (← '*자신*에게서 이빨을 닦다')

<참고>
① putzen [타동사] ...을 닦다
das Fenster 창문, der Boden 바닥, die Schuh*e* (복수) 구두, die Brille 안경 등
② waschen [타동사] ...을 씻다, 세탁하다
(몸) die Hand 손, das Gesicht 얼굴, (의복) die Wäsche 내의, das Auto 자동차
③ spülen [타동사] ...을 닦다, 세척하다
der Teller 접시, der Topf 냄비, das Besteck 식사 도구 (das Messer 칼, der Löffel 숟가락, die Gabel 포크)

접속사 aber 앞 문장

► 주어인 Susanne는 sie('그녀')에 해당하므로 dürfen의 형태는 → darf
주어가 단수일 때 dürfen은 불규칙 변화:
ich **darf** / du **darf***st* / er (sie, es) **darf**

► 화법조동사 문장이므로 맨 뒤에 동사 원형이 옴: Susanne darf ... *essen*, ...

접속사 aber 뒤 문장

☞ • 화법조동사 sollen은 (타인의 *의도*나 *바램*에 근거하여) '...*해야 한다*'를 뜻함.
여기서는 관련 문맥 안의 특정인, 이를테면, 수잔네의 엄마 등이 그것을 의도하거나 바라고 있기 때문에 "양치질을 *해야 하는*" 상황임.

• 주어가 sie('그녀')이므로 sollen의 형태는 → soll
주어가 단수일 때 sollen은 불규칙 변화:
ich **soll** / du **soll***st* / er (sie, es) **soll**

► 화법조동사 문장이므로 맨 뒤에 동사 원형이 옴: ... sie soll ... *putzen*.

► 주어가 sie('그녀')이므로 3격 재귀대명사는 *sich*임.

<참고> 주어가 1, 2인칭에 해당하는 ich, du, wir, ihr를 제외한 나머지 경우,
즉, 주어가 er, sie('그녀'), es, sie('그들'), Sie('당신')일 때 3, 4격 재귀대명사는 모두 *sich*임.

ⓑ Es ist schon zu spät. Wir sollen ihn nicht mehr anrufen.

✹ **해석** 벌써 시간이 너무 늦었어. 우리는 더 이상 그에게 전화하지 않는 것이 좋겠어.

✹ **어휘** 「zu + 형용사」 너무 ...한 : zu spät 너무 늦은 ▌「sollen ... 동사 원형」 [화법조동사] ...해야 한다 ▌... nicht mehr 더 이상 ... 않다 ▌*an*rufen [분리동사&타동사] → 「rufen + 4격 ... *an*」 누구에게 전화 걸다 (4격 요구 동사!)

문장 1

► '시간'을 표현하는 비인칭 주어 es가 사용됨: *Es* ist ...

문장 2

☞ • 화법조동사 sollen의 부정문은 (타인의 *의도*나 *바람*에 따라) '*...해서는 안 된다*'를 뜻함. 여기서는 화자가 그것을 의도하거나 바라고 있기 때문에 "더 이상 전화*해서는 안 되는*" 상황임. (따라서 말하는 화자의 입장에서는 자기 자신이 그것을 바라고 있기 때문에 "더 이상 전화하지 *않는 것이 좋겠어*"라고도 해석 될 수 있음.)

• 주어가 wir이므로 sollen의 형태는 → soll*en*

주어가 복수 및 Sie('당신은')일 때 sollen은 규칙 변화:
wir **soll***en* / ihr **soll***t* / sie, Sie **soll***en*

► 화법조동사 문장이므로 맨 뒤에 동사 원형이 옴: Wir soll*en* ... *an*rufen.

분리동사이지만 문장 맨 뒤에 원형으로 오므로
전철 *an*-이 분리되지 않음.

► *an*rufen의 4격 목적어이므로 er의 4격 형 ihn이 사용됨.

er의 3격 형은 ***ihm***

ⓒ Das ist meine neue Nachbarin. Sie soll eine bekannte Schauspielerin sein.

✹ **해석** 이것은 나의 새 이웃여자야. 그녀는 유명한 배우라고 하더군.

✹ **어휘** neu 새, 새로운 ▌die Nachbar*in* 이웃 여자 (die Nachbarin*nen*) ↔ der Nachbar 이웃 사람, 이웃 남자 (die Nachbar*n*) ▌soll ⇒ 「sollen ... 동사 원형」 [화법조동사] ...라고들 한다, ...라는 소문이 있다 ▌bekannt 유명한 (= berühmt) ▌die Schauspieler*in* 여자 배우 (die Schauspielerin*nen*) ↔ der Schauspieler 배우, 남자 배우 (die Schauspieler)

<참고> die Schau (TV, 연극의) 공연물, 쇼 (die Schau*en*) (영. show)

문장 1

► 「mein*e* neu*e* Nachbar*in*」:

• 명사 Nachbar*in*은 *여성*이며, 동사 ist의 *주격* 보어이므로 *여성 1격!!*
따라서 소유대명사 mein-은 *여성 1격* 부정관사 ein*e*처럼 어미변화 하여 mein*e*임.

- 형용사 neu 앞에 *여성 1격* eine에 일치하는 meine가 있음.
  → 따라서 meine neue ...
  (근거: 여성 1, 4격: eine, die, meine, seine, ihre, keine, diese + 형용사 -e)

문장 2

☞ • 화법조동사 sollen은 '...*라고들 한다*', 즉 '소문'을 뜻할 수 있음.
- 주어가 sie('그녀')이므로 sollen의 형태는 → soll
  주어가 단수일 때 sollen은 불규칙 변화:
  ich **soll** / du **soll***st* / er (sie, es) **soll**

► 화법조동사 문장이므로 맨 뒤에 동사 원형이 옴: Sie soll ... *sein*.

► 「eine bekannte Schauspieler*in*」:
- 명사 Schauspielerin은 *여성*이며, 동사 sein의 *주격* 보어이므로 *여성 1격*!!
  따라서 *여성 1격* 부정관사 eine가 앞에 옴.
- 형용사 bekannt 앞에 *여성 1격*의 eine가 있음.
  → 따라서 eine bekannte ...
  (근거: 여성 1, 4격: eine, die, meine, seine, ihre, keine, diese + 형용사 -e)

IV. 내용상 알맞은 표현(들)을 고르시오. (13과, 심화문제: 교재 76쪽)

1. Sagen Sie es ihm nicht! Er <u>darf</u> es auf keinen Fall erfahren.

✱ **해석** 그것을 그에게 말하지 마세요. 그가 그것을 들어서는 절대로 안돼요.

✱ **어휘** 「sagen + 3격(사람) + 4격」 누구에게 ...을 말하다 (영. say) ▌darf ⇒ 「dürfen ... 동사 원형」 [화법조동사] ... 해도 된다 ▌auf keinen Fall 절대 ... 않다 (부정어 nicht의 의미가 강화됨!) (영. in no case) ← der Fall 경우 (die Fälle) ▌erfahren [타동사] ...을 듣고 알다

문장 1

► Sie-명령문 「동사 원형 + Sie ...!」 ...하세요 : Sag*en* Sie ...!

► es는 중성 인칭대명사 es('그것은')의 4격 형으로서 동사 Sagen의 4격 목적어임.
  es의 3격 형은 ***ihm***

ihm은 남성 인칭대명사 er('그는')의 3격 형으로서 동사 Sagen의 3격 목적어임.
  er의 4격 형은 ***ihn***

여기서는 어순 규칙에 따라 4격 형 es가 3격 형 ihm보다 앞에 위치함!

<참고> 어순 규칙:
① *대명사*는 다른 낱말보다 앞에 위치함.
② 대명사들이 함께 올 경우는 1격 > 4격 > 3격 순서임!

문장 2

☞ • 내용상 '...해서는 안 된다', 즉 '금지'에 해당하므로 화법조동사 dürfen의 부정문이 사용됨.

- 주어가 Er이므로 dürfen의 형태는 → darf
  주어가 단수일 때 dürfen은 불규칙 변화:
  ich **darf** / du **darf***st* / er (sie, es) **darf**

► 화법조동사 문장이므로 맨 뒤에 동사 원형이 옴: Er darf ... *erfahren*.

► es는 중성 인칭대명사 es('그것은')의 4격 형으로서 동사 erfahren의 4격 목적어임.
<주의> 여기서 es는 인칭*대명사*이므로 다른 낱말, 즉 부사어 "auf keinen Fall"보다 앞에 옴!

기타 정답

Sagen Sie es ihm nicht! Er soll es auf keinen Fall erfahren.
(그것을 그에게 말하지 마세요. 절대로 그가 그것을 듣지 않았으면 해요.)

► 여기서는 화자가 그것을 의도하거나 바라고 있기 때문에 "그가 그것을 *들어서는 안 되는*" 상황임. (따라서 말하는 화자의 입장에서는 자기 자신이 그것을 바라고 있기 때문에 "그가 그것을 듣지 *않았으면 해요*"라고도 해석 될 수 있음.)

2. Der Arzt sagt, du sollst nicht rauchen.

✺ **해석** 그 의사가 말했어, 흡연하지 말라고.

✺ **어휘** der Arzt 의사 (die Ärzt*e*) ▌ sagen [타동사] ...라고 말하다 (영. say) ▌ soll*st* ⇒ 「sollen ... 동사 원형」 [화법조동사] ...해야 한다 ▌ rauchen [자동사] 흡연하다

☞ • 화법조동사 sollen의 부정문은 (타인의 *의도*나 *바람*에 따라) '...*해서는 안 된다*'를 뜻함. 여기서는 앞에서 언급된 Der Arzt가 그것을 의도하거나 바라고 있기 때문에 "흡연*해서는 안 되는*" 상황임.

- 주어가 du이므로 sollen의 형태는 → soll*st*
  주어가 단수일 때 sollen은 불규칙 변화:
  ich **soll** / du **soll***st* / er (sie, es) **soll**

► 화법조동사 문장이므로 맨 뒤에 동사 원형이 옴: ... du soll*st* ... rauchen.

기타 정답

Der Arzt sagt, du darfst nicht rauchen.
(그 의사가 말했어, 흡연해서는 안 된다고.)

► 화법조동사 dürfen의 부정문을 사용하여 '금지'의 의미를 나타낼 수도 있음.
(이 경우 sollen의 부정문보다는 '...해서는 안 된다'의 의미가 훨씬 강함!)

unit 03

마무리 문제

I. 괄호 안의 낱말을 사용하여 독일어로 옮기시오. (13과, 마무리문제: 교재 77쪽)

1. 제가 커피 한 잔 대접해도 되겠습니까? - 유감스럽게도 지금 시간이 없어요.

(ich, Kaffee, einladen, eine Tasse, zu, dürfen)

(leider, jetzt, Zeit, kein-, haben)

✺ **어휘** der Kaffee [물질명사] 커피 ▌ *ein*laden [분리동사] → 「laden + 4격(사람) + zu + 3격 ... *ein*」 누구를 ...로 초대하다 ▌ die Tasse 찻잔 (die Tasse*n*) ▌ 「dürfen ... 동사 원형」 [화법조동사] ...해도 된다 ▌ leider 아쉽게도, 유감스럽게도 ▌ jetzt 지금 ▌ die Zeit 시간 (복수 없음!)

정답 Darf ich Sie zu einer Tasse Kaffee einladen? - Leider habe ich jetzt keine Zeit.

문장 1

► "... 커피 한 잔 대접해도 되겠습니까?" → "... *한 잔의 커피에 초대해도* 되겠습니까?"로 변환하여 독일어로 옮김.

► "... 초대*해도 되겠습니까*?" → 따라서 화법조동사 dürfen이 사용되어야 함.

주어는 "제가", 즉 ich이므로 dürfen의 형태는 → darf

주어가 단수일 때 화법조동사는 불규칙 변화!
ich **darf** / du **darf***st* / er (sie, es) **darf**

► "... *초대해도* 되겠습니까?" → 따라서 화법조동사 darf와 결합하는 동사는 *ein*laden임.

화법조동사 문장이므로 동사 원형이 문장 맨 뒤에 옴: Darf ich ... *ein*laden?

*ein*laden은 분리동사이지만 문장 맨 뒤에 오므로 전철 *ein*-이 분리되지 않음!

► 우리말에 생략된 "당신을", 즉 Sie가 분리동사 *ein*laden의 4격 목적어임.

► "... *한 잔의 커피에* 초대해도 ...?"이므로 동사 *ein*laden과 결합하는 전치사 zu를 사용함.

즉, 「zu ein*er* Tasse Kaffee」:

명사 Tasse는 *여성*이며, *3격* 전치사 zu의 목적어이므로 *여성 3격!!*

따라서 *여성 3격* 어미 *-er*를 지닌 부정관사 ein*er*가 앞에 옴.

3격 어미: *-em*(남성, 중성), *-er*(여성), *-en*(복수)

문장 2

► 「kein*e* Zeit」:

명사 Zeit는 *여성*이며, 타동사인 habe의 *4격* 목적어이므로 *여성 4격!!*

따라서 *여성 4격 부정관사* eine처럼 어미변화 하여 kein*e*임.
부정어 kein-은 소유대명사 mein-, dein- ... 등과 동일하게 어미변화 함.
즉, 기본적으로 ***부정관사*** ein- 어미변화 하지만, ***복수***일 경우는 ***정관사*** d- 어미변화 함.

2. 나는 그를 좋아하기는 하지만 그를 사랑하지는 않는다.

(ich, ihn, mögen, aber, nicht, ihn, lieben)

✷ **어휘** mögen [타동사] ...을 좋아하다 ▌aber [접속사] 그러나, 하지만 ▌lieben [타동사] ...을 사랑하다 (↔ hassen [타동사] ...을 미워하다)

정답 Ich mag ihn, aber ich liebe ihn nicht.

► "... 좋아하기는 *하지만* ... 사랑하지는 않는다" → 접속사 aber를 사용하여 두 개의 문장을 연결함. (접속사 aber 앞에는 반드시 콤마(,)가 옴!)

접속사 aber 앞 문장

► 주어는 "나는", 즉 ich임.
동사는 "좋아하기는"이므로 타동사 mögen임.
따라서 문장 형태는: Ich mag ..., aber ...
타동사 mögen은 화법조동사처럼 단수일 때 불규칙 변화!
ich **mag** / du **mag***st* / er (sie, es) **mag**

► 타동사 mag의 4격 목적어는 "그를", 즉 남성 인칭대명사 er의 4격 형인 ihn임.
er('그는')의 3격 형은 ***ihm***, 4격 형은 ***ihn***

접속사 aber 뒤 문장

► 주어는 앞 문장과 동일하게 "나는", 즉 ich임.
동사는 "사랑하지는"이므로 타동사 lieben임.
따라서 문장 형태는: ... , aber ich liebe ...
<주의> 접속사 aber 뒤에 오는 문장은 원칙적으로 축약되지 않음!
여기서도 aber의 앞뒤 두 문장의 주어가 동일한 ich로서 반복되지만 생략하지 않았음:
Ich mag ..., aber *ich* liebe ...
(만약 반복되는 주어 ich를 생략하여 "Ich mag ..., aber liebe ..."라고 하면 틀림!)

► 타동사 liebe의 4격 목적어는 "그를", 즉 남성 인칭대명사 er의 4격 형인 ihn임.

► 어순 규칙: ihn은 인칭*대명사*이므로 부사어 nicht보다 앞에 위치함.

3. 나는 독일여행을 하고 싶지만 돈이 없다.

(ich, die Deutschlandreise, machen, möchten, aber, Geld, kein-, haben)

✷ **어휘** die Deutschlandreise 독일 여행 → Deutschland 독일 + die Reise 여행 (die Reise*n*) → eine Reise machen 여행하다 ▌「möchten ... 동사 원형」 [화법조동사] ...하고 싶다 ▌das Geld 돈 (복수 없음!) ▌haben [타동사] ...을 가지고 있다

정답 Ich möchte eine Deutschlandreise machen, aber ich habe kein Geld.

► "... 하고 싶*지만* ... 없다" → 접속사 aber를 사용하여 두 개의 문장을 연결함.
(접속사 aber 앞에는 반드시 콤마(,)가 옴!)

접속사 aber 앞 문장

► "독일여행을 *하고 싶지만*" → 따라서 화법조동사 möchten이 사용되어야 함.
주어는 "나는", 즉 ich이므로 möchten의 형태는 → möchte
주어가 단수일 때 화법조동사는 불규칙 변화!
ich **möchte** / du **möchte***st* / er (sie, es) **möchte**

► "독일여행을 *하고* 싶지만" → 따라서 화법조동사 möchte와 결합하는 동사는 machen임.
화법조동사 문장이므로 동사 원형이 문장 맨 뒤에 옴: Ich möchte ... *machen*, aber ...

► eine Deutschlandreise는 타동사 machen의 4격 목적어임.
(따라서 여성 4격 부정관사 eine가 옴.)

접속사 aber 뒤 문장

► "돈이 없다" → "돈*을 가지고 있지 않다*"로 변환하여 독일어로 옮김.

► 주어는 앞 문장과 동일하게 "나는", 즉 ich임.
동사는 "가지고 있지"이므로 타동사 haben임.
따라서 문장 형태는: ..., aber ich habe ...

<주의> 접속사 aber 뒤에 오는 문장은 원칙적으로 축약되지 않음!
여기서도 aber의 앞뒤 두 문장의 주어가 동일한 ich로서 반복되지만 생략하지 않았음:
Ich möchte ..., aber *ich* habe ...
(만약 반복되는 주어 ich를 생략하여 "Ich möchte ..., aber habe ..."라고 하면 틀림!)

► "*돈을* 가지고 있지 *않다*" → 동사 habe의 4격 목적어로서「kein- + Geld」형식을 사용하여 부정문을 만듦.
즉,「*kein* Geld」:
명사 Geld는 *중성*이며, 동사 habe의 *4격* 목적어이므로 *중성 4격!!*
따라서 kein-은 *중성 4격* 부정관사 ein_처럼 어미 없이 kein_임.

4. 너 빨리 사장님께 오래. 사장님이 너하고 이야기하시고 싶대.

(du, schnell, der Chef, zu, kommen, sollen) (er, du, mit, sprechen, möchten)

✲ **어휘** schnell [형용사] 빠른, (부사적) 빨리 (↔ langsam 느린, 느리게) ▌der Chef 사장, 부장, 과장 (die Chef*s*) ▌「zu + 사람(3격)」 (방향) 누구에게로 : zum Chef 사장에게로 (zum = zu dem) ▌kommen [자동사] 오다 ▌「sollen ... 동사 원형」 [화법조동사] (특정인의 의도나 바램에 따라) ...해야 한다 ▌mit [3격 전치사] ~와 함께 ▌「sprechen mit + 3격(사람)」 누구와 이야기하다

정답 Du sollst schnell zum Chef kommen. Er möchte mit dir sprechen.

문장 1

► "너 빨리 사장님께 오래"는 "너 빨리 사장님께 *가야 해*. (그렇게 사장님께서 지시하셨어.)" 라고 바꾸어 독일어로 옮김.

따라서 사장님의 의도나 바램에 근거하여 "... 빨리 사장님께 *가야 하는*" 상황이므로 화법조동사 *sollen*이 사용됨.

► 주어는 "너(는)", 즉 du이므로 sollen의 형태는 → soll*st*

주어가 단수일 때 화법조동사는 불규칙 변화!
ich **soll** / du **soll***st* / er (sie, es) **soll**

► "... 사장님께 *가야* 해"는 사장님의 관점에서 "... 사장님께 *와야* 해"로 표현함.
따라서 화법조동사 soll*st*와 결합하는 동사는 kommen임.
화법조동사 문장이므로 동사 원형이 문장 맨 뒤에 옴: Du soll*st* ... *kommen*.

► "사장님께"는 '장소 이동' 동사 kommen과 연결되어 '방향'을 나타내어 "사장님*에게로*"이므로 「zu + 사람」 형식을 사용함.
즉, 「*zum* Chef」 :
명사 Chef는 *남성*이며, *3격* 전치사 zu의 목적어이므로 *남성 3격!!*
따라서 *남성 3격* 어미 *-em*을 지닌 정관사 d*em*이 앞에 와야 하는데,
이 d*em*이 그 앞의 전치사 *zu*와 결합하여 *zum*이 됨.

문장 2

► "... 이야기하시고 *싶대*"는 "... 이야기하시고 *싶어 하셔*"이므로 화법조동사 *möchten*이 사용됨.
주어인 "사장님이"는 앞에서 이미 언급된 Chef를 받으므로 남성 인칭대명사 Er를 사용함.
따라서 주어가 Er이므로 möchten의 형태는 → möchte

주어가 단수일 때 화법조동사는 불규칙 변화!
ich **möchte** / du **möchte***st* / er (sie, es) **möchte**

► "... *이야기하시고* 싶어 하셔" → 따라서 화법조동사 möchte와 결합하는 동사는 sprechen임.
화법조동사 문장이므로 동사 원형이 문장 맨 뒤에 옴: Er möchte ... *sprechen*.

► "*너하고* 이야기하시고" → "*너와* (*함께*) 이야기하시고 ..."
따라서 동사 sprechen과 결합되는 전치사인 mit를 사용함.
3격 전치사 mit의 목적어이므로 du의 3격 형 dir가 옴: ... *mit dir* sprechen.

du의 3격 형은 ***dir***, 4격 형은 ***dich***

5. 내일 언제 올까요? - 일찍 올 필요 없어요. 오후에 와도 돼요.

(morgen, wann, kommen, sollen) (früh, kommen, müssen, nicht)

(am Nachmittag, kommen, können)

✱ **어휘** morgen [부사어] 내일 ▌wann [의문사] 언제? ▌kommen [자동사] 오다 ▌「sollen ... 동사 원형」 [화법조동사] (특정인의 의도나 바램에 따라) ...해야 한다 **<주의>** müssen의 부정문은 '...할 필요 없다'임 (영. need not) ▌früh [형용사] 이른, (부사적) 일찍 (↔ spät 늦은, 늦게) ▌「müssen ... 동사 원형」 [화법조동사] (강제, 의무) ...해야 한다, ...하지 않을 수 없다 ▌der Nachmittag 오후 → am Nachmittag 오후에 ▌「können ... 동사 원형」 [화법조동사] [1] (허락, 승낙) ...해도 되다 ; [2] (가능성, 능력) ...할 수 있다

(정답) Wann soll ich morgen kommen? - Sie müssen nicht früh kommen.
Sie können am Nachmittag kommen.

문장 1

► "내일 언제 *올까요?*" → "(당신이 바라는 바에 따르자면) 내일 언제 *와야 합니까?*"에 해당함.
따라서 특정인의 의도나 바램에 따라 "... *해야 하는*" 상황이므로 화법조동사 *sollen*이 사용됨.
우리말에서 생략된 "제가", 즉 ich가 주어이므로 sollen의 형태는 → soll

주어가 단수일 때 화법조동사는 불규칙 변화!
ich **soll** / du **soll***st* / er (sie, es) **soll**

► "... *와야* 합니까?" → 따라서 화법조동사 soll과 결합하는 동사는 kommen임.
화법조동사 문장이므로 동사 원형이 문장 맨 뒤에 옴: ... soll ich ... *kommen*?

► 이 문장은 대화 상대자의 의향을 묻는 표현임.
이와 같이 대화 상대자의 의향을 묻는 경우 화법조동사 sollen의 의문문이 사용됨:
Soll ich ...? 제가 ...할까요? / Was *soll ich* ...? 제가 무엇을 ...해야 하나요?

문장 2

► "... *필요 없어요*" → 따라서 화법조동사 müssen의 부정문이 사용됨.
우리말에서 생략된 "당신은", 즉 Sie가 주어이므로 müssen의 형태는 → müss*en*

주어가 복수 및 Sie('당신은')일 때 화법조동사는 규칙 변화!
wir **müss***en* / ihr **müss***t* / sie, Sie **müss***en*

► "일찍 *올* 필요 없어요" → 따라서 화법조동사 müss*en*과 결합하는 동사는 kommen임.
화법조동사 문장이므로 동사 원형이 문장 맨 뒤에 옴: Sie müss*en* ... *kommen*.

문장 3

► "... 와도 *돼요*" → '허락, 승낙'의 내용이므로 화법조동사 dürfen이나 können이 사용됨.
(여기서는 können이 사용됨.)
우리말에서 생략된 "당신은", 즉 Sie가 주어이므로 können의 형태는 → könn*en*

주어가 복수 및 Sie('당신은')일 때 화법조동사는 규칙 변화!
wir **könn***en* / ihr **könn***t* / sie, Sie **könn***en*

► "... *와도* 돼요" → 따라서 화법조동사 können*en*과 결합하는 동사는 kommen임.
화법조동사 문장이므로 동사 원형이 문장 맨 뒤에 옴: Sie könn*en* ... *kommen*.

6. 이 음식이 맛있을지는 몰라도 나는 지금 식욕이 없다.

(dies-, Gericht, schmecken, gut, mögen, aber, ich, Appetit, jetzt, kein-, haben)

✽ 어휘 dies- [지시대명사] 이 ... (정관사 어미변화!) ▌das Gericht (따뜻하게 조리된) 음식 (die Gericht*e*) ▌「주어(음식) + schmecken + 3격(사람) + (gut)」 무엇은 누구에게 (매우) 맛있다 ▌「mögen ... 동사 원형」 [화법조동사] (추측, 개연성) ...일지 모른다, ...일 수 있다 ▌der Appetit 식욕 (복수 없음!) → 「haben keinen Appetit (auf + 4격)」 (...에 대한) 식욕이 없다

<참고> 「haben großen Appetit (auf + 4격)」 (...에 대한) 식욕이 크다

정답 Dieses Gericht mag gut schmecken, aber ich habe jetzt keinen Appetit.

► "이 음식이 맛있을지는 *몰라도* 나는 지금 식욕이 없다"
→ "이 음식이 맛있을지는 *모르지만* 나는 지금 식욕이 없다"로 바꾸어 이해함.
따라서 접속사 aber를 사용하여 두 개의 문장을 연결함.
(접속사 aber 앞에는 반드시 콤마(,)가 옴!)

접속사 aber 앞 문장

► 주어인 "이 음식은"은 「지시대명사 dies- + Gericht」 형식으로 표현함.
즉, 「Dies*es* Gericht」:
명사 Gericht는 *중성*이며, *주어*이므로 *중성 1격!!*
따라서 지시대명사 Dies-는 *중성 1격* 정관사 d*as*처럼 어미변화 하여 Dies*es*임.

► "... 맛있을*지는 모르지만* ..." → 따라서 '추측'을 나타내는 화법조동사 mögen이 사용됨.
주어인 Dieses Gericht는 중성의 es('그것은')에 해당하므로 mögen의 형태는 → mag
주어가 단수일 때 화법조동사는 불규칙 변화!
ich **mag** / du **mag***st* / er (sie, es) **mag**

► "... *맛있을지는* 모르지만 ..." → 따라서 화법조동사 mag과 결합하는 동사는 schmecken임.
화법조동사 문장이므로 동사 원형이 문장 맨 뒤에 옴:
Dieses Gericht mag ... *schmecken*, aber ...

► 이 문장은 '추측, 가능성'을 나타내는 화법조동사 können으로도 표현될 수 있음:
Dieses Gericht *kann* gut schmecken, aber ...

접속사 aber 뒤 문장

► "식욕이 없다"는 문장 형식「haben keinen Appetit」를 사용하여 표현함.
주어가 "나는", 즉 ich이므로 문장 형태는: ..., aber *ich habe* ... keinen Appetit.

► 「kein*en* Appetit」:
명사 Appetit는 *남성*이며, 동사 habe의 *4격* 목적어이므로 *남성 4격!!*
따라서 kein-은 *남성 4격* 부정관사 ein*en*처럼 어미변화 하여 kein*en*임.

II. 잘못된 부분(들)을 고쳐서 다시 적으시오. (13과, 마무리문제: 교재 77쪽)

1. Ich möge[오류1] gern Eis, aber ich dürfe[오류2] kein Eis essen.

✹ **해석** 나는 아이스크림을 좋아하지만, 아이스크림을 먹어서는 안 된다.

✹ **어휘** mögen [타동사] ...을 좋아하다, 선호하다 ▌das Eis [물질명사] 아이스크림 ▌「dürfen ... 동사 원형」 [화법조동사] (허락, 승낙) ...해도 된다, ...할 수 있다 <주의> dürfen의 부정문은 '...해서는 안 된다', 즉 '금지'를 뜻함. ▌essen [타동사] ...을 먹다

<오류> 1

주어가 Ich이므로 타동사 mögen의 형태는 불규칙 변화하여 mag이어야 옳음!

<오류> 2

주어가 ich이므로 화법조동사 dürfen의 형태는 불규칙 변화하여 darf이어야 옳음!

정답 Ich *mag* gern Eis, aber ich *darf* kein Eis essen.

접속사 aber 앞 문장

► 주어가 Ich이므로 타동사 mögen의 형태는 → mag

타동사 mögen은 화법조동사처럼 주어가 단수일 때 불규칙 변화!
ich **mag** / du **mag***st* / er (sie, es) **mag**

► Eis는 타동사 mag의 4격 목적어임.

<주의> 내용상 "그 아이스크림"이 아니므로 원칙적으로 정관사가 아닌 부정관사가 와야 하지만, 명사 Eis('아이스크림')는 셀 수 없는 물질명사로서 부정관사 ein-과 결합할 수 없으므로 관사 없이 사용됨.

► 타동사 mögen('...을 좋아하다, 선호하다')은 부사어 gern('즐겨, 기꺼이')과 의미가 서로 상응하므로 함께 문장에 나오는 경우가 빈번함.

접속사 aber 뒤 문장

► 주어가 ich이므로 화법조동사 dürfen의 형태는 → darf

화법조동사 dürfen은 주어가 단수일 때 불규칙 변화!
ich **darf** / du **darf***st* / er (sie, es) **darf**

► 화법조동사 darf가 있으므로 동사 원형이 문장 맨 뒤에 옴: ... ich darf ... *essen*.

► 「*kein* Eis」:

명사 Eis는 *중성*이며, 동사 essen의 *4격* 목적어이므로 *중성 4격!!*

따라서 kein-은 *중성 4격* 부정관사 ein_처럼 어미 없이 kein_임.

2. Sie ist 40 Jahre alt. Sie mag[오류] wieder 20 sein.

✷ **해석** 그녀는 40세이다. 그녀는 다시 20세이고 싶어 한다.

✷ **어휘** vierzig 40 ▌das Jahr 해, 년 (die Jahr*e*) ▌alt 늙은, 낡은 (영. old) ▌wieder [부사어] 다시 (영. again) ▌zwanzig 20

<참고> 20 zwan*zig* / 30 drei*ßig* / 40 vier*zig* / 50 fünf*zig* / 60 sech*zig* / 70 sieb*zig*
80 acht*zig* / 90 neun*zig* / (ein)hundert 100

<오류>

내용상 '...이고 싶어 하다', 즉 '소원, 바람'을 뜻하는 화법조동사 *möchten*이 와야 옳음!

정답 Sie ist 40 Jahre alt. Sie *möchte* wieder 20 sein.

문장 1

► 주어인 Sie는 문장 맨 앞에서 대문자 표기된 여성 인칭대명사 sie('그녀는')임.
(동사 sein의 형태가 ist이므로 복수의 sie('그들은')이나 격식칭 Sie('당신은')는 될 수 없음!)

► '나이'를 말할 경우 형용사 alt가 동사 sein의 형용사 보어가 되며,
연령 수치가 부사어로서 형용사 alt 앞에 위치함:
Sie ist 40 Jahre alt. 직역하면 "그녀는 40세만큼 늙은 상태이다", 즉 "그녀는 40세이다."

<참고>
나이, (사람의) 키, 크기, 길이, 폭, 크기, 높이, 거리, 깊이 등 일정 자질의 정도를 표현할 경우
해당 자질을 나타내는 형용사가 동사 sein의 형용사 보어가 됨:

① 나이: Er ist dreißig Jahre *alt*. 그는 30세이다.
② 키: Er ist 1,70 m *groß*. 그는 키가 170 cm이다.
③ 크기(넓이): Das Zimmer ist zwölf Quadratmeter *groß*. 그 방은 12 m^2 크기이다.
④ 길이, 폭: Die Küche ist vier Meter *lang* und drei Meter *breit*.
그 부엌은 길이가 4 m이고, 폭이 3 m이다.
⑤ 높이: Der Turm ist ungefähr zehn Meter *hoch*. 그 탑은 높이가 대략 10 m이다.
⑥ 거리: Die Kirche liegt über zehn Kilometer *entfernt*. 그 교회는 10 km 이상 멀리 있다.
⑦ 깊이: Hier ist das Wasser nur sechzig Zentimeter *tief*.
여기는 물 깊이가 단지 60 cm에 불과하다.

문장 2

► 주어가 여성의 sie('그녀는')이므로 화법조동사 möchten의 형태는 → möchte
주어가 단수일 때 화법조동사는 불규칙 변화!
ich **möchte** / du **möchte***st* / er (sie, es) **möchte**

► 화법조동사 möchte가 있으므로 동사 원형이 문장 맨 뒤에 옴: Sie möchte ... *sein*.

기타 정답

Sie ist 40 Jahre alt. Sie *will* wieder 20 sein.
(그녀는 40세이다. 그녀는 다시 20세이고자 한다.)

► 내용상 '...이려고 하다'라는 '의지'를 나타내는 화법조동사 *wollen*도 올 수 있음
주어가 여성의 sie('그녀는')이므로 화법조동사 wollen의 형태는 → will
주어가 단수일 때 화법조동사는 불규칙 변화!
ich **will** / du **will***st* / er (sie, es) **will**

3. Er möchte gehen[오류] heute früh nach Hause.

✺ **해석** 그는 오늘 일찍 집에 가기를 원한다.

✺ **어휘** 「möchten ... 동사 원형」 [화법조동사] ...하고 싶다 ▌gehen [자동사] 가다 ▌heute früh 오늘 일찍 → heute 오늘 + früh 일찍 ▌nach Haus(e) (방향) 집으로

<참고 1> zu Haus(e) (위치) 집에, 집에서 / von zu Haus(e) 집으로부터
<참고 2> vorgestern 그저께 - gestern 어제 - heute 오늘 - morgen 내일 - übermorgen 모레

<오류>

화법조동사와 결합하는 동사 원형은 문장 맨 뒤에 위치해야 옳음!
(예문에서는 조동사 바로 뒤에 동사 원형이 오는 영어의 경우와 혼동함.)

정답 Er möchte heute früh nach Hause *gehen*.

► 주어가 남성 인칭대명사 er('그는')이므로 화법조동사 möchten의 형태는 → möchte
주어가 단수일 때 화법조동사는 불규칙 변화!
ich **möchte** / du **möchte***st* / er (sie, es) **möchte**

► 화법조동사 möchte가 있으므로 동사 원형이 문장 맨 뒤에 옴: Er möchte ... *gehen*.

4. Er sollt[오류1] krank sein. Mag[오류2] ich bei ihm vorbeischauen? - Ja, bitte.

✺ **해석** 그가 아프다고들 해. 잠깐 그를 방문해도 돼? - 응, 그렇게 해.

✺ **어휘** 「sollen ... 동사 원형」 [화법조동사] [1] (소문, 미확인 정보) ...라고들 한다 ; [2] (특정인의 의도나 바램에 따라) ...해야 한다 ▌krank [형용사] 아픈 (↔ gesund 건강한) ▌Mag ⇒ 「mögen ... 동사 원형」 [화법조동사] (추측, 개연성) ...일지 모른다, ...일 수 있다 ▌*vorbei*schauen [분리동사] → *vorbei-* 잠깐 거쳐서 + schauen [자동사] 쳐다보다, 바라보다 : 「schauen bei + 3격(사람) ... *vorbei*」 (구어체) 누구를 잠깐 방문하다, 누구에게 잠깐 들르다

<참고>

분리전철 vorbei-는 보통 '장소 이동' 동사와 결합하여 '잠깐 거쳐 가다, 지나쳐 가다'를 뜻함:
*vorbei*fahren → 「fahren an + 3격(사람, 사물) ... *vorbei*」 누구(무엇) 옆을 지나쳐 가다

<오류> 1

화법조동사는 주어가 단수일 때 일반 동사와는 달리 불규칙 변화 함.
주어가 단수 3인칭 남성 er('그는')일 때 화법조동사 sollen의 형태는 soll이어야 옳음!

<오류> 2

'추측, 개연성'을 나타내는 화법조동사 mögen('...일지 모른다')이 온 것은 내용상 옳지 않음.
문맥을 고려할 때 '허락, 승낙'을 나타내는 화법조동사 dürfen('...해도 된다')이 와야 옳음!

정답 Er *soll* krank sein. *Darf* ich bei ihm vorbeischauen? - Ja, bitte.

문장 1

► 여기서 화법조동사 sollen은 '...라고들 한다'는 의미의 '소문, 미확인 정보'을 나타냄.
주어가 남성 인칭대명사 Er('그는')이므로 화법조동사 sollen의 형태는 → soll
주어가 단수일 때 화법조동사는 불규칙 변화!
ich **soll** / du **soll***st* / er (sie, es) **soll**

► 화법조동사 soll이 있으므로 동사 원형이 문장 맨 뒤에 옴: Er soll ... *sein*.

문장 2

► 주어가 ich이므로 화법조동사 dürfen의 형태는 → Darf
주어가 단수일 때 화법조동사는 불규칙 변화!
ich **darf** / du **darf***st* / er (sie, es) **darf**

► 화법조동사 Darf가 있으므로 동사 원형이 문장 맨 뒤에 옴: Darf ich ... *vorbei*schauen?

► 3격 전치사 bei와 결합하므로 er의 3격 형 *ihm*이 사용됨: ... bei *ihm* ...

er('그는')의 3격 형은 ***ihm***, 4격 형은 ***ihn***

기타 정답 1

Er *muss* krank sein. *Kann* ich bei ihm vorbeischauen? - Ja, bitte.

그가 아픈 게 틀림없어. 잠깐 그를 방문해도 돼? - 응, 그렇게 해.

문장 1

► 내용상 '...임에 틀림없다'는 '확신, 추측'의 화법조동사 형식 「müssen ... sein」을 사용할 수 있음.

► 주어가 Er이므로 화법조동사 müssen의 형태는 → muss

주어가 단수일 때 화법조동사는 불규칙 변화!
ich **muss** / du **muss*t*** / er (sie, es) **muss**

문장 2

► '허락, 승낙'을 나타내는 화법조동사로서 dürfen 이외에 können도 사용할 수 있음.

► 주어가 ich이므로 화법조동사 können의 형태는 → Kann

주어가 단수일 때 화법조동사는 불규칙 변화!
ich **kann** / du **kann*st*** / er (sie, es) **kann**

기타 정답 2

Er *kann* krank sein. Darf ich bei ihm vorbeischauen? - Ja, bitte.

그가 아플 가능성이 있어. 잠깐 그를 방문해도 돼? - 응, 그렇게 해.

문장 1

► 내용상 '가능성, 추측'의 '...일 수 있다'를 뜻하는 화법조동사 können도 가능함.

► 주어가 Er이므로 화법조동사 können의 형태는 → kann

주어가 단수일 때 화법조동사는 불규칙 변화!
ich **kann** / du **kann*st*** / er (sie, es) **kann**

<주의>
'...일지 모른다'를 뜻하는 화법조동사 mögen을 부사어 wohl과 함께 사용하여
"Er mag wohl krank sein"이라고 말할 수도 있음.
그러나 이 문장은 요즈음은 잘 사용하지 않는 옛 문체의 느낌을 줌.

5. Hier ist der[오류1] Parken verboten. Hier muss[오류2] man also nicht parken.

✷ **해석** 이곳은 주차가 금지되어 있어요. 그러므로 여기서는 주차하면 안 돼요.

✷ **어휘** hier [부사어] 여기에 (↔ dort, da 저기에) ▌parken [자동사] 주차하다 ▌verboten [형용사] 금지된 (↔ erlaubt 허락된) ▌「müssen ... 동사 원형」 [화법조동사] (강제, 의무) ...해야 한다 ▌man 사람들은 (항상 주어임, 단수 3인칭 er 취급!) ▌also [부사어] (논리적 귀결) 그러므로 ▌「dürfen ... 동사 원형」 (허락, 승낙) ...해도 된다 <주의> dürfen의 부정문은 '...해서는 안 된다'는 '금지'를 나타냄

<오류> 1

동사 parken이 명사화 된 형태인 Parken은 *중성*명사이므로 정관사 *das*와 결합해야 옳음!

<오류> 2

내용상 '...해서는 안 된다', 즉 '금지'를 뜻해야 하므로 화법조동사 dürfen의 부정문이 와야 옳음!
(예문에 나온 화법조동사 müssen의 부정문은 '...할 필요가 없다'이므로 내용상 맞지 않음.)

정답 Hier ist *das Parken* verboten. Hier *darf* man also nicht parken.

문장 1

► 동사의 명사화: 동사 원형을 *대문자* 표기하면 *중성*명사가 되며, 의미는 '...*하는 것*, ...*하기*'임.

parken 주차하다 → *das* Parken 주차하는 것, 주차하기

<주의> 이 경우 보통은 정관사 das가 함께 사용됨.

문장 2

► 부정대명사 man('사람들')은 단수 3인칭 er('그는') 취급 함.

따라서 man이 주어일 때 화법조동사 dürfen의 형태는 → darf

주어가 단수일 때 화법조동사는 불규칙 변화!
ich **darf** / du **darf***st* / er (sie, es) **darf**

► 화법조동사 문장이므로 동사 원형이 문장 맨 뒤에 옴: ... darf man ... parken.

독문법 강의록 – 해설편 I

초판 1쇄 발행 2012년 3월 15일
초판 2쇄 발행 2017년 4월 4일

지은이 신형욱 · 김백기
발행인 김인철
총괄 · 기획 가정준 Director, University Press
편집장 신선호 Executive Knowledge Contents Creator
도서편집 김민정 Contents Creator
전자책편집 최인우 Chief e-Contents Creator
재무관리 김은혜 Managing Creator
발행처 한국외국어대학교 지식출판원
02450 서울특별시 동대문구 이문로 107
전화 02)2173-2493~7
FAX 02)2173-3363
홈페이지 http://press.hufs.ac.kr
전자우편 press@hufs.ac.kr
출판등록 제6-6호(1969. 4. 30)
디자인 · 편집 (주)이환디앤비 02)2254-4301
인쇄 · 제본 네오프린텍 02)718-3111

ISBN 978-89-7464-721-6 14750
ISBN 978-89-7464-719-3 (세트) 세트정가 62,000원

* 잘못된 책은 교환하여 드립니다.

HU:iNE 은 한국외국어대학교 지식출판원의 어학도서, 사회과학도서, 지역학 도서 Sub Brand이다. 한국외대의 영문명인 HUFS, 현명한 국제전문가 양성(International+Intelligent)의 의미를 담고 있으며, 휴인(携引)의 뜻인 '이끌다, 끌고 나가다' 라는 의미처럼 출판계를 이끄는 리더로서, 혁신의 이미지를 담고 있다.